Britannica®

ENCICLOPEDIA
UNIVERSAL
ILUSTRADA

corona
————————
Drummond

ENCYCLOPÆDIA
Britannica®

Britannica

ENCICLOPEDIA UNIVERSAL ILUSTRADA

Edición en español de BRITANNICA CONCISE ENCYCLOPEDIA

© 2006 Encyclopædia Britannica, Inc.

Encyclopædia Britannica, Britannica y el logotipo del cardo son marcas registradas de Encyclopædia Britannica, Inc.

Edición promocional para América Latina desarrollada, diseñada y publicada por Sociedad Comercial y Editorial Santiago Ltda., Avda. Apoquindo 3650, Santiago, Chile.

(Todos los derechos reservados).

ISBN 956-8402-79-9 (Obra completa)
ISBN 956-8402-85-3 (Volumen 6)

Impreso en Chile, Printed in Chile.
Código de barras 978 956840285 - 3

corona Región externa de la atmósfera del SOL (o de cualquier ESTRELLA), constituida por PLASMA. La corona solar tiene una temperatura aproximada de 2 millones °C (3,6 millones °F) y una densidad muy baja. Se extiende más de 13 millones de km (8 millones de mi) desde la FOTOSFERA, no tiene límites definidos, pues varía en tamaño y forma en la medida que es afectada por el CAMPO MAGNÉTICO del Sol. El VIENTO SOLAR está formado por la expansión de los gases de la corona. El brillo de la corona es sólo la mitad del de la Luna llena; es sobrepasado por la brillantez de la superficie solar y normalmente es invisible al ojo humano, pero un ECLIPSE total permite observaciones a simple vista.

corona del inca ver POINSETIA

Corona, joyas de la ver JOYAS DE LA CORONA

Coronado, Francisco Vázquez de (c. 1510, Salamanca, España–22 sep. 1554, México). Explorador español del sudoeste de Norteamérica. Nombrado gobernador de Nueva Galicia en el centro-oeste de México, fue enviado al norte con una numerosa expedición para localizar y capturar las legendarias siete ciudades de CIBOLA, de las cuales se decía que eran fabulosamente ricas. Sin embargo, se desilusionó al descubrir que el tesoro de Cibola se reducía a un mísero poblado de los indios ZUÑI de Nuevo México y a una tribu indígena seminómada en Kansas. Si bien el tesoro que perseguía le fue esquivo, sus exploradores fueron los primeros europeos en avistar el Gran Cañón del Colorado; Vázquez de Coronado permitió extender los territorios de la Corona española sobre una vasta superficie del sudoeste de Norteamérica. El fracaso de la expedición condujo a una acusación en su contra tras su regreso a México, de la que fue absuelto.

coronaria, cardiopatía ver CARDIOPATÍA CORONARIA

coroner Funcionario público cuyo cometido principal es investigar toda muerte que no parezca natural. El título del cargo, en la forma en que surgió en Inglaterra a fines del s. XII fue "crowner" (de *crown*, corona en inglés) o también "coronator", para referirse a su principal deber, que era proteger los bienes de la corona. Hacia fines del s. XIX, el papel del *coroner* había derivado hacia la investigación de las muertes no debidas a causas naturales. En Canadá todos los *coroners* son designados. En EE.UU. pueden ser elegidos o designados según la jurisdicción de que se trate. Los *coroners* a menudo tienen conocimientos médicos y legales, pero el cargo suele ser desempeñado por personas no letradas, representantes de empresas funerarias, alguaciles y jueces de paz. En muchos estados de EE.UU., el cargo ha sido reemplazado por el de médico forense, que habitualmente es un patólogo autorizado.

"Florencia vista desde los jardines Boboli", paisaje del natural de Jean-Baptiste-Camille Corot; Museo del Louvre, París, Francia.
FOTOBANCO

Corot, (Jean-Baptiste-) Camille (16 jul. 1796, París, Francia–22 feb. 1875, París). Paisajista francés. De padres acomodados, no resultó apto para el negocio familiar. A los 25 años de edad se le dio una pequeña mesada para iniciar su formación artística. Viajó en forma frecuente y pintó paisajes del natural a lo largo de su carrera, pero prefirió hacer pequeños esbozos al óleo y dibujos inspirados en la naturaleza. A partir de estos realizó grandes pinturas para ser expuestas. En 1850 ya había logrado el éxito de la crítica y grandes ingresos, y fue generoso con los artistas menos afortunados. Sus bosquejos del natural ejecutados al óleo son hoy en día más apreciados que sus acabadas pinturas poéticas. Se lo suele asociar con la escuela de BARBIZON. Fue un maestro de la degradación tonal y de los suaves bordes, y su arte preparó el camino para los paisajistas impresionistas del IMPRESIONISMO. Ejerció una importante influencia en CLAUDE MONET, CAMILLE PISSARRO y BERTHE MORISOT.

Corporación 3M Empresa estadounidense fabricante de una amplia gama de productos, con oficinas centrales en St. Paul, Minn. Se constituyó en 1902 con la razón social Minnesota Mining and Manufacturing Co. Su primer producto fue el papel lija. Tuvo un crecimiento sostenido e incorporó a su línea de productos la cinta de celofán original, conocida como cinta Scotch, y la cinta adhesiva protectora. Otra de sus innovaciones es el bloc de notas "post-it", introducido en 1980 y ampliamente utilizado. Los productos 3M comprenden películas fotográficas, videocintas, elementos para gráfica computacional y productos para el cuidado de la salud. Se destaca entre las empresas diversificadas de EE.UU. porque debe su crecimiento al aprovechamiento de sus recursos internos y no a adquisiciones en gran escala.

Corporación Federal de Seguros de Depósitos Institución independiente del gobierno de EE.UU. creada para asegurar los depósitos bancarios contra pérdidas en caso de quiebra de un banco y para regular ciertas prácticas bancarias. Se creó después del feriado bancario de principios de 1933, a fin de recuperar la confianza pública en el sistema. Otorga un seguro por un monto de hasta US$ 100.000 por cada depósito efectuado en los bancos que cumplen los requisitos. Se exige a todos los miembros del Sistema de la RESERVA FEDERAL asegurar sus depósitos en esta institución. Prácticamente todos los BANCOS COMERCIALES de EE.UU. optan por tomar este seguro.

corporation Forma específica de organización de personas y recursos materiales, autorizada por la ley, cuya finalidad es llevar a cabo una actividad mercantil. Comparada con las otras dos formas principales de propiedad comercial, la propiedad exclusiva y la SOCIEDAD DE PERSONAS, la *corporation* tiene varias características que la hacen un instrumento más flexible para realizar actividades económicas en gran escala. Entre ellas cabe mencionar la RESPONSABILIDAD LIMITADA, la posibilidad de transferir las acciones (los derechos sobre la empresa pueden traspasarse de manera fácil de un inversionista a otro sin necesidad de reorganizarla legalmente), la personalidad jurídica (la propia *corporation* como persona ficticia tiene capacidad legal y, en consecuencia, puede demandar y ser demandada, celebrar contratos y poseer bienes) y la duración indefinida (la vida de una *corporation* puede prolongarse más allá de la participación de cualquiera de sus fundadores). Sus dueños son los accionistas, quienes mediante su inversión adquieren una participación en las utilidades de la empresa y nominalmente tienen derecho a intervenir en su administración financiera. No obstante, el control directo por los accionistas se hizo cada vez más difícil en el s. XX en la medida en que las grandes *corporations* llegaron a tener decenas de miles de accionistas. La práctica de delegar, a través del otorgamiento de poderes, el derecho a voto de los accionistas en la administración fue legalizada y adoptada como solución, y actualmente las *corporations* son administradas por personas remuneradas que ejercen un marcado control sobre ellas y sobre sus activos. El término que equivale mejor al concepto de *corporation* es la sociedad anónima. Pese a que es muy común llamar corporación a una *corporation*, debe evitarse este error, ya que en derecho las corporaciones son entidades sin fines de lucro. Las *trasnational corporations* se conocen genéricamente como empresas transnacionales. Ver también empresa MULTINACIONAL.

corporativismo Teoría y práctica de organizar el conjunto de la sociedad en entidades corporativas subordinadas al Estado. De acuerdo con la teoría, empleadores y empleados se organizarían en corporaciones industriales y profesionales que servirían como órganos de representación política y que en gran parte controlarían el pueblo y las actividades dentro de su jurisdicción. Su principal vocero fue Adam Müller (n. 1779–m. 1829), filósofo de la corte del príncipe KLEMENS VON METTERNICH, quien concebía un "estado de clases" en el cual estas operaban como gremios o corporaciones, cada una controlando una función específica de la vida social. Esta idea encontró acogida en Europa central después de la Revolución francesa, pero no se puso en práctica sino hasta que BENITO MUSSOLINI llegó al poder en Italia; su implementación apenas había comenzado al iniciarse la segunda guerra mundial, que trajo como consecuencia su caída. Luego de la segunda guerra mundial, los gobiernos de muchos países democráticos de Europa occidental (p. ej., Austria, Noruega y Suecia) desarrollaron fuertes elementos corporativistas en un intento por mediar y reducir el conflicto entre empresas y sindicatos y por incrementar el crecimiento económico.

Corpus Christi Ciudad portuaria (pob., 2000: 277.454 hab.) en la bahía CORPUS CHRISTI, en el sur del estado de Texas, EE.UU. Fundada en 1838 como puesto de intercambio comercial, fue un centro de transporte durante la guerra MEXICANO-ESTADOUNIDENSE y de escaramuzas en la guerra de SECESIÓN. La llegada del ferrocarril en 1881 produjo un auge en la compra de terrenos. La explotación de gas (1923), la construcción de un puerto de aguas profundas (1926) y el descubrimiento del yacimiento petrolífero de Saxtet (1939) sentó las bases para la economía de la ciudad. Hay centros vacacionales en la bahía y las islas del arrecife costero, entre las cuales destaca la isla PADRE. Es también sede de la base naval y aérea de Corpus Christi.

Corpus Christi, bahía Ensenada del golfo de MÉXICO, en el sur del estado de Texas, EE.UU. Forma una rada de aguas profundas para el puerto de CORPUS CHRISTI, apta para los embarques de las industrias petrolera, química y agrícola de la zona; mide 40 km (25 mi) de largo por 5–16 km (3–10 mi) de ancho y está protegida por la isla Mustang por el este. La zona es atractiva para la pesca deportiva, caza de aves acuáticas y paseos en bote. El conquistador Alonso de Pineda la descubrió durante la festividad de Corpus Christi en 1519 y tomó posesión de la región para España.

correa transportadora Uno de varios dispositivos que facilitan el movimiento mecanizado de material, como en el caso de una FÁBRICA. Las correas transportadoras se usan en aplicaciones industriales y también en grandes predios agrícolas, en sistemas de almacenaje y manipulación de carga y en el movimiento de materias primas. Las correas transportadoras de tela, caucho, plástico, cuero o metal son impulsadas por un cilindro motorizado montado debajo o en un extremo de la correa transportadora. La correa forma un asa continua y está apoyada sobre rodillos (para cargas pesadas) o sobre una bandeja metálica de deslizamiento (si las cargas son suficientemente livianas para impedir la resistencia por rozamiento sobre la correa). La fuerza motriz la suelen proporcionar motores que funcionan a través de engranajes reductores, de velocidad constante o variable.

Correcaminos (*Geococcyx californianus*).
© ENCYCLOPÆDIA BRITANNICA, INC.

correcaminos Una de dos especies de CUCLILLO terrestre, en especial *Geococcyx californianus* (familia Cuculidae), de los desiertos mexicanos y del sudoeste de EE.UU. De unos 56 cm (22 pulg.) de largo, poseen un plumaje veteado marrón y blanco, copete desgreñado corto, piel desnuda azul y roja detrás de los ojos, patas robustas y azulosas y cola larga en ángulo al detenerse. Vuelan poco y torpemente y prefieren correr. Con su pico duro aporrean hasta la muerte insectos, lagartos y serpientes, para tragarlos por la cabeza. El correcaminos tropical (*G. velox*), de México y Centroamérica, es más pequeño, anteado y menos veteado.

correctores ortográficos y gramaticales Componentes de los programas de PROCESAMIENTO DE TEXTO para COMPUTADORAS PERSONALES, que identifican palabras aparentemente mal escritas y errores gramaticales, remitiéndose a un diccionario incorporado y una lista de reglas de buen uso. Los correctores ortográficos no pueden detectar errores de ortografía que resulten en otras palabras bien escritas (p. ej., "fiera" tecleada como "feria") y son difíciles de usar en documentos que contienen muchas palabras que no figuran en el diccionario incorporado (p. ej., términos foráneos). Los correctores gramaticales –que por lo general verifican también puntuación, largo de la oración y otros aspectos de estilo– han sido criticados por su dependencia de reglas demasiado simplificadas.

corredora ver RATITE

Correggio *orig.* **Antonio Allegri** (ago. 1494, Correggio, Módena–5 mar. 1534, Correggio). Pintor italiano. Estudió la obra de ANDREA MANTEGNA en Mantua y fue influenciado por LEONARDO DA VINCI. En una visita a Roma se inspiró en los frescos vaticanos de MIGUEL ÁNGEL y RAFAEL. En 1518, en Parma, desarrolló su mayor actividad. El primer trabajo por encargo a gran escala que realizó fue la decoración de la bóveda de la Camera di San Paolo, en el convento de San Pablo (c. 1518–19). Su fresco de la cúpula de la catedral de Parma (c. 1525–30) presenta el estilo ilusionista teatral que influenció la pintura de cúpulas en el BARROCO. Su audaz uso del escorzo, su brillante y originalísima aproximación al color y a la luz, y la exquisita gracia de sus figuras lo convirtieron en uno de los artistas más imaginativos del Alto RENACIMIENTO.

"Júpiter e Ío", pintura al óleo de Correggio, c. 1530; Kunsthistorisches Museum, Viena.
GENTILEZA DEL KUNSTHISTORISCHES MUSEUM, VIENA

correhuela Cualquier planta de dos géneros muy emparentados, *Convolvulus* y *Calystegia*. En su mayoría son volubles, a menudo constituyen malezas y tienen flores infundibuliformes. La correhuela mayor (*Calystegia sepium*), originaria de Eurasia y América del Norte, es una planta perenne voluble que crece de tallos subterráneos y rastreros y es común en setos, bosques y a la vera de caminos. La campanela de mar (*C. soldanella*) se arrastra por la arena y grava de la costa europea. Varias especies de *Convolvulus* tienen distribución amplia o son llamativas. La correhuela propiamente tal (*C. arvensis*) es una maleza rústica perenne, originaria de Europa, pero aclimatada en gran parte de América del Norte. Se enrosca en las plantas cultivadas (ver CULTIVO) y a la vera de caminos. La escamonea, un purgante, se obtiene de los RIZOMAS de *C. scammonia*, una planta rastrera perenne originaria de Asia occidental. El aceite de palo de rosa proviene de ciertas especies de *Convolvulus*.

Correhuela (*Convolvulus sepium*).
© ENCYCLOPÆDIA BRITANNICA, INC.

correlación En estadística, grado de asociación entre dos VARIABLES ALEATORIAS. La correlación entre los gráficos de dos conjuntos de datos es el grado de semejanza entre ellos. Sin embargo, correlación no es lo mismo que causalidad, y aun una fuerte correlación puede no ser más que una coincidencia. Matemáticamente, una correlación se expresa por un coeficiente de correlación que toma valores desde −1 (nunca ocurren juntos), pasando por 0 (absolutamente independientes), hasta 1 (siempre ocurren juntos).

correlimos ver ANDARRÍOS

Correns, Carl Erich (19 sep. 1864, Munich, Alemania–14 feb. 1933, Berlín). Botánico y genetista alemán. El mismo año que ERICH TSCHERMAK VON SEYSENEGG y HUGO DE VRIES (1900), redescubrió, en forma independiente, el artículo en que GREGOR MENDEL esbozaba los principios de la herencia. Realizó investigaciones en guisantes de jardín, de las cuales obtuvo las mismas conclusiones que Mendel. Contribuyó a engrosar la evidencia abrumadora que respalda la tesis de Mendel, anticipándose a THOMAS HUNT MORGAN en el desarrollo del concepto de vinculación, al elaborar una teoría de acoplamiento físico de factores genéticos para explicar la consistencia con que ciertos rasgos se heredan juntos. Ver también WILLIAM BATESON.

correo de voz Sistema electrónico para grabar mensajes de voz enviados por teléfono. Comúnmente, la persona que llama escucha un mensaje pregrabado y a continuación puede dejar su propio mensaje. Más tarde, la persona a quien se llama puede recuperar el mensaje ingresando códigos específicos en su teléfono. El correo de voz se diferencia de una máquina contestadora por su capacidad de brindar servicio a varias líneas telefónicas y por ofrecer funciones más sofisticadas, además de la grabación de mensajes.

correo directo, mercadeo por Método de comercialización en el cual el vendedor oferta un producto por medio de un correo masivo, de una circular o catálogo o a través de publicidad en periódicos o revistas, y en el cual el comprador coloca un pedido por correo, teléfono o internet. El crecimiento de las ventas al detalle por correo se produjo a fines del s. XIX, cuando varias firmas estadounidenses, como SEARS, ROEBUCK AND COMPANY y Montgomery Ward & Co., construyeron grandes empresas gracias a ventas dirigidas principalmente a los agricultores. Su utilización ha crecido en forma sostenida a partir de 1960, época en la que se introdujeron las listas de correo computarizadas. En la actualidad, mercadeo por correo directo es utilizado por decenas de miles de empresas y llega virtualmente a cada consumidor.

correo electrónico *o* **e-mail** Intercambio de mensajes y otros datos entre personas que utilizan COMPUTADORAS en una red. Un sistema de correo electrónico permite a los usuarios de computadoras enviar a otros usuarios texto, gráficos y a veces sonidos e imágenes animadas. Se desarrolló a partir de grandes organizaciones que usaban un sistema de mensajería interno como medio de comunicación entre los empleados. El suministro masivo de direcciones de correo electrónico a particulares por los PROVEEDORES DE SERVICIOS DE INTERNET condujo al desarrollo del correo electrónico como un sistema complementario o de reemplazo de la comunicación epistolar.

corrida de toros ver TAUROMAQUIA

corriente alterna (CA) Flujo de CARGA ELÉCTRICA que invierte su sentido periódicamente, a diferencia de la CORRIENTE CONTINUA. Empieza desde cero, crece hasta un máximo, se reduce a cero, invierte su sentido, alcanza un máximo, vuelve de nuevo a cero y repite este ciclo indefinidamente. El tiempo que tarda en completar un ciclo se llama el período (ver MOVIMIENTO PERIÓDICO), y el número de ciclos por segundo es la FRECUENCIA; el valor máximo en ambos sentidos es la amplitud de la corriente. Las frecuencias bajas (50-60 ciclos por segundo) se usan en energía doméstica y comercial; frecuencias de alrededor de 100 millones de ciclos por segundo (100 megahertz) se usan en televisión, y de varios miles de megahertz, en RADAR y en comunicaciones vía MICROONDAS. Una de las ventajas principales de la corriente alterna es que el voltaje puede ser aumentado y disminuido por un transformador para lograr mayor eficiencia en la transmisión a grandes distancias. El voltaje de la corriente continua no puede ser cambiado mediante transformadores. Ver también CORRIENTE ELÉCTRICA.

corriente continua (CC) Flujo de CARGA ELÉCTRICA en el mismo sentido. La corriente continua es producida por BATERÍAS, celdas de COMBUSTIBLE, rectificadores y GENERADORES con conmutadores. La corriente continua fue sustituida por la CORRIENTE ALTERNA para la energía comercial común a fines de la década de 1880, porque entonces era costoso transformarla a los altos voltajes necesarios para la transmisión a grandes distancias. Técnicas desarrolladas en la década de 1960 superaron dicho obstáculo, y en la actualidad la corriente continua se transmite a distancias muy grandes, aunque comúnmente debe convertirse a corriente alterna para su distribución final. Para algunos usos, como en la electroplastia, la corriente continua es esencial.

corriente de barro Flujo de agua que contiene limo y gran cantidad de partículas en suspensión. A menudo las corrientes de barro aparecen en laderas empinadas donde la vegetación es demasiado escasa como para prevenir la erosión rápida, pero bajo ciertas condiciones también pueden aparecer en pendientes suaves. Además de la pendiente influyen otros factores, como una fuerte precipitación en un corto período de tiempo y un material fácilmente erosionable.

corriente de densidad Cualquier corriente en un líquido o gas impulsada por la fuerza de gravedad al actuar sobre pequeñas diferencias de densidad. Puede existir una diferencia de densidad entre dos fluidos o entre dos partes del mismo fluido. Las corrientes de densidad fluyen a lo largo de fondos oceánicos y de lagos, debido a que el agua que entra es más fría y más salada, o contiene más sedimento en suspensión y por lo tanto es más densa que el agua circundante. Las corrientes de densidad son un factor en la CONTAMINACIÓN HÍDRICA, ya que las descargas industriales de grandes cantidades de agua contaminada o calentada pueden generar corrientes de densidad que afecten a las comunidades humanas o animales vecinas.

corriente de resaca Corriente angosta de agua a manera de chorro que fluye hacia el mar por varios minutos en forma esporádica, en dirección perpendicular a la playa. Las corrientes de resaca se forman en costas largas donde las olas llegan en forma casi paralela a la orilla. En aguas someras, el movimiento normal de las olas produce pequeños desplazamientos del agua hacia la costa con cada ola que pasa. Durante los períodos de grandes olas, el agua se acumula en la playa y no puede escapar como corrientes litorales, ya que esto requiere que las olas lleguen de forma oblicua. La acumulación continúa hasta que el agua puede escapar en una corriente fuerte, que dura varios minutos, por un punto bajo en un rompiente, lo que produce una resaca que puede ser peligrosa para los bañistas.

corriente de turbidez Corriente submarina de sedimentos abrasivos. Dichas corrientes parecen ser fenómenos transitorios de corta vida, que se producen a gran profundidad. Se piensa que son causados por la caída brusca de sedimento que se ha acumulado en la cima del talud continental, particularmente en las cabeceras de los CAÑONES SUBMARINOS. La caída de grandes masas de sedimentos genera un barro denso que fluye por el cañón para esparcirse sobre el suelo oceánico, depositando una capa de arena en aguas profundas. Deposiciones repetitivas forman abanicos submarinos, análogos a los abanicos aluviales que se encuentran en las desembocaduras de ríos que atraviesan cañones.

corriente del Golfo ver corriente del GOLFO

corriente del Labrador ver corriente del LABRADOR

corriente eléctrica Movimiento de portadores de CARGA ELÉCTRICA. La corriente eléctrica es un flujo de ELECTRONES que han sido desligados de los ÁTOMOS en un cable, y es una medida de la cantidad de carga eléctrica que pasa por cualquier punto del cable por unidad de tiempo. La corriente en gases y en líquidos por lo general consiste en un flujo de IONES positivos en un sentido, junto con un flujo de iones negativos en el sentido opuesto. Convencionalmente, el sentido de la corriente eléctrica es aquel en que fluyen los iones positivos. En la CORRIENTE ALTERNA, el movimiento de las cargas se invierte de manera periódica; esto no ocurre en la CORRIENTE CONTINUA. El amperio o ampere es la unidad común de corriente, el flujo de un coulomb de carga por segundo, o $6,24 \times 10^{18}$ electrones por segundo.

corriente en chorro *inglés* **jet stream** Corriente de aire larga, angosta y de gran velocidad que fluye en dirección este en una zona generalmente horizontal en la ESTRATOSFERA O TROPOSFERA superior. Las corrientes en chorro se caracterizan por movimientos del viento que generan fuertes efectos de corte vertical, considerados como los responsables principales de las turbulencias experimentadas por los aviones en cielos despejados. También tienen efectos sobre los patrones meteorológicos. Las corrientes en chorro circulan alrededor de la Tierra en rutas sinuosas, cambiando de posición y velocidad con las estaciones. En el invierno están más cerca del ecuador y sus velocidades son mayores que en verano. A menudo hay dos, a veces tres, sistemas de corrientes en chorro en cada hemisferio.

corriente oceánica Sistema de circulación horizontal y vertical de aguas oceánicas, producido por la rotación terrestre, la fricción eólica y las variaciones en la densidad del agua. Las fuerzas de CORIOLIS hacen que las corrientes oceánicas se muevan en el sentido de las manecillas del reloj en el hemisferio norte y en sentido contrario en el hemisferio sur, y las desvíen cerca de 45° respecto de la dirección del viento. Las corrientes circulan en trayectorias llamadas giros. Entre las grandes corrientes oceánicas están la corriente del Golfo, la del Atlántico norte y la de Noruega, en el océano Atlántico; la corriente de Humboldt (o del Perú) frente a Sudamérica y la corriente occidental de Australia.

Corriere della Sera, Il Periódico italiano con sede en Milán. Fundado en 1876 por Eugenio Torelli, es uno de los más prestigiosos y antiguos del país. De tendencia liberal, su principal competencia es el diario La REPUBBLICA. Cubre los grandes temas de actualidad, con énfasis en su sección de cultura, por la que han circulado famosas plumas del país, como los escritores ITALO CALVINO y Dino Buzzati. Con ediciones regionales, forma parte del grupo Rizzoli-Corriere della Sera, propietario del diario El MUNDO en España y de la editorial Flammarion en Francia.

Corrigan, Sir Dominic John (1 dic. 1802, Dublín, Irlanda–1 feb. 1880, Dublín). Médico irlandés. Escribió varios informes sobre enfermedades cardíacas; su artículo sobre la insuficiencia aórtica (1832) es una descripción clásica. También elaboró renombrados estudios sobre fibrosis pulmonar (1838), aortitis como causa de angina de pecho (1837) y estenosis mitral (1838). Los epónimos como respiración de Corrigan (respiración superficial en la fiebre) y pulso de Corrigan (un pulso saltón) se generalizaron como resultado de sus investigaciones.

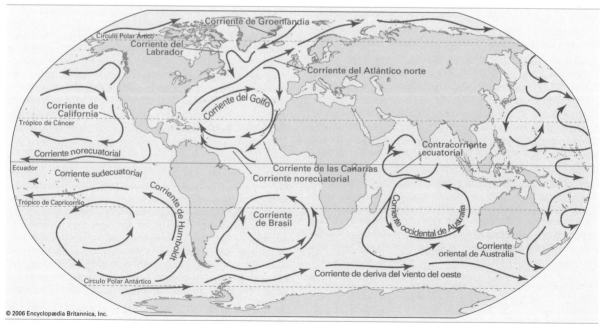

© 2006 Encyclopædia Britannica, Inc.

Principales corrientes oceánicas superficiales en el mundo. Las corrientes bajo superficie también mueven enormes volúmenes de agua, pero no se conocen con tanto detalle.

corrosión Desgaste debido a REACCIONES QUÍMICAS, principalmente la oxidación (ver OXIDACIÓN-REDUCCIÓN, ÓXIDO). Ocurre siempre que un gas o un líquido ataca químicamente una superficie expuesta, a menudo un metal, y es acelerada por temperaturas cálidas, y por ÁCIDOS Y SALES. Por lo general, los productos de la corrosión (p. ej., herrumbre, pátina) permanecen en la superficie y la protegen. La remoción de estos depósitos vuelve a dejar expuesta la superficie y la corrosión continúa. Algunos materiales resisten la corrosión en forma natural; otros pueden ser tratados para protegerlos (p. ej., por recubrimiento, pintura, GALVANIZADO O ANODIZACIÓN).

corrupción Conducta irregular y habitualmente ilícita con la que se pretende obtener un beneficio para uno mismo o para otra persona. El SOBORNO, la EXTORSIÓN y el uso indebido de información confidencial son formas de corrupción. Esta existe donde la comunidad es indiferente frente al fenómeno o donde faltan políticas de aplicación de la ley. En sociedades que tienen una cultura muy arraigada en los obsequios, el límite entre obsequios aceptables e inaceptables resulta a menudo difícil de trazar. Ver también CRIMEN ORGANIZADO.

corsario Cualquier buque de propiedad privada, con patente otorgada por un Estado en guerra para atacar barcos enemigos, por lo general, mercantes. Muchas naciones tuvieron corsarios desde tiempos antiguos hasta el s. XIX. Las tripulaciones no eran pagadas por el gobierno, pero tenían derecho a recibir participaciones en el valor de cualquier carga que ellos capturaran. Limitar a los corsarios a las actividades establecidas en sus patentes era difícil, y la línea de separación entre la actividad corsaria y la PIRATERÍA era frecuentemente difusa. En 1856, mediante la Declaración de París, Gran Bretaña y otros de los principales países europeos (excepto España) declararon ilegal la actividad corsaria; EE.UU. finalmente la rechazó a fines del s. XIX, y España aceptó prohibirla en 1908. Ver también BUCANERO; FRANCIS DRAKE; WILLIAM KIDD.

corsé Prenda de vestir usada para dar forma o comprimir el torso. Data de al menos c. 2000 AC, cuando se usó como prenda de vestir exterior por hombres y mujeres en la Creta minoica. En los s. XVI–XVII se usó para aplanar el pecho y fue reforzado con madera. Algunos corsés exteriores tenían joyas y bordados complejos. Después de 1660 se le dio forma para acentuar los pechos. En el s. XIX, el corsé reforzado con barbas de ballena o metal, cambió con el estilo de vestuario. Se lo consideró responsable de numerosos problemas de salud debido a sus cordones excesivamente apretados. Se abandonó el corsé en la década de 1920, cuando se puso de moda la ropa más suelta y recta, y en la década siguiente fue reemplazado por el corpiño y la faja, hechos de materiales elásticos, y por el corsé ligero de una pieza.

Corso, Gregory (26 mar. 1930, Nueva York, N.Y., EE.UU.– 17 ene. 2001, Robbinsdale, Minn.). Poeta estadounidense. Tuvo una adolescencia tormentosa y fue encarcelado varias veces. En Nueva York trabó relación con ALLEN GINSBERG, quien se transformó en su mentor. Corso llegó a ser uno de los principales adherentes del movimiento Beat. Su poesía es frontal y se destaca por su asombrosa imaginería. Algunos de sus libros son *The Vestal Lady on Brattle* [La dama vestal en Brattle] (1955), *The Mutation of the Spirit* [Mutación del espíritu] (1964), *Herald of the Autochthonic Spirit* [El heraldo del espíritu autóctono] (1981) y *Mindfield* [Campo mental] (1989).

Cort, Henry (1740, Lancaster, Lancashire, Inglaterra–1800, Londres). Inventor e industrial británico. En 1783 obtuvo una patente para producir en forma rápida y económica lingotes de hierro en un laminador con cilindros acanalados. El año siguiente patentó su proceso de PUDELACIÓN para convertir ARRABIO en HIERRO FORJADO en un HORNO DE REVERBERO. Sus dos inventos ejercieron un efecto significativo en la industria siderúrgica de Gran Bretaña, cuadruplicándose la producción de hierro en los 20 años siguientes.

cortafuegos Sistema de seguridad computacional que controla el flujo de datos de una computadora O RED DE COMPUTADORAS a otra. Los cortafuegos están destinados sobre todo a proteger los recursos de una red privada del acceso directo de un usuario de una red externa, en especial a través de internet. Los usuarios que están dentro de la red privada también pueden tener restringido el acceso directo a las computadoras externas. Para llevar esto a cabo, todas las comunicaciones son dirigidas a través de un "servidor delegado" que determina si a un mensaje o archivo se le permitirá entrar o salir de la red privada.

cortante del viento Variación de la velocidad del viento respecto a una dirección determinada. Una zona muy angosta de cambio abrupto de velocidad se conoce como línea de corte. La cortante del viento se observa cerca del suelo y en las CORRIENTES EN CHORRO, donde puede ser asociada con turbulencia en aire despejado. La cortante vertical del viento está muy asociada con el flujo vertical de cantidad de movimiento, calor y vapor de agua.

Cortázar, Julio (26 ago. 1914, Bruselas, Bélgica–12 feb. 1984, París, Francia). Novelista y cuentista argentino. Su primer libro de cuentos, *Bestiario* (1951), se publicó el año en que Cortázar se trasladó a París, donde pasó la mayor parte

Julio Córtazar, 1974.
FOTOBANCO

del resto de su vida. Su obra maestra, *Rayuela* (1963), es una novela de final abierto O ANTINOVELA, en la que el lector es invitado a reordenar los capítulos. La película *Blow-up* (1966), de MICHELANGELO ANTONIONI, se inspiró en uno de sus relatos. Entre sus obras más destacadas, cabe mencionar *Los premios* (1960), *Libro de Manuel* (1973) e *Historias de cronopios y de famas* (1962). Cortázar se distinguió por su excepcional cultura literaria y su incesante fervor por la causa social.

corte ver TRIBUNAL

Corte Internacional de Justicia (CIJ) *o* **Corte Mundial**
Principal órgano judicial de las NACIONES UNIDAS, con sede en La Haya. Su predecesor fue la Corte Permanente de Justicia Internacional, órgano judicial de la SOCIEDAD DE NACIONES. Su primera sesión se celebró en 1946. Su jurisdicción está restringida a conflictos entre estados que acepten su autoridad en materias de DERECHO INTERNACIONAL. Sus decisiones son vinculantes, pero no tiene atribuciones para hacer cumplir lo resuelto; las apelaciones deben efectuarse ante el Consejo de Seguridad de las Naciones Unidas. Su cuerpo de 15 jueces, cada uno de ellos designado por un período de nueve años, es elegido por los países partes en el estatuto fundacional de la Corte. No puede haber más de un juez de un mismo país. Ver también TRIBUNAL DE JUSTICIA DE LA UNIÓN EUROPEA.

corte marcial Tribunal militar que conoce de las causas contra miembros de las fuerzas armadas u otras personas que se encuentren dentro de su jurisdicción. Dícese también de los procesos legales que se tramitan ante este tribunal. Actualmente, la mayoría de los países cuentan con códigos de justicia militar administrados por tribunales militares, de cuyas sentencias se apela ante los tribunales ordinarios. La corte marcial generalmente funciona como un tribunal especial para conocer de uno o más casos que le hayan remitido altas autoridades militares. El oficial que convoca al tribunal elige a los oficiales e incluso a miembros del personal subalterno bajo su mando que integrarán el tribunal, establecerán si el acusado es culpable o inocente y pronunciarán la sentencia. Ver también DERECHO MILITAR.

Corte Mundial ver CORTE INTERNACIONAL DE JUSTICIA (CIJ)

Corte Penal Internacional (CPI) Órgano judicial permanente creado por el Estatuto de Roma de la Corte Penal Internacional (1998) para enjuiciar a las personas acusadas de GENOCIDIO, CRÍMENES DE GUERRA y crímenes de lesa humanidad. La Corte comenzó a funcionar el 1 de junio de 2002, al reunirse el número de ratificaciones requeridas (60) del Estatuto de Roma, que fue firmado por cerca de 140 países. La Corte Penal Internacional fue creada como tribunal de última instancia para perseguir judicialmente los crímenes más atroces cuando no actúen los tribunales nacionales. Su sede está en La HAYA. En 2002, China, Rusia y EE.UU. habían rehusado participar en ella y en este último país se había realizado una activa campaña para excluir a sus ciudadanos de la jurisdicción de la Corte.

Cortes Asamblea representativa de los reinos iberos medievales. Se desarrollaron en la Edad Media cuando los representantes elegidos de los municipios libres adquirieron el derecho a tomar parte en los asuntos de la *Curia Regis* ("corte del rey"). Fueron admitidos debido a que la corona estaba escasa de fondos y carecía del derecho para aumentar los impuestos sin el consentimiento de los municipios. Se establecieron Cortes en León y Castilla hacia principios del s. XIII y pronto surgieron en Cataluña (1218), Aragón (1274), Valencia (1283) y Navarra (1300). En la actualidad, el término se refiere a las legislaturas nacionales de España y Portugal.

Retrato del conquistador Hernán Cortés. Museo Nacional de Historia, México.
FOTOBANCO

Cortés, Hernán *post.* **marqués del Valle de Oaxaca** (1485, Medellín, cerca de Mérida, Extremadura, Castilla–2 dic. 1547, Castilleja de la Cuesta, cerca de Sevilla). CONQUISTADOR español que dominó México en favor del Imperio español. Abandonó España hacia el Nuevo Mundo a los 19 años, uniéndose a Diego Velázquez de Cuéllar (n. 1465–m. 1524) en la conquista de Cuba (1511). En 1519, con 508 hombres y 16 caballos, quemó sus naves en la costa del sudeste de México, comprometiéndose de este modo a emprender la conquista. Después de reunir miles de indígenas aliados que resentían el dominio AZTECA, avanzó rápidamente hacia TENOCHTITLÁN, la capital azteca (hoy, Ciudad de México). El emperador MOCTEZUMA II, creyendo que era el dios QUETZALCÓATL, lo recibió, pero luego Moctezuma fue tomado prisionero. Cortés, al saber que una fuerza española procedente de Cuba venía a destituirlo, dejó Tenochtitlán al mando de un capitán y partió a derrotar a sus oponentes españoles. Al regresar, con las fuerzas acrecentadas, ya que muchos se pasaron a sus filas, descubrió que la ciudad se había rebelado; condujo a sus tropas en una costosa retirada nocturna, pero volvió en 1521 a conquistar la ciudad, y con esta, el Imperio. Absoluto gobernante de un inmenso territorio, fue forzado al retiro tras una desastrosa expedición en 1524 en las selvas hondureñas. Sus últimos años estuvieron acosados por el infortunio.

Cortés, mar de ver golfo de CALIFORNIA

corteza En plantas leñosas, tejidos por fuera del CÁMBIUM vascular. El término se aplica también en forma más lega a todos los tejidos por fuera de la MADERA. La corteza interna blanda la produce el cámbium vascular; comprende el FLOEMA (trofoconductor) secundario, tejido cuya capa más interna transporta nutrientes de las hojas al resto de la planta. La corteza externa estratificada contiene corcho y floema antiguo, muerto. La corteza es normalmente más delgada que la parte leñosa del tallo o de la raíz.

corteza Capa sólida externa de la Tierra compuesta esencialmente de ROCAS ÍGNEAS y METAMÓRFICAS. En regiones continentales, la corteza está constituida sobre todo de roca granítica mientras que el fondo oceánico está formado principalmente de basalto y GABRO. La corteza tiene un espesor promedio de 35 km (22 mi) desde la superficie hasta el MANTO subyacente, con el cual está separada por la discontinuidad de Mohorovičić (el MOHO). La corteza y el manto superficial forman en conjunto la LITOSFERA.

corteza cerebral Capa más externa de la sustancia gris del CEREBRO, responsable de integrar los impulsos sensoriales y de las funciones intelectuales superiores. Se distribuye en cuatro lóbulos definidos aproximadamente por pliegues superficiales mayores; a veces se considera el sistema límbico como un quinto lóbulo. El lóbulo frontal controla la actividad motora y el habla; el parietal controla el tacto y la posición, y el temporal, la recepción auditiva y la memoria. El lóbulo occipital, en la parte posterior del cerebro, contiene la principal zona de percepción visual. El lóbulo límbico controla el olfato, el gusto y las respuestas emocionales.

Pintura en corteza con emblemas zoomorfos de los clanes de Teluk Jos Sudarso (bahía de Humboldt), Irian Jaya, Indonesia .
HOLLE BILDARCHIV, BADEN-BADEN, ALEMANIA

corteza, pintura en Diseños abstractos y figurativos aplicados sobre telas no tejidas hechas de corteza, técnica también llamada tapa. Las piezas se elaboran rayando o pintando los diseños. El material más comúnmente utilizado es la corteza interior de la morera. La corteza se retira, se remoja y se golpea hasta que quede delgada. En la actualidad, se fabrica tela de corteza pintada a mano en el norte de Australia, Nueva Guinea y partes de Melanesia. Los estilos y motivos varían de acuerdo con el lugar y consideran desde las representaciones del natural, o estilizadas de formas humanas y animales hasta seres míticos y motivos abstractos, en espirales y círculos.

cortina Paño de tela decorativa colgada en una ventana para regular la entrada de la luz o para evitar corrientes de aire. Las cortinas hechas de material pesado, dispuestas para caer en pliegues ornamentales hasta el suelo, se llaman cortinajes. Mosaicos de los s. II–VI muestran cortinas suspendidas con varas que iban de un lado al otro de la arcada. A partir de la Edad Media y hasta el s. XIX, las cortinas han variado en estilo desde simples hasta ornamentales. Las camas generalmente tenían cortinas en todos sus lados. En el s. XX, las telas sintéticas y los aparatos mecánicos para abrir y cerrar cortinas simplificaron su instalación y uso.

cortina de hierro Barrera política, militar e ideológica erigida por la Unión Soviética después de la segunda guerra mundial para aislar al país y a sus aliados satélites de Europa oriental del contacto con Occidente y otras zonas no comunistas. WINSTON CHURCHILL empleó el término en un discurso en Fulton, Mo., EE.UU., acerca de la división de Europa en 1946. Las restricciones y la rigidez de la cortina de hierro se aliviaron un poco después de la muerte de STALIN en 1953, pero fueron restablecidas con la construcción del muro de BERLÍN en 1961. Dejó de existir en gran parte en 1989–90, debido al colapso del régimen comunista de partido único en la U.R.S.S. y Europa oriental.

cortisona HORMONA esteroidal (ver ESTEROIDE) producida por la corteza suprarrenal (ver GLÁNDULA SUPRARRENAL). Participa en la regulación de la conversión de PROTEÍNAS en CARBOHIDRATOS, y en cierta medida regula el METABOLISMO de la sal. Introducida en medicina en 1948 por su efecto antiinflamatorio para tratar la ARTRITIS, ha sido reemplazada en gran medida por compuestos afines que no producen sus efectos colaterales nocivos, como EDEMA, aumento de la acidez estomacal y desequilibrios en el metabolismo de sodio, potasio y nitrógeno. Ver también síndrome de CUSHING.

Cortona, Luca da ver Luca (d'Egidio di Ventura de') SIGNORELLI

Cortona, Pietro da ver PIETRO DA CORTONA

Coruña, La *gallego* **A Coruña** Ciudad (pob. 2001: 236.379 hab.) en el noroeste de España. Puerto marítimo en el océano Atlántico, presumiblemente anterior al período romano. Fue parte del califato de CÓRDOBA. Desde allí zarpó la ARMADA INVENCIBLE española en 1588; un año después fue saqueada por SIR FRANCIS DRAKE. Durante la guerra PENINSULAR fue escenario de una notable victoria de los ingleses sobre los franceses. Actualmente es un gran centro pesquero y uno de los principales puertos de embarque del norte de España.

corvea Trabajo no retribuido que un vasallo europeo debía a un señor o que un ciudadano, en tiempos posteriores, debía al Estado, además de –o en vez de– pagar impuestos. La corvea a menudo se usó cuando el pago en dinero no proporcionaba suficiente mano de obra para los proyectos públicos, y en tiempo de guerra se usó a veces para engrosar las tropas regulares en funciones auxiliares.

corvina *o* **corvinata** Cualquiera de varias especies (género *Cynoscion*) de la familia de la BURRIQUETA (Sciaenidae), peces carnívoros del fondo marino cercano a playas cálidas y tropicales. Unas seis especies viven en las costas de Norteamérica. La corvinata regal (*Cynoscion regalis*) es propia de la pesca deportiva, aunque suele medir menos de 60 cm (2 pies) de largo. Las especies se pescan con fines comerciales en las costas de EE.UU. del Atlántico central y se consideran las de mayor importancia económica de la familia. La corvina pintada o tímbalo moteado (*C. nebulosus*) se encuentra en Florida, en sus costas atlántica y del golfo.

Corvinata regal (*Cynoscion regalis*).
© ENCYCLOPÆDIA BRITANNICA, INC.

corzo CIERVO (*Capreolus capreolus*) rabón de Eurasia, que vive en pequeños grupos familiares en regiones poco boscosas. Tiene una alzada de 66–86 cm (26–34 pulg.). Su piel es marrón rojiza en verano y marrón grisácea con una mancha blanca conspicua en la grupa en invierno. El macho tiene astas cortas, normalmente de tres puntas con una base áspera. Tiene un grito de alarma como el ladrido del perro.

cosa juzgada Inmutabilidad de una PENA judicial cuando ya no existen RECURSOS PROCESALES que permitan modificarla. Su fundamento es asegurar la certidumbre y estabilidad de los derechos que ella consagra. Su origen se encuentra en el derecho ROMANO y constituye una ficción de verdad que protege a las sentencias definitivas. La cosa juzgada se puede hacer valer como acción o como excepción. Corresponde la acción de cosa juzgada a aquel a cuyo favor se ha declarado un derecho en juicio para el cumplimiento de lo resuelto o la ejecución de la SENTENCIA. La excepción de cosa juzgada es el derecho a hacer valer los atributos de inimpugnabilidad de la sentencia e impedir así que vuelva a discutirse algo que ya fue objeto de una sentencia ejecutoriada. Ver también principio de COSA JUZGADA.

cosa juzgada, principio de Principio en virtud del cual una persona no puede ser juzgada dos veces por el mismo delito. En EE.UU., el principio de cosa juzgada está consagrado en la V enmienda de la Constitución de los ESTADOS UNIDOS DE AMÉRICA que establece que "la vida de una persona no será puesta en peligro dos veces por el mismo delito". La disposición impide que sea juzgada nuevamente tras su absolución o condena por un delito y prohíbe las condenas múltiples por el mismo delito. Por esta razón, una persona no puede ser declarada culpable de homicidio y de cuasidelito de homicidio por el mismo hecho, ni puede ser juzgada nuevamente por el mismo delito después de pronunciada sentencia en el caso. Sin perjuicio de lo anterior, una persona puede ser condenada por homicidio y por robo si el primero tuvo su origen en el segundo. El principio de cosa juzgada no se infringe si una persona es acusada de una conducta derivada de un delito por el cual ha sido acusada en una jurisdicción diferente o en un tribunal distinto (p. ej., un tribunal civil en lugar de un tribunal del crimen). Ver también DEBIDO PROCESO, derechos del INCULPADO.

cosaco Pueblo que habitaba en el interior del territorio ubicado al norte de los mares Negro y Caspio. El término (derivado del turco *kazak*, "persona libre") se refería originalmente a grupos tártaros seminómadas que se formaron en la región del río Dniéper. Más tarde también se aplicó a los campesinos que habían huido de la condición de siervos en Polonia, Lituania y Moscovia a las regiones de los ríos Dniéper y Don. Tenían una tradición de independencia y gozaron de privilegios otorgados por el gobierno ruso en retribución a sus servicios militares. Fueron empleados en la defensa de la frontera rusa y como destacamentos de avanzada en la expansión territorial del imperio. Los intentos de reducir sus privilegios durante los s. XVII–XVIII provocaron revueltas lideradas por STENKA RAZIN y YEMELIÁN PUGACHOV y gradualmente fueron perdiendo su autonomía.

Cosby, Bill *p. ext.* **William Henry Cosby, Jr.** (n. 12 jul. 1937, Filadelfia, Pa., EE.UU.). Actor y productor de televisión estadounidense. Trabajó como comediante en clubes nocturnos de Nueva York y en diversas giras en la década de 1960. Con la serie *I Spy* (1965–68) se convirtió en el primer actor afroamericano que protagonizó un papel dramático en una cadena de televisión. Después hizo frecuentes apariciones en los programas infantiles *Plaza Sésamo* y *The Electric Company*, y también en otras películas. Actuó en varias otras series de televisión, siendo la más notable *El show de Bill Cosby* (1984–92), que llegó a ser una de las comedias familiares más duraderas en la historia de la televisión.

cosechadora Máquina agrícola que se usa para cosechar trigo y otros cereales. La antecesora mecánica de las grandes cosechadoras actuales fue la SEGADORA de CYRUS H. McCORMICK, introducida en 1831. Las máquinas trilladoras se accionaban primitivamente por la fuerza de hombres y animales, a menudo con el uso de mecanismos accionados con los pies, más tarde por máquinas de VAPOR y MOTORES DE COMBUSTIÓN INTERNA. La cosechadora moderna, introducida originalmente en California c. 1875, se usó mucho en EE.UU. en las décadas de 1920–30, y en Gran Bretaña, en la década de 1940. La cosechadora corta el grano en pie, separa el grano de la paja

Cosechadoras modernas.
INGA SPENCE/VISUALS UNLIMITED/GETTY IMAGES

y del desperdicio, limpia el grano y lo vacía en sacos o en instalaciones de almacenamiento. Ha reducido drásticamente el tiempo de cosecha y la mano de obra requeridos; la cosechadora moderna cosecha en menos de 30 minutos lo que en 1829 requería 14 horas-hombre.

coseno ver FUNCIÓN TRIGONOMÉTRICA

coseno, teorema del Generalización del teorema de PITÁGORAS que relaciona las longitudes de los lados de un triángulo. Si a, b y c son las longitudes de los lados y C es el ángulo opuesto al lado c, entonces $c^2 = a^2 + b^2 - 2ab \cos C$.

coser, máquina de Máquina para unir material (como tela o cuero) por medio de puntadas, que tiene por lo general una AGUJA y una LANZADERA que lleva HILO DE COSER, y es accionada por pedal o electricidad. Inventada por ELIAS HOWE en 1846 y fabricada con éxito por Howe e ISAAC MERRITT SINGER, fue el primer artefacto mecánico para el hogar, ampliamente difundido, y ha sido también una máquina industrial importante. Las máquinas de coser modernas suelen funcionar con un motor eléctrico, pero las de pedal aún se siguen usando bastante en gran parte del mundo.

Cosgrave, William Thomas (6 jun. 1880, Dublín, Irlanda–16 nov. 1965, Dublín). Estadista irlandés, primer presidente (1922–32) del Estado Libre de Irlanda. Atraído tempranamente al Sinn Féin, participó en el levantamiento de Pascua en Dublín (1916) y fue encarcelado un breve tiempo por los británicos. Como presidente restableció el gobierno constituido en Irlanda. Continuó en el cargo a pesar de varias crisis hasta la victoria de EAMON DE VALERA en 1932. En 1944 renunció como líder del Partido de Irlanda Unida (FINE GAEL). Su hijo Liam (n. 1920) fue primer ministro en 1973–77.

Cosimo, Piero di ver PIERO DI COSIMO

cosmatesca Tipo de incrustación o MOSAICO usado por decoradores y arquitectos romanos en los s. XII–XIII. Se combinaban pequeños trozos de piedras de color y vidrio con tiras y discos de mármol blanco dispuestos en patrones geométricos. La cosmatesca fue utilizada en decoración arquitectónica y mobiliarios de iglesia. El término deriva de artesanos de varias familias llamadas Cosmatus.

Cosme I *italiano* **Cosimo de Medici** (12 jun. 1519–21 abr. 1574, Castello, cerca de Florencia). Segundo duque de Florencia (1537–74) y primer gran duque de Toscana (1569–74). Hijo de JUAN DE MÉDICIS, quedó a cargo de la república de Florencia en 1537 después de que fuera asesinado su primo lejano ALEJANDRO DE MÉDICIS. Continuó el gobierno tiránico de Alejandro y con la ayuda del emperador CARLOS V frustró los intentos de derrocarlo. En su afán expansionista, atacó Siena en 1554 y puso bajo su control a casi toda Toscana. Se valió del despotismo para mejorar la eficiencia del gobierno y patrocinar proyectos artísticos. Demostró tener un concepto de administración muy avanzado para su época al unir todos los servicios públicos en un solo edificio, la Galería de los UFFIZI diseñada por GIORGIO VASARI. Fomentó el talento de artistas como IL BRONZINO y BARTOLOMMEO AMMANNATI, patrocinó excavaciones arqueológicas de sitios etruscos y estableció la Academia florentina de estudios lingüísticos. En 1569 se le otorgó el título de gran duque de Toscana.

cosméticos Preparados (salvo el jabón) que se aplican sobre el cuerpo humano para embellecer, preservar o alterar su apariencia o para limpiar, colorear, acondicionar o proteger la piel, el pelo, las uñas, los labios, los ojos o los dientes. Los cosméticos más antiguos conocidos se usaron en Egipto en el IV milenio AC. También se utilizaron ampliamente en el Imperio romano, pero desaparecieron de gran parte de Europa luego de su caída (s. V DC) y no reaparecieron hasta la Edad Media, cuando los cruzados retornaron de Medio Oriente con cosméticos y PERFUMES. Hacia el s. XVIII, casi todas las cla-

ses sociales los usaban. Los cosméticos modernos incluyen preparaciones para el cuidado de la piel; base, polvo facial y colorete; maquillaje para ojos; lápiz labial; champú; preparados para rizar y alisar el cabello; colorantes, tinturas y aclaradores para el cabello, y esmalte para uñas. Los desodorantes, enjuagues bucales, cremas depilatorias, astringentes y sales de baño son productos afines.

cosmología Campo del saber que reúne las ciencias naturales, especialmente la ASTRONOMÍA y la FÍSICA, en un esfuerzo por entender el UNIVERSO físico como un todo unificado. La primera gran era de la cosmología científica comenzó en Grecia en el s. VI AC, cuando los pitagóricos introdujeron el concepto de una Tierra esférica y, a diferencia de los babilonios y los egipcios, idearon la hipótesis de que los cuerpos celestes se movían siguiendo las relaciones armoniosas de las leyes naturales. Este pensamiento culminó con el modelo tolemaico (ver TOLOMEO) del universo (s. II DC). La revolución copernicana (ver sistema de COPÉRNICO) del s. XVI abrió paso a la segunda gran era. La tercera comenzó a principios del s. XX, con la formulación por ALBERT EINSTEIN de la teoría especial de la RELATIVIDAD, y su generalización, la relatividad general. Las suposiciones básicas de la cosmología moderna dicen que el universo es espacialmente homogéneo (en el promedio, cualquier lugar del espacio es similar en cualquier momento) y que las leyes de la física son las mismas en cualquier parte.

cosmonauta ver ASTRONAUTA

cosmos Cualquiera de las plantas de jardín que constituyen el género *Cosmos* (COMPUESTAS), integrado por unas 20 especies originarias del Nuevo Mundo tropical. Las cabezuelas crecen a lo largo de tallos florales o juntas en un racimo abierto. Las flores tubulares son rojas o amarillas; las radiadas, a veces muescadas, pueden ser blancas, rosadas, rojas, púrpuras o de otros colores. La mayoría de los cultivares ornamentales anuales se ha desarrollado a partir del cosmos de jardín común (*C. bipinnatus*).

Cosroes I *o* **Jusraw Anusirwan** (m. 579). Rey persa (r. 531–579) de la dinastía SASÁNIDA. Reformó el sistema tributario, reorganizó el ejército y emprendió campañas militares contra los heftalitas (pueblo de Asia central) y en Armenia, el Cáucaso y Yemen. Se dice que importó textos sánscritos para su traducción. Bajo su reinado se introdujo el ajedrez desde India y florecieron la astronomía, la astrología, la medicina y la filosofía. Se cree que durante su gobierno también se habría compilado el AVESTA. En épocas posteriores su nombre se hizo legendario. Se le atribuye casi cualquier construcción preislámica iraní cuyo origen se desconoce.

Cosroes I, medallón de cristal, s. VI;
Bibliothèque Nationale, París.
J.E. BULLOZ

Cosroes II *o* **Cosroes Parvīz** (m. 628). Rey persa de la dinastía SASÁNIDA (r. 590–628), cuyas hazañas militares posibilitaron el crecimiento del imperio a su máxima extensión. Ascendió al trono en tiempos difíciles, apoyado por Mauricio, monarca del Imperio BIZANTINO. Sin embargo, cuando un nuevo emperador bizantino ocupó el trono, Cosroes II emprendió una guerra contra el imperio, y capturó Armenia y Anatolia central. En 613 sus tropas se apoderaron de Damasco, y Jerusalén cayó en 614. Más tarde sufrió un revés de fortuna cuando las fuerzas bizantinas recuperaron el territorio perdido y asesinaron a sus generales más competentes. Se produjo luego una revolución al interior de la familia real y Cosroes fue ejecutado. Bajo su reinado, la orfebrería en plata y el tejido de alfombras

Cosroes II, moneda, 590–628 DC; colección de la American Numismatic Society.
GENTILEZA DE LA AMERICAN NUMISMATIC SOCIETY

alcanzaron su máximo desarrollo, y existen evidencias de un renacimiento de la escultura en roca. Después de su muerte, el imperio entró rápidamente en decadencia y en 640 cayó en manos de los árabes durante la conquista islámica.

costa Área extensa de tierra que bordea el mar. Las líneas costeras de los continentes miden cerca de 312.000 km (193.000 mi). A lo largo del tiempo han experimentado desplazamientos de posición y modificaciones de forma debido a cambios sustanciales en los niveles relativos de la tierra y del mar. Otros factores que alteran la costa son los procesos de erosión, como el producido por la acción de las olas y el desgaste debido a agentes atmosféricos, la deposición de sedimentos rocosos por corrientes y la actividad TECTÓNICA. Los rasgos de la costa dependen en gran medida de la interacción e intensidad relativa de estos procesos, pero también influye el tipo y estructura de la roca.

Costa Azul Región que bordea el mar Mediterráneo, en el sudeste de Francia. Comprende la RIVIERA francesa entre Menton y CANNES y constituye un importante centro turístico famoso por sus paisajes. Ver también NIZA; MÓNACO.

COSTA DE MARFIL

▸ **Superficie:** 320.803 km² (123.863 mi²)

▸ **Población:** 17.298.000 hab. (est. 2005)

▸ **Capital:** YAMOUSSOUKRO

▸ **Moneda:** franco CFA

Costa de Marfil o **Côte d'Ivoire** *ofic.* **República de Costa de Marfil** País de África occidental. La población está compuesta de varios grupos étnicos, entre ellos los bete, senufo, baule, anyi, dyula, bambara y dan. Idiomas: francés (oficial), baule, anyi, bete, bambara y dan. Religiones: Islam, catolicismo y religiones tradicionales. El país puede dividirse en cuatro regiones principales: una estrecha zona costera, selva húmeda ecuatorial al oeste, una zona boscosa cultivada al este y al norte una región de sabana. La agricultura ocupa más de un 50% de la fuerza de trabajo. El país es el mayor productor de cacao del mundo y uno importante de café; otros de sus productos de exportación son las bananas, algodón, caucho, madera y diamantes. Es una república con una cámara legislativa; el jefe de Estado es el presidente y el jefe de Gobierno, el primer ministro. Las potencias europeas llegaron a la zona en el s. XV y comenzaron el comercio de marfil y de esclavos. Los reinos locales cedieron ante la influencia francesa en el s. XIX. La colonia francesa de Costa de Marfil fue fundada en 1893, y en 1908–18 se llevó a cabo la ocupación militar. En 1946 pasó a ser un territorio de la UNIÓN FRANCESA; en 1947, la parte septentrional del país se separó, con el nombre de Alto Volta (actual BURKINA FASO). Costa de Marfil obtuvo su autonomía en forma pacífica en 1958 y su independencia en 1960, cuando FÉLIX HOUPHOUËT-BOIGNY fue elegido presidente. En 1990 se llevó a cabo la primera elección presidencial bajo

Mujer preparando el alimento en el exterior de su vivienda, Costa de Marfil.
FOTOBANCO

un sistema pluripartidista. Desde la muerte de Houphouët-Boigny, en 1993, ha persistido la agitación política.

Costa de Oro Territorio de la costa del golfo de GUINEA, en la zona occidental de África. Se extiende aprox. por el oeste desde Axim, Ghana, hasta el río VOLTA, por el este. Su nombre se debe a sus importantes recursos auríferos. Fue una región muy disputada por las potencias coloniales desde el s. XVII. Adquirida como colonia por los británicos en el s. XIX y denominada Costa de Oro, obtuvo su independencia en 1957 al constituirse la República de Ghana.

Costa-Gavras, Constantine *orig.* **Konstantinos Gavras** (n. 12 feb. 1933, Loutra-Iraias, Grecia). Director de cine francogriego. Abandonó Grecia para estudiar en París, donde llegó a ser asistente de dirección de cineastas como RENÉ CLAIR. En 1966 dirigió su primera película, *Los raíles del crimen*. Con *Z* (1968, premio de la Academia), un drama sobre un crimen político, obtuvo la fama internacional. Más tarde dirigió *thrillers* políticos como *La confesión* (1970), *Estado de sitio* (1972), *Desaparecido* (1982, premio de la Academia) y *Mad City* (1997). Llegó a ser presidente de la Cinemateca francesa en 1982.

costa noroccidental, indio de la Indígena norteamericano que habitó una estrecha pero rica franja de tierra costera e islas adyacentes, desde el sudeste de Alaska hasta el noroeste de California. Un rasgo distintivo de estos pueblos lo constituía el rango social, hereditario, de cada individuo. La posición de una persona al interior de una comunidad local dependía de su proximidad genealógica al ancestro legendario del grupo. Para su alimentación, los habitantes de estas regiones dependían ante todo de cinco especies de salmón; arenque; "pez vela", rico en aceite o eulachon; eperlano; bacalao; halibut y moluscos, todos los cuales eran muy abundantes. La navegación era de suma importancia, de ahí que todos los grupos fuesen diestros en la construcción de canoas. Su trabajo en madera se veía facilitado por la abundancia de este recurso, especialmente el cedro rojo y la secuoya, cuyas maderas son fáciles de trabajar. Los grupos de la costa noroccidental incluyen, de norte a sur, a los TLINGIT, HAIDA, TSIMSHIAN, KWAKIUTL (heiltsuq) del norte; bella coola, kwakiutl del sur; NOOTKA, salish de la costa; CHINOOK, y una serie de divisiones menores.

COSTA RICA

▸ **Superficie:** 51.100 km²
(19.730 mi²)

▸ **Población:** 4.221.000 hab.
(est. 2005)

▸ **Capital:** SAN JOSÉ

▸ **Moneda:** colón

Costa Rica *ofic.* **República de Costa Rica** País de América Central. La mayor parte de la población tiene ancestros españoles, con mezcla de sangre indígena y negra. Idioma: español (oficial). Religión: católica (oficial). El estrecho litoral de Costa Rica sobre el Pacífico se eleva abruptamente hacia las tierras altas centrales, y una cadena de montañas volcánicas, que forma la columna central del país, desciende en forma gradual a la planicie costera que da al Caribe. El clima fluctúa entre templado y tropical, y la amplia variedad de plantas y animales incluye especies que se encuentran tanto en América del Norte como del Sur. El país tiene una economía de mercado en vías de desarrollo, sustentada principalmente en la exportación de café y bananas. Otros cultivos comerciales son el azúcar y el cacao; es también importante la carne de vacuno. Costa Rica es una república unicameral basada en un sistema multipartidista; el jefe de Estado y de Gobierno es el presidente. CRISTÓBAL COLÓN desembarcó en la actual Costa Rica en 1502, en una zona habitada por pequeñas tribus indígenas independientes. Estos pueblos no fueron fáciles de dominar por los conquistadores que siguieron, y les tomó casi 60 años a los españoles establecer allí un asentamiento. Desestimada por la Corona española debido a la ausencia de riquezas minerales, la colonia creció con lentitud. Las exportaciones de café y la construcción de una línea férrea mejoraron su economía en

el s. XIX. Se unió al efímero Imperio mexicano en 1821, fue miembro de las Provincias Unidas de América Central (1823–38) y adoptó una constitución en 1871. En 1890, los costarricenses llevaron a cabo la que se considera la primera elección libre y honesta en América Central, comenzando así una tradición democrática por la cual Costa Rica es reconocida. En 1987, el entonces presidente ÓSCAR ARIAS SÁNCHEZ recibió el Premio Nobel de la Paz por su plan de paz centroamericano. Durante la década de 1990, Costa Rica se esforzó arduamente en implementar sus políticas económicas. En 1996, un huracán provocó graves daños en el país.

Cafetales en Costa Rica; la exportación de café es un puntal en su economía.
ARCHIVO EDIT. SANTIAGO

Costa, templo de la Conjunto de santuarios (c. 700), uno entre varios monumentos hindúes en Mahabalipuram, en la costa del estado de Tamil Nadu, India. Es considerado un ejemplo magnificente de la arquitectura de templos del sur de India durante la Edad Media temprana. A diferencia de la mayoría de los templos vecinos, está construido con piedras cortadas en lugar de esculpidas en cavernas. Tiene dos santuarios, uno dedicado a SHIVA y el otro a VISNÚ. Su estilo se caracteriza

por una torre piramidal de tipo *kutina* que consiste en pisos escalonados rematados por una cúpula y un pináculo, una forma completamente diferente del *sikhara* del norte de India.

Costello, Lou ver Bud ABBOTT y Lou Costello

Costeras, cordilleras *inglés* **Coast Ranges** Sistema montañoso discontinuo a lo largo de la costa norteamericana del Pacífico. Se extienden, en territorio estadounidense desde el sur del estado de California, atraviesan los estados de Oregón y Washington, hasta internarse en la provincia canadiense de Columbia Británica y el estado de Alaska; abarca la isla VANCOUVER, el archipiélago de la REINA CARLOTA, el archipiélago ALEXANDER y la isla KODIAK. La altitud media de la cordillera es de aprox. 1.000 m (3.300 pies) sobre el nivel del mar, pero algunos picos y cumbres se elevan a más de 2.000 m (6.600 pies). Secuoyas rojas gigantes dominan los bosques a lo largo de la costa del sur de Oregón y del norte de California. La cordillera Costera de la Columbia Británica no es una continuación de las cordilleras Costeras de EE.UU., sino de la cordillera de las CASCADAS.

costo Valor monetario de bienes y servicios que compran tanto los productores como los consumidores. En un sentido económico básico, el costo es la medida de las oportunidades alternativas desechadas cuando se elige un bien o servicio entre otros (ver COSTO DE OPORTUNIDAD). Para los consumidores, el costo corresponde al PRECIO pagado por bienes y servicios. Para los productores, el costo tiene que ver con la relación existente entre el valor de los insumos productivos y el nivel de producción. El costo total se refiere a todos los gastos incurridos para lograr un cierto nivel de producción. Al dividir el costo total por la cantidad producida, se obtiene el costo promedio o unitario. Una parte del costo total, llamada costo fijo (p. ej., los costos de arriendo de edificios o de maquinaria pesada), no varía en función de la cantidad producida y, en el corto plazo, no puede ser modificado mediante un aumento o una reducción de la producción. Los costos variables, como el costo de mano de obra o materias primas, cambian con el nivel de producción. Las decisiones económicas se basan en el costo marginal, es decir, el costo adicional que significa al aumentar en una unidad la producción o el consumo.

costo-beneficio, análisis En la planificación y elaboración presupuestaria del gobierno, el intento de medir los beneficios sociales de un proyecto propuesto en términos monetarios y compararlos con sus costos. El procedimiento fue propuesto por primera vez en 1844 por Arsène-Jules-Étienne-Juvénal Dupuit (n. 1804–m. 1866). Este método no fue realmente aplicado hasta la entrada en vigor, en 1936, de la ley sobre control de inundaciones de EE.UU., en la que se exigía a los proyectos pertinentes que los beneficios superaran los costos. La razón costo-beneficio se determina dividiendo los beneficios proyectados de un programa por sus costos proyectados. A menudo, se considera una amplia gama de variables en el análisis, incluso aquellas no cuantitativas como la calidad de vida, debido a que el valor de los beneficios puede ser indirecto o a muy largo plazo.

costo de oportunidad En términos económicos, las oportunidades desechadas en la elección de un gasto específico sobre otros. Para un consumidor con un ingreso fijo, el costo de oportunidad de comprar una nueva máquina lavavajillas podría ser el valor de un viaje de vacaciones que nunca se realizó o varias prendas de ropa que no se compraron. El concepto de costo de oportunidad permite a los economistas analizar el valor monetario relativo de una variada gama de bienes y servicios.

costo de vida Costo monetario de mantener un nivel de vida determinado, el que se mide generalmente calculando el costo promedio de un cierto número de bienes y servicios. La medición del costo del nivel mínimo de vida es esencial para determinar los pagos de socorro, los beneficios del seguro social y los SALARIOS MÍNIMOS. Se suele medir el costo de vida por medio de un ÍNDICE DE PRECIOS como el ÍNDICE DE PRECIOS AL

CONSUMIDOR (IPC). Las mediciones de los cambios en el costo de vida son importantes en las negociaciones salariales. Las mediciones del costo de vida también se utilizan para comparar el costo de mantener el mismo nivel de vida en distintas zonas. Ver también SEGURO SOCIAL.

costumbre En derecho, práctica de larga data común a muchos o a un lugar o institución determinados y generalmente reconocida como obligatoria. En la Inglaterra de la época anglosajona, las costumbres locales constituían la mayor parte de las normas legales que regulaban el derecho de familia, la propiedad, las SUCESIONES, los CONTRATOS y la violencia entre las personas. Los conquistadores normandos reconocieron la validez del derecho consuetudinario y lo adaptaron a su sistema feudal. En los s. XIII y XIV reconoció al derecho inglés la autoridad de ley escrita al amparo de la corona, con lo cual las "costumbres del reino" pasaron a formar parte del COMMON LAW de Inglaterra. Ver también CULTURA; FOLCLORE; MITO; TABÚ.

costumbrista, pintura Pintura de escenas de la vida cotidiana y de gente común, trabajando o divirtiéndose, representada de manera realista. En el s. XVIII, el término se usó despectivamente para referirse a los pintores que se especializaban en un solo tipo de pintura, como flores, animales o la vida cotidiana de la clase media. A mediados del s. XIX, ya se empleaba con mayor aprobación, y todavía se emplea en forma corriente para describir obras de pintores holandeses y flamencos del s. XVII como JAN STEEN, GERARD TERBORCH, ADRIAEN VAN OSTADE y JOHANNES VERMEER, y de maestros posteriores como J.-B-S. CHARDIN en Francia, PIETRO LONGHI en Italia y GEORGE CALEB BINGHAM en EE.UU.

cota de mallas Forma de ARMADURA usada por los caballeros europeos y otros guerreros medievales. Una forma primitiva, confeccionada mediante la costura de anillos de hierro a una tela o cuero, se usó en la era romana tardía, y pudo haber sido originaria de Asia. Los armeros medievales entrelazaban los anillos, que eran cerrados, mediante soldadura o remache. En el s. VIII, la cota de mallas era una camiseta corta con una manga separada para el brazo de la espada. En los tiempos de la conquista normanda de Inglaterra (1066), la camiseta se había alargado y tenía mangas completas; una capucha, generalmente ajustada bajo un yelmo, cubría la cabeza y el cuello. Ya en el s. XII, la cota de mallas se ajustaba a las manos, los pies y las piernas. En el s. XIV, la adición de placas para mejorar la protección del pecho y la espalda evolucionó en forma gradual en la armadura hecha íntegramente de placas, que desplazó a la cota.

Cotán, Juan Sánchez ver Juan SÁNCHEZ COTÁN

Côte d'Ivoire ver COSTA DE MARFIL

cotiledón Hoja seminal dentro del embrión de una semilla, que suministra energía y nutrientes a la plántula en desarrollo. Después de que se han formado las primeras hojas genuinas, los cotiledones se marchitan y desprenden. Las ANGIOSPERMAS, cuyos embriones tienen un cotiledón único, se agrupan en plantas monocotiledóneas; aquellas con dos cotiledones, en dicotiledóneas. A diferencia de las angiospermas, las GIMNOSPERMAS tienen normalmente varios cotiledones y no uno o dos.

cotillón ver CUADRILLA

Cotonou Ciudad portuaria (pob., 1998: 649.580 hab.), capital de facto de Benín. Ubicada en las costas del golfo de GUINEA, es el punto de partida del ferrocarril Benín-Níger y cuenta con instalaciones portuarias de aguas profundas que fueron terminadas en 1965, y que sirven tanto a Benín como a Togo. Cotonou es el centro económico del país así como la ciudad más grande. La actividad industrial comprende producción textil, elaboración de aceite de palma y de cerveza. Es la sede de la Universidad Nacional de Benín (1970).

Cotopaxi Volcán de la zona central de Ecuador en la cordillera de los ANDES. Con una altura de 5.897 m (19.347 pies), es el volcán activo más alto del mundo. Su cono, de simetría casi perfecta, con frecuencia se esconde tras las nubes que se iluminan de noche por los fuegos del cráter. Su base descansa sobre pastizales de montaña y la cumbre está cubierta por nieves eternas. Con un largo historial de erupciones violentas, rara vez ha permanecido inactivo por más de 15 años.

Cotton Belt (español: "cinturón de algodón"). Región agrícola del sudeste de EE.UU., donde el algodón es el principal cultivo industrial. En un tiempo estuvo confinada al sur, anterior a la guerra de Secesión, para luego de esta ser desplazada hacia el oeste. En la actualidad se extiende principalmente por los estados de Carolina del Norte y del Sur, Georgia, Alabama, Mississippi, el oeste de Tennessee, el este de Arkansas, Luisiana, el este de Texas y el sur de Oklahoma.

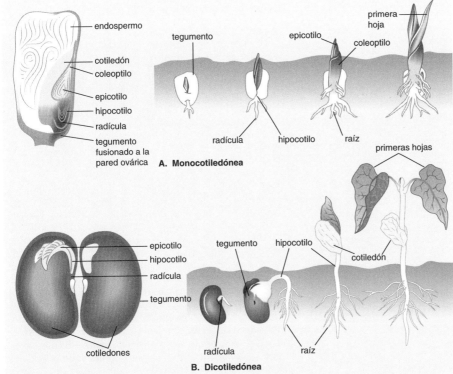

A. Monocotiledóneas (estructuras internas de una semilla de maíz y etapas de su germinación). Los nutrientes se almacenan en el tejido del cotiledón y del endospermo. La radícula y el hipocotilo (región entre el cotiledón y la radícula) dan origen a las raíces. El epicotilo (región sobre el cotiledón) forma el tallo y las hojas y está cubierto por una vaina protectora (coleoptilo).
B. Dicotiledóneas (estructuras internas de una semilla de frijol y etapas de su germinación). Todos los nutrientes se almacenan en los cotiledones agrandados. La radícula forma las raíces; el hipocotilo, el tallo inferior; y el epicotilo, las hojas y el tallo superior.

Cotton Club Club nocturno del distrito neoyorquino de Harlem, EE.UU., de las décadas de 1920–30. Se inauguró en 1922, en la esquina de la calle 142 y la avenida Lenox, bajo la dirección de Owney Madden (n. 1892–m. 1964), quien tenía fama de contrabandista. El club se puso de moda y allí se presentaron los mejores músicos afroamericanos de EE.UU., que tocaban para un público exclusivamente blanco. Louis Armstrong, Cab Calloway, Duke Ellington, Lena Horne, Bill Robinson y Ethel Waters fueron algunos de esos artistas. El club se trasladó más tarde al centro de la ciudad (1936–40).

Cotton, John (4 dic. 1585, Derby, Derbyshire, Inglaterra–23 dic. 1652, Boston, Mass.). Líder puritano angloamericano. Estudió en la Universidad de Cambridge, donde entró en contacto por primera vez con el PURITANISMO. De 1612 a 1633 sirvió de vicario en Lincolnshire. Cuando las autoridades de la Iglesia de Inglaterra presentaron cargos en su contra por disidencia, Cotton viajó a Norteamérica en 1633 y se radicó en Nueva Inglaterra. Como "instructor" de la First Church of Boston (Primera iglesia de Boston) (1633–52), se volvió un líder influyente en la colonia de la bahía de Massachusetts. Escribió un catecismo para niños de uso generalizado, y defendió la ortodoxia puritana en libros como *The Way of the Churches of Christ in New England* (1645). Se opuso a la libertad de conciencia, como predicaba Roger Williams, optando en cambio por una sociedad nacional teocrática.

Cotton, sir Robert Bruce (22 ene. 1571, Denton, Lancashire, Inglaterra–6 may. 1631, ¿Londres?). Anticuario inglés. Desde c. 1585 se dedicó a coleccionar registros, manuscritos, libros y monedas antiguos, y solía acoger a los estudiosos en su biblioteca. Ingresó al parlamento en 1601 y fue uno de los favoritos de la corte hasta c. 1615. Pero la adquisición de tantos documentos públicos levantó suspicacias y en 1629, tras publicar varios trabajos en que se mostraba crítico de las políticas de Carlos I, su biblioteca fue clausurada. Tras la muerte de Cotton, su hijo recuperó la posesión de la biblioteca y su tataranieto la donó a la nación en 1700. Los documentos históricos de la Cottonian Library forman el grueso de la colección de manuscritos de la Biblioteca Britannica.

Coubertin, Pierre, barón de (1 ene. 1863, París, Francia–2 sep. 1937, Ginebra, Suiza). Educador francés, principal responsable del renacimiento de los Juegos Olímpicos (1894). Uno de los primeros defensores de la educación física en Francia, su empeño por reanudar los Juegos Olímpicos, después de 1.500 años de suspensión, nació en parte de una visita a Grecia, donde se estaba excavando el sitio de los Juegos Oímpicos de la antigüedad. Fue el segundo presidente (1896–1925) del Comité Olímpico Internacional (COI).

Coué, Émile (26 feb. 1857, Troyes, Francia–2 jul. 1926, Nancy). Farmacéutico y psicólogo francés. En 1882, después de sus inicios como farmacéutico en Troyes, estudió hipnosis. En 1910 abrió en Nancy una clínica gratuita y desarrolló su propio método de psicoterapia basado en la autosugestión, "couéism", que fue famoso por exigir una constante repetición, siendo la fórmula más conocida, "cada día y en todos las formas estoy siendo mejor y mejor".

Émile Coué, farmacéutico y psicólogo francés.
EB INC.

Coughlin, Charles E(dward) *o* **Padre Coughlin** (25 oct. 1891, Hamilton, Ontario, Canadá–27 oct. 1979, Bloomfield Hills, Mich., EE.UU.). Clérigo estadounidense nacido en Canadá. Ordenado sacerdote católico en 1923, fue párroco de una iglesia en Michigan. En 1930 comenzó a transmitir sus sermones por radio y poco a poco fue inyectándoles declaraciones

políticas reaccionarias y expresiones antisemitas. Sus sermones reunieron a uno de los primeros públicos masivos, profundamente leales, de la historia de la radiodifusión. Atacó a Herbert Hoover y, más adelante, a Franklin D. Roosevelt y al New Deal. Su revista, *Social Justice*, tenía como blancos de ataque a Wall Street, el comunismo y los judíos. Se prohibió repartirla por correo y la publicación cerró en 1942, el mismo año en que la jerarquía católica le ordenó suspender las transmisiones.

Coulomb, Charles-Augustin de (14 jun. 1736, Angulema, Francia–23 ago. 1806, París). Físico francés. Después de prestar servicios como ingeniero militar en las Indias Occidentales, regresó a Francia en la década de 1780 para dedicarse a la investigación científica. Con el fin de investigar la ley de repulsiones eléctricas de Joseph Priestley, inventó un instrumento muy sensible para medir las fuerzas eléctricas involucradas. Suspendió en posición horizontal una barra liviana de material aislante que tenía una pequeña esfera conductora en cada extremo, sosteniéndola mediante un alambre fino, fácil de torcer, de modo que pudiese girar cuando se le acercara otra esfera cargada. Midiendo el ángulo de torsión de la barra, Coulomb podía medir las fuerzas repulsivas. Se le conoce principalmente por formular la ley de Coulomb. También investigó acerca de la fricción en maquinarias de los molinos de viento y de la elasticidad de fibras de metal y seda. En su honor, se le dio el nombre de coulomb a la unidad de carga eléctrica.

Charles-Augustin de Coulomb, detalle de un busto de bronce.
H. ROGER-VIOLLET

Coulomb, fuerza de ver FUERZA ELÉCTRICA

Coulomb, ley de Ley formulada por C.-A. de Coulomb que describe la FUERZA ELÉCTRICA entre objetos cargados. Afirma que (1) cargas del mismo tipo (igual signo) se repelen entre sí y de distinto tipo (signo opuesto) se atraen, (2) la atracción o repulsión actúa a lo largo de la recta que une las cargas, (3) la magnitud de la fuerza es inversamente proporcional al cuadrado de la distancia entre las dos cargas y (4) la magnitud de la fuerza es proporcional al valor de cada una de las cargas.

country, música Estilo musical originado en la población blanca de las zonas rurales del sur y del oeste de EE.UU. El término *country and western music* (música del campo y del oeste) fue adoptado por la industria musical en 1949 con el fin de reemplazar al despectivo *hillbilly music* (música rústica). Sus raíces se remontan a la música de los colonos europeos de los Apalaches y de otras áreas. A principios de la década de 1920 se realizaron las primeras grabaciones del género con fines comerciales; su primer éxito fue grabado por Fiddlin' John Carson. Programas de radio como *Grand Ole Opry* de Nashville y *National Barn Dance* de Chicago estimularon su crecimiento y un número creciente de músicos como la familia Carter y Jimmie Rodgers empezaron a presentarse en la radio y en los estudios de grabación. En las décadas de 1930–40, con la migración de los blancos del sur a las ciudades industriales, la música *country* quedó expuesta a nuevas influencias como el BLUES y la música GOSPEL. Durante aquel período de grandes desplazamientos demográficos, su sesgo nostálgico con textos sobre pobreza, pesar y nostalgia tuvo un atractivo especial. En la década de 1930, estrellas de cine del tipo *singing cowboy* (vaqueros cantantes) como Gene Autry, alteraron los textos de canciones *country* para producir una sintética "música *western*". Otras variantes incluyen el *western swing* y el *honky-tonk* (ver Ernest Tubb). En la década de 1940 se trató de retornar a las raíces del *country* y sus valores (ver BLUEGRASS), pero la influencia de la comercialización resultó ser más fuerte, y en las décadas de 1950–60 este estilo se convirtió en una gran empresa comercial. Cantantes populares grabaron con frecuencia canciones al estilo de Nashville, mientras muchas grabaciones de música *country* emplearon exuberantes fondos orquestales. Esta música ha mantenido cada vez más acogida en las audiencias urbanas, conservando su vitalidad con diversos artistas como WILLIE NELSON, Waylon Jennings, Dolly Parton, Randy Travis, Garth Brooks, Emmylou Harris y Lyle Lovett. A pesar de la influencia de otros estilos, ha conservado su carácter inconfundible, siendo uno de los pocos estilos musicales estadounidenses verdaderamente autóctonos.

Couperin, François (10 nov. 1668, París, Francia–12 sep. 1733, París). Compositor, clavecinista y organista francés. A los 17 años sucedió a su padre como organista en la importante iglesia de St. Gervais, manteniendo ese puesto por cerca de 50 años. Posteriormente fue nombrado organista y clavecinista de la corte de LUIS XIV. Sus trabajos más conocidos son cuatro libros de piezas para clavecín, que contienen unas 220 piezas de rica ornamentación, vivaces y elegantes *Pièces de clavecin*, (1713–30). Sus otras obras incluyen una colección de más de cuarenta composiciones para órgano *Pièces d'orgue*, (1709), gran cantidad de música vocal sacra (entre ellas las *Leçons de ténèbres*, c. 1715) y varias colecciones para música de cámara (como los *Concerts royaux* (1722). Su *Arte de tocar el clavecín* (1716) es el tratado instrumental más valioso de su tiempo. Fue el compositor francés más destacado de su generación. Su tío Louis Couperin (n. 1626–m. 1661), también organista de St. Gervais, compuso más de 200 obras para teclado.

courante (del latín *currere*, "correr"). Danza cortesana del s. XVI, muy en boga en los salones de baile europeos del s. XVIII. Originalmente se ejecutaba realizando pequeños saltos hacia atrás y hacia delante, que luego se transformaron en pasos deslizados solemnes. Bailado con música de rápido compás ternario, más tarde esta danza pasó a formar parte de la SUITE musical, a continuación de la ALEMANDA.

Courantyne, río *o* **río Corentyne** *neerlandés* **Corantijn** Río del norte de Sudamérica. Nace en los montes Akarai, recorre 700 km (450 mi) hacia el norte y desemboca en el océano Atlántico, cerca de Nieuw Nickerie, Surinam. Es la frontera entre Surinam y Guyana; los residentes de este último tienen libertad para navegar sobre sus aguas, pero no tienen derecho de pesca. Es navegable para embarcaciones transoceánicas pequeñas por cerca de 70 km (45 mi) hasta la zona de sus primeros rápidos, en Orealla. En gran medida, la cuenca del Courantyne no se ha aprovechado y buena parte de sus bosques permanecen inexplorados.

Courbet, Gustave (10 jun. 1819, Ornans, Francia–31 dic. 1877, La Tour-de-Peilz, Suiza). Pintor francés. En 1839 se fue a París, donde luego de recibir alguna enseñanza formal, aprendió el oficio copiando a los antiguos maestros en el Louvre. Sus primeras obras fueron polémicas, pero recibieron la aclamación del público y de la crítica. En 1849–50 realizó dos de sus mejores pinturas: *Los picapedreros* y *Entierro en Ornans*. Ambas obras se alejan radicalmente de las pinturas más controladas e idealizadas de las escuelas neoclásicas (ver CLASICISMO Y NEOCLASICISMO) o románticas (ver ROMANTICISMO); retratan la vida y las emociones de los humildes campesinos, no de los aristócratas, con una visión realista. Tales imágenes de la vida cotidiana, caracterizadas por un poderoso naturalismo y retratadas audazmente, lo encasillaron como un socialista revolucionario. Mantuvo una estrecha amistad con muchos escritores y filósofos de su época, y además fue el líder de la nueva escuela de realismo, la que con el tiempo prevaleció sobre otros movimientos contemporáneos. Su audacia e irreverencia frente a la autoridad fueron notorias. En 1865, su serie sobre tormentas marinas asombró al mundo del arte y abrió el camino al IMPRESIONISMO.

coureur de bois (francés: "corredor de bosque"). Traficante en pieles francocanadiense de fines del s. XVII y comienzos del s. XVIII. En su mayoría, los *coureurs de bois* traficaban de manera ilícita (esto es, sin la licencia que exigía el gobierno de Quebec). Vendían coñac a los indios, lo que creaba dificultades a las tribus con las que comerciaban. Aunque desobedecían a las autoridades coloniales, en último término las ayudaron, porque exploraron la frontera, desarrollaron el comercio de pieles y colaboraron para obtener la alianza de los indios con los franceses contra los ingleses (ver guerra FRANCESA E INDIA).

Cournand, André F(rédéric) (24 sep. 1895, París, Francia–19 feb. 1988, Great Barrington, Mass., EE.UU.). Médico y fisiólogo estadounidense de origen francés. Compartió el Premio Nobel de 1956 con Dickinson W. Richards (n. 1895–m. 1973) y WERNER FORSSMANN por sus descubrimientos en la cateterización del corazón y la dinámica circulatoria. Cournand y Richards perfeccionaron el procedimiento de cateterización cardíaca de Forssmann para estudiar el funcionamiento de los corazones enfermos, a fin de diagnosticar con mayor precisión los defectos anatómicos subyacentes. También usaron catéteres en la arteria pulmonar, mejorando el diagnóstico de las enfermedades del pulmón.

Cournot, Antoine-Augustin (28 ago. 1801, Gray, Francia–31 mar. 1877, París). Economista y matemático francés. Fue el primer economista en aplicar de manera efectiva las matemáticas al tratamiento de los asuntos económicos. Realizó importantes contribuciones con su análisis de las funciones de la OFERTA Y DEMANDA, las traslaciones de los impuestos y los problemas del comercio internacional. Se le recuerda particularmente por su análisis del comportamiento estratégico en un mercado dominado por sólo dos productores, también llamado *duopolio*. Su obra principal es *Investigaciones acerca de los principios matemáticos de la teoría de la riqueza* (1838).

Courrèges, André (n. 9 mar. 1923, Pau, Francia). Diseñador de modas francés. En 1948 inició su carrera trabajando en una pequeña casa de modas parisiense y dentro de un año se incorporó al personal de CRISTÓBAL BALENCIAGA. En 1961 abrió su propia casa y se consolidó como uno de los modistos más originales de París. Sus estilos futuristas mostraban pantalones de corte perfecto, líneas trapezoidales y minifaldas con botas blancas a la mitad de la pantorrilla; el blanco se convirtió en su sello distintivo. En la década de 1960 sus diseños fueron muy copiados. Controló la fabricación y distribución con subdistribuidores licenciados.

Court of Common Pleas ver Tribunal de ACCIONES CIVILES

Court, Margaret Smith *orig.* **Margaret Smith** (n. 16 jul. 1942, Albury, Nueva Gales del Sur, Australia). Tenista australiana. En la década de 1960

Margaret Smith Court.
MILLER SERVICES LTD.

dominó el circuito femenino al ganar 66 campeonatos, más que cualquier otro tenista. En 1970 pasó a ser la segunda mujer, después de MAUREEN CONNOLLY, en ganar el Grand Slam (la competencia individual de Wimbledon y los abiertos de EE.UU., Francia y Australia). En 1963 se convirtió en la única jugadora en ganar el Grand Slam no sólo en *singles*, sino también en dobles mixtos (con su compatriota Kenneth Fletcher).

Jacques Cousteau, explorador oceanográfico.
UPI

Cousteau, Jacques-Yves (11 jun. 1910, Saint-André-de-Cubzac, Francia–25 jun. 1997, París). Explorador oceanográfico francés. En su calidad de oficial naval, fue coinventor del *Aqua-Lung* (pulmón de agua), equipo de buceo también llamado scuba. Fundó en Marsella la Oficina francesa de investigación submarina (ahora, el Centro de estudios marinos avanzados). Desde 1950 y durante décadas viajó por el mundo en naves de investigación, llamadas *Calypso*. Inventó un proceso para usar la televisión bajo el agua y fue el conductor de un exitoso programa internacional de televisión (1968–76). También ocupó el cargo de director del Museo oceanográfico de Mónaco (1957–88). En sus últimos años hizo advertencias cada vez más alarmantes sobre la destrucción del océano por acción del hombre. Entre sus populares libros destacan *El mundo silencioso* (1953) y *El mar viviente* (1963); y en cine, el filme *El pez dorado* (1960, premio de la Academia).

covenanters Presbiterianos escoceses del s. XVII que suscribieron pactos en los que se comprometieron a mantener formas específicas de culto y gobierno de la Iglesia. Después de la firma del pacto nacional de 1638, la asamblea escocesa abolió el sistema episcopal. En las guerras de los obispos, de 1639–40, los escoceses lucharon contra Inglaterra para mantener su libertad religiosa. En Inglaterra, los costos de tales guerras fueron un factor de la guerra civil INGLESA, y en la Liga solemne y pacto de 1643 los escoceses prometieron su ayuda a la facción parlamentaria con tal de que la Iglesia de Inglaterra se reformara conforme a las pautas presbiterianas. El arreglo de Oliver Cromwell no satisfizo a los *covenanters*, pero su situación empeoró considerablemente una vez que CARLOS II llegó al trono en 1660. Se volvió al sistema episcopal y los *covenanters* debieron soportar severas persecuciones. No fue sino hasta la REVOLUCIÓN GLORIOSA de 1688 cuando el PRESBITERIANISMO se restableció en Escocia.

Covent Garden Plaza en Londres. Es el actual emplazamiento de la Royal Opera House, sede de las compañías nacionales de ópera y ballet de Gran Bretaña. El espacio alrededor de la plaza fue el jardín de un convento, y en 1630 se convirtió en un barrio residencial. El primer teatro Covent Garden, llamado Theatre Royal, se construyó en 1732 y en él se presentaron obras de teatro, pantomimas y ópera. Incendiado y reconstruido en dos ocasiones, más tarde pasó a ser la Royal Italian Opera House (1847), y en 1888 se refundó como Royal Opera Co. La plaza también fue un mercado de flores, frutas y verduras desde 1670 hasta 1974.

Coventry Ciudad y municipio metropolitano (pob., 2001: 300.844 hab.) del centro de Inglaterra. En esta ciudad vivió Lady GODIVA, quien, junto a su esposo, fundó ahí un monasterio benedictino en 1043, donde probablemente se presentaban los MISTERIOS de la ciudad en los s. XV–XVI. Durante la segunda guerra mundial, los bombardeos alemanes causaron grandes daños a la ciudad. El chapitel de la catedral de St. Michael, construida en el

Monumento a Lady Godiva en Coventry, West Midlands, Inglaterra.
SHOSTAL

s. XV, y su nave en ruinas se encuentran al lado de la nueva catedral construida en 1962. Sus principales industrias son la fabricación de automóviles y motores de avión, y las telecomunicaciones.

Coward, Sir Noël (Peirce) (16 dic. 1899, Teddington, cerca de Londres, Inglaterra–26 mar. 1973, St. Mary, Jamaica). Dramaturgo, actor y compositor británico. Actor desde los 12 años, escribió comedias ligeras en sus ratos libres; sin embargo, fue su obra dramática *El vórtice* (1924) con la que obtuvo renombre. Sus comedias clásicas llegaron con posterioridad: *La fiebre del heno* (1925), *Vidas privadas* (1930), *Una mujer para dos* (1933), *Present Laughter* (1939) y *Un espíritu burlón* (1941) presentaban personajes sofisticados en un medio mundano. En muchas ocasiones compartió escenario y escribió para su gran amiga GERTRUDE LAWRENCE. Su musical más popular fue *Bitter Sweet* (1929). Escribió la conmovedora película *Breve encuentro* (1945), y actuó en las versiones cinematográficas de muchas de sus obras. Además escribió cuentos, novelas y compuso numerosas canciones, entre ellas, "Mad Dogs and Englishmen".

cowboy ver VAQUERO

Cowell, Henry (Dixon) (11 mar. 1897, Menlo Park, Cal., EE.UU.–10 dic. 1965, Shady, N.Y.). Compositor vanguardista estadounidense. Empezó tempranamente a experimentar con técnicas como los *clusters* ("racimos") de notas y la manipulación directa de las cuerdas del piano. Su reputación se expandió al realizar cinco giras por Europa como pianista y compositor (1923–33). Fue uno de los inventores del *rhythmicon*, instrumento que produce varios ritmos simultáneos y antagónicos. Inmensamente prolífico, compuso cerca de 1.000 piezas, entre ellas, 19 sinfonías, centenares de obras para piano y varios ballets. En 1927 fundó la revista *New Music*. En su libro *New Musical Resources* (1930) presentó sus ideas sobre la composición musical. Fue uno de los innovadores más importantes en la historia de la música estadounidense.

Cowley, Abraham (1618, Londres–28 jul. 1667, Chertsey, Inglaterra). Poeta y ensayista británico. Fue profesor titular en Cambridge, pero durante las guerras civiles INGLESAS, sus opiniones políticas le valieron la expulsión de la universidad. Se allegó a la corte de la reina y hasta 1656 realizó varias misiones al servicio del bando monárquico. Entre sus obras poéticas se destacan *The Mistress* [La amante] (1647, 1656), el poema épico inconcluso *Davideis* [Davidea] (1656) y sus *Pindarique Odes* [Odas pindáricas] (1656), en las que adapta el estilo de Píndaro al verso inglés. Su lenguaje poético es caprichoso, imaginativo y muy elaborado y tendía a ser más ornamental que expresivo. En sus años de retiro escribió ensayos pensativos y mesurados.

Cowley, Malcolm (24 ago. 1898, Belsano, Pa., EE.UU.–27 mar. 1989, New Milford, Conn.). Crítico literario e historiador social estadounidense. Se educó en la Universidad de Harvard, EE.UU., y en Francia. En su calidad de editor literario de la revista *New Republic* (1929–44), participó en muchas batallas políticas y literarias durante el período de la depresión, habitualmente desde posturas de izquierda. Revitalizó el prestigio de WILLIAM FAULKNER con la edición *The Portable Faulkner* [Faulkner de bolsillo] (1946). Entre sus obras más importantes se cuentan *Exile's Return* [Regreso de un exiliado] (1934), una crónica sobre los escritores estadounidenses expatriados (ver GENERACIÓN PERDIDA); *The Literary Situation* [La situación del escritor] (1954), sobre el papel de los escritores en la sociedad, y las colecciones *Think Back on Us* [Recuérdanos] (1967) y *A Many-Windowed House* [Una casa con muchas ventanas] (1970).

Cowper, William (26 nov. 1731, Great Berkhamstead, Hertfordshire, Inglaterra–25 abr. 1800, East Dereham, Norfolk). Poeta británico. Durante toda su vida padeció de inestabilidad mental y se vio acosado por crisis espirituales. Su *Olney Hymns* (1779; con John Newton), libro de poesía devota, contiene algunos cantos que todavía se cuentan entre los preferidos de los protestantes ingleses. *The Task* [La tarea] (1785), largo poema discursivo que tiene por fin "elogiar la tranquilidad del mundo rural", fue un éxito inmediato. Cowper es autor de numerosos poemas líricos breves y melodiosos, incluso humorísticos, y se lo considera uno de los mejores escritores ingleses. En sus obras, a menudo centradas en las

William Cowper, detalle de una pintura al óleo de Lemuel Abbott, 1792.
GENTILEZA DE LA NATIONAL PORTRAIT GALLERY, LONDRES

tareas cotidianas del campo, aportó franqueza y humanitarismo a la poesía de la naturaleza del s. XVIII, lo que hace de él un precursor del ROMANTICISMO.

Cox, James M(iddleton) (31 mar. 1870, Jacksonburg, Ohio, EE.UU.– 15 jul. 1957, Dayton, Ohio). Político estadounidense. Trabajó como periodista en Cincinnati antes de comprar el *Dayton News* (1898) y el *Springfield Daily News* (1903). Partidario de WOODROW WILSON, se desempeñó en la Cámara de Representantes (1909–13) y luego fue elegido gobernador de Ohio (1913–15, 1917–21), donde introdujo la indemnización por accidente del trabajo y el salario mínimo. Ganó la candidatura presidencial demócrata de 1920, pero perdió la elección frente a WARREN G. HARDING en una aplastante victoria electoral de los republicanos.

coyote Especie (*Canis latrans*) de cánido presente en Norte y Centroamérica. Se extiende desde Alaska y Canadá hacia el sur a través de EE.UU. continental y México hasta América Central. Pesa unos 9–23 kg (20–50 lb) y mide 1–1,3 m (3–4 pies) aprox. de largo, incluyendo su cola de 30–40 cm (12–16 pulg.). Su piel es áspera y generalmente color de ante por arriba y blanquecina por abajo; sus patas son rojizas y su cola tupida con la punta negra. Se alimenta principalmente de mamíferos pequeños como roedores, conejos y liebres, pero también puede derribar venados, cazándolos a veces en manada. La vegetación y la carroña también son parte común de la dieta. Aunque perseguido por su

Coyote (*Canis latrans*).
© ENCYCLOPÆDIA BRITANNICA, INC.

potencial (en general sobrestimada) de depredar animales domésticos y de caza, se ha adaptado bien a los ambientes donde el hombre predomina, incluso en áreas urbanas. La cruza de coyote y perro se denomina híbrido coyote-perro.

Coysevox, Antoine (29 sep. 1640, Lyon, Francia–10 oct. 1720, París). Escultor francés. En 1666 se convirtió en escultor del rey LUIS XIV y en 1678 ya trabajaba en Versalles. Fue conocido por sus retratos de busto, que revelan un naturalismo y animación de la expresión que anticipan el estilo ROCOCÓ. También realizó esculturas decorativas para los jardines reales y mucha decoración de interiores. Coysevox ejerció una considerable influencia sobre el desarrollo de la escultura de retrato francesa del s. XVIII.

CPI ver CORTE PENAL INTERNACIONAL

CPU *sigla de* **Central processing unit** (Unidad central de procesamiento). Componente principal de una COMPUTADORA DIGITAL, formado por una unidad de control, una unidad de-

codificadora de instrucciones y una unidad aritmético-lógica. La CPU está conectada a la memoria principal, a los equipos periféricos (incluidos los dispositivos de entrada/salida) y a las unidades de almacenamiento. La unidad de control integra las operaciones de la computadora. Selecciona las instrucciones de la memoria principal en la secuencia apropiada y las envía a la unidad decodificadora de instrucciones, que las interpreta para activar las funciones del sistema en los momentos oportunos. Para su procesamiento, los datos de entrada se transfieren a través de la memoria principal a la unidad aritmético-lógica (i.e., suma, resta, multiplicación, división y ciertas operaciones lógicas). Las computadoras más grandes pueden tener dos o más CPU, en cuyo caso son llamadas simplemente "procesadores", porque ninguno es ya una unidad "central". Ver también MULTIPROCESAMIENTO.

Crabbe, George (24 dic. 1754, Aldeburgh, Suffolk, Inglaterra–3 feb. 1832, Trowbridge, Wiltshire). Poeta inglés. Creció en un humilde pueblo costero y aprendió el oficio de cirujano. En 1780 se trasladó a Londres, donde su poema *The Village* [La aldea] (1783) le reportó fama; escrito en parte como réplica al poema *Deserted Village* [Aldea desierta] (1770) de OLIVER GOLDSMITH, intenta mostrar la penuria de los campesinos pobres. Continuaría con *The Newspaper* [El periódico] (1785), después de lo cual no volvió a publicar hasta 1807. En *The Parish Register* [El registro parroquial], Crabbe usa los registros de nacimientos, bodas y defunciones para describir los avatares de una comunidad rural. Por otra parte, la historia de Peter Grimes, el violento y aislado protagonista del poema *The Borough* [El pueblo], será la base de una conocida ópera de BENJAMIN BRITTEN. Crabbe también escribió poemas en hexámetros dactílicos y se le considera el último de los poetas neoclásicos de Inglaterra.

Cracovia Ciudad (pob., est. 2000: 741.510 hab.) del sur de Polonia. Situada a ambos lados del VÍSTULA superior, fue la capital de un principado en 1138. Después de sobrevivir a la invasión de los mongoles en 1241, pasó a ser la capital de la Polonia unificada en 1320. Dejó de ser importante cuando la capital se trasladó a VARSOVIA en 1609. En 1846 quedó bajo el dominio de Austria. Volvió a ser de Polonia en 1918 y fue ocupada por los alemanes durante la segunda guerra mundial. En la posguerra fue reconstruida y en la actualidad es un centro industrial con una gigantesca planta siderúrgica en las afueras de la ciudad. Cracovia también es un centro cultural. Su universidad fue fundada en 1364.

Craig, (Edward Henry) Gordon (16 ene. 1872, Stevenage, Hertfordshire, Inglaterra–29 jul. 1966, Vence, Francia). Actor, teórico y escenógrafo de teatro británico. Fue hijo de ELLEN FERRY y actuó en la compañía de Henry Irving (1889–97). Luego se dedicó al diseño de decorados, vestuario y de escenografía. Se mudó a Florencia (1906), donde fundó una escuela de arte dramático en 1913. Su periódico mensual *La Máscara* (1908–29) difundió ampliamente sus ideas sobre el arte dramático. Sus libros *Del arte del teatro* (1911), *Towards a New Theatre* (1913) y *Scene* (1923) propusieron innovaciones en la ESCENOGRAFÍA, basadas en el uso de paneles móviles y diseños de iluminación modificables. Sus teorías influenciaron las tendencias antinaturalistas del teatro moderno.

Craig, Sir James (Henry) (1748, Gibraltar–12 ene. 1812, Londres, Inglaterra). Oficial de ejército británico y gobernador general de Canadá (1807–11). Durante la guerra de independencia de los ESTADOS UNIDOS DE AMÉRICA, fue herido en la batalla de BUNKER HILL, en 1775, y, un año después, ayudó a repeler la invasión de Canadá por el ejército estadounidense. Como gobernador general de Canadá, colaboró con la camarilla gobernante de Quebec, pero aplicó una política represiva impopular hacia los francocanadienses. Renunció en 1811 y regresó a Inglaterra.

Craigavon Distrito (pob., 2001: 80.671 hab.) de Irlanda del Norte. Establecido en 1973, está situado al sur del lago Neagh. El norte es llano y gran parte de sus suelos son de turba; el sur se caracteriza por tierras bajas con pendientes. Es importante la actividad frutícola y también la industria textil y farmacéutica. Su capital, la ciudad de Craigavon, está dedicada a la industria liviana y al comercio.

Craiova Ciudad (pob., 2002: 302.622 hab.) en el sudoeste de Rumania. Situada cerca del río Jiu, la zona ha sido habitada desde tiempos remotos; en las cercanías se han encontrado restos de un campamento romano de la época de TRAJANO. Desde finales del s. XV hasta el s. XVIII fue el lugar de residencia de los gobernadores militares de la zona. Prosperó como centro mercantil regional a pesar de un terremoto ocurrido en 1790 y un asalto turco en 1802, durante el cual la ciudad fue incendiada. Cuenta con una universidad (1966) y otros atractivos culturales.

Cranach, Lucas, el Viejo orig. **Lucas Müller** (1472, Cranach, obispado de Bamberg–16 oct. 1553, Weimar, Sajonia-Weimar). Pintor y grabador alemán. Tomó su nombre del pueblo natal. Se sabe muy poco de los inicios de su vida y formación. En Viena (c. 1501–04) pintó algunos notables retratos y paisajes característicos de la escuela del DANUBIO. Fue pintor de la corte de Wittenberg entre 1505 y 1550; ahí logró gran éxito y fortuna pintando retratos, temas mitológicos y retablos para las Iglesias católica y protestante. Atrajo a tantos artistas jóvenes a Wittenberg que el pueblo se convirtió en un centro artístico. Fue amigo de MARTÍN LUTERO y llegó a ser conocido como el principal pintor de la causa protestante en Alemania. Realizó numerosos grabados y más de 100 xilografías, especialmente para la primera edición alemana del Nuevo Testamento (1522). Después de su muerte, su hijo Lucas el Joven perpetuó su estilo (1515–86).

Crane, (Harold) Hart (21 jul. 1899, Garrettsville, Ohio, EE.UU.–27 abr. 1932, mar Caribe). Poeta estadounidense. Se desempeñó en una variedad de oficios antes de establecerse en Nueva York. *White Buildings* [Edificios blancos] (1926), su primer libro, contiene el poema en tres partes *For the Marriage of Faustus and Helen* [Para el matrimonio de Fausto y Helena]. Su deseo de contrarrestar el pesimismo cultural que impuso *La tierra baldía* de T.S. ELIOT dio origen a su largo y complejo poema *El puente* (1930), en el que Crane intenta crear el gran poema épico de la experiencia estadounidense y celebra con intensidad visionaria la riqueza de la vida moderna. Alcohólico y abatido por los problemas que le ocasionaba su condición homosexual, se suicidó a los 32 años arrojándose por la borda de un barco que navegaba por el Caribe.

Crane, Stephen (1 nov. 1871, Newark, N.J., EE.UU.–5 jun. 1900, Badenweiler, Baden, Alemania). Novelista y cuentista estadounidense. Dejó inconclusos sus estudios universitarios para establecerse en Nueva York. Su primera novela, *Maggie, una chica de la calle* (1893), narra con gran sensibilidad la historia de una joven indigente y su caída en el mundo de la prostitución, relato que marcó un hito en el naturalismo literario. La fama internacional la obtuvo con su mejor obra, *La roja insignia del valor* (1895), donde describe el torbellino emocional al que se ve sometido un joven soldado durante la guerra de Secesión, y con su primer libro de poemas, *The Black Riders* [Los jinetes negros], publicado el mismo año. Mientras viajaba como corresponsal de guerra, su barco se hundió y él estuvo a punto de morir ahogado, experiencia que volcó en un cuento actualmente célebre,

Stephen Crane, detalle de una pintura de C.K. Linson, 1896.

"The Open Boat" ["El bote descubierto"] (1898). Destacan entre sus libros de relatos *The Little Regiment* [El pequeño regimiento] (1896), *El monstruo* (1899) y *Whilomville Stories* [Relatos de Whilomville] (1900). Murió de tuberculosis a los 28 años.

Crane, Walter (15 ago. 1845, Liverpool, Inglaterra–14 mar. 1915, Horsham). Ilustrador, pintor y diseñador inglés. Hijo de un pintor retratista, estudió a los antiguos maestros italiano y los grabadores japoneses. Las ideas de los prerrafaelistas (ver PRERRAFAELISMO) y de JOHN RUSKIN inspiraron sus primeras pinturas. Adquirió popularidad internacional diseñando textiles ART NOUVEAU y papeles murales, pero es más conocido por sus ilustraciones de libros infantiles. En 1894 trabajó con WILLIAM MORRIS en *The Story of the Glittering Plain*, un libro impreso en el estilo de las xilografías alemanas e italianas del s. XVI. Perteneció al Gremio de los Artistas, y en 1888 fundó la Arts and Crafts Exhibition Society (Sociedad para la exhibición de las artes y oficios). Ver también ARTS AND CRAFTS MOVEMENT.

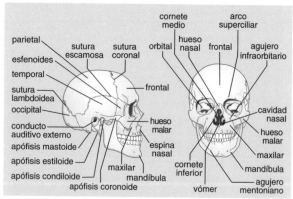

Vistas lateral y frontal de un cráneo humano.
© 2006 MERRIAM-WEBSTER INC.

cráneo Armazón esquelética de la cabeza. Con excepción del MAXILAR inferior, sus huesos se juntan en articulaciones inmóviles (suturas) formando una unidad que encierra y protege al ENCÉFALO y a los órganos de los SENTIDOS y da forma a la CARA. La calota, parte superior que contiene al encéfalo, y comprende los huesos frontal, parietales, occipital, temporales, esfenoides y etmoides, es globulosa y relativamente grande comparada con la porción facial. Su base tiene una abertura a través de la cual la MÉDULA ESPINAL se conecta con el encéfalo. El cráneo se asienta en la primera vértebra más alta (atlas), que le permite los movimientos hacia adelante y atrás. Para los movimientos laterales, el atlas gira sobre la vértebra (axis) siguiente. Ver también CRANIOSINOSTOSIS, FONTANELA.

craniosinostosis Deformidad craneana que se produce por la fusión demasiado precoz de los huesos del CRÁNEO. La presión ejercida por el encéfalo en crecimiento hace que, normalmente, los huesos del cráneo crezcan a lo largo de las suturas que existen entre ellos. Si las suturas se sueldan antes de tiempo, la cabeza queda anormalmente chica, lo que puede causar retraso mental o ceguera. Si sólo una sutura se cierra precozmente, el cráneo crece en otras direcciones y se deforma. La cirugía en los dos primeros años, para mantener las suturas abiertas por más tiempo, minimiza estas complicaciones.

Cranmer, Thomas (2 jul. 1489, Aslacton, Nottinghamshire, Inglaterra–21 mar. 1556, Oxford). Primer arzobispo protestante (ver PROTESTANTISMO) de Canterbury. Educado en la Universidad de Cambridge, se ordenó en 1523. Se vio envuelto en las negociaciones con ENRIQUE VIII y el papa acerca del divorcio entre el soberano y CATALINA DE ARAGÓN. Enrique VIII lo nombró arzobispo de Canterbury en 1533, situándolo en una posición que contribuyera al derrumbe de la supremacía papal en Inglaterra. Cranmer anuló el matrimonio de Enrique con Catalina y apoyó el nuevo enlace con ANA BOLENA, para luego ayudarlo a divorciarse de ella. Después de la muerte de Enrique VIII en 1547, Cranmer pasó a ser un influyente consejero del joven EDUARDO VI, y orientó con firmeza a Inglaterra hacia el protestantismo. Escribió los cuarenta y dos artículos de los que derivaron los treinta y nueve artículos de la creencia anglicana. Cuando MARÍA I, enconada antiprotestante, subió al trono, Cranmer fue juzgado, condenado por herejía y quemado en la hoguera.

craps Juego de apuestas en que cada jugador, a su turno, lanza dos dados en busca de una combinación ganadora. El nombre deriva de una palabra francesa de Luisiana, *crabs*, que significa "tiro perdedor". El jugador con los dados (tirador) debe primero hacer una apuesta; los otros jugadores apuestan contra el tirador hasta el monto propuesto por este. En algunas variantes, los otros jugadores pueden apostar también los unos contra los otros o contra la casa. El tirador que gana puede seguir arrojando los dados. Una suma de 7 u 11 puntos en el primer tiro gana; un 2, 3 ó 12 (*craps*) pierde. Cualquier otra suma obliga al tirador a seguir lanzando los dados hasta que logra de nuevo el mismo número y gana, u obtiene 7 (*craps*) y pierde.

Craso, Lucio Licinio (140–91 AC). Jurista y político romano. Es considerado, junto a Marco Antonio (n. 143–m. 87 AC), uno de los más grandes oradores latinos antes de MARCO TULIO CICERÓN, quien lo describió en su obra *De oratore* (55 AC). Elegido CÓNSUL en 95, copatrocinó una ley (Lex Licinia Mucia) que estipuló el enjuiciamiento de cualquiera que pretendiera falsamente la ciudadanía romana, lo que provocó la rebelión de los aliados italianos de Roma en 90–88.

Craso, Marco Licinio (c. 115–53 AC). Financista y político romano. Fue partidario de LUCIO CORNELIO SILA contra CAYO MARIO en la guerra civil de 83–82 AC y entró en conflicto con POMPEYO EL GRANDE. En 72–71 aplastó la rebelión de esclavos liderada por ESPARTACO. Hizo préstamos a senadores endeudados, entre ellos JULIO CÉSAR. En 70 fue elegido cónsul junto con Pompeyo. Diez años más tarde, ambos y César formaron el primer triunvirato. Como gobernador de Siria (54), invadió PARTIA. Su muerte en la batalla de CARRES abrió paso a la guerra civil entre César y Pompeyo.

Crataegus Género que comprende varios arbustos o arbolillos espinosos de la familia de las Rosáceas (ver ROSA), originarios de la zona templada boreal. Muchas especies son nativas de América del Norte. Las hojas son simples y normalmente dentadas o lobadas. Dan flores blancas o rosadas, en general en racimos y frutitos pomiformes rojos (rara vez azules o blancos). Muchos cultivares se producen con propósitos ornamentales por sus flores y frutos atractivos. Es muy apropiado como SETO VIVO; la combinación de ramillas fuertes, madera dura y espinas múltiples lo hacen una barrera formidable para el ganado vacuno y porcino.

cráter Depresión circular en la superficie de un cuerpo planetario. La mayoría de los cráteres son el resultado del impacto de un METEORITO o de explosiones volcánicas. Los CRÁTERES METEÓRICOS son más comunes en la Luna, en Marte y en otros planetas y satélites naturales que en la Tierra, debido a que la mayoría de los meteoritos se consumen en la atmósfera terrestre o la erosión oculta pronto el sitio del impacto. Los cráteres volcánicos (p. ej., el lago del Cráter, Ore., EE.UU.) son más comunes en la Tierra que en la Luna, Marte, o en Io, la luna de Júpiter, donde también han sido identificados.

Cráter, lago del *inglés* **Crater Lake** Lago en la cordillera de las CASCADAS, en el sudoeste del estado de Oregón, EE.UU. El lago es una caldera volcánica gigantesca de 10 km (6 mi) de diámetro y 589 m (1.932 pies) de profundidad. Corresponde a los restos de una montaña que fue destruida por una erupción hace más de 6.000 años. El lago, de color azul intenso, y la zona que lo rodea se convirtieron en parque nacional en 1902; actualmente cubre una superficie de 647 km² (250 mi²).

Lago del Cráter, famoso por su color azul intenso, con la isla Wizard en su ribera occidental, Oregón, EE.UU.
RAY ATKESON/EB INC.

cráter meteórico Depresión resultante del impacto de un METEORITO con un cuerpo sólido en el espacio. Se han descubierto cráteres de impacto en la Tierra, la Luna, Marte, otros planetas y en satélites y asteroides; probablemente ocurren en todo el universo en cuerpos celestes similares cuyas superficies carecen de protección. Los cráteres de impacto son mucho menos comunes en la Tierra que en la Luna, en parte porque la mayoría de los cuerpos pequeños que ingresan a la atmósfera terrestre se queman y volatilizan por la fricción. Por lo tanto, cualquier cráter formado en la superficie terrestre tiende a ser mayor que el tamaño promedio de todos los meteoritos que ingresan.

Eratóstenes, cráter meteórico en la superficie de la Luna.
ARCHIVO EDIT. SANTIAGO

Craters of the Moon National Monument Región de conos y cráteres volcánicos en el centro-sur del estado de Idaho, EE.UU. Establecido en 1924, cubre una superficie de 21.669 ha (53.545 acres) y tiene más de 35 cráteres, que probablemente se extinguieron apenas unos cuantos siglos atrás. Algunos de ellos tienen cerca de 800 m (0,5 mi) de diámetro y varios cientos de metros de profundidad; alcanzan una altura total superior a los 1.800 m (6.000 pies). Los túneles formados por las erupciones de fisura se distinguen por sus estalactitas y estalagmitas de color azul y rojo.

Crawford, Cheryl (24 sep. 1902, Akron, Ohio, EE.UU.– 7 oct. 1986, Nueva York, N.Y.). Actriz y productora teatral estadounidense. En 1923 entró al Theatre Guild como actriz y llegó a ser su directora de reparto (1928–30). Contribuyó a fundar el GROUP THEATRE en 1931 y fue cofundadora del ACTOR'S STUDIO en 1947, en el que posteriormente trabajó como productora ejecutiva. Entre sus producciones de Broadway más notables se incluyen *Brigadoon* (1947) y las obras de TENNESSEE WILLIAMS *La rosa tatuada* (1951) y *El dulce pájaro de la juventud* (1959).

Crawford, Joan *orig.* **Lucille Fay LeSueur** (23 mar. 1908, San Antonio, Texas, EE.UU.–10 may. 1977, Nueva York, N.Y.). Actriz de cine estadounidense. A mediados de la década de 1920 era corista en Broadway, a la vez que obtuvo su primer contrato en Hollywood. Interpretó a la muchacha de espíritu libre en películas como *Vírgenes modernas* (1928) y luego, en la época de la depresión, personificó a mujeres oportunistas en filmes dramáticos como *Gran hotel* (1932) y *Mujeres* (1939). Con sus cejas oscuras, sus hombreras y su histérica intensidad, se reinventó a sí misma como una sufriente heroína en *Alma en suplicio* (1945, premio de la Academia) y en melodramas psicológicos como *Amor que mata* (1947) y *Sudden Fear* (1952). Entre sus películas posteriores se cuentan *Queen Bee* (1955) y *¿Qué fue de Baby Jane?* (1962).

Joan Crawford, c. 1934.
GENTILEZA DEL MUSEUM OF MODERN ART FILM STILLS ARCHIVE, NUEVA YORK

Crawford Seeger, Ruth *orig.* **Ruth Porter Crawford** (3 jul. 1901, East Liverpool, Ohio, EE.UU.–18 nov. 1953, Chevy Chase, Md.). Compositora estadounidense. De niña estudió piano y fue autodidacta como compositora hasta que ingresó en el American Conservatory. Después de sus primeras obras, influidas por ALEXANDR SKRIABIN, escribió varias piezas seriales asombrosas, entre ellas *Cuarteto de cuerdas* (1931). En 1931 contrajo matrimonio con el musicólogo Charles Seeger (n. 1886–m. 1979), transformándose en la madrastra del cantante de música folclórica PETE SEEGER. Posteriormente compuso en menor cantidad, pero se convirtió en una influyente defensora de la música folclórica de EE.UU.

Crawford, William H(arris) (24 feb. 1772, cond. de Amherst, Va., EE.UU.–15 sep. 1834, Elberton, Ga.). Dirigente político estadounidense y candidato presidencial. Fue maestro de escuela y ejerció como abogado antes de ser elegido miembro del poder legislativo de Georgia, en 1803. Se desempeñó en el Senado de EE.UU. (1807-13), donde apoyó la declaración de guerra contra Gran Bretaña en 1812 (ver guerra ANGLO-ESTADOUNIDENSE). Más adelante fue embajador en Francia (1813–15), secretario de guerra (1815–16), y secretario del tesoro (1816–25). Designado candidato presidencial en la convención del Partido Demócrata-Republicano, fue uno de los cuatro aspirantes a la primera magistratura en la elección de 1824, en la cual triunfó JOHN QUINCY ADAMS.

Craxi, Bettino *orig.* **Benedetto Craxi** (24 feb. 1934, Milán, Italia–19 ene. 2000, Al-Hammamet, Túnez). Político italiano, primer socialista en ocupar el cargo de primer ministro de Italia (1983–87). Perteneció inicialmente al movimiento juvenil socialista. Fue elegido a la Cámara de Diputados en 1968 y ascendió hasta convertirse en secretario general del Partido Socialista en 1976. Logró la unificación de los escindidos socialistas en torno a políticas económicas y sociales moderadas, e intentó distanciarse del Partido Comunista, de mayor tamaño. Como primer ministro, aplicó políticas fiscales antiinflacionarias y siguió una política exterior pro EE.UU. En 1993 fue implicado en varios escándalos de corrupción política que, aunque los desmintió, lo obligaron a renunciar como líder del partido. Se trasladó a Túnez y en 1994 fue dos veces condenado a prisión en ausencia.

Cray, Seymour R(oger) (28 sep. 1925, Chippewa Falls, Wis., EE.UU.–5 oct. 1996, Colorado Springs, Col.). Ingeniero electrónico estadounidense. Trabajó en la década de 1950 en la UNIVAC I, computadora digital de primera generación que marcó un hito, y lideró el diseño de la primera computadora transistorizada del mundo (la CDC 1604). En 1972 fundó Cray Research, Inc., y allí construyó las supercomputadoras más rápidas y poderosas del mundo, usando su innovador diseño de MULTIPROCESAMIENTO. La Cray-2 (1985) podía ejecutar 1.200 millones de cálculos por segundo, una velocidad increíble para su época.

creación, mito de la Relato simbólico de la creación y organización del mundo, tal como es entendido en una tradición particular. No todos los mitos de la creación contemplan un creador, aunque es muy frecuente una suprema deidad creadora preexistente. Los mitos en los que el mundo emerge gradualmente enfatizan el poder latente de la Tierra. En otros mitos de la creación, el mundo es el vástago de progenitores primordiales, deriva de un huevo cósmico, o es extraído de aguas prístinas por un animal o demonio. Los humanos habrían sido puestos en la Tierra por un dios o emergen de sus profundidades, o de una roca o árbol sagrado. La creación tiene a menudo tres fases: la de seres o dioses primordiales, la de antepasados humanos que suelen ser semidivinos y la de los humanos. Los mitos de la creación explican o validan creencias fundamentales, patrones de vida y de cultura. Los rituales dramatizan el mito y, en particular en las iniciaciones, validan la organización y jerarquía de la comunidad.

creacionismo Movimiento renovador de la poesía, iniciado en la década de 1920 por el poeta chileno VICENTE HUIDOBRO. Como su nombre indica, el creacionismo propugna un arte que, más que describir o reproducir lo existente, intente motivos novedosos, que den nacimiento a una nueva realidad ("…Por qué cantáis la rosa ¡Oh, Poetas! / hacedla florecer en el poema…"), constituida por componentes inéditos, desintegración de los elementos tradicionales y combinaciones provocativas. El creacionismo presenta claras vinculaciones con los movimientos artísticos vanguardistas y contribuyó a la gestación del ULTRAÍSMO. En España su principal representante fue el poeta Gerardo Diego.

creacionismo *o* **ciencia de la creación** Teoría según la cual la materia, las diferentes formas de vida y el mundo, fueron creados por Dios de la nada. El creacionismo se desarrolló como resultado del avance de la teoría de la EVOLUCIÓN, después de la publicación, en 1859, de *El origen de las especies* de CHARLES DARWIN. En el transcurso de dos décadas, el grueso de la comunidad científica había aceptado alguna forma de evolución de los organismos, y la mayoría de las Iglesias finalmente hizo lo mismo. Sin embargo, algunos grupos religiosos conservadores han argumentado que la evolución darwiniana no puede explicar por sí sola la complejidad del mundo viviente y han insistido en que ciertas descripciones bíblicas de la creación son verdades científicas reveladas. A comienzos del s. XX, en algunas zonas de EE.UU. se prohibió la enseñanza de la teoría de Darwin, lo que resultó en el famoso juicio Scope en 1925. Muchos creacionistas se afanan actualmente en procurar que las escuelas y los textos de estudio presenten la evolución como una teoría no más probable que el relato bíblico de la creación.

creatividad Habilidad para crear algo nuevo por medio de la capacidad imaginativa, ya sea una nueva solución a un problema, un nuevo método o artefacto, un nuevo objeto artístico o forma. El término se refiere, generalmente, a la riqueza de ideas y a la originalidad del pensamiento. Los estudios psicológicos realizados en personas altamente creativas han revelado que muchas de ellas tienen un alto interés por el desorden aparente, la contradicción y la desproporción, que parecen ser percibidos como desafíos. Estos individuos pueden tener una conciencia profunda, amplia y flexible de sí mismos. Los estudios también han revelado que la INTELIGENCIA tiene una baja correlación con la creatividad; así, una persona muy inteligente puede no ser muy creativa. Ver también GENIO; NIÑO SUPERDOTADO.

crecida ver INUNDACIÓN

crecimiento económico Proceso mediante el cual la riqueza de una nación aumenta en el tiempo. La medida de crecimiento económico más utilizada es la tasa real de crecimiento de la producción total de bienes y servicios de un país (medida por el PRODUCTO INTERNO BRUTO (PIB) ajustado por la INFLACIÓN, o "PIB real"). También se utilizan otras mediciones, como el ingreso nacional per cápita o el consumo per cápita. En la tasa de crecimiento económico influyen los recursos naturales, los recursos humanos, los recursos de capital y el desarrollo tecnológico en la economía, además de la estructura y estabilidad institucional del país. Otros factores son el nivel de actividad económica mundial y los términos de INTERCAMBIO. Ver también DESARROLLO ECONÓMICO.

Crécy, batalla de (26 ago. 1346). Victoria inglesa obtenida contra los franceses en la primera fase de la guerra de los CIEN AÑOS. En Crécy-en-Ponthieu, EDUARDO III de Inglaterra derrotó a FELIPE VI de Francia a pesar de que las fuerzas inglesas eran muy inferiores en número. La victoria de los ingleses se debió a que sus arqueros estaban armados con ARCOS LARGOS INGLESES y a su fuerte posición defensiva.

crédito Transacción entre dos partes en que una de ellas (el acreedor o prestamista) otorga dinero, bienes, servicios o valores a cambio de una promesa de pago futuro de la otra parte (el deudor o prestatario). Normalmente, estas operaciones están afectas al pago de INTERESES al prestamista. Un crédito puede ser otorgado por instituciones públicas o privadas para financiar actividades comerciales, operaciones agrícolas, gastos de consumo o proyectos gubernamentales. Los créditos de grandes montos son otorgados por lo general por instituciones financieras especializadas, como los BANCOS COMERCIALES, o mediante programas crediticios gubernamentales.

crédito de consumo Préstamos de corto y mediano plazo utilizados para financiar la compra de productos básicos o servicios destinados al CONSUMO personal. Los créditos pueden ser otorgados por los acreedores, en la forma de préstamos en dinero, o por vendedores, en la forma de ventas a crédito. Los créditos en cuotas, como el crédito automotriz y las compras con tarjetas de crédito, son reembolsados en dos o más pagos. Los préstamos sin cuotas, como el crédito otorgado por las empresas de servicios básicos, son reembolsados en un solo pago. A menudo, para los créditos de consumo se cobra una tasa de interés más alta que para los créditos comerciales. Ver también CRÉDITO.

crédito tributario a la inversión Incentivo tributario que permite a empresas o personas deducir de su carga impositiva, además de las reservas por DEPRECIACIÓN, un porcentaje específico de ciertos costos de inversión. Los créditos tributarios a la inversión son similares a las deducciones tributarias a la inversión, que permiten a inversionistas o empresas deducir del ingreso imponible un porcentaje específico de ciertos costos de capital. Tanto los créditos tributarios a la inversión como las deducciones tributarias a la inversión difieren de la depreciación acelerada por cuanto ofrecen una deducción porcentual al momento de comprar el activo. En efecto, los créditos son SUBSIDIOS a la inversión. En 1962, EE.UU. adoptó los créditos tributarios a la inversión y las deducciones tributarias a la inversión para proteger los negocios nacionales de la competencia extranjera, pero desde entonces se aplican con el fin de apoyar la conservación de la energía, el control de la contaminación o diversas formas de desarrollo económico deseable.

credo Declaración autorizada oficialmente, por lo general breve, de los artículos de fe esenciales de una comunidad religiosa, a menudo usado en el culto público o en los ritos de iniciación. Los credos son muy numerosos en las tradiciones occidentales. En el ISLAM, el *shahāda* declara que sólo Dios es Dios y MAHOMA es su profeta. En el JUDAÍSMO, los credos primitivos fueron conservados en las Escrituras hebreas, y los credos posteriores incluyen los TRECE ARTÍCULOS DE FE. En el CRISTIANISMO, el credo de NICEA se formuló en el 381 DC para excluir el ARRIANISMO, y el credo de los apóstoles se bosquejó en el s. VIII a partir de credos bautismales más antiguos. El BUDISMO, el ZOROASTRISMO y los movimientos modernos del HINDUISMO también poseen credos; en otras religiones, la fe se profesa sobre todo mediante expresiones litúrgicas.

cree Uno de los principales pueblos indígenas de Canadá de lenguas ALGONQUINAS que viven principalmente en Saskatchewan y Alberta. El nombre es una forma truncada del nombre "kristineaux", versión de los comerciantes franceses de la palabra con que se autodenominaba la banda de la bahía de James. En sus comienzos este pueblo ocupó un extenso territorio que abarcaba desde el oeste de Quebec hasta el este de Alberta. Adquirieron armas de fuego y practicaron el comercio de pieles con los europeos al inicio del s. XVII. Se dividían en dos grupos principales: los cree de los bosques, cuya cultura respondía esencialmente al tipo de los indios de los BOSQUES ORIENTALES, y los de las llanuras, cazadores de bisontes de las grandes planicies del norte (ver indios de las LLANURAS). En ambos grupos la organización social se basaba en BANDAS locales. Entre los de los bosques, eran muy comunes los rituales y tabúes relativos a los espíritus de los animales de caza, así como el miedo a la brujería. Entre los cree de las llanuras, más belicosos que los anteriores, eran comunes los ritos destinados a augurar éxitos en la guerra y en la caza del bisonte. Unos 600.000 canadienses declaran tener alguna ascendencia cree, y cerca de 2.500 personas manifestaron descender exclusivamente de los cree en el censo estadounidense de 2000.

creek o **muscogee** Pueblo indígena de América del Norte que habla una lengua MUSKOGEANA; habitaba principalmente en Oklahoma, EE.UU., aunque también en Georgia y Alabama. Integraba una confederación poco rígida y cambiante formada por grupos que alguna vez ocuparon gran parte de las llanuras de Georgia y Alabama; comprendía dos grandes divisiones: los creek superiores (que vivían en los ríos Coosa y Tallapoosa) y los creek inferiores (que vivían en los ríos Chatahootchee y Flint). Cultivaban maíz, frijoles y calabazas. Cada aldea tenía una plaza comunitaria, por lo general, con un templo, en cuyos costados se construían viviendas rectangulares. Entre sus expresiones religiosas se contaba la ceremonia del Busk (grano verde), rito anual de los primeros frutos y del nuevo fuego. En el s. XVIII se organizó una confederación creek que incluía a los natchez, yuchis, SHAWNEE y otros, con el

Ben Perryman, indígena creek, pintura de George Catlin, 1836.

NATIONAL MUSEUM OF AMERICAN ART (ANTERIORMENTE NATIONAL COLLECTION OF FINE ARTS), INSTITUTO SMITHSONIANO, WASHINGTON, D.C.

fin de presentar un frente unido contra sus enemigos europeos e indígenas. Sin embargo, resultó ser un fracaso, debido a que nunca lograron que todos los grupos aportaran guerreros para dar una batalla conjunta. En la guerra contra EE.UU. (1813–14) fueron derrotados y debieron ceder 9,3 millones de ha (23 millones de acres); la mayoría de ellos fueron trasladados por la fuerza a territorio indígena (Oklahoma). Unas 40.200 personas manifestaron descender exclusivamente de los creek en el censo estadounidense de 2000.

crema Parte amarillenta de la LECHE, rica en grasa láctea, que sube en forma natural a la superficie si la leche se deja reposar. En la industria lechera, la crema se separa mecánicamente y se clasifica según su contenido de grasa. En EE.UU., el producto *half-and-half* (mitad y mitad) es una mezcla de leche y crema, que contiene 10,5–18% de grasa láctea; la crema *light* (ligera), servida en forma habitual con café, contiene no menos de 18%, y las cremas *medium* y *heavy* (esta última incluye la crema para batir) contienen alrededor de 30% y 36%, respectivamente. La crema ácida comercial, con alrededor de 18–20% de materia grasa, se inocula con bacterias que producen ácido láctico. Ver también HELADO DE CREMA.

cremación Práctica ritual funeraria mediante la reducción de un cadáver a cenizas. En el mundo antiguo, la cremación se realizaba en una pira al aire libre. Fue practicada por los griegos (quienes la consideraban apropiada para héroes y soldados muertos en combate) y por los romanos (entre quienes se convirtió en un símbolo de estatus). Los pueblos escandinavos paganos también cremaban a sus muertos. En India la costumbre es muy antigua. En algunos países asiáticos sólo ciertas personas podían ser cremadas (p. ej., los lamas de alto rango del Tíbet). El cristianismo se opuso a la cremación, y dejó de practicarse en Europa después de 1000 DC, excepto en situaciones extremas, como la ocasionada por la PESTE NEGRA. La práctica resurgió a fines del s. XIX, y con el tiempo fue aceptada por protestantes y católicos.

cremallera, cierre de o **cierre éclair** Dispositivo para unir los bordes de una abertura, como en una prenda de vestir o un bolso. Un cierre de cremallera se compone de dos tiras de material con dientes metálicos o plásticos a lo largo de sus bordes y de una pieza deslizante que engarza los dientes de ambos bordes al desplazarse en una dirección y los vuelve a separar al deslizarse en la dirección opuesta. La idea de un cierre deslizante la exhibió por primera vez Whitcomb L. Judson (m. 1909) en la World's Columbian Exposition de 1893. El cierre de cremallera en su forma actual comenzó a aparecer en la ropa a fines de la década de 1920.

cremallera y piñón Dispositivo mecánico que se compone de una barra de sección rectangular (la cremallera), con dientes en uno de sus cantos que engranan con los dientes de un pequeño ENGRANAJE (el piñón). Si el piñón gira alrededor de un eje fijo, la cremallera se desplazará en una trayectoria recta. Algunos AUTOMÓVILES tienen mecanismos de dirección de piñón y cremallera que usan este principio. Si la cremallera es fija y el piñón está montado sobre cojinetes en una placa guiada sobre carriles paralelos a la cremallera, la rotación del eje del piñón desplazará la placa paralela a la cremallera. Este principio se usa para obtener movimientos rápidos de las mesas portapieza en las MÁQUINAS HERRAMIENTA.

creolé ver CRIOLLO

creosota Cualquiera de dos sustancias totalmente diferentes, destiladas del alquitrán de hulla o del alquitrán de madera. La creosota de alquitrán de hulla es una mezcla compleja de compuestos orgánicos, mayormente HIDROCARBUROS. Es un preservante de la madera, económico e insoluble en agua, que se usa para durmientes de ferrocarril, postes telefónicos y pilotes de muelles marítimos, y como un desinfectante, fungicida y biocida. La creosota de alquitrán de madera consiste principalmente en FENOLES y compuestos afines; en alguna época fue muy usada con fines farmacéuticos.

Cresilas o **Kresilas** (floreció s. V AC, Atenas, Grecia). Escultor griego. Fue contemporáneo de FIDIAS. Su retrato de PERICLES (c. 445 AC) generó un tipo de retrato noble e idealizado. Se le atribuye la figura de una amazona herida (c. 440 AC) por la semejanza con la cabeza de Pericles. Las obras atribuidas a Cresilas se conocen únicamente en copias de los bronces originales perdidos.

Creso (m. circa 546 AC). Último rey de LIDIA, famoso por su gran riqueza. Sucedió a su padre en el trono c. 560 AC y, tras completar la conquista de Jonia continental, tuvo que enfrentar la creciente amenaza de los persas gobernados por CIRO II. Forjó una alianza con Babilonia, Egipto y Esparta para combatir a los persas, pero luego de un esfuerzo inconcluso por invadir Capadocia, volvió a su capital en SARDES. Los persas lo persiguieron; asolaron Sardes en 546 AC y conquistaron Lidia. El destino posterior de Creso es incierto. HERÓDOTO asegura que fue condenado a ser quemado vivo, pero APOLO lo salvó.

crespón o **árbol de Júpiter** Arbusto (*Lagerstroemia indica*) de la familia de las Litráceas (ver SALICARIA), originario de China y otros países tropicales y subtropicales, que se cultiva mucho por sus flores en las regiones cálidas. Se cultivan unas 25 variedades, que se distinguen básicamente por el color de sus flores arracimadas, que varían del blanco al rosado, rojo, lavanda y azulado.

Crespón o árbol de Júpiter (*Lagerstroemia indica*).
© ENCYCLOPÆDIA BRITANNICA, INC.

Cressent, Charles (16 dic. 1685, Amiens, Francia–10 ene. 1768, París). Ebanista francés. También estudió escultura y fue un hábil metalista. En 1710 se fue a París, donde trabajó en el taller del ebanista ANDRÉ-CHARLES BOULLE. En 1715, Cressent fue designado ebanista oficial de Felipe II, duque de Orléans. En 1719 fue nombrado por la Academia de St.-Luc y consiguientemente recibió importantes trabajos por encargo de aristócratas franceses, entre ellos la marquesa de POMPADOUR. Sus primeros trabajos se adscriben al estilo LUIS XIV, pero sus piezas posteriores (c. 1730–50) fueron más livianas y curvilíneas. Cressent fue el principal patrocinador del estilo REGENCIA francés e introdujo las marqueterías de madera de colores y de bronce a la decoración de cajas.

Reloj de pared con caja estilo Luis XIV, de Charles Cressent; Wallace Collection, Londres.
GENTILEZA DEL DIRECTORIO DE LA WALLACE COLLECTION, LONDRES

Creston, Paul *orig.* **Giuseppe Guttoveggio** (10 oct. 1906, Nueva York, N.Y., EE.UU.–24 ago. 1985, San Diego, Cal.). Compositor estadounidense. Nació en el seno de una familia pobre de inmigrantes y fue en gran medida autodidacta en música. Sus numerosas obras, muchas de las cuales han logrado ser ampliamente interpretadas, son muy rítmicas y de tonalidad accesible. Entre estas figuran seis sinfonías, un *réquiem*, tres misas y varios conciertos. Se destaca por la vitalidad rítmica y la plenitud armónica de su música, marcada por disonancias y polirritmos modernos.

Creta, isla de *griego* **Kríti** Isla (pob., 2001: 601.159 hab.) en el Mediterráneo oriental y región administrativa de Grecia. Con 245 km (152 mi) de largo y 12 a 56 km (7,5 a 35 mi) de ancho, tiene una superficie total de 8.336 km² (3.218 mi²). Esta isla, dominada por las montañas y cuna de la civilización MINOICA c. 3000 AC, fue conocida por los palacios de CNOSOS, Festo y Malia; alcanzó su apogeo en el s. XVI AC. Un gran terremoto puso fin a la era minoica c. 1450 AC. En 67, Roma anexionó Creta, que luego pasó a manos de Bizancio en 395 DC. En 1204, Venecia compró la isla a los cruzados, pero le fue arrebatada por los turcos otomanos en 1669, después de uno de los sitios más largos de la historia. Conquistada por Grecia en 1898, fue autónoma hasta que se unió a ese país en 1913. La agricultura es la principal actividad económica y la isla es uno de los mayores productores de aceitunas, aceite de oliva y uvas de Grecia; el turismo también es una actividad importante. En el museo de Heraklion existe una magnífica colección de arte minoico.

cretácico Intervalo de tiempo geológico que comenzó hace unos 144 millones de años y finalizó hace unos 65 millones de años. Durante el cretácico, el clima era más cálido que el actual. En los mares proliferaron los invertebrados marinos y evolucionaron peces con espinas. Sobre la tierra aparecieron plantas con flores e insectos, en particular abejas, que comenzaron su próspera asociación con las plantas. Los mamíferos y las aves seguían siendo poco relevantes durante el cretácico, mientras que continuaba el predominio de los reptiles. Durante este período, los DINOSAURIOS alcanzaron la cúspide de su evolución, pero, a su término, se extinguieron en forma repentina.

Creutzfeldt-Jakob, enfermedad de Enfermedad fatal rara del sistema nervioso central. Destruye el tejido encefálico haciéndolo esponjoso y produciendo una pérdida progresiva de las funciones mentales y del control motriz. La enfermedad surge comúnmente en adultos de 40–70 años. Los pacientes por lo general mueren en un año. No tiene curación que se conozca. La enfermedad es causada por un PRION que se forma en las neuronas. La herencia y la mutación aleatoria son responsables del 99% de los casos; el resto proviene de exposición a los priones en procedimientos médicos y posiblemente por ingerir carne de ganado afectado con la enfermedad de las VACAS LOCAS.

Crèvecoeur, Michel-Guillaume-Saint-Jean de o **J. Hector St. John** o **Hector St. John de Crèvecoeur** (31 ene. 1735, Caen, Francia–12 nov. 1813, Sarcelles). Escritor y naturalista francoestadounidense. Viajó al Nuevo Mundo en 1755 como funcionario y cartógrafo. Se hizo granjero y más tarde fue cónsul de Francia durante un largo período. Regresó a Europa en 1790. Debe su fama a *Letters from an American Farmer* [Cartas de un granjero estadounidense] (1782, 1784, 1790), 12 ensayos en los que ofrece un completo panorama de la vida en EE.UU. Su *Voyage dans la Haute Pensylvanie et dans l'État de New York* [Viajes por la alta Pensilvania y el estado de Nueva York] apareció en 1801. En 1925 revivió el interés por Crèvecoeur al publicarse una serie de ensayos inéditos con el título de *Sketches of Eighteenth Century America* [Bocetos de los Estados Unidos del siglo XVIII]. En su época fue el más leído de los observadores de la realidad estadounidense.

crianza Aplicación de principios genéticos a la zootecnia, agricultura y horticultura para mejorar ciertas cualidades. Los agricultores antiguos mejoraron muchas plantas mediante cultivos selectivos. El fitomejoramiento moderno se centra en la polinización; es el polen de la planta masculina elegida, y no otro, el que debe transferirse a la planta hembra. La zootecnia consiste en elegir un rasgo ideal (p. ej., lana fina, producción elevada de leche), seleccionar aquellos animales que se van a reproducir y determinar el sistema de apareamiento (p. ej., si los animales por cruzar no están emparentados, tienen cierto parentesco o una endogamia acentuada).

cribbage Juego de naipes, generalmente de dos jugadores, en que cada uno trata de formar varias combinaciones de cartas que otorgan puntaje. El marcador se lleva con clavijas móviles ensartadas en una estrecha tabla rectangular. Cada jugador recibe seis cartas (aunque hay variantes de cinco naipes, así como de tres o cuatro jugadores). El *cribbage* fue inventado en el s. XVII por el poeta inglés Sir JOHN SUCKLING. Las reglas del juego, pese a algunos detalles complejos, son suficientemente sencillas para hacer del cribbage un pasatiempo popular, en especial en Gran Bretaña y en el norte de EE.UU. El juego termina por lo general a los 121 puntos (dos vueltas completas al tablero más uno).

Crick, Francis (Harry Compton) (8 jun. 1916, Northampton, Northamptonshire, Inglaterra–28 jul. 2004, San Diego, Cal., EE.UU.). Biofísico británico. Educado en la University College de Londres, colaboró en el desarrollo de minas submarinas magnéticas durante la segunda guerra mundial, pero después de esta volvió a la biología. Trabajó en la Universidad de Cambridge con JAMES D. WATSON y MAURICE WILKINS en la construcción de un modelo molecular de ADN compatible con sus propiedades físicas y químicas conocidas, trabajo por el cual compartieron el Premio Nobel en 1962. Crick descubrió también que cada grupo de tres bases (un codón) de un ADN único designa la posición de un aminoácido específico en el sostén de una molécula de proteína, y contribuyó a determinar cuales codones codifican cada aminoácido que se halla normalmente en las proteínas, aclarando así la manera en que las células usan el ADN para construirlas. Ver también ROSALIND FRANKLIN.

cricket ver CRÍQUET

Crimea República autónoma (pob., 2001: 2.033.700 hab.) en el sur de UCRANIA. Abarca toda la extensión de la península de Crimea, que se adentra en el mar NEGRO. Su superficie alcanza los 26.100 km² (10.077 mi²); su capital es Simferópol. Los primeros habitantes fueron los cimerios, si bien posteriormente en el s. VI AC la zona fue poblada por los griegos y desde el s. V AC fue gobernada por el reino del BÓSFORO CIMERIANO. Fue sometida por Roma y parte de ella perteneció más tarde al Imperio bizantino. En 1783 Rusia anexionó Crimea. El territorio fue escenario de la guerra de CRIMEA (1853–56). En 1921 se transformó en una república autónoma de la U.R.S.S. Durante la segunda guerra mundial, en 1941, fue invadida por el ejército nazi y en 1944, reocupada por los soviéticos. En 1954 la zona pasó a ser una región (oblast) de la República Socialista Soviética de Ucrania. Después de la disolución de la Unión Soviética en 1991, Crimea obtuvo autonomía parcial de Ucrania.

Sebastopol en llamas durante el sitio y toma por las tropas aliadas en la guerra de Crimea en 1855.
FOTOBANCO

Crimea, guerra de (oct. 1853–feb. 1856). Guerra librada principalmente en CRIMEA entre Rusia y una alianza integrada por el Imperio otomano, Gran Bretaña, Francia y Cerdeña-Piamonte. Tuvo su origen en el conflicto entre las grandes potencias en el Medio Oriente y su causa inmediata fueron las exigencias rusas orientadas a la protección de los millones de ortodoxos que vivían dentro de las fronteras del Imperio otomano. En 1853, Turquía le declaró la guerra a Rusia, y Francia e Inglaterra lo hicieron en 1855. Hubo deficiencias en la conducción y comando de la guerra en ambos bandos. Se libraron batallas en el río Alma, en BALAKLAVA y en Inkerman, antes de que la sitiada SEBASTOPOL fuese capturada por los aliados. El cólera y los rigores del invierno dieron cuenta de gran parte de las aprox. 250.000 bajas por lado. Después de que Austria amenazó con unirse a los aliados, Rusia aceptó los términos preliminares de paz, los que fueron formalizados en el Congreso de PARÍS (1856).

La guerra no resolvió los conflictos entre las potencias en Europa oriental, pero sí alertó a ALEJANDRO II sobre la necesidad de modernizar Rusia.

crimen organizado Crimen cometido a escala nacional o internacional por una asociación criminal; dícese también de la asociación criminal misma. Estas asociaciones se involucran en delitos como hurto de carga, fraude, robo, secuestro por rescate y la exigencia de pagos de "protección". Su principal fuente de ingresos proviene del suministro de bienes y servicios ilegales de los cuales existe una permanente demanda del público, como drogas, prostitución, usura (el préstamo de dinero a tasas extremadamente altas) y apuestas. Se caracterizan por la existencia de una jerarquía de rangos con responsabilidades asignadas; la coordinación de actividades entre subgrupos; la división del territorio geográfico entre diferentes asociaciones; el compromiso de secreto total; a actividades dirigidas a corromper a las autoridades encargadas de hacer cumplir la ley, y el uso de extrema violencia, incluso el asesinato, contra las asociaciones rivales, informantes y otros enemigos. Han existido redes de contrabandistas, ladrones de joyas y traficantes de drogas en toda Europa y Asia; Sicilia y Japón tienen organizaciones criminales seculares. En EE.UU., el crimen organizado floreció en el s. XX, especialmente durante la época de la PROHIBICIÓN. A fines del s. XX y comienzos del s. XXI, el crimen organizado se volvió inmensamente poderoso en Rusia, pues aprovechó la debilidad de un gobierno empobrecido y la corrupción generalizada de sus funcionarios. Ver también MAFIA; YAKUZA.

crimen por discriminación Delito cometido contra una persona o personas sobre la base de características como la raza, la religión, el origen étnico o la orientación sexual. El concepto surgió en EE.UU. a fines de la década de 1970, y desde entonces muchos estados estadounidenses han aprobado leyes que establecen sanciones adicionales para los crímenes violentos provocados por el prejuicio o el fanatismo contra grupos determinados. Varios otros países occidentales, como Australia, Gran Bretaña y Canadá, han promulgado leyes que tienen por objeto reprimir los actos de violencia contra minorías raciales y religiosas. Por ejemplo, la ley alemana prohíbe incitar o instigar públicamente el odio racial, como la distribución de propaganda nazi.

crímenes de guerra Toda violación de las leyes de la GUERRA, establecidas por el derecho internacional consuetudinario y por algunos TRATADOS internacionales. Al término de la segunda guerra mundial, la parte del acuerdo de Londres firmada por EE.UU., Gran Bretaña, la Unión Soviética y Francia instituyó tres categorías de crímenes de guerra: crímenes de guerra convencionales (el asesinato, el maltrato, o la deportación de la población civil de territorios ocupados), crímenes contra la paz, y crímenes contra la humanidad (persecución política, racial o religiosa contra la población civil). El acuerdo también dispuso la creación de un tribunal militar internacional para juzgar a los principales criminales de guerra de los países del Eje. Estableció, además, que el hecho de desempeñarse el acusado como jefe de Estado no lo liberaría de responsabilidad, ni tampoco la circunstancia de haber actuado bajo órdenes o por necesidad militar. Los criminales de guerra alemanes y japoneses fueron juzgados ante tribunales aliados en Nuremberg y Tokio en 1945–46 y 1946–48, respectivamente, y en la década de 1990 se crearon tribunales para el juzgamiento de los crímenes de guerra cometidos en Ruanda y en el territorio de la ex Yugoslavia. Ver también convención de GINEBRA; GENOCIDIO; convención de La HAYA; juicios de NUREMBERG.

Crimilda o **Gudrun** En el *Cantar de los nibelungos*, la gentil princesa cortejada por SIGFRIDO. Su pesar ante la muerte de Sigfrido la transforma en una "diablesa", que cumple su venganza casándose con ATILA, el huno, y ejecutando a su hermano

(que era quien había ordenado el asesinato de Sigfrido), antes de ser muerta a su vez. En las leyendas escandinavas aparece en cuentos revanchistas con el nombre de Gudrun. La historia de Crimilda pudo haber emanado de una confusión respecto a hechos de la vida del Atila histórico.

criminología Estudio científico de los aspectos extrajurídicos del DELITO, entre ellos sus causas y su prevención. La criminología surgió en el s. XVIII cuando los reformadores sociales comenzaron a cuestionar el uso de las penas como castigo, y propusieron a cambio la disuasión y la rehabilitación. En el s. XIX empezaron a aplicarse métodos científicos al estudio del delito. En la actualidad, los criminólogos generalmente utilizan ESTADÍSTICAS, historias de caso, registros oficiales y métodos de campo de la sociología para el estudio de los delincuentes y de la actividad delictiva, entre los que cabe mencionar el número y tipos de delitos que se cometen en zonas geográficas determinadas. Sus conclusiones son luego utilizadas por abogados, jueces, funcionarios encargados de supervisar el cumplimiento de la libertad condicional, funcionarios policiales y de gendarmería, legisladores y especialistas, para comprender mejor a los delincuentes y los efectos del tratamiento y la prevención. Ver también DELINCUENCIA, PENOLOGÍA.

criogenia Estudio y utilización de materiales a temperaturas extremadamente bajas. El rango criogénico de temperatura varía desde los −150 °C (−238 °F) hasta el CERO ABSOLUTO. La materia tiene propiedades poco comunes a muy bajas temperaturas. Sustancias que son gases en condiciones naturales pueden licuarse, y los metales pierden su RESISTENCIA eléctrica a medida que se enfrían (ver SUPERCONDUCTIVIDAD). La criogenia data de 1877, cuando por primera vez fue enfriado el oxígeno hasta licuarse (−183 °C o −297 °F); la superconductividad fue descubierta en 1911. Las aplicaciones de la criogenia comprenden el almacenamiento y transporte de gases licuados, la conservación de alimentos, la criocirugía, los combustibles de cohetes y los ELECTROIMANES superconductores.

criollo Persona nacida de padres españoles en Hispanoamérica entre los s. XVI y XVIII, considerada diferente de una nacida en España pero residente en América. Bajo el dominio colonial español, los criollos fueron discriminados, de ahí que lideraran las revoluciones decimonónicas contra España, convirtiéndose luego en la nueva clase dirigente. Actualmente este término posee significados muy variados. En Luisiana puede significar un blanco que habla francés y desciende de los primeros colonos franceses y españoles, o bien, gente de ascendencia mestiza que habla una modalidad de francés y español. En América Latina, el vocablo puede designar a una persona de extracción española pura o a un miembro de las clases urbanas europeizadas, en contraste con los indígenas rurales. En las Antillas, se refiere a todas las personas con ascendencia europea, que forman parte de la cultura caribeña.

criollo o **creolé** Toda lengua PIDGIN que se haya instaurado como lengua materna de una comunidad lingüística. Por lo general, un criollo surge cuando los hablantes de una lengua llegan a tener dominio, desde el punto de vista político o económico, sobre los hablantes de otra lengua. Una forma simplificada o modificada de la lengua del grupo dominante (pidgin), utilizada para comunicarse entre los dos grupos, puede transformarse a la larga en la lengua materna de la comunidad menos poderosa. Algunos ejemplos son el criollo de Sea Island (ant. gullah, derivado del inglés), hablado en las Sea Islands de Carolina del Sur; el criollo haitiano (derivado del francés), y el papiamento (derivado del español y del portugués), hablado en Curação, Aruba y Bonaire.

Cripps, Sir (Richard) Stafford (24 abr. 1889, Londres, Inglaterra–21 abr. 1952, Zurich, Suiza). Estadista británico. Fue un abogado de prestigio y miembro del parlamento (1931–50). Militó en la extrema izquierda del Partido Laborista y ayudó a fundar la Liga Socialista en 1932. Después de ser embajador en Moscú (1940–42), se unió al gabinete de guerra y dirigió la Misión Cripps (1942), infructuoso intento de conseguir apoyo indio contra los japoneses. Como canciller del Exchequer (ministro de hacienda) (1947–50), estableció un rígido programa de austeridad para reanimar la economía británica.

cripta Cámara subterránea, generalmente bajo el piso de una iglesia. Las CATACUMBAS de los primeros cristianos fueron conocidas como *cryptae*; cuando se edificaron iglesias sobre las tumbas de santos y mártires se construyeron asimismo capillas subterráneas alrededor de estas últimas. Ya en tiempos de CONSTANTINO I (306–337 DC), la cripta era considerada una parte normal de la iglesia. Más tarde se agrandó, ocupando por completo el espacio bajo el coro o presbiterio. La cripta de la catedral de Canterbury es una elaborada iglesia subterránea con su propio ÁBSIDE. Muchos edificios seculares de la Europa medieval también tenían criptas lujosamente decoradas.

Cripta de la catedral de Canterbury (s. XII), Inglaterra.
A.F. KERSTING

criptografía Práctica para la codificación y decodificación de mensajes con un código secreto para hacerlos incomprensibles para todos, excepto para el destinatario. La criptografía puede también referirse al arte del criptoanálisis, mediante el cual los códigos criptográficos son descifrados. En conjunto, la ciencia de las comunicaciones seguras y secretas, que involucra tanto la criptografía como el criptoanálisis, se conoce en la actualidad como criptología. Los principios de la criptografía se aplican hoy a la encriptación de la comunicación por FAX, TELEVISIÓN y REDES DE COMPUTADORAS. En particular, el intercambio seguro de datos computacionales es de gran importancia para las comunicaciones bancarias, gubernamentales y comerciales. Ver también ENCRIPTACIÓN DE DATOS.

criptomónada Cualquier organismo pequeño con dos flagelos que es considerado PROTOZOO y ALGA. Las criptomónadas medran tanto en agua dulce como salada; contienen pigmentos que sólo se encuentran en las algas rojas y verde azules (CIANOBACTERIA). A veces viven en otros organismos sin dañarlos. Algunas especies realizan la FOTOSÍNTESIS. Otras carecen de estructuras pigmentarias y se alimentan de materia orgánica, sobreviviendo sólo de minerales en ciertas condiciones.

criptón o **kriptón** ELEMENTO QUÍMICO, símbolo químico Kr, número atómico 36. Uno de los GASES NOBLES, es incoloro, inodoro, insípido y casi completamente inerte; se combina sólo con el FLÚOR bajo condiciones muy exigentes. El criptón se encuentra en cantidades mínimas en la atmósfera y en las rocas y se obtiene por destilación fraccionada del aire licuado. Se utiliza en tubos luminiscentes, lámparas de destello, bombillas de luz incandescente, emisores láser y estudios con trazador.

críquet o **cricket** (del francés medio *criquet*: "estaca de meta"). Deporte jugado por dos equipos de 11 jugadores con una pelota y un bate en un campo grande con dos pequeños pórticos (*wickets*) centrales, cada uno de ellos compuesto por dos grupos de tres estacas. Un jugador del equipo que defiende, denominado *bowler*, tira la pelota (con un lanzamiento por encima de la cabeza con el brazo recto) intentando acertar al *wicket*, una de las diversas formas de poner fuera al bateador. El equipo que ataca pone a dos bateadores a la vez, y el bateador que recibe el lanzamiento (*striker*) trata de golpear la pelota y enviarla lo más lejos posible del *wicket*. Si el bateador envía la pelota lejos del *wicket*, pero no tiene tiempo de llegar al *wicket* opuesto, no es necesario que corra; el juego se reanuda con otro lanzamiento. Cuando logra enviar suficientemente lejos la pelota, el bateador y el segundo bateador (*nonstriker*) que está en el otro pórtico intercambian posiciones. Cada vez que ambos jugadores alcanzan el *wicket* opuesto, se anota una carrera. Los bateadores pueden seguir corriendo una y otra vez entre los *wickets*, anotando así carreras adicionales cada vez que ambos alcanzan el lado contrario. Los partidos se dividen en entradas, que consisten en un turno al bate para cada equipo y, dependiendo de un acuerdo adoptado antes del encuentro, pueden jugarse una o dos entradas. El origen del críquet es incierto, pero las primeras reglas fueron escritas en 1744. Durante la era de colonización inglesa, el críquet se exportó a distintos países de todo el mundo.

crisálida o **pupa** Estado inactivo y sin alimentación en la vida de aquellos insectos que experimentan una METAMORFOSIS completa. Dentro de una cubierta protectora (capullo o crisálida), la LARVA se transforma en adulto. Durante la pupación, un proceso controlado por hormonas, las estructuras larvales se desintegran y se forman las estructuras adultas; es la etapa en que aparecen las alas. El adulto emerge ya sea al partir y masticar la cubierta de la pupa para abrirse camino o al secretar un fluido que ablanda el capullo.

crisantemo Cualquiera de las plantas ornamentales que constituyen el género *Chrysanthemum*, de la familia de las COMPUESTAS. El género comprende unas 100 especies, originarias esencialmente de zonas subtropicales y templadas del Viejo Mundo. Las especies cultivadas tienen capítulos mucho más grandes que los de las silvestres. La mayoría tiene hojas alternas y aromáticas. Algunas tienen flores tubulares y radiadas en los capítulos; otras carecen de flores radiadas. La hierba romana o de Santa María (*C. balsamita*), el PELITRE, la MARGARITA AMARILLA, la margarita shasta (formas híbridas de la margarita gigante *C. maximum*), el crisantemo de los floristas (*C. morifolium*), la margarza o matricaria (*C. parthenium*), el ojo de buey o corona de rey (*C. segetum*) y las especies del género *Tanacetum* son plantas de jardín populares. La matricaria y el pelitre se usan como insecticidas; la matricaria y el tanaceto se usaron otrora en medicamentos.

Crisantemo (*Chrysanthemum morifolium*).
FOTOBANCO.

crisis rusa, época de (1606–13). Período de crisis política en Rusia. Después de la muerte de FIÓDOR I y del fin de la dinastía RIÚRIK (1598), los BOYARDOS se opusieron al gobierno de BORÍS GODÚNOV y tras su muerte colocaron en el trono al noble Basilio Shuiski (n.1552–m. 1612) en 1606. Su gobierno se vio debilitado por las revueltas, las pretensiones al trono del segundo falso DEMETRIO y por la invasión a Rusia del rey polaco SEGISMUNDO III VASA en 1609–10. Finalmente, los rusos lograron unirse contra los invasores polacos y los expulsaron de Moscú en 1612. Una nueva asamblea representativa se reunió en 1613 y eligió zar a MIGUEL III, iniciándose así el reinado de 300 años de la dinastía ROMÁNOV.

crisol Recipiente de ARCILLA u otro material REFRACTARIO, usado desde tiempos antiguos para fundir METALES u otros materiales. Los crisoles modernos pueden ser pequeños utensilios de laboratorio para realizar reacciones y análisis químicos a temperaturas elevadas, o grandes recipientes industriales para fundir y calcinar metal, minerales o vidrio, y pueden estar hechos de arcilla, grafito, porcelana o algún metal relativamente infusible.

crisol, proceso al Técnica para producir acero fundido o ACERO PARA HERRAMIENTAS. La inventó Benjamin Huntsman en Gran Bretaña c. 1740, quien calentó pequeños trozos de ACERO AL CARBONO en un crisol cerrado de arcilla refractaria colocado en un fuego de COQUE. Este fue el primer proceso usado en Europa en el cual se logró una temperatura (1.600 °C o 2.900 °F) suficientemente alta como para fundir el ACERO, produciendo un metal homogéneo de composición uniforme. Después de 1870, el horno Siemens de gas de recuperación de calor reemplazó el horno calentado con coque. Capaz de producir incluso temperaturas más altas, el horno Siemens tenía varios orificios de combustión, con varios crisoles en cada uno de ellos, y calentaba hasta 100 crisoles a la vez. Durante mucho tiempo todo el acero de alta calidad para herramientas y todo el ACERO RÁPIDO se fabricaron por medio del proceso al crisol. En el s. XX, el HORNO ELÉCTRICO reemplazó este proceso en países con energía eléctrica barata. Ver también acero WOOTZ.

Crisopa verde
(*Chrysopa oculata*)

Crisopa marrón
(*Boriomyia fidelis*)

Especies de crisopa.
© ENCYCLOPÆDIA BRITANNICA, INC.

crisopa Cualquiera de numerosas especies de insectos del orden Neuroptera, especialmente aquellas de las familias de la crisopa verde y la crisopa marrón. La crisopa verde tiene antenas largas y delicadas, un cuerpo esbelto verdoso, ojos dorados o cobrizos y dos pares de alas nervadas. Se la encuentra por todo el mundo y vuela cerca de hierbas y arbustos. Se la conoce también como mosca fétida porque emana un olor desagradable. La larva, con partes bucales chupadoras prominentes, extrae líquidos corporales de los áfidos y otros insectos de cuerpo blando. La crisopa marrón se parece a la verde, pero es más pequeña.

crisotilo Variedad fibrosa de la SERPENTINA (silicato de magnesio). Es el mineral de ASBESTO más importante. Las fibras individuales son blancas y sedosas, pero en vetas, el conjunto de ellas es generalmente verde o amarillento. Las fibras de crisotilo poseen gran resistencia a la tracción, similar a la de otros minerales de asbesto (ver ASBESTO ANFIBÓLICO). Los mayores yacimientos de crisotilo están en Quebec y en los montes Urales.

Crispi, Francesco (4 oct. 1819, Ribera, Sicilia–12 ago. 1901, Nápoles, Italia). Político italiano. Exiliado de Sicilia por sus actividades revolucionarias, se asoció con GIUSEPPE MAZZINI y alentó a GIUSEPPE GARIBALDI a conquistar Sicilia en 1860. Fue diputado por Sicilia en el nuevo parlamento unificado italiano (1861–96) y ocupó cargos en varios gobiernos de izquierda. Como primer ministro (1887–91, 1893–96), llevó a cabo reformas liberales; más tarde, aunque mejoró la situación económica, adoptó una política crecientemente represiva. Se embarcó en una desastrosa política exterior, convirtiendo a

Eritrea en una colonia e impulsando una expansión colonial en África. Fue obligado a renunciar después de la derrota italiana en la batalla de ADUA.

cristal Cualquier material sólido cuyos ÁTOMOS están dispuestos en un patrón definido y cuya superficie regular refleja su simetría interna. Cada una de los millones de unidades estructurales individuales de un cristal (celdas unitarias) contiene todos los átomos, moléculas o iones de la sustancia en las mismas proporciones que en su fórmula química (ver PESO FÓRMULA). Las celdas se repiten en todas las direcciones para formar un patrón geométrico, manifestado por el número y la orientación de los planos externos (caras del cristal). Los cristales se clasifican en siete sistemas cristalográficos basados en su simetría: isométrico, trigonal, hexagonal, tetragonal, ortorrómbico, monoclínico y triclínico. Los cristales se forman por lo general cuando un líquido se solidifica, un vapor se vuelve sobresaturado (ver SATURACIÓN), o una SOLUCIÓN líquida no puede retener por más tiempo material disuelto, el cual entonces precipita. Los METALES, las ALEACIONES, los MINERALES y los SEMICONDUCTORES son todos cristalinos, al menos microscópicamente. (Un sólido no cristalino se llama amorfo). Bajo condiciones especiales, un solo cristal puede crecer hasta un tamaño considerable; algunos ejemplos son las piedras preciosas y ciertos cristales artificiales. Pocos cristales son perfectos; los defectos afectan el comportamiento eléctrico del material y pueden debilitarlo o fortalecerlo. Ver también CRISTAL LÍQUIDO.

cristal de roca Variedad transparente del mineral de SÍLICE CUARZO apreciada por su claridad y total ausencia de color o imperfecciones. Antiguamente el cristal de roca se usó mucho como piedra preciosa, pero ha sido reemplazado por vidrio y plástico; al comienzo, los diamantes falsos fueron guijarros de cuarzo encontrados en el río Rin. Por sus cualidades ópticas, el cristal de roca se emplea en lentes y prismas; sus propiedades piezoeléctricas (ver PIEZOELECTRICIDAD) se utilizan para controlar la oscilación de circuitos eléctricos.

cristal decorativo ver CAMAFEO VIDRIADO; cristal de BACCARAT; cristal de BOHEMIA; cristal de MURANO; cristal de WATERFORD; CRISTAL TALLADO; vidrio SATINADO; VITRAL.

cristal líquido Sustancia que fluye como un líquido, pero que mantiene algo de la estructura ordenada característica de un CRISTAL. Algunas sustancias orgánicas no se funden directamente cuando se calientan, sino que cambian de un sólido cristalino a un estado líquido cristalino. Cuando se las calienta aún más, se forma un verdadero líquido. Los cristales líquidos tienen propiedades singulares. Sus estructuras son fácilmente afectadas por cambios en las TENSIONES mecánicas internas, los CAMPOS ELECTROMAGNÉTICOS, la temperatura y el ambiente químico. Ver también LCD.

cristal tallado Cristalería que se caracteriza por una serie de facetas o diseños tallados en su superficie. Con una rueda abrasiva giratoria, se bosqueja un diseño en un objeto de cristal; luego el diseño se suaviza con una rueda de arenisca y se pule en un baño de ácido. Los romanos introdujeron una forma tosca de tallar el cristal en el s. I DC. El cristal tallado moderno se desarrolló en Alemania a fines del s. XVII con la producción de un pesado vidrio transparente incoloro. Después de que el cristal de BOHEMIA se hizo popular, los fabricantes de vidrio ingleses e irlandeses adoptaron la técnica. Los luminosos estilos de sus productos, especialmente el cristal de WATERFORD, se hicieron populares en EE.UU. después de 1780.

Cristal, Palacio de *inglés* **Crystal Palace** Enorme salón de exposiciones construido en vidrio y fierro, en el Hyde Park de Londres, y que albergó la Exposición Universal de 1851. Fue desmontado y reconstruido (1852–54) en Sydenham Hill, donde sobrevivió hasta su destrucción por un incendio en 1936. Diseñado por el constructor de invernaderos Sir Joseph Paxton (n. 1801–m. 1865), fue un montaje notable de partes

El Palacio de Cristal, diseñado por Sir Joseph Paxton para la gran Exposición Universal de 1851.

FOTOBANCO

prefabricadas. Su intrincada red de barras de fierro delgadas que soportaban los muros de vidrio transparente, estableció el modelo de arquitectura para exposiciones internacionales posteriores, igualmente albergadas en CONSERVATORIOS DE PLANTAS.

cristalografía Rama de la ciencia que trata de las distintas formas en que se ordenan y enlazan los átomos en los sólidos cristalinos, y de la estructura geométrica de las REDES CRISTALINAS. Clásicamente, las propiedades ópticas de los CRISTALES fueron valiosas en mineralogía y en química para la identificación de sustancias. La cristalografía moderna se basa sobre todo en el análisis de la DIFRACCIÓN de RAYOS X por cristales que actúan como rejillas ópticas. Los químicos son capaces de determinar las estructuras internas y las disposiciones de los enlaces en los minerales y las moléculas mediante la cristalografía de rayos X, como las estructuras de moléculas grandes y complejas como las proteínas y el ADN.

Cristián II (1 jul. 1481, Nyborg, Dinamarca–25 ene. 1559, Kalundborg). Rey de Dinamarca y Noruega (1513–23) y de Suecia (1520–23). Sucedió a su padre, Juan, como rey de Dinamarca y Noruega. En 1517 invadió Suecia, derrotó a las fuerzas del regente sueco y fue coronado rey de ese país en 1520. No obstante, su orden de ejecutar a los nobles suecos (el baño de sangre de Estocolmo) contribuyó a incitar una guerra por la independencia de Suecia, la cual puso fin a la Unión de KALMAR en 1523. Ese mismo año, una revuelta en Dinamarca lo obligó a huir a los Países Bajos. Después de intentar recuperar su reino, fue arrestado por fuerzas danesas en 1532 y pasó el resto de su vida prisionero.

Cristián III (12 ago. 1503, Gottorp, Schleswig–1 ene. 1559, Kolding, Dinamarca). Rey de Dinamarca y Noruega (1534–59). Hijo del rey Federico I, asumió el control del reino después de ganar una guerra civil conocida como la guerra del Conde. Arrestó a los obispos católicos opositores y organizó la dieta de Copenhague (1536), que confiscó los bienes episcopales y estableció la Iglesia luterana estatal. Por medio de la creación de estrechos lazos entre la Iglesia y la corona, fundó las bases de la monarquía absoluta danesa del s. XVII.

Cristián IV (12 abr. 1577, castillo de Frederiksborg, Hillerød, Dinamarca–28 feb. 1648, Copenhague). Rey de Dinamarca y Noruega (1588–1648). Ascendió al trono a la muerte de su padre, Federico II, pero una regencia gobernó hasta

Cristián IV, detalle de una pintura al óleo de Pieter Isaacsz, 1612.

GENTILEZA DEL NATIONALHISTORISKE MUSEUM PAA FREDERIKSBORG, DINAMARCA

1596. Después de su coronación, logró limitar los poderes del Rigsråd (consejo de Estado). Condujo dos infructuosas guerras contra Suecia y causó consecuencias desastrosas para su país al llevarlo a la guerra de los TREINTA AÑOS, en la cual fue derrotado. A la larga se vio forzado a aceptar el creciente poder de la nobleza, que se había opuesto por largo tiempo a sus políticas belicosas. Sin embargo, promovió con gran energía el comercio y la navegación; fue un gran constructor y fundador de ciudades (reconstruyó y dio su nombre a Cristianía, actual Oslo), dejó hermosos edificios como patrimonio nacional y fue considerado uno de los más populares reyes daneses.

Cristián IX (8 abr. 1818, Gottorp, Schleswig–29 ene. 1906, Copenhague, Dinamarca). Rey de Dinamarca (1863–1906). Sucedió a FEDERICO VII, quien no dejó descendencia y cuya prima era su esposa. Cuando asumió el trono, el clamor popular lo obligó a firmar la constitución de noviembre que incorporó Schleswig al Estado danés (ver cuestión de SCHLESWIG-HOLSTEIN), lo que provocó la desastrosa guerra de 1864 contra Prusia y Austria. Terminado el conflicto, resistió sin éxito el establecimiento de un gobierno plenamente parlamentario en Dinamarca.

Cristián X (26 sep. 1870, Charlottenlund, Dinamarca–20 abr. 1947, Copenhague). Rey de Dinamarca (1912–47), símbolo de la resistencia nacional contra la ocupación alemana en la segunda guerra mundial. Ascendió al trono a la muerte de su padre, Federico VIII (n. 1843–m. 1912). En 1915 promulgó una constitución que garantizaba la igualdad de sufragio para hombres y mujeres. Una vez iniciada la ocupación alemana en 1940, frecuentemente se paseaba a caballo por las calles de Copenhague, demostrando que no había abandonado su derecho a gobernar el país. Además, opuso resistencia a las exigencias nazis para que se legislara contra los judíos. Sus planteamientos contrarios a las fuerzas de ocupación en 1943 derivaron en su encarcelación hasta el fin de la guerra.

Cristianía ver OSLO

cristianismo Religión emanada de las enseñanzas de JESÚS que surge en el s. I DC. Su sagrada escritura es la BIBLIA, en particular el NUEVO TESTAMENTO. Sus dogmas principales afirman que Jesús es el Hijo de Dios (la segunda persona de la Santísima TRINIDAD), que el amor de Dios por el mundo es el componente esencial de su ser, y que Jesús padeció y murió para redimir al género humano. El cristianismo fue en su origen un movimiento de los judíos que aceptaron a Jesús como el MESÍAS, pero en el que rápidamente predominaron los gentiles. La Iglesia primitiva fue formada por san PABLO y otros misioneros y teólogos cristianos; perseguida bajo el Imperio romano, fue después protegida por CONSTANTINO I, el primer emperador cristiano. En la Europa medieval y de comienzos de la modernidad, pensadores cristianos como san AGUSTÍN, TOMÁS DE AQUINO y MARTÍN LUTERO contribuyeron al crecimiento de la teología cristiana, mientras que desde comienzos del s. XV los misioneros propagaron la fe por gran parte del mundo. Las divisiones principales del cristianismo son el CATOLICISMO ROMANO, la ORTODOXIA ORIENTAL y el PROTESTANTISMO. Casi todas las iglesias cristianas tienen un clero ordenado, cuyos miembros son casi siempre varones. Los miembros del clero dirigen los servicios del culto comunitario y en algunas iglesias se consideran intermediarios entre el mundo laico y lo divino. Casi todas las iglesias cristianas administran dos sacramentos, el bautismo y la eucaristía. A principios del s. XXI, el cristianismo contaba con más de dos mil millones de fieles a nivel mundial, distribuidos en todos los continentes.

Cristina *sueco* **Kristina** (8 dic. 1626, Estocolmo, Suecia–19 abr. 1689, Roma). Reina de Suecia (1644–54). Sucesora de su padre, GUSTAVO II ADOLFO, fue una importante impulsora de la paz de WESTFALIA y la finalización de la guerra de los TREINTA AÑOS. Después de diez años de reinado, conmocionó a Europa al abdicar al trono aduciendo que estaba enferma y que la carga del gobierno era muy pesada para una mujer. Sus verdaderas razones fueron su negativa a casarse y su secreta conversión al catolicismo, que estaba proscrito en Suecia. Se trasladó a Roma y más tarde intentó sin éxito obtener las coronas de Nápoles y Polonia. Una de las mujeres más inteligentes y eruditas de su época, fue una pródiga protectora de las artes e impulsora de la cultura europea.

Cristina, reina de Suecia, grabado de Cornelis Visscher 1650.
GENTILEZA DEL SVENSKA PORTRATTARKIVET, ESTOCOLMO

Cristo ver JESÚS

Cristo, Iglesia de Cualquiera de varias iglesias protestantes conservadoras que se encuentran principalmente en EE.UU. Cada congregación posee un gobierno autónomo con pastores, diáconos y un ministro o ministros; carece de una organización administrativa nacional. Estas iglesias surgieron a principios del s. XIX con el movimiento DISCÍPULOS DE CRISTO, que se atenía a la Biblia como la única norma de fe y culto cristianos. Las controversias escindieron el movimiento, y se designó como Iglesias de Cristo a las congregaciones que se opusieron a las sociedades misioneras organizadas y al uso de música instrumental en el culto. Tras separarse de los Discípulos de Cristo, las Iglesias de Cristo continuaron creciendo. La liturgia consiste en oración y predicación, canto sin acompañamiento y la cena del Señor.

Cristóbal, san (floreció s. III; festividad en Occidente: 25 de julio; en Oriente: 9 de mayo). Santo patrono de viajeros y automovilistas. Se dice que fue martirizado en Licia bajo el emperador romano Decio (c. 250). Algunas leyendas lo retratan como un gigante que consagró su vida a atravesar viajeros por un río. Un día un niño pequeño pidió que lo transportara, y en mitad del río el infante se puso tan pesado que Cristóbal se tambaleó bajo la carga. El niño reveló que el santo había estado llevando a Cristo y los pecados del mundo, dando lugar así al nombre de Cristóbal (en griego: "portador de Cristo"). Su historicidad es dudosa.

Cristofano de Giudicis, Francesco di ver FRANCIABIGIO

Cristofori, Bartolomeo (4 may. 1655, Padua, República de Venecia–27 ene. 1731, Florencia). Constructor de instrumentos musicales italiano. Como conservador de instrumentos musicales en la corte del príncipe Fernando de Médicis, mantuvo una gran variedad de instrumentos. Su experimento más famoso fue el pianoforte, antecesor del PIANO moderno, con el que trabajó desde 1698. Este instrumento, a diferencia del clavecín, podía producir cambios en el volumen del sonido según la fuerza con que se tocaban las teclas. En 1711 se publicó un diagrama de sus trabajos y muy pronto fueron copiados por otros. Se han conservado algunos de sus pianofortes originales.

crítica de arte ver crítica de ARTE

crítica literaria británica Disciplina que se ocupa del estudio de la literatura en sus aspectos filosóficos, descriptivos y valorativos, incluidas las preguntas acerca de qué es la literatura, cuál es su objeto y cuál es su valor. La tradición crítica occidental comenzó con *La República* de PLATÓN (s. IV AC). Una generación más tarde, ARISTÓTELES desarrolló en su *Poética* una serie de principios de composición que han ejercido una influencia duradera. Desde el Renacimiento en adelante, la crítica europea se concentró en el valor moral de la literatura y la naturaleza de su relación con la realidad. A fines del s. XVI, SIR PHILIP SIDNEY argumentó que su cualidad particular es la creación de un universo imaginario que es superior al mundo real en algunos aspectos. Un siglo después, JOHN DRYDEN afirmó que la literatura debía ofrecer sobre todo una representación fiel del

mundo para "el deleite y la instrucción de la humanidad"; esta premisa, menos idealista, sustentó la obra de grandes críticos como ALEXANDER POPE y SAMUEL JOHNSON. La crítica del período romántico se distanció de estas concepciones, como lo demuestra la aseveración de WILLIAM WORDSWORTH de que el objeto de la poesía es llevar el esplendor de "la verdad al corazón por medio de la pasión". En los últimos años del s. XIX se dieron dos tendencias divergentes: por un lado, la teoría estética del "arte por el arte"; por otro, la visión (expresada por MATTHEW ARNOLD) de que la literatura debía hacerse cargo de las funciones morales y filosóficas que antes correspondían a la religión. La crítica literaria incrementó notablemente su actividad durante el s. XX, cuyos últimos años presenciaron una revisión radical de los modos tradicionales de la crítica, así como el desarrollo de una multiplicidad de corrientes (ver DECONSTRUCCIÓN; ESTRUCTURALISMO; POSTESTRUCTURALISMO).

crítica, teoría Movimiento de inspiración marxista en filosofía política y social asociado en sus orígenes a los trabajos de la escuela de FRANCFORT. Atraídos particularmente por el pensamiento de KARL MARX y SIGMUND FREUD, los teóricos críticos sostienen que uno de los objetivos primarios de la filosofía consiste en entender y contribuir a superar las estructuras sociales por medio de las cuales la gente es dominada y oprimida. Convencidos de que la ciencia, como otras formas de conocimiento, han sido utilizadas como instrumento de opresión, previenen en contra de una fe ciega en el progreso científico, argumentando que el conocimiento científico no debe perseguirse como un fin en sí mismo sin referencia al objetivo de la emancipación humana. A partir de la década de 1970, la teoría crítica ha ejercido una enorme influencia en el estudio de historia, derecho, literatura y ciencias sociales.

Critio y Nesiotes *o* **Kritios y Nesiotes** (florecieron a fines del s. V AC, Atenas, Grecia). Escultores griegos. Realizaron las primeras obras maestras escultóricas, aisladas de los principios del período clásico, como *Los tiranicidas* (477 AC), figuras en bronce, hechas por encargo para reemplazar a las de ANTENOR, que habían sido robadas en el saqueo persa a Atenas (480 AC). Se conservan copias en mármol en el Museo Nacional de Arqueología, Nápoles.

Crittenden, John J(ordan) (10 sep. 1787, cerca de Versailles, Ky., EE.UU.–26 jul. 1863, Frankfort, Ky.). Político estadounidense. Titulado en el College of William and Mary (1807), fue fiscal territorial en Illinois (1809). También se desempeñó en el Senado (1817–19, 1835–40, 1842–48, 1855–61),

"La Virgen entronizada con el Niño y santos", de Carlo Crivelli, 1491.
GENTILEZA DEL STAATLICHE MUSEEN PREUSSISCHER KULTURBESITZ, GEMÄLDEGALERIE, BERLÍN – ART RESOURCE

fue fiscal general de EE.UU. (1840–41, 1850–53) y gobernador de Kentucky (1848–50). Se hizo célebre por el compromiso de Crittenden. En 1861 presidió la convención de dirigentes de estados fronterizos, celebrada en Frankfort, la que solicitó al Sur que reconsiderara su postura en cuanto a la secesión.

Crivelli, Carlo (c. 1430/35, Venecia, República de Venecia–c. 1493/95). Pintor italiano. Hijo de un pintor, trabajó principalmente en Las Marcas, provincia del centro de Italia. Todas sus obras representan temas religiosos, ejecutados en un estilo elaborado y anticuado que evoca el uso de la línea de ANDREA MANTEGNA. Caracterizadas por una ornamentación recargada, trazos nítidos y expresiones faciales exageradas, sus pinturas se acercan más a la intensidad religiosa del arte gótico que al racionalismo renacentista.

CROACIA

▶ **Superficie:** 56.594 km²
(21.851 mi²)

▶ **Población:** 4.440.000 hab.
(est. 2005)

▶ **Capital:** ZAGREB

▶ **Moneda:** kuna

Croacia *ofic.* **República de Croacia** País en la región centro-occidental de los Balcanes, en Europa sudoriental. Los habitantes son principalmente croatas, con una importante minoría serbia. Idioma: croata (oficial). Religiones: católica (croata) y ortodoxa serbia (serbios). Croacia comprende las tradicionales regiones de DALMACIA, ISTRIA y Croacia-Eslavonia. Istria y Dalmacia, al sudoeste, ocupan la accidentada costa adriática. El noroeste comprende una zona montañosa litoral que incluye parte de los Alpes dináricos. El nordeste es una fértil región agrícola, donde se destaca la crianza de ganado. La zona montañosa es conocida por la producción frutícola; en las granjas de Istria y Dalmacia se cultivan viñedos y aceitunas. Las industrias más importantes son las de elaboración de alimentos, producción de vino, textiles, productos químicos, petróleo y gas natural. Croacia es una república unicameral; el jefe de Estado es el presidente, y jefe de Gobierno, el primer ministro. Los croatas, pueblo eslavo meridional, llegaron en el s. VII DC estuvieron bajo el dominio de CARLOMAGNO en el s. VIII. Se convirtieron poco después al cristianismo y formaron un reino en el s. X. La región conservó su independencia, gobernado por reyes hasta 1102, cuando la corona pasó a manos de la dinastía húngara. Sin embargo, aún bajo la unión dinástica con Hungría, se mantuvieron las instituciones que representaban la calidad de estado independiente de Croacia. La zona asociada al nombre de Croacia cambió gradualmente en el norte y el oeste al sufrir pérdidas territoriales, primero con la pérdida de Dalmacia, que pasó a manos de Venecia en 1420 y luego como consecuencia de las conquistas otomanas en el s. XVI. En dicha centuria, el resto de Croacia quedó bajó el control de los Habsburgo austríacos. En 1867 pasó a formar parte del Imperio austro-húngaro, con Dalmacia e Istria gobernadas por VIENA, y Croacia-Eslavonia, bajo la corona húngara. En 1918, después de la derrota de AUSTRIA-HUNGRÍA en la primera guerra mundial, Croacia se unió a otros territorios eslavos meridionales para formar el Reino de los SERBIOS, CROATAS Y ESLOVENOS, que en 1929 pasó a denominarse YUGOSLAVIA. En la segunda guerra mundial, Italia y Alemania establecieron el estado independiente de Croacia, que comprendía Croacia-Eslavonia, parte de Dalmacia y Bosnia y Herzegovina; después de la guerra, Croacia volvió a integrarse a Yugoslavia como una república popular. El país declaró su independencia en 1991, lo que desató el levantamiento de los serbocroatas, que constituyeron regiones autónomas con ayuda del ejército yugoslavo; en 1995 Croacia recuperó la mayor parte de estas re-

Embarcadero y viviendas típicas de Veli Lošinj, en el mar Adriático, Croacia.
FOTOBANCO

giones. Con el regreso de una relativa estabilidad, la economía croata comenzó a recuperarse a fines de la década de 1990 y comienzos del s. XXI.

Croce, Benedetto (25 feb. 1866, Pescasseroli, Italia– 20 nov. 1952, Nápoles). Patriota, esteta, historiador de la cultura y crítico italiano. En 1903 fundó *La Crítica*, influyente revista de crítica cultural, y fue su editor hasta 1937. Apasionado antifascista, contribuyó a revivir las instituciones liberales en los años que siguieron a la segunda guerra mundial. Una de esas instituciones fue el Partido Liberal, que dirigió de 1943 a 1952. En 1947 fundó el Instituto Italiano de Estudios Históricos. Su obra filosófica ha sido influyente en ESTÉTICA y en los estudios sobre GIAMBATTISTA VICO, que Croce contribuyó a revivir.

crocidolita *o* **asbesto azul** Forma del mineral ANFÍBOL riebeckita de color gris-azulado a verde, muy fibroso (asbestiforme). Posee mayor resistencia a la tracción que el asbesto de CRISOTILO. La principal fuente comercial es Sudáfrica, donde aparece en formaciones precámbricas de hierro bandeado; también se encuentra en Australia y Bolivia.

Crockett, Davy *orig.* **David Crockett** (17 ago. 1786, Tennessee del este, EE.UU.– 6 mar. 1836, San Antonio, Texas). Explorador fronterizo y político estadounidense. Se hizo célebre en la guerra contra los creek (tribu indígena) (1813–15). En 1821 fue elegido miembro del poder legislativo de Tennessee y ganó popularidad por los discursos llenos de anécdotas y metáforas populares que pronunció durante su campaña. Fue elegido para integrar la Cámara de Representantes en 1827, 1829 y 1833. Durante su primer período parlamentario, se enfrentó con ANDREW JACKSON y el nuevo Partido Demócrata por el deseo de Crockett de conseguir un trato preferente para los ocupantes ilegales instalados en terrenos en el oeste de Tennessee. Luego fue buscado por los whigs, quienes lo promocionaron con la esperanza de crear a un político popular "piel de mapache" en oposición a Jackson. En 1834 lo llevaron en una gira triunfal de discursos por todos los bastiones whig en el este. Apareció en numerosas historias publicadas en libros y periódicos, de donde surgió la leyenda de un "cazador de osos" y combatiente contra los indios, excéntrico pero astuto. En 1835 marchó a Texas a participar en la guerra contra México y murió en El ÁLAMO.

Crocus Género que comprende unas 75 especies de plantas de poca altura, con CORMOS (familia de las IRIDÁCEAS), originaria de los Alpes, Europa meridional y el Mediterráneo. Se cultivan extensamente por sus flores caliciformes de primavera temprana u otoñales. Los tipos con floración primaveral tienen un tubo floral tan largo que el ovario queda subterráneo, protegido de los cambios climáticos. El AZAFRÁN proviene de *C. sativus*, originario de Asia occidental. La especie alpina *C. vernus* es el antecesor principal del crocus de jardín común. El crocus amarillo holandés (*C. flavus*) y *C. biflorus* son especies populares de floración primaveral.

Croghan, George (c. 1720, cerca de Dublín, Irlanda–31 ago. 1782, Passyunk, cerca de Filadelfia, Pa., EE.UU.). Comerciante norteamericano y agente indio. Emigró de Irlanda en 1741 y se asentó cerca de Carlisle, Pa., donde aprendió las costumbres y lenguas de los indios por beneficio comercial. Durante la década de 1740 fue nombrado agente indígena (representante oficial ante las tribus) por Pensilvania. Luego, como delegado ante WILLIAM JOHNSON (1756–72), negoció con las tribus que se quejaban de la invasión de sus tierras por los colonos. En 1765 logró poner fin a la guerra de PONTIAC. Defendió la causa patriota en la guerra de independencia de los ESTADOS UNIDOS DE AMÉRICA.

Croix de Feu (francés: "cruz de fuego"). Movimiento político francés (1927–36). Originalmente una organización de veteranos de la primera guerra mundial, abrazó posiciones ultranacionalistas de tendencia fascista. Bajo el liderazgo de François de la Rocque (n. 1885–m. 1946), llevó a cabo manifestaciones populares en reacción al escándalo STAVISKY, con la esperanza de derribar al gobierno. Luego perdió prestigio y fue disuelta por el gobierno del Frente Popular en 1936.

Cromagnon o **Cro-Magnon** Población de *Homo sapiens* anatómicamente modernos que datan del PALEOLÍTICO superior (c. 35.000–10.000 AC). Descubiertos por primera vez en 1868 en la caverna de Cro-Magnon, situada en la región de Dordoña, en el sur de Francia, los esqueletos humanos que pasaron a denominarse Cromagnon son considerados hoy representativos de los seres humanos de esa época. Los Cromagnon eran relativamente más robustos y fuertes que los humanos actuales, con una capacidad cerebral algo mayor. Suele asociárselos a la industria lítica y la tradición artística auriñacienses (ver cultura AURIÑACIENSE). Al parecer era un pueblo sedentario, cuyos individuos vivían en cuevas y chozas o tiendas primitivas, y que se trasladaban sólo cuando era necesario para encontrar nuevos territorios de caza o por cambios medioambientales. Es difícil determinar cuánto duró su presencia y qué sucedió con ellos; presumiblemente fueron absorbidos en forma gradual por las poblaciones europeas posteriores.

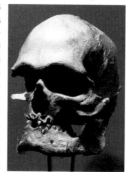

Cráneo de un hombre Cromagnon.
FOTOBANCO

cromático, índice ver ÍNDICE COLORIMÉTRICO

cromatismo En música, el uso de los 12 tonos, en especial para realzar la expresividad. Una TONALIDAD o un MODO común emplea principalmente siete tonos, dejando cinco para uso discrecional. El uso de los 12 tonos en una misma pieza aumentó en los s. XVIII y XIX. El cromatismo estrictamente controlado, como en la ornamentación de FRÉDÉRIC CHOPIN, no amenazaba la percepción del sistema TONAL. Sin embargo, a partir de la segunda mitad del s. XIX, se oyeron cada vez más quejas acerca de la dificultad para percibir el centro tonal de una pieza, siendo el caso más notorio el cromatismo en las obras de RICHARD WAGNER. El quiebre virtual de la tonalidad en las obras de los compositores avanzados dio paso a la ATONALIDAD libre de ARNOLD SCHÖNBERG y sus seguidores a comienzos del s. XX.

cromatografía Método descrito por primera vez en 1903 por MIJAÍL S. TSVET para separar mezclas de sustancias químicas. El trabajo olvidado de Tsvet, redescubierto en la década de 1930, utiliza las diferentes afinidades de las sustancias de una solución en una FASE móvil (una corriente en movimiento de gas o líquido) para la adsorción sobre una fase estacionaria (un sólido de grano fino, una hoja de material filtrante o la película delgada de un líquido sobre una superficie sólida). La elección de materiales para estas fases permite una enorme versatilidad para separar sustancias, como fluidos biológicos (p. ej., AMINOÁCIDOS, ESTEROIDES, CARBOHIDRATOS, PIGMENTOS), mezclas químicas y muestras forenses. En la técnica original, un SOLVENTE orgánico fluía a través de una columna de alúmina en polvo (ver ALUMINIO), carbonato sódico, o incluso azúcar en polvo, para separar pigmentos de plantas mezclados. Entre las adaptaciones actuales están la CROMATOGRAFÍA EN PAPEL (CP), la CROMATOGRAFÍA EN CAPA FINA (CCF), la cromatografía líquida (CL) (incluida la cromatografía líquida de alto rendimiento) y la CROMATOGRAFÍA GASEOSA (CG). Algunas siguen siendo técnicas de LABORATORIO, pero otras (especialmente la cromatografía líquida de alto rendimiento) pueden ser utilizadas a escala industrial. Se requieren diferentes métodos para detectar e identificar los componentes separados, como la COLORIMETRÍA, la ESPECTROFOTOMETRÍA, la ESPECTROMETRÍA DE MASA y la medición de la fluorescencia, el potencial de ionización, o la conductividad térmica. A.J.P. Martín compartió en 1952 el Premio Nobel por desarrollar la CL y la CP, y en la conferencia que dictó al recibir el premio anunció el desarrollo (junto al otro ganador R.L.M. Synge y otros colegas) de la CG.

cromatografía en capa fina (CCF) Tipo de CROMATOGRAFÍA que utiliza como fase estacionaria una capa delgada (0,25 mm [0,01 pulg.]) de una matriz especial finamente molida (gel de sílice, alúmina o un material similar) que recubre una placa de vidrio o va incorporada en una película plástica. Las soluciones de las mezclas a ser analizadas son colocadas como gotas cerca de un borde. Las soluciones de los compuestos de referencia se aplican de manera similar. Luego el borde de la placa es sumergido en un SOLVENTE. Este sube por la matriz por CAPILARIDAD, desplazando los componentes de las muestras a diversas velocidades debido a sus diferentes grados de adherencia a la matriz y a su solubilidad en el solvente de revelado. Los componentes, visibles como manchas separadas, son identificados comparando las distancias que han recorrido con aquellas de los materiales de referencia conocidos. La CCF es útil para mezclas biológicas, especialmente LÍPIDOS en tejidos animales o vegetales y en ISOPRENOIDES y ACEITES ESENCIALES encontrados en flores y en otras partes de las plantas. Las matrices soportan solventes y reveladores fuertes mejor que el papel utilizado en la CROMATOGRAFÍA EN PAPEL.

cromatografía en papel (CP) Tipo de CROMATOGRAFÍA que utiliza papel de filtro u otro papel especial como fase estacionaria. Se aplican manchas de muestra y materiales de referencia, generalmente líquidos, cerca de un borde del papel (o en la esquina, para la CP bidimensional). El borde del papel es sumergido en un solvente, el cual migra a lo largo de él por CAPILARIDAD, desplazando los componentes de la muestra a velocidades que dependen de sus solubilidades relativas en el solvente. En la CP bidimensional, el papel se gira en 90° y el nuevo borde es sumergido en un solvente diferente. Los componentes de la mezcla de la muestra, visibles como manchas separadas, son identificados comparando las distancias que han recorrido con aquellas de los materiales de referencia conocidos. La CP es especialmente útil para las mezclas complejas de AMINOÁCIDOS, PÉPTIDOS, CARBOHIDRATOS, ESTEROIDES, y muchos otros compuestos orgánicos e IONES inorgánicos.

cromatografía gaseosa (CG) Tipo de CROMATOGRAFÍA con una mezcla de GASES como fase móvil. En una columna empaquetada, el soporte empaquetado o sólido (mantenido en un tubo) sirve de fase estacionaria (cromatografía de fase vapor) o está revestido con una fase estacionaria líquida (cromatografía gas-líquido). En columnas capilares, la fase estacionaria recubre las paredes de los tubos de diámetro pequeño. La muestra de gas o líquido volátil a ser analizada es inyectada en la entrada; sus componentes se mueven a través de la columna con un gas transportador (normalmente hidrógeno, helio o argón) a velocidades influidas por su grado de interacción con la fase estacionaria. La temperatura, la naturaleza de la fase estacionaria y el largo de la columna pueden variarse para mejorar la separación. La corriente de gas emitida al final de la columna puede atravesar un detector de conductividad térmica o un detector de ionización de llama, donde sus propiedades son comparadas con aquellas de sustancias de referencia conocidas.

La CG es utilizada para medir contaminantes del aire, ACEITES ESENCIALES, gases o alcohol en la sangre, y la composición de los flujos de los procesos industriales.

Cromer, Evelyn Baring, 1er conde de (26 feb. 1841, Cromer Hall, Norfolk, Inglaterra–29 ene. 1917, Londres). Diplomático británico. Después de servir como oficial de ejército (1858–72), se convirtió en secretario privado de su primo Lord Northbrook, virrey de India. En 1877 se trasladó a Egipto para ayudar a resolver los problemas financieros de ese país. Nombrado agente y cónsul general británico en 1883, estableció una forma de gobierno conocida como protectorado encubierto, por medio del cual controló a los jedives (o virreyes) egipcios. En 1887 la situación económica de Egipto estaba saneada. La política austera de Cromer y su fomento de proyectos agrícolas incrementaron la prosperidad del país. Hasta su renuncia en 1907, permaneció como el verdadero gobernante del país, e influyó profundamente en su desarrollo como un Estado moderno.

cromita ÓXIDO de cromo y de hierro negro, metálico y relativamente duro (FeCr$_2$O$_4$) que es la principal fuente comercial del cromo. Por lo general, la cromita se encuentra en forma de masas frágiles en peridotitas, serpentinas, y en otras rocas ígneas básicas y metamórficas. Las principales áreas productoras son Sudáfrica, Rusia, Albania, Filipinas, Zimbabwe, Turquía, Brasil, India y Finlandia.

cromo ELEMENTO QUÍMICO metálico, uno de los elementos de TRANSICIÓN, símbolo químico Cr, número atómico 24. Un METAL duro, de color gris acero, capaz de adquirir un pulido muy fino y que se utiliza en ALEACIONES (p. ej., ferrocromo, acero, acero inoxidable) para aumentar la resistencia mecánica y a la corrosión. Por lo general, tiene VALENCIA 2, 3 o 6 y siempre existe combinado con otros elementos, especialmente oxígeno. La CROMITA es su única fuente comercial. Diversas piedras preciosas coloreadas (p. ej., rubí, esmeralda, serpentina) deben su color al cromo. El cromato y el dicromato de sodio se emplean en el curtido de cuero, en el tratamiento de superficies metálicas y como catalizadores. El trióxido de cromo se usa en el cromado y como colorante en cerámica. El óxido de cromo, el cromato de plomo y varios otros compuestos de cromo se utilizan como pigmentos. El dióxido de cromo, fuertemente magnético, se usa en cintas de grabación y como catalizador.

cromodinámica cuántica Teoría que describe la acción de la FUERZA NUCLEAR FUERTE. Esta fuerza actúa sólo sobre ciertas partículas, principalmente en los QUARKS, los que están ligados entre sí en los PROTONES y NEUTRONES del NÚCLEO atómico, así como en formas de materia menos estables y más exóticas. La cromodinámica cuántica se ha basado en el concepto de que los quarks interactúan por medio de la fuerza fuerte debido a que están dotados de una forma de "carga fuerte", a la que se ha dado el nombre de "color". Los tres tipos de carga se denominan rojo, verde y azul, en analogía a los colores primarios de la luz, aunque no existe conexión alguna con el sentido usual de color.

cromosfera Capa atmosférica del SOL, de varios miles de kilómetros de espesor, sobre la FOTOSFERA y debajo de la CORONA. Durante ECLIPSES solares, cuando la Luna oscurece la fotosfera, la cromosfera (literalmente "esfera de color") se hace visible por breve tiempo como un anillo delgado rojo, producto del espectro de emisión del hidrógeno. En otras ocasiones, puede ser observada sólo con instrumentos especiales. Su temperatura oscila entre los 4.000 °C (7.000 °F), a 1.100 km (700 mi) sobre la fotosfera, y varios cientos de miles de grados a medida que la altura aumenta. Las LLAMARADAS SOLARES y las PROTUBERANCIAS SOLARES son principalmente fenómenos cromosféricos.

cromosoma Componente microscópico, filiforme, de una CÉLULA, que porta la información hereditaria en la forma de GENES. La estructura y ubicación de los cromosomas diferencian las células procarióticas de las eucarióticas (ver PROCARIONTE, EUCARIONTE). Cada especie tiene un número característico de cromosomas; los humanos tienen 23 pares (22 pares de autosomas o cromosomas no sexuales y un par de cromosomas sexuales). Los cromosomas humanos están constituidos principalmente por ADN. Durante la división celular (ver MEIOSIS, MITOSIS), los cromosomas se distribuyen en forma homogénea entre las células hijas. En los organismos que se reproducen sexualmente, el número de cromosomas en las células somáticas (no sexuales) es diploide, mientras que los gametos o células sexuales (huevo y espermio), producidos en la meiosis, son haploides (ver PLOIDÍA). La FECUNDACIÓN restablece el conjunto de cromosomas diploides en el cigoto.

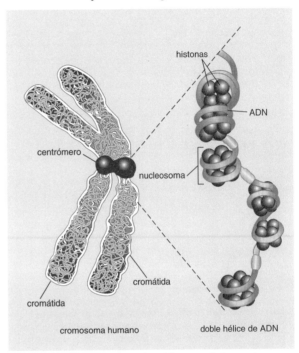

Cromosoma humano con un primer plano del ADN enrollado. Inmediatamente antes de la división celular, el ADN, que está en forma de hebras desenrolladas finas, se duplica para formar dos hebras hijas (cromátidas) unidas por un centrómero. Durante las primeras etapas de la división celular, el ADN se enrolla alrededor de las proteínas ligantes (histonas) para convertirse en una estructura densa muy enrollada que se reconoce como cromosoma con forma de rosario. Después de la división celular, el ADN se desenrolla. A ese ADN desenrollado con sus proteínas asociadas, se lo llama cromatina.

© 2006 MERRIAM-WEBSTER INC.

cromosoma sexual Uno de los CROMOSOMAS de un par que determina si un individuo es macho o hembra. Los cromosomas sexuales de los mamíferos se designan por X e Y; en los seres humanos constituyen un par de un total de 23 pares de cromosomas. Los individuos que poseen dos cromosomas X (XX) son hembras; los que tienen un cromosoma X y uno Y (XY) son machos. El cromosoma X es más grande y contiene más información genética que el Y. Los caracteres controlados sólo por genes del cromosoma X (p. ej., hemofilia, ceguera a los colores rojo y verde) se denominan ligados al sexo. Los caracteres ligados al sexo se expresan con más frecuencia en varones que en mujeres, pues los varones que heredan un alelo para un rasgo recesivo (ver RECESIVIDAD) en el cromosoma X carecen del correspondiente alelo en el cromosoma Y, que pudiese contrarrestar sus efectos. Varios trastornos se asocian con una cifra anormal de cromosomas sexuales, como el síndrome de TURNER y el síndrome de KLINEFELTER.

cromosómico, trastorno Síndrome causado por anomalía cromosómica (ver CROMOSOMAS). Normalmente los seres humanos tienen 23 pares de cromosomas, que incluyen un par de CROMOSOMAS SEXUALES. Cualquier variación de este patrón causa anomalías. Un cromosoma puede estar duplicado (trisomía) o ausente (monosomía); puede haber uno o más juegos completos adicionales de cromosomas (ver PLOIDÍA); o puede faltar parte de un cromosoma (supresión) o encontrarse transferida a otro (traslocación). Los trastornos resultantes incluyen el síndrome de DOWN, retardo mental, malformaciones cardíacas, anomalías del desarrollo sexual, afecciones malignas y alteraciones de los cromosomas sexuales (p. ej., síndrome de TURNER, síndrome de KLINEFELTER). Los trastornos cromosómicos suceden en un 0,5% de los recién nacidos; muchos se pueden diagnosticar antes del nacimiento mediante AMNIOCENTESIS.

Crompton, Samuel (3 dic. 1753, Firwood, Lancashire, Inglaterra–26 jun. 1827, Bolton, Lancashire). Inventor británico. Su hiladora *spinning mule* (probablemente llamada mula porque era un cruce entre los inventos de RICHARD ARKWRIGHT y JAMES HARGREAVES [ver HILADORA DE ALGODÓN]) permitió la fabricación a gran escala de hilo de coser e hilo corriente de alta calidad, mediante el estirado y retorcido final simultáneos de las fibras de algodón introducidos en la hiladora, reproduciendo mecánicamente el hilado manual.

Cromwell, Oliver (25 abr. 1599, Huntingdon, Huntingdonshire, Inglaterra–3 sep. 1658, Londres). Militar y estadista inglés, lord protector de la Commonwealth republicana de Inglaterra, Escocia e Irlanda (1653–58). Fue elegido al parlamento en 1628, pero CARLOS I lo disolvió en 1629 y no convocó a otro durante 11 años. En 1640, Cromwell fue elegido al Parlamento corto y al PARLAMENTO LARGO. Cuando las diferencias entre Carlos y la asamblea legislativa provocaron las guerras civiles INGLESAS, se convirtió en uno de los principales generales del bando parlamentario y obtuvo muchas victorias notables, entre ellas las batallas de MARSTON MOOR y de NASEBY. Estuvo entre quienes llevaron al rey a jui-cio y firmaron su sentencia de muerte. Después de que las islas Británicas recibieron el nombre de Commonwealth, fue el primer presidente del consejo de Estado. En los años siguientes combatió contra los realistas en Irlanda y Escocia, y reprimió un motín inspirado en los LEVELLERS. Cuando CARLOS II invadió Inglaterra, lo derrotó en Worcester (1651) en una batalla que puso fin a las guerras civiles. Como lord protector, restableció la calidad de gran potencia europea de su país y dio término a la primera de las guerras ANGLO-HOLANDESAS. Aunque era un devoto calvinista, puso en práctica políticas de tolerancia religiosa. Rehusó el título de rey ofrecido por el parlamento en 1657. Después de su muerte le sucedió su hijo RICHARD CROMWELL.

Oliver Cromwell, pintura de Robert Walker; National Portrait Gallery, Londres.

GENTILEZA DE LA NATIONAL PORTRAIT GALLERY, LONDRES

Cromwell, Richard (4 oct. 1626–12 jul. 1712, Cheshunt, Hertfordshire, Inglaterra). Lord protector de Inglaterra (sep. 1658–may. 1659). Fue el mayor de los hijos sobrevivientes de OLIVER CROMWELL, quien lo preparó para ocupar altos cargos. Sirvió en el ejército parlamentario y fue miembro del parlamento y del consejo de Estado. Después de la muerte de su padre fue proclamado lord protector, pero enfrentó serias dificultades y se vio forzado a abdicar. Como había acumulado grandes deudas, huyó a París en 1660 para escapar de sus acreedores; regresó en 1680 y vivió retirado de la vida pública.

Cromwell, Thomas, conde de Essex (c. 1485, Putney, cerca de Londres, Inglaterra–28 jul. 1540, probablemente en Londres). Político inglés y principal consejero (1532–40) de ENRIQUE VIII. Fue asesor confidencial del cardenal THOMAS WOLSEY, antes de ingresar al parlamento (1529), donde sus dotes atrajeron la atención del rey. Al servicio de Enrique a partir de 1530, fue el principal responsable de establecer la REFORMA en Inglaterra, disolver los monasterios y fortalecer la administración real. Con el tiempo llegó a tener completo control del gobierno, aunque pretendía demostrar que gobernaba con la autorización del rey. En 1539 cometió el error de convencer a Enrique de casarse con ANA DE CLÈVES, lo que llevó a su caída. Por instigación de sus enemigos fue arrestado por herejía y traición, condenado sin una audiencia y ejecutado.

Cronenberg, David (n. 15 may. 1943, Toronto, Ontario, Canadá). Director de cine, guionista y actor canadiense. En la década de 1970 comenzó haciendo películas de terror y se convirtió en director de culto con largometrajes como *Scanners* (1981) y *Videodrome* (1982). Amplió su público con películas del mismo género como *La zona muerta* (1983), *La mosca* (1986) y *Mortalmente parecidos* (1988). Entre sus últimas películas se cuentan *El almuerzo desnudo* (1991), *Crash* (1996) y *eXistenZ* (1999).

Cronin, A(rchibald) J(oseph) (19 jul. 1896, Cardross, Dumbartonshire, Escocia–6 ene. 1981, Montreux, Suiza). Novelista escocés. Médico cirujano, practicó la medicina en diversas comunidades mineras, pero se retiró por problemas de salud y se dedicó a la literatura tras el éxito de su primera novela, *El castillo del odio* (1931; película, 1941). Sus libros entrelazan el sentimentalismo con la crítica social. Su novela *Las estrellas miran hacia abajo* (1935; película, 1939) retrata la situación de injusticia social en un asentamiento minero y es considerada un clásico. Otros títulos de Cronin son *La ciudadela* (1937; película, 1938), *Las llaves del reino* (1942; película, 1944), *Los verdes años* (1944; película, 1946), *El árbol de Judas* (1961) y *A Thing of Beauty* [El objeto de la belleza] (1956).

Cronkite, Walter (Leland, Jr.) (n. 4 nov. 1916, St. Joseph, Mo., EE.UU.). Periodista y presentador de noticias estadounidense. Comenzó su carrera como reportero en el *Houston Post*, trabajó en la agencia United Press (1939–48) y se desempeñó como corresponsal de guerra en Europa (1942–45). Ingresó a CBS en 1950 en calidad de reportero de noticias y se convirtió en editor general y hombre ancla del exitoso programa *CBS Evening News* (1962–81). Fue conductor de varios documentales y presentador de programas especiales, destacándose aquel sobre el asesinato del pdte. JOHN F. KENNEDY y otro sobre el alunizaje en 1969. Su estilo confiable y tranquilizador ha hecho de él una de las figuras más creíbles de la televisión estadounidense.

cronómetro de navegación Dispositivo mecánico de gran precisión para medir el tiempo, usado para determinar la longitud geográfica de un punto en el mar (ver LATITUD Y LONGITUD). Los primeros RELOJES accionados por pesas y péndulo eran imprecisos a causa de la fricción y los cambios de temperatura y no se podían utilizar en el mar por el movimiento del barco. En 1735, JOHN HARRISON inventó y construyó el primero de cuatro aparatos útiles de medición del tiempo para usos marinos. El cronómetro moderno se usa suspendido para mantenerlo horizontal cualquiera sea la inclinación del barco, y se distingue del reloj común y corriente en partes de su mecanismo. Un cronómetro de navegación puede tener una precisión cercana a una décima de segundo por día. Ver también FERDINAND BERTHOUD.

Cronos En la religión GRIEGA, deidad agrícola masculina. Era el más joven de los 12 TITANES nacidos de URANO y GEA. Castró a su padre, lo que simbolizó la separación entre el cielo y la Tierra. Con su hermana y consorte REA engendró a HESTIA, DEMÉTER, HERA, HADES y POSEIDÓN, a quienes devoró porque había sido advertido que sería derrocado por su propio hijo.

Rea escondió a su hijo ZEUS y engañó a Cronos para que se tragara una piedra envuelta en pañales. Posteriormente, Zeus obligó a Cronos a que regurgitara a sus hermanos y venció a su padre en combate. Fue identificado con el dios romano SATURNO.

Cronyn, Hume y Jessica Tandy (18 jul. 1911, London, Ontario, Canadá–15 jun. 2003, Fairfield, N.J., EE.UU.) (7 jun. 1909, Londres, Inglaterra –11 sep. 1994, Easton, Conn., EE.UU.). Matrimonio de actores estadounidenses. Cronyn debutó en Broadway en 1934 y fue un exitoso actor de carácter en muchas obras, entre ellas *Hamlet* (1964, premio Tony). También dirigió otras como *Hilda Crane* (1950) y *The Egghead* (1957). Tandy debutó en Broadway en 1930, y fue la primera Blanche Du Bois en *Un tranvía llamado deseo* (1947, premio Tony). Ella y Cronyn se casaron en 1942 y actuaron juntos en obras aclamadas como *Lecho nupcial* (1951), *Un delicado equilibrio* (1966), *The Gin Game* (1977) y *Foxfire* (1982). Estas dos últimas le valieron a Tandy nuevos premios Tony. Entre las muchas películas de Cronyn se incluyen *Náufragos* (1944) y *Sunrise at Campobello* (1960). Entre las de Tandy se cuentan *Los pájaros* (1963), *Conduciendo a Miss Daisy* (1989, premio de la Academia) y *Tomates verdes fritos* (1991).

croquet (dialecto francés: "doblado", palo de hockey). Deporte en que los jugadores usan mazos para impulsar pelotas de madera a través de una serie de rastrillos o aros clavados en una cancha de hierba. Gana el que completa primero el recorrido a través de todos los rastrillos y golpea una estaca de meta. El croquet se desarrolló a partir de un juego francés del s. XIII llamado *pall-mall*. En EE.UU. y Gran Bretaña se celebran campeonatos organizados por las correspondientes entidades rectoras.

Crosby, Bing *orig.* **Harry Lillis Crosby** (3 may. 1903, Tacoma, Wash., EE.UU.–14 oct. 1977, cerca de Madrid, España). Cantante y actor estadounidense. Empezó a cantar y a tocar la batería mientras estudiaba derecho en Spokane, Wash. En 1926, como cantante de la orquesta de Paul Whiteman, exhibió un estilo de canto meloso ("crooning") y una presentación escénica informal con la que obtuvo gran popularidad. Apareció en la antigua película sonora *El rey del jazz* (1931) y después tuvo su propio programa de radio. A fines de la década de 1930 se habían vendido millones de grabaciones suyas. Sus grabaciones de "White Christmas" y "Silent Night" se encuentran entre las canciones más populares del s. XX. En la década de 1940 protagonizó un programa radiofónico de variedades muy popular. En su carrera cinematográfica figuran siete comedias con BOB HOPE y Dorothy Lamour, que comenzó con *Camino a Singapur* (1940) y los filmes

Bing Crosby.
BROWN BROTHERS

Siguiendo mi camino (1944, premio de la Academia), *Las campanas de Santa María* (1945) y *Blanca Navidad* (1954). Se han vendido más de 300 millones de sus grabaciones, número superado solamente por ELVIS PRESLEY, entre los solistas.

cross-country, carrera de Carrera de fondo que se corre a campo traviesa. Se desarrolló como prueba competitiva a mediados del s. XIX. Pese a haber estado incluida en los primeros Juegos Olímpicos modernos, fue eliminada después de 1924, debido a que no parecía apropiada una competencia de verano (la mayoría de las carreras de *cross-country* se llevan a cabo en el otoño o comienzos del invierno). La primera carrera internacional en damas tuvo lugar en 1967. La distancia estándar es de 12.000 m (7,5 mi) en varones, y de entre 2.000 y 5.000 m (1,25–3 mi) en damas. Pese a que existen reglas para estas competencias, no se registran los récords mundiales, debido a que los circuitos presentan dificultades muy diversas.

Cross, río Río en África occidental. Nace en la región montañosa de Camerún y fluye en dirección oeste y sur a través de Nigeria. Mide 485 km (300 mi) aprox. de largo y recorre por entre densas selvas tropicales y manglares hasta desembocar en la bahía de BIAFRA. Sólo su estuario es navegable, que comparte con el río Calabar.

crótalo Cualquier especie de vipérido (subfamilia Crotalinae) que tiene, además de dos colmillos movibles, una foseta termosensible entre cada ojo y la fosa nasal, órganos que en conjunto ayudan a atacar con precisión la presa de sangre caliente. Los crótalos se encuentran desde los desiertos hasta los bosques lluviosos, principalmente en el Nuevo Mundo. Pueden ser terrestres, arbóreos o acuáticos. Algunas especies ponen huevos; otras tienen crías vivas. Ver también SERPIENTE VERRUGOSA, SERPIENTE CABEZA DE COBRE, FER-DE-LANCE, serpiente mocasín, SERPIENTE DE CASCABEL.

crótalo cornudo Especie (*Crotalus cerastes*) de pequeña SERPIENTE DE CASCABEL nocturna que se encuentra en desiertos de arena de México y el sudoeste de EE.UU. Mide 45–75 cm (18–30 pulg.) de largo. Tiene escamas corniformes sobre los ojos y es de color canela, rosáceo o gris claro, con un patrón moteado apagado en el dorso y en los lados. Se desplaza por la arena oblicuamente, en forma ondulante, dejando tras sí una huella característica en forma de J. Su mordedura venenosa generalmente no es fatal para los humanos.

Crótalo cornudo (*Crotalus cerastes*).
ANTHONY MERCIECA/ROOT RESOURCES

crotón Planta de hojas de colores vivos (*Codiaeum variegatum*) de la familia de las Euforbiáceas (ver EUPHORBIA). Originaria de Malasia e islas del Pacífico, es popular como planta de interior. Sus numerosas variedades crecen como arbustos o arbolillos que tienen hojas brillantes, lustrosas y coriáceas; pueden tener un solo color o combinaciones de verde, amarillo, blanco, naranja, rosado, rojo, carmesí y púrpura. Otra planta de la misma familia, pero de otro género, es el ricino (*Croton tiglium*), arbolillo originario de Asia sudoriental de cuyas semillas se extrae el aceite homónimo.

crow Pueblo de los indios de las LLANURAS de Norteamérica de Montana del sur, EE.UU. Su idioma pertenece a la familia de lenguas SIOUX y estaban tradicionalmente vinculados con los HIDATSAS. A lo largo de su historia ocuparon el territorio cercano al río Yellowstone en el norte de Wyoming y el sur de Montana. Gran parte de su vida giraba en torno al búfalo y al caballo. Se dedicaron al trueque, intercambiando caballos, arcos y otros artículos con indígenas de las aldeas locales por armas y productos de metal que llevaban a los SHOSHONES en Idaho. El elemento básico en su vida religiosa era la visión sobrenatural, inducida mediante el ayuno y el aislamiento. Este pueblo sufrió continuas pérdidas, a causa de sus guerras con los PIES NEGROS (*blackfoot*) y los SIOUX. Se alinearon con los blancos en las guerras indias de las décadas de 1860–70. En 1868 aceptaron una reserva extraída de antiguas tierras tribales del sur de Montana. En el censo estadounidense de 2000, unas 9.100 personas manifestaron tener exclusivamente ascendencia crow.

Crowe, Sir Eyre (Alexander Barby Wichart) (30 jul. 1864, Leipzig, Alemania–28 abr. 1925, Swanage, Dorset, Inglaterra). Diplomático británico. En los años previos a la primera guerra mundial aconsejó con ahínco la adopción de una política antigermánica, argumentando en un memorándum de

1907 que Alemania aspiraba a la dominación de Europa, que las concesiones sólo incrementarían sus apetitos de poder y que no debía abandonarse la alianza con Francia. El 25 de julio de 1914 insistió en una demostración de fuerza de la marina británica para impedir la guerra y, cuando el conflicto estalló pocos días después, convenció al gobierno de requisar los buques alemanes que se encontraban en puertos británicos. Fue subsecretario permanente de asuntos exteriores (1920–25).

crucero Buque de guerra construido para desplazarse a alta velocidad y con gran radio de acción. Es más pequeño que un ACORAZADO pero más grande que un DESTRUCTOR. El término originalmente se refería a FRAGATAS de la era de navegación a vela, usadas para reconocimiento de las flotas enemigas y para atacar convoyes. Después de 1880 era un tipo especial de buque de guerra blindado. En la segunda guerra mundial, los cruceros sirvieron principalmente como bases flotantes para asaltos anfibios y como protección para las fuerzas de combate de los portaaviones. En la actualidad, los cruceros estadounidenses llevan misiles superficie-aire, vitales para la protección de la defensa antiaérea de la flota. La propulsión nuclear les ha dado a algunos cruceros un alcance virtualmente ilimitado.

Plantación de mostaza en flor, familia de las Crucíferas, Salinas, California, EE.UU.
THOMAS J. STYCZYNSKI—CLICK/CHICAGO

Crucíferas Familia de plantas, también llamada de las Brasicáceas, que comprende 350 géneros, casi todas herbáceas, con hojas de sabor picante. Las semillas se producen en frutos parecidos a vainas. Los miembros de la familia abarcan muchas especies de importancia económica que han sido muy alteradas y domesticadas por los seres humanos. El género más importante es *Brassica* (ver BRASSICA); NABOS, RÁBANOS, RUTABAGAS y muchas plantas ornamentales son también miembros de la familia. Las semillas picantes de algunas especies lideran en volumen el comercio de especias. Las flores de la mostaza adoptan la forma de una cruz griega, con cuatro pétalos, normalmente blancos, amarillos o morados y un número igual de sépalos. Como especia, la mostaza se vende en forma de semilla, polvo y pasta.

crucifixión Método de PENA CAPITAL entre los persas, selécidas, judíos, cartagineses y romanos desde aprox. el s. VI AC hasta el s. IV DC. El condenado solía ser azotado y obligado a arrastrar el travesaño hasta donde se alzaba el poste. Sus manos eran atadas o clavadas al travesaño fijado al poste a 2,5 a 3,5 m (9–12 pies) sobre el nivel del suelo. Los pies eran amarrados o clavados al poste. La muerte sobrevenía por insuficiencia cardíaca o asfixia. Se crucificaba a los agitadores políticos o religiosos, y a aquellos que no tenían derechos civiles. Hoy se asocia abrumadoramente con JESÚS. En 337 DC, la crucifixión fue abolida por CONSTANTINO I tras su conversión al cristianismo. Ver también ESTIGMAS.

crucigrama Acertijo que consiste en poner palabras en una plantilla de cuadrados numerados en respuesta a preguntas correspondientemente numeradas, de manera que puedan leerse en forma horizontal y vertical. Los primeros crucigramas, destinados principalmente a los niños, aparecieron en Inglaterra en el s. XIX. En EE.UU., el juego se desarrolló hasta convertirse en un pasatiempo popular de adultos. En 1923 se publicaban crucigramas en la mayoría de los principales diarios estadounidenses, y la moda pronto llegó a Inglaterra. Hoy se encuentran crucigramas de distintas formas en casi todos los países y lenguas.

crudo ver PETRÓLEO

Cruikshank, George (27 sep. 1792, Londres, Inglaterra–1 feb. 1878, Londres). Pintor, ilustrador y caricaturista inglés. Su serie de caricaturas políticas para *The Scourge* (1811–16) lo situaron como el caricaturista político líder de su generación. Siguió satirizando las políticas de los tories y los whigs por medio de caricaturas hasta 1825. En las décadas de 1820–30 realizó ilustraciones para libros, especialmente para *Sketches by "Boz"* de CHARLES DICKENS (1836) y *Oliver Twist* (1838). Más tarde en su vida abrazó la causa de la temperancia, con su serie *La botella* (1847) y *Los hijos del borracho* (1848).

Cruise, Tom *orig.* **Thomas Cruise Mapother IV** (n. 3 jul. 1962, Syracuse, N.Y., EE.UU.). Actor estadounidense. Debutó en cine en 1981 y logró el estrellato como protagonista de *Negocios peligrosos* (1983) y *Top Gun* (1986). Fue aclamado por sus interpretaciones dramáticas en *El color del dinero* (1986), *Rain Man* (1988), *Nacido el 4 de julio* (1989) y *Magnolia* (1999). Otras películas de su filmografía como actor son *Algunos hombres buenos* (1992), *Misión imposible* (1996), *Jerry Maguire* (1996), *Ojos bien cerrados* de STANLEY KUBRICK (1999) y *Minority Report* de STEVEN SPIELBERG (2002).

Crumb, George (Henry) (n. 24 oct. 1929, Charleston, W. Va., EE.UU.). Compositor estadounidense. Nacido de padres músicos, estudió en la Universidad de Michigan y desde 1965 enseñó en la Universidad de Pensilvania. Su estilo es conocido particularmente por sus timbres poco comunes y de cautivante poder evocativo. *Echoes of Time and the River* (1967, Premio Pulitzer) y *Ancient Voices of Children* (1970) le llevaron a la fama. Otras obras suyas son *Madrigals, Books I–IV* (1965–70), *Night of the Four Moons* (1969), *Black Angels* (1970), *Makrokosmos I y II* (1972, 1973) y *Star-Child* (1977).

Crumb, R(obert) (n. 20 ago. 1943, Filadelfia, Pa., EE.UU.). Caricaturista estadounidense. No tuvo formación artística formal, pero desde niño se obsesionó con el dibujo. En 1960 se mudó a Cleveland, Ohio, para trabajar en una compañía de tarjetas de saludo. En 1967 se trasladó a San Francisco, y se convirtió en miembro prominente de la contracultura *hippie* y fundador del género alternativo "comix": revistas satíricas que se mofaban de la cultura estadounidense. Sus frecuentes tiras obscenas, con variados temas obsesivos en los que figuraban personajes como Fritz el gato, los hermanos Furry Freak y Mr. Natural, tuvieron gran influencia y todavía son consideradas como clásicos del género.

crup INFLAMACIÓN aguda y espasmo de la laringe en niños pequeños, con tos áspera, ronquera y dificultad respiratoria. Sus causas son infecciones, alergia e irritación física de la laringe. La forma más común, el crup viral, se presenta habitualmente antes de los tres años de edad. Puede ser tratado en casa con un nebulizador. El crup bacteriano (epiglotitis) afecta por lo general a niños de entre 3 y 7 años. La hinchazón de la epiglotis causa rápidamente dificultad severa para respirar y tragar, requiere de antibióticos y de la inserción de un tubo traqueal.

crustáceo Cualquier miembro de las 45.000 especies de ARTRÓPODOS del subfilo Crustacea. De distribución mundial, se distinguen por tener dos pares de apéndices parecidos a antenas delante de la boca y otros apéndices pares cerca de la boca que hacen de mandíbulas. La mayoría de las especies es marina, incluidos CAMARONES Y PERCEBES. Algunos, como los CANGREJOS DE RÍO, viven en hábitats de agua dulce; otros (p. ej., PULGAS DE ARENA, CANGREJOS de tierra y COCHINILLAS DE HUMEDAD) viven en ambientes terrestres húmedos. El cuerpo adulto típico se compone de una serie de segmentos (somitos), ya sea fusionados o ligados entre sí por zonas flexibles que forman articulaciones móviles. El caparazón (concha) varía de espesor entre las especies y debe mudarse periódicamente para permitir el crecimiento. Muchas de las especies de crustáceos marinos son carroñeras y muchas (como COPÉPODOS y KRILL) forman un componente importante de la dieta de organismos de mayor tamaño. Ver también DECÁPODO.

Cruveilhier, Jean (9 feb. 1791, Limoges, Francia–10 mar. 1874, Sussac). Patólogo y anatomista francés. Publicó una serie de estudios sobre la anatomía de las enfermedades, en varios volúmenes. El más extenso y bellamente ilustrado, *Anatomie pathologique du corps humain* [Anatomía patológica del cuerpo humano] (2 vol. 1829–42), contiene la primera descripción de la esclerosis múltiple, otras de la úlcera gástrica y un relato temprano de la atrofia muscular progresiva.

cruz Símbolo principal del CRISTIANISMO, que evoca la CRUCIFIXIÓN de JESÚS. Hay cuatro representaciones iconográficas básicas: la *crux quadrata*, o cruz griega, con cuatro brazos iguales; la *crux immissa*, o cruz latina, con un tronco basal más largo que los otros brazos; la *crux commissa* (cruz de san Antonio), parecida a la letra griega tau (T); y la *crux decussata* (cruz de san Andrés), parecida al número romano diez (X). La tradición sostiene que la *crux immissa* se usó para la crucifixión de Cristo. Los cristianos coptos usaban el ANKH del antiguo Egipto. No era común mostrar la cruz antes que CONSTANTINO I aboliera la crucifixión en el s. IV. Un crucifijo muestra la figura de Cristo en la cruz y es típico del catolicismo y de la ortodoxia oriental. Hacer la señal de la cruz con la mano puede significar profesión de fe, oración, dedicación o bendición.

griega   latina   de San Antonio   de San Andrés   celta

patriarcal   papal   de Malta   rusa   de Jerusalén

Tipos de cruz tradicionales.
© 2006 MERRIAM-WEBSTER INC.

cruz estriada *o* **cruz tibetana** Objeto hecho normalmente con dos varillas amarradas formando una cruz, con hilos de colores que envuelven sus extremos de manera tal que parece una telaraña, usada en rituales mágicos tibetanos para atrapar los espíritus malignos. Se han hallado artefactos semejantes en Sudáfrica, Perú, Australia y Suecia. Varían desde simples formas diamantinas hasta combinaciones complejas con forma de rueda o caja que pueden medir 3 m (11 pies) de alto. A menudo están profusamente decorados con lana, plumas y trozos de papel.

cruz gamada ver ESVÁSTICA

Cruz Roja *ofic.* **Movimiento internacional de la Media Luna Roja** *ant.* **Cruz Roja Internacional** Institución humanitaria con filiales nacionales en todo el mundo. Creada para el cuidado de las víctimas de guerra, actualmente ayuda a la prevención general y al alivio del sufrimiento humano. Surgió del trabajo de HENRI DUNANT, quien propuso la formación de sociedades voluntarias de ayuda humanitaria en todos los países, la primera de las cuales comenzó a existir en 1864. En los países musulmanes se emplea el nombre de Media Luna Roja, adoptado en 1906 ante la insistencia del Imperio otomano. En tiempos de paz, la Cruz Roja ayuda a las víctimas de desastres naturales, mantiene bancos de sangre y provee de servicios suplementarios de atención de salud. En tiempos de guerra sirve de intermediario entre los beligerantes y visita campos de prisioneros de guerra para entregar ayuda, repartir correspondencia y transmitir información entre los prisioneros y sus parientes. Sus principios de trabajo son humanidad, imparcialidad y neutralidad. Su sede está en Ginebra. Las filiales nacionales de la organización administran programas comunitarios y coordinan la ayuda en caso de desastres naturales. La Cruz Roja norteamericana fue fundada por CLARA BARTON en 1881 y el congreso aprobó sus estatutos en 1900; administra el servicio de donantes de sangre más grande del mundo. En 1901, Dunant recibió el primer Premio Nobel de la Paz; la Cruz Roja como tal ha recibido el premio en 1917, 1944 y 1963.

Cruz, Celia (21 oct. 1929, La Habana, Cuba–16 jul. 2003, Fort Lee, N.J., EE.UU.). Cantante estadounidense de origen cubano. Mientras estudiaba para maestra en su ciudad natal, obtuvo el primer lugar en un show de talentos, lo que la impulsó a ejercer la carrera de cantante. A principios de 1950 se convirtió en la cantante principal de La Sonora Matancera, orquesta popular de mucho cartel que se presentaba con frecuencia en el famoso club nocturno Tropicana. Después de la revolución cubana en 1959, la orquesta se trasladó a México y luego a EE.UU. En 1962, Celia Cruz se casó con Pedro Knight, el primer trompetista de la orquesta, quien se convirtió en su empresario después de que ella abandonó el grupo. En la década de 1960 lanzó más de 20 álbumes en EE.UU., entre ellos, siete con TITO PUENTE. Se la identifica con la SALSA, música bailable que se desarrolló a fines de la década de 1960 a partir de la experimentación musical realizada por varios músicos hispanos con sonidos caribeños. Celia Cruz fue protagonista de un documental realizado por la BBC en 1988 y apareció en películas como *Los reyes del mambo* (1992).

Cruz, sor Juana Inés de la (12 nov. 1651, San Miguel Nepantla, virreinato de Nueva España–17 abr. 1695, Ciudad de México). Poetisa, dramaturga, académica, monja carmelita y temprana feminista mexicana. Hija ilegítima, su modesta familia la envió donde unos parientes en Ciudad de México, y pronto la noticia de su gran intelecto llegó a oídos del virrey. En la capital mexicana profesó como monja y permaneció enclaustrada toda su vida. Sor Juana reunió una de las bibliotecas particulares mejor provistas de todo el Nuevo Mundo. Sus obras clave son el poema *Primero sueño* (1692), que da cuenta de la búsqueda del conocimiento que emprende el alma, y *Respuesta de la poetisa a sor Filotea de la Cruz* (1691), su defensa del derecho de las mujeres a tener acceso a todas las formas de conocimiento.

cruzada contra los albigenses (1209–29). Cruzada convocada por el papa INOCENCIO III contra los herejes CÁTAROS del sur de Francia. La guerra enfrentó a la nobleza del norte contra la del sur y finalmente involucró al rey de Francia, quien impuso su autoridad sobre el sur. La cruzada finalizó con el tratado de PARÍS (1229), que acabó con la independencia de los príncipes del sur y destruyó gran parte de la cultura de PROVENZA. La devastación y las injusticias provocadas por la cruzada causaron el remordimiento de Inocencio, pero no logró su objetivo de extirpar la herejía albigense (llamada así por tener como centro a la ciudad de Albi, Francia), la cual persistió hasta los s. XIII–XIV y se convirtió en blanco de la INQUISICIÓN.

cruzada contra los campesinos de Steding (1229–34). Cruzada contra un grupo de campesinos de Steding, en la actual Alemania, tildados de heréticos por el arzobispo de Bremen, quien consiguió el apoyo papal para la misma. De hecho, el cargo de herejía era infundado y la "cruzada" consistió en un ataque encabezado por el hermano del arzobispo y otros nobles de la región. En 1234, el papa Gregorio IX fue persuadido para que convocase una cruzada con plenos privilegios.

cruzada de los niños (1212). Movimiento religioso en Europa en que miles de personas, incluso muchos niños y jóvenes, se propusieron reconquistar la Tierra Santa de manos de los musulmanes por medio del amor en vez de la fuerza. Las circunstancias de la cruzada son materia de controversia. Según una versión, sólo parcialmente verídica, el primer grupo de alrededor 30.000 personas estaba dirigido por un niño pastor francés, Esteban de Cloyes, quien tuvo una visión de Jesús y recibió una carta de él. Esteban dirigió la cruzada a París y entregó la carta al rey Felipe II Augusto, quien dispersó a los cruzados. Un niño alemán condujo al segundo grupo a través de los Alpes; sólo unos pocos sobrevivientes llegaron a Roma, donde INOCENCIO III los liberó de sus votos. Los relatos contemporáneos que describen la horrible suerte sufrida por los niños deben considerarse con cautela, puesto que fueron escritos por quienes eran hostiles al movimiento. Aunque este finalizó sin alcanzar la Tierra Santa, suscitó un fervor religioso que contribuyó a dar inicio a la quinta de las CRUZADAS (1217–21).

cruzadas Expediciones militares iniciadas a fines del s. XI, organizadas por cristianos de Occidente en respuesta a siglos de guerras de expansión musulmana. Sus objetivos eran detener la propagación del Islam, recuperar el control de la Tierra Santa, conquistar regiones paganas y reconquistar antiguos territorios cristianos. Muchos de los que participaron en las cruzadas consideraban que eran un medio de redención y de expiación de los pecados. Entre 1095, año en que el papa URBANO II convocó la primera cruzada en el concilio de CLERMONT, y 1291, año en que los cristianos latinos fueron finalmente expulsados de su reino en Siria, hubo numerosas expediciones a Tierra Santa, España e incluso el Báltico; continuaron durante varios siglos después de 1291, generalmente como campañas militares que se proponían detener o retardar el avance musulmán o conquistar regiones paganas. Inicialmente, los cruzados cosecharon buenos resultados y establecieron estados cristianos en Palestina y Siria, pero la continua expansión de los estados islámicos finalmente anuló esas conquistas. En el s. XIV, los turcos otomanos se habían establecido en los Balcanes y penetraban aún más en Europa a pesar de los repetidos esfuerzos por rechazarlos. También se convocaron cruzadas contra los herejes (la CRUZADA CONTRA LOS ALBIGENSES, 1209–

El Krak de los caballeros, una de las mayores fortalezas construidas durante la época de las cruzadas, Siria.
MICHAEL JENNER/ROBERT HARDING WORLD IMAGERY/GETTY IMAGES

29) y contra varios adversarios de los papas; la cuarta cruzada (1202–04) se desvió contra el Imperio bizantino. Los cruzados decayeron rápidamente durante el s. XVI con el advenimiento de la Reforma y la declinación de la autoridad papal. Constituyen un capítulo controvertido en la historia de la cristiandad y sus excesos han sido objeto de siglos de historiografía. Los historiadores también se han concentrado en el papel que desempeñaron en la expansión de la Europa medieval y sus instituciones. De una campaña religioso-militar, la noción de "cruzada" se ha convertido en una metáfora moderna de las fervientes y agotadas luchas para promover el bien ("cruzadas por") y para oponerse a lo que se concibe como el mal ("cruzadas contra").

cruzados, estados Territorios de la costa palestina conquistados por el ejército cristiano durante la primera de las CRUZADAS. Ahí se establecieron el reino de Jerusalén (1099–1187), el principado de Antioquía (1098–1268), el condado de Edesa (1098–1144) y el condado de Trípoli (1109–1289). Las amenazas a estos estados hicieron que los papas convocaran a nuevas cruzadas.

cruzamiento, prueba de Experimento en el cual un organismo con una dotación genética desconocida se aparea con otro del cual se conoce la dotación genética completa para un rasgo, con el propósito de determinar los genes que tiene el primero. Por ejemplo, en una raza canina en que el gen de piel negra es dominante sobre el de piel roja (ver DOMINANCIA), un perro de piel negra puede ser puro (con dos genes para piel negra) o híbrido (con un gen del color negro y otro del rojo). Si su cruzamiento con un perro de piel roja (que siempre tendrá dos genes solamente para rojo) produce sólo crías negras, el progenitor de piel negra debe ser puro, mientras que si algunas crías son rojas, el progenitor debe ser híbrido.

Crystal Palace ver Palacio de CRISTAL

ctenóforo Cualquiera de casi 90 especies (filo Ctenophora) de invertebrados marinos normalmente transparentes, que tienen sobre sus cuerpos una serie de peines ciliados verticales. A veces se los confunde con el AGUA VIVA. El cuerpo es redondeado o esférico, con tentáculos para capturar alimento; el batido de los peines permite la locomoción. La mayoría de las especies es pequeña (no más de 3 mm [0,1 pulg.] de diámetro), pero al menos una sobrepasa 1 m (3 pies). Viven en casi todas las regiones oceánicas y flotan libremente en el agua. Todos los ctenóforos, salvo una especie parásita, son carnívoros; consumen moluscos jóvenes, crustáceos y larvas de pez, COPÉPODOS y otro ZOOPLANCTON.

Ctesibio de Alejandría o **Ktesibio de Alejandría** (floreció c. 270 AC). Físico e inventor griego. Fue la primera gran figura de la antigua tradición de ingeniería de Alejandría, Egipto, que culminaría con HERÓN DE ALEJANDRÍA y Filón de Bizancio. Descubrió la ELASTICIDAD del aire e inventó varios dispositivos que usaban aire comprimido, como BOMBAS impelentes y una CATAPULTA accionada por aire. Introdujo mejoras al RELOJ DE AGUA, en el cual el agua, al gotear a un ritmo constante, elevaba un flotador con un puntero, e inventó el órgano de agua, en el cual el peso del agua introducía aire a presión a través de los tubos. Sus escritos no sobrevivieron y sus inventos se conocen solamente por referencias.

Ctesifonte Antigua ciudad del centro de Mesopotamia. Estaba ubicada a orillas del TIGRIS, al sudeste de la actual BAGDAD, Irak. Fue primero un campamento del ejército griego situado frente a la ciudad helenística de SELEUCIA. En el s. II AC fue la capital de PARTIA. Destruida por los romanos en el s. I DC, fue repoblada en el s. III por la dinastía SASÁNIDA de Persia. Los árabes conquistaron la ciudad en 637, pero la abandonaron en 763 cuando convirtieron en capital la cercana Bagdad. El lugar es famoso por los restos de una gran sala abovedada, el Ṭāq Kisrā, que posee uno de los pórticos de ladrillos más grandes del mundo.

cuadrilla Danza para cuatro parejas en formación de cuadrado, muy popular desde fines del s. XVIII y durante todo el s. XIX. Importada a Inglaterra desde los salones de baile parisienses en 1815 –su origen se remonta al cotillón francés–, consistía en cuatro o cinco CONTRADANZAS, cada una ejecutada con combinaciones ordenadas de figuras entrelazadas, en vez de complicados pasos individuales. Se bailaba a menudo al compás de melodías operísticas. Ver también SQUARE DANCE.

Cuádruple Alianza (1718). Alianza constituida entre Austria, Gran Bretaña, la República Holandesa y Francia, para asegurar que España respetara los términos del tratado de paz de UTRECHT (1713). Cuando FELIPE V de España se apoderó de Cerdeña y Sicilia, la flota británica transportó tropas austríacas a Sicilia y los franceses ocuparon el norte de España, obligando a Felipe a renunciar a sus pretensions en Italia.

Cuádruple Alianza (1815). Alianza entre Gran Bretaña, Rusia, Austria y Prusia formada por primera vez en 1813 para oponerse a Francia en la fase final de las guerras NAPOLEÓNICAS. Fue renovada oficialmente en 1815 para hacer cumplir el acta suscrita en el Congreso de VIENA. Los aliados acordaron reunirse cada cierto tiempo para mantener la situación política europea dentro de los términos del acta de 1815. Este programa fue llevado a cabo en parte por los Congresos de AQUISGRÁN (1818), TROPPAU (1820), LAIBACH (1821) y VERONA (1822).

cualidad En filosofía, propiedad que se aplica a las cosas consideradas individualmente, en contraste con la RELACIÓN que corresponde a las cosas consideradas en pares, tríos, etc. La distinción trazada por GALILEO y JOHN LOCKE entre cualidades primarias y secundarias está motivada por el hecho de que la ciencia moderna parece demostrar que la percepción sensible por sí sola entrega información falsa o incompleta sobre las cualidades intrínsecas de los objetos físicos. Según esta concepción, las cualidades primarias, como figura, cantidad y movimiento, son propiedades genuinas de las cosas que son describibles por las matemáticas, mientras que las cualidades secundarias, como olor, gusto, sonido y color, existen sólo en la conciencia humana.

cuántica de campos, teoría Teoría que unifica la MECÁNICA CUÁNTICA y la teoría de la RELATIVIDAD especial para dar cuenta de fenómenos subatómicos. En particular, las interacciones entre PARTÍCULAS SUBATÓMICAS son descritas en función de sus interacciones con campos, como el CAMPO ELECTROMAGNÉTICO. Sin embargo, los campos se cuantifican y se representan por partículas, como los FOTONES en el caso del campo electromagnético. La ELECTRODINÁMICA CUÁNTICA es la teoría cuántica de campos que describe la interacción de partículas cargadas eléctricamente por medio de los campos electromagnéticos. La CROMODINÁMICA CUÁNTICA describe la acción de la FUERZA NUCLEAR FUERTE. La teoría ELECTRODÉBIL, una teoría unificada de la fuerza electromagnética y la FUERZA NUCLEAR DÉBIL, tiene un respaldo experimental considerable, y puede probablemente ser ampliada para incluir la fuerza nuclear fuerte. Teorías que comprenden la fuerza gravitacional (ver GRAVITACIÓN) son hasta ahora más especulativas. Ver también teoría de GRAN UNIFICACIÓN; teoría UNIFICADA DE CAMPOS.

cuanto (un) En física, unidad o paquete discreto natural, de energía, carga, momento angular u otra propiedad física. La luz, por ejemplo, que aparece en algunos aspectos como una onda electromagnética continua, a nivel submicroscópico es emitida y absorbida en cantidades discretas, o cuantos; para luz de una longitud de onda dada, la magnitud de todos los cuantos emitidos o absorbidos es la misma tanto en energía como en momento. Estos paquetes de luz corpusculares se denominan FOTONES, término aplicable también a los cuantos de otras formas de energía electromagnética, como los RAYOS X y los RAYOS GAMMA. Las vibraciones mecánicas submicroscópicas en las capas de átomos que componen los CRISTALES también

entregan o captan energía y momento en cuantos, llamados FONONES. Ver también MECÁNICA CUÁNTICA.

cuanto de luz ver FOTÓN

cuáqueros ver SOCIEDAD DE LOS AMIGOS

cuarcita Piedra ARENISCA que ha sido convertida en una roca sólida compuesta de CUARZO. Por lo general la cuarcita es blanca; se fractura en forma suave y se deshace en piedrecillas con la acción de las heladas. La arenisca puede convertirse en cuarcita por la precipitación de sílice proveniente de aguas subterráneas; dichas rocas son llamadas ortocuarcitas, mientras que aquellas producidas por recristalización (METAMORFISMO) son metacuarcitas. Debido a su lento desgaste tienden a sobresalir como colinas o montañas. Muchas cadenas montañosas prominentes de los montes Apalaches (EE.UU.) están compuestas de esta piedra. La cuarcita pura es una fuente de sílice para usos metalúrgicos y para la fabricación de ladrillos de sílice. También se extrae como materia prima para pavimento y techumbre.

cuarentena Retención de personas o animales sospechosos de tener una enfermedad transmisible hasta probar que están libres de infección. El término se usa a menudo indistintamente con aislamiento (separación de un individuo infectado de otros individuos sanos mientras pasa el peligro de transmisión). Deriva del período de aislamiento de 40 días (*quarantina*) instituido como medida para impedir la diseminación de la peste en la Edad Media. Aunque en algunos casos es apropiada (p. ej., DIFTERIA), no es efectiva en enfermedades que se propagan por otros medios (p. ej., PESTE) o son contagiosas antes de la aparición de los síntomas. En algunos casos, los contactos (p. ej., familiares de un paciente con hepatitis) son notificados, educados en materia de las precauciones y controlados por si aparece la enfermedad. La cuarentena es aplicada más a menudo en animales (p. ej., para la RABIA).

Cuaresma En la Iglesia cristiana, período de preparación penitencial para la fiesta de PASCUA, observado desde tiempos de los apóstoles. Las iglesias occidentales dispusieron al principio un ayuno de 40 días (salvo los domingos), para imitar el ayuno de JESÚS en el desierto; se permitía una comida diaria al atardecer, y se prohibía consumir carne, pescado, huevos y manteca. Estas reglas se han ido relajando en forma gradual, y ahora sólo se guardan como días de ayuno el miércoles de Ceniza –el primer día de la Cuaresma en el cristianismo occidental, cuando los penitentes tradicionalmente llevan la frente marcada con cenizas– y el VIERNES SANTO. Las reglas del ayuno son más estrictas en las iglesias orientales.

Procesión en Jueves Santo durante la Cuaresma, Antigua, Guatemala.
FOTOBANCO

Cuarta República Gobierno de la República Francesa (1946-58). El presidente provisional de posguerra CHARLES DE GAULLE renunció en 1946, con la esperanza de que el respaldo popular lo restauraría en el poder con un mandato para imponer sus ideas constitucionales. Sin embargo, la Asamblea Constituyente escogió al socialista Félix Gouin para reemplazarlo. El segundo de los dos proyectos constitucionales sometidos por la Asamblea en un plebiscito celebrado en 1946 fue aprobado por estrecho margen. La estructura de la Cuarta República fue muy parecida a la que tenía la TERCERA REPÚBLICA. La cámara baja del parlamento, con el nuevo nombre de Asamblea Nacional, era el centro del poder. El presidente (elegido cada siete años por ambas cámaras) carecía de poder. Se sucedieron un gabinete tras otro de coaliciones inestables y la falta de una clara mayoría impidió una acción política coherente. Los líderes políticos de la Cuarta República fueron GEORGES BIDAULT, PIERRE MENDÈS-FRANCE, RENÉ PLEVEN y ROBERT SCHUMAN.

cuarteto de barbería Conjunto vocal popular que consiste en cuatro voces masculinas sin acompañamiento instrumental. Las voces son tenor, segunda voz, barítono y bajo; la segunda voz normalmente lleva la melodía y el tenor armoniza. Se caracteriza por la armonía cerrada, la sincronización de los sonidos vocales y la variación de tempo, volumen, dicción y fraseo. Al parecer, estos conjuntos tienen su origen a fines del s. XIX en EE.UU., donde las barberías conformaban centros sociales y musicales para los hombres del vecindario. Sin embargo, es posible que el término derive de la expresión británica "barber's music", que designa al canto improvisado de clientes que aguardan su turno y alude al papel tradicional del barbero como músico.

cuarteto de cuerdas Conjunto que consiste en dos violines, viola y violonchelo, o una obra escrita específicamente para ese conjunto. Desde c. 1775, este tipo de obras ha sido quizás el género predominante en la MÚSICA DE CÁMARA. Fue desarrollado principalmente (si no inventado) por JOSEPH HAYDN, quien escribió alrededor de 70 cuartetos entre 1757 y 1803. WOLFGANG AMADEUS MOZART, LUDWIG VAN BEETHOVEN, FRANZ SCHUBERT, BÉLA BARTÓK y DIMITRI SHOSTAKÓVICH son los compositores de cuartetos preeminentes que aparecieron con posterioridad. Tradicionalmente, las obras llamadas "cuartetos de cuerda" han seguido el diseño en cuatro movimientos de la SONATA y de la SINFONÍA. Como la mayoría de los géneros de música de cámara, el cuarteto estaba destinado al deleite privado de músicos aficionados y no a representaciones públicas.

cuarto de milla Variedad de CABALLO ligero desarrollada en EE.UU. para correr distancias cortas, un cuarto de milla, a partir de las razas PURASANGRE, MORGAN, AMERICAN SADDLEBRED y otras. Aunque opacado por el Purasangre, encontró un lugar en el oeste y sudoeste de EE.UU. como semental (ver CABALLO DE ARREO). Los cuarto de milla modernos son bajos y rechonchos, musculosos y de pecho amplio y profundo. Sobresalen por su partida rápida, capacidad de giro y detención, rapidez en distancias cortas e inteligencia. Miden 14,3–16 palmos (145–163 cm, 57–64 pulg.), pesan 431–544 kg (950–1.200 lb) y son cooperadores y tranquilos.

cuarto de milla, carreras de Carreras de autos en que dos competidores corren lado a lado desde un punto muerto sobre una recta pavimentada de un cuarto de milla. Los ganadores siguen compitiendo contra otros de su categoría hasta que uno solo queda invicto. Los vehículos se dividen en tres categorías principales: (1) el *top fuel eliminator* (llamados *rai* o *slingshot*), de chasis largo, liviano, con ruedas traseras anchas y alimentado con una mezcla especial de combustible, como metanol y nitrometano; (2) el *funny car*, copia de alto rendimiento de un automóvil último modelo que usa un combustible especial; y (3) el auto de serie, versión modificada del vehículo corriente alimentado con gasolina. Los de la clase *top fuel* son los más veloces, seguidos de los *funny cars*. Las carreras de cuarto de milla son muy populares en EE.UU.

cuarzo Segundo mineral más abundante (después del FELDESPATO) en la corteza terrestre. Se encuentra presente en muchas rocas. El cuarzo, que está formado por sílice o dióxido de sílice (SiO_2), tiene gran importancia económica. Muchas variedades son gemas, como la AMATISTA, la CITRINA, el CUARZO AHUMADO y el cuarzo rosado. La ARENISCA, compuesta

Cristales de cuarzo en superficie rocosa.
ROSS M. HOROWITZ/THE IMAGE BANK/GETTY IMAGES

principalmente de cuarzo, es una piedra para construcción de importancia. Grandes cantidades de arena de cuarzo (o arena de sílice) se emplean en la fabricación de vidrio y cerámica y en moldes para fundición de metales. El cuarzo molido se usa como abrasivo en el papel de lija; la arena de sílice se emplea en arenadoras, y la piedra arenisca se utiliza para hacer piedras de afilar, piedras de molino y esmeriles. El vidrio de sílice (o cuarzo fundido) se usa en óptica para transmitir luz ultravioleta. Los tubos y vasijas de cuarzo fundido tienen importantes aplicaciones en laboratorios, y se emplean fibras de cuarzo en dispositivos de pesaje de altísima sensibilidad.

cuarzo ahumado Variedad común de grano grueso del CUARZO, con colores que varían desde casi negro hasta marrón ahumado. No existe una división clara entre el cuarzo ahumado y el incoloro. Debido a su abundancia, su valor es considerablemente menor que la AMATISTA o la CITRINA. Como el calentamiento blanquea la piedra, a veces su color pasa por el amarillo; estos trozos de color amarillo son vendidos a menudo como citrina.

cuarzo rosado Variedad translúcida y de grano grueso del mineral de SÍLICE CUARZO que se encuentra en PEGMATITAS. El cuarzo rosado es apreciado por su color, que puede ser pálido o intenso, el que se debe a pequeñas cantidades de TITANIO. Desde la antigüedad ha sido tallado y facetado para producir gemas brillantes. Su aspecto lechoso se atribuye a pequeñas inclusiones de RUTILO, el que, al estar orientado, le otorga a la piedra pulida un asterismo (fenómeno óptico de una figura con forma de estrella), parecido al que se encuentra en el zafiro, pero no tan intenso ni definido. El cuarzo rosado se encuentra en Brasil, Madagascar, Suecia, Namibia y EE.UU. (California y Maine), entre otros lugares.

cuasicontrato Acto lícito y voluntario que produce obligaciones sin mediar convención. La expresión sugiere la idea de una institución semejante al contrato, que casi lo es, cuando en verdad sus diferencias son fundamentales. El contrato nace del acuerdo de voluntades que crea las obligaciones y determina su alcance y modalidades. El cuasicontrato, en cambio, excluye la idea de un concierto de voluntades, y las obligaciones no resultan de la voluntad del autor del hecho voluntario, sino que más bien las impone la ley. Los principales cuasicontratos son la agencia oficiosa, el pago de lo no debido y la comunidad. Ver también CONTRATO.

cuaternario Período de tiempo geológico que comenzó hace 1,8 millones de años hasta nuestros días. El cuaternario sucede al TERCIARIO y es el más reciente de los dos períodos del CENOZOICO. El período cuaternario se divide en dos épocas, el PLEISTOCENO y el HOLOCENO, y se caracteriza por grandes cambios cíclicos del clima en una escala global. Esto condujo a que el hielo invadiera vastas áreas. Su rasgo biológico más importante es la evolución y dispersión de los seres humanos. Los cambios climáticos y ambientales drásticos del cuaternario llevaron a procesos de evolución y extinción de gran velocidad, particularmente entre los mamíferos. La extinción de muchos mamíferos de gran tamaño hacia el final de la última glaciación también puede estar relacionada con la rápida expansión territorial de los seres humanos.

Cuatro Cantones, lago de los *o* **lago de Lucerna** *alemán* **Vierwaldstättersee** Lago en el centro de Suiza. Mide 39 km (24 mi) de longitud y 0,8 a 3 km (0,5 a 2 mi) de ancho, con una superficie de 114 km² (44 mi²). Tiene una profundidad máxima de 214 m (702 pies). La "Cruz de Lucerna" está formada por sus cuatro cuencas principales, las cuales se unen por medio de canales estrechos. Recibió el nombre en recuerdo de la ciudad de LUCERNA en su extremo occidental. Es una región de centros vacacionales y atracciones turísticas.

Cuatro de julio ver día de la INDEPENDENCIA de EE.UU

cuatro de mayo, movimiento del Revolución intelectual y movimiento reformista en China (1917–21). En 1915, jóvenes intelectuales inspirados por CHEN DUXIU comenzaron a realizar propaganda para reformar y fortalecer la sociedad china a través de la aceptación de la ciencia, la democracia y las corrientes de pensamiento de Occidente, siendo uno de sus objetivos hacer a China lo suficientemente fuerte como para resistir el imperialismo occidental. El 4 de mayo de 1919, el fervor reformista se centró en una protesta de los estudiantes de Beijing contra la decisión de la conferencia de paz de Versalles de transferir las antiguas concesiones alemanas en China a Japón. Después de más de un mes de manifestaciones, huelgas y boicots a los productos japoneses, el gobierno cedió y rehusó firmar el tratado de paz con Alemania. El movimiento estimuló la reorganización del GUOMINDANG y condujo a la fundación del PARTIDO COMUNISTA CHINO (PCCH). Ver también tratado de VERSALLES.

Cuatro libertades Propuestas políticas y sociales esenciales que describió el pdte. FRANKLIN D. ROOSEVELT en enero de 1941, en su mensaje presidencial: libertad de expresión, libertad de culto, libertad de trabajo y libertad de eludir el temor. Esta última se debía alcanzar mediante la "reducción mundial de armamentos". En agosto de 1941, Roosevelt y CHURCHILL las consagraron en la carta del ATLÁNTICO.

Cuatro Libros *chino* **Sishu** Textos confucianos antiguos usados como base para estudiar los exámenes de ingreso (ver sistema de exámenes CHINO) a la administración pública china (1313–1905). Servía de introducción al CONFUCIANISMO y se acostumbraba estudiarlos antes de adentrarse en los CINCO CLÁSICOS más complejos. La publicación de los cuatro textos en bloque en 1190, con comentarios de ZHU XI, contribuyeron a revitalizar el confucianismo en China. Los textos son DAXUE, ZHONG YONG, LUNYU (las *Analectas*, que contendrían citas directas de CONFUCIO y se estima como la fuente más fidedigna de sus enseñanzas) y MENCIO.

Cuatro Nobles Verdades Enunciación de las doctrinas fundamentales del BUDISMO. Fueron formuladas por Gautama BUDA en su primer sermón. Las verdades son: (1) la vida es sufrimiento; (2) el deseo o apego es su causa; (3) la cesación del sufrimiento es posible; y (4) la vía para alcanzarlo es seguir el ÓCTUPLE SENDERO. Aunque interpretadas de diferentes modos, estas cuatro verdades son reconocidas virtualmente por todas las escuelas budistas.

Cuatrocientos, consejo de los (411 AC). Consejo oligárquico que por breve tiempo tomó el poder en ATENAS durante la guerra del PELOPONESO, mediante un golpe de Estado instigado por ANTIFONTE y ALCIBÍADES. De tendencia extremadamente antidemocrática, este consejo fue pronto reemplazado, debido a la insistencia de la flota ateniense, por un consejo oligárquico más moderado, el de los Cinco mil. El nuevo consejo duró sólo diez meses y se restableció la democracia plena en 410. Se formó una comisión para impedir que la situación se repitiera. Ver también TERÁMENES.

Cuauhtémoc *o* **Guatimozín** (c. 1495–26 feb. 1522). Último emperador AZTECA, sobrino y yerno de MOCTEZUMA II. Se convirtió en emperador a la muerte del sucesor de Moctezuma en 1520, mientras HERNÁN CORTÉS avanzaba por segunda vez

hacia TENOCHTITLÁN, la capital azteca. Defendió la ciudad durante el sitio de cuatro meses que dejó la mayoría de los edificios destruidos y pocos indígenas sobrevivientes. Torturado por los españoles que buscaban saber la ubicación de la riqueza azteca escondida, su estoicismo se hizo legendario. Posteriormente, Cortés, al escuchar acerca de un complot contra los españoles, ordenó colgarlo.

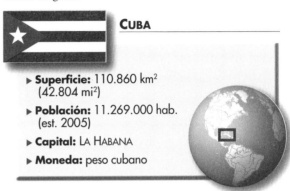

CUBA

▸ **Superficie:** 110.860 km² (42.804 mi²)

▸ **Población:** 11.269.000 hab. (est. 2005)

▸ **Capital:** LA HABANA

▸ **Moneda:** peso cubano

Cuba *ofic.* **República de Cuba** País de las Antillas. Localizado a 145 km (90 mi) al sur de Florida, comprende la isla de Cuba y pequeñas islas circundantes. Cerca de un tercio de la población está compuesta de mulatos (mezcla de negros y españoles) y negros y cerca de dos tercios de blancos, en su mayoría descendientes de españoles. Idioma: español (oficial). Religiones: católica y santería (ambas desalentadas en el pasado). La isla principal de Cuba tiene 1.200 km (746 mi) de largo y 40–200 km (25–125 mi) de ancho. Cerca de una cuarta parte de la superficie es montañosa, y la mayor altura es el pico Turquino, con 1.974 m (6.476 pies); el resto se compone de extensas llanuras y cuencas. El clima es semitropical. Tiene una economía centralmente planificada que depende de la exportación de azúcar y, en menor grado, de tabaco y níquel. Sus cigarros puros son considerados los mejores del mundo. Es una república con una cámara legislativa; el jefe de Estado y de Gobierno es el presidente. A la llegada de los españoles, varios grupos indígenas habitaban Cuba, entre ellos los CIBONEY y ARAWAK. En 1492, CRISTÓBAL COLÓN tomó posesión de la isla a nombre de España y en 1511 comenzó la conquista por los españoles, cuando se fundó el asentamiento de Baracoa. Los nativos fueron erradicados en los siglos siguientes, y se importaron esclavos africanos desde el s. XVIII hasta la abolición de la esclavitud en 1886, para trabajar en las plantaciones de caña de azúcar. Cuba se rebeló sin éxito contra España en la guerra de los Diez Años (1868–78); una segunda guerra de independencia comenzó en 1895. En 1898, EE.UU. declaró la guerra a España (ver guerra HISPANO-ESTADOUNIDENSE), conflicto armado que culminó con la renuncia de España a sus derechos sobre Cuba, y la ocupación estadounidense durante tres años antes de obtener su independencia en 1902. Desde entonces EE.UU. mantiene una base naval en la bahía de Guantánamo, situada al sudeste de la isla, e invirtió fuertemente en la industria azucarera en la primera mitad del s. XX. Esta actividad, sumada al turismo y los casinos, produjo la prosperidad económica. Sin embargo, persistió la desigualdad en la distribución de la riqueza, así como la corrupción política. En 1958–59, el líder revolucionario FIDEL CASTRO derrocó la larga dictadura de FULGENCIO BATISTA y estableció un Estado socialista alineado con la Unión Soviética, que abolió el capitalismo y nacionalizó las empresas de propiedad extranjera. En 1960 el gobierno cubano nacionalizó todas las compañías estadounidenses de la isla y Washington respondió con la imposición del embargo comercial. Las relaciones con EE.UU. se deterioraron, alcanzando su punto más bajo en 1961 con la invasión de bahía de COCHINOS y, en 1962, con la crisis de los MISILES. En 1980 cerca de 125.000 cubanos, entre ellos muchos calificados oficialmente de "indeseables", fueron embarcados a EE.UU., en lo que se conoce como el éxodo del Mariel. Cuando cayó el comunismo en la Unión Soviética, Cuba perdió un importante respaldo financiero y su economía sufrió graves problemas. Se recuperó en forma gradual en la década de 1990 con el estímulo al turismo, aunque las relaciones diplomáticas con EE.UU. no se reanudaron.

Catedral de la Inmaculada Concepción, data de 1656, ubicada en La Habana Vieja, Cuba.
PHILIP CRAVEN/ROBERT HARDING WORLD IMAGERY/GETTY IMAGES

Cubango, río ver río OKAVANGO

cubismo Movimiento de artes visuales creado por PABLO PICASSO y GEORGES BRAQUE en París, entre 1907 y 1914. Después adhirieron a él JUAN GRIS, FERNAND LÉGER, ROBERT DELAUNAY y otros artistas. El nombre deriva de una reseña que describía la obra de Braque como imágenes compuestas de cubos. *Las señoritas de Aviñón* de Picasso (1907) marcaron el nuevo estilo, inspirado en la escultura africana y las últimas pinturas de PAUL CÉZANNE. La obra cubista destacaba la superficie plana, bidimensional y fragmentada del plano pictórico, abandonando la perspectiva, el escorzo, el modelado y el claroscuro, a favor de las formas geométricas. Las obras realizadas en este estilo, desde 1910 hasta 1912, suelen pertenecer al llamado cubismo analítico. Las pinturas adscritas en este movimiento muestran el quiebre o análisis de la forma. Los artistas favorecían la construcción de ángulos rectos, líneas continuas y las paletas de colores casi monocromáticas. Después de 1912 se inició la fase llamada cubismo sintético. Las obras de esta fase se centraron en la combinación o la síntesis de las formas en la pintura. El color asume un papel importante en la obra. Las formas, aunque permanecen fragmentadas y planas, son más grandes y decorativas, y utilizan a menudo el *collage*. Muchos movimientos vanguardistas posteriores del s. XX fueron influenciados por la experimentación de los cubistas.

cucaracha Cualquiera de más de 3.500 especies de insectos (del suborden Blattaria, orden Dictyoptera) que están entre los insectos alados vivos más primitivos y entre los insectos fósiles más antiguos (más de 320 millones de años). Tienen un cuerpo aplastado y ovalado, antenas largas y filiformes y un caparazón brillante, coriáceo, negro o marrón. Prefieren un ambiente tibio, húmedo y oscuro y suelen hallarse en climas tropicales u otros climas benignos, pero en la zona templada han medrado en edificios calefaccionados, especialmente de departamentos urbanos, y las infestaciones pueden ser graves. Sólo unas pocas especies se han convertido en plagas. Son omnívoras. La cucaracha americana puede medir unos 30–50 mm (2 pulg.) de largo. La alemana (menos de 12 mm, o unas 0,5 pulg. de largo) es una plaga doméstica común que barcos han propagado por todo el mundo.

cuchillos largos, noche de los (30 jun. 1934). Purga de líderes nazis ordenada por ADOLF HITLER. Temeroso de que el grupo paramilitar SA hubiese adquirido demasiado poder,

Hitler ordenó a su guardia de elite SS que asesinara a los líderes de la organización, entre ellos ERNST RÖHM. También fueron asesinados esa noche centenares de otras personas percibidas como opositoras a Hitler, como KURT VON SCHLEICHER y GREGOR STRASSER.

cuclillo Cualquiera de unas 138 especies de pájaros terrestres y arborícolas de la familia Cuculidae. Se encuentran por todo el mundo en regiones templadas y tropicales, pero tienen una mayor diversidad en los trópicos del Viejo Mundo. Las especies del Nuevo Mundo se clasifican a veces en una familia aparte (Coccyzidae) e incluyen al CORRECAMINOS. Varían de 16 a 90 cm (6,5 a 36 pulg.) de longitud. La mayoría son de un gris opaco, pero unos pocos lucen colores brillantes o iridiscentes en todo el cuerpo o parte de él. Aparte del reclamo de dos notas característico del cuclillo europeo, son famosos por el PARASITISMO de nidadas (ver BOYERO); sus huevos imitan los de la especie huésped (mimetismo) y el cuclillo adulto elimina uno o más huevos del huésped para asegurar que no se detecte la sustitución. El cuclillo recién salido del cascarón puede también expulsar huevos o pichones del nido.

Cuclillo piquinegro (*Coccyzus erythrophtalmus*).
© ENCYCLOPÆDIA BRITANNICA, INC.

cucularia Planta (*Dicentra cucullaria*) de la familia Fumariaceae, renombrada por sus ramos de flores trémulas, blancas y de puntas amarillas. La planta es originaria de todo el este y mediooeste de América del Norte y suele encontrarse en bosques abiertos. El follaje gris verdoso crece de tubérculos subterráneos blancos y no es tan alto como el tallo floral, que también sale directamente del suelo.

Cucurbitáceas Familia de ciertas plantas de fruto de cáscara dura, de uso alimenticio y ornamental (orden Violales), que incluyen las CALABAZAS y los ZAPALLOS. La mayoría de las especies son rastreras o trepadoras con zarcillos. Son plantas herbáceas anuales originarias de zonas tropicales y templadas. En general, son pobres en nutrientes, con excepción del cidrayote (ciertos cultivares de *Cucurbita maxima*, *C. moschata*, *C. pepo*, etc.). Las cáscaras de muchas calabazas se usan como recipientes y utensilios. Las de colores vivos y formas curiosas se escogen para usarlas como adorno.

Cudworth, Ralph (1617, Aler, Somerset, Inglaterra–26 jun. 1688, Cambridge). Teólogo y filósofo inglés. Educado como puritano que más tarde adoptó concepciones inconformistas, entre ellas que el gobierno de la Iglesia y la práctica religiosa deben ser individuales y no autoritarios. Fue el líder de los PLATONISTAS DE CAMBRIDGE. En ética, su libro más destacado es *A Treatise Concerning Eternal and Immutable Morality* [Tratado concerniente a la moralidad eterna e inmutable] (1731), que apuntaba sus dardos contra el calvinismo puritano, la teología de RENÉ DESCARTES y el intento de THOMAS HOBBES de reducir la moralidad a la obediencia de la autoridad civil. Insistió en que el bien o mal natural eran inherentes a sucesos o actos, en contraste con la noción calvinista y cartesiana de ley divina. "Las cosas son lo que son", escribió, "no por Voluntad, sino por Naturaleza". Ver también INTUICIONISMO; VOLUNTARISMO.

Cuéllar, Javier Pérez de ver Javier PÉREZ DE CUÉLLAR

cuenta Objeto pequeño, por lo general agujereado, para ser ensartado. Puede estar fabricado prácticamente de cualquier material –madera, concha, hueso, semilla, nuez, metal, piedra, vidrio o plástico– y se usa o se adhiere a otro objeto con propósitos decorativos o, en algunas culturas, mágicos. Las primeras cuentas egipcias (c. 4000 AC) estaban hechas de piedra, feldespato, lapislázuli, cornalina, turquesa, hematita o amatista y tenían variadas formas (esfera, cono, concha, cabeza de animal). En 3.000–2.000 AC ya se usaban cuentas de oro de forma tubular. Desde la Edad Media hasta el s. XVIII el comercio de cuentas fue enorme. En la actualidad, la riqueza del ORNAMENTO DE CUENTAS varía con la moda.

cuenta de depósito Cualquiera de las dos cuentas básicas de depósito bancario. El depósito a la vista se paga a requerimiento (ver CHEQUE). Teóricamente, el depósito a plazo se paga sólo después de un determinado período de tiempo, pero en la práctica se pagan a requerimiento los giros de la mayoría de las cuentas de depósito a plazo menores.

cuenta por cobrar Todo monto adeudado a una empresa por la venta a crédito de bienes o servicios. La empresa que realiza la venta contabiliza el monto adeudado como activo circulante aunque no reciba por escrito una promesa de pago. Las cuentas a cobrar son parte importante de los activos de muchas empresas e incluso se pueden vender o dar en GARANTÍA para obtener préstamos. Ver también CUENTA POR PAGAR; FACTORAJE.

cuenta por pagar Todo monto adeudado por la compra a crédito de bienes o servicios. La empresa que realiza la compra contabiliza el monto adeudado como pasivo circulante, aunque no emita por escrito una promesa de pago. Las empresas a menudo incurren en este tipo de DEUDA de corto plazo para financiar sus inventarios, especialmente en aquellas industrias con alta rotación de existencias. Ver también CUENTA POR COBRAR.

cuentas nacionales Conjunto de principios y métodos utilizados para medir el ingreso y la producción de un país. Hay dos formas de medir la actividad económica nacional: desde el punto de vista del gasto, en que se mide el valor monetario de la producción total de bienes y servicios en un determinado período de tiempo (normalmente un año), y desde el punto de vista del ingreso, en que se mide el ingreso total proveniente de la actividad económica tras deducir el CONSUMO de capital. El indicador de la producción nacional más utilizado es el PRODUCTO INTERNO BRUTO (PIB). El ingreso nacional se puede obtener del producto nacional bruto (PNB) al deducir determinados costos incluidos en el PNB que no tienen relación con los ingresos, como impuestos indirectos, SUBSIDIOS y DEPRECIACIÓN. Este cálculo del ingreso nacional representa el ingreso agregado de los dueños de los factores de producción; es la suma de sueldos, salarios, UTILIDADES, INTERESES, DIVIDENDOS, RENTA, etc. Los datos acumulados para calcular el PIB y el ingreso nacional se pueden manipular de varias formas para mostrar diversas relaciones en la economía. Entre los usos comunes de dichos datos se encuentran los desgloses del PIB de acuerdo con el tipo de producto, los desgloses del ingreso nacional por tipo de ingreso, y los análisis de las fuentes de financiamiento (p. ej., ahorros personales, fondos de empresas o déficit nacional).

cuento Breve narración de ficción en prosa. Por lo general, presenta una sola escena o episodio significativo, con un número limitado de personajes. La forma favorece una narración sucinta y una ambientación reducida a sus rasgos más puros. El carácter de los personajes se manifiesta en el conflicto y la acción, pero no suele desarrollarse en profundidad. Algunos cuentos ponen énfasis en evocar un estado de ánimo más que el desarrollo de la acción. A pesar de la abundancia de precedentes, sólo en el s. XIX se consolidó como un género literario reconocible en las obras de escritores como E.T.A. HOFFMANN, HEINRICH KLEIST, EDGAR ALLAN POE, PROSPER MÉRIMÉE, GUY DE MAUPASSANT y ANTÓN CHÉJOV.

cuento de hadas Narración sencilla, de origen folclórico, protagonizada por seres sobrenaturales. Transmitido por escrito u oralmente, puede estar destinado a entretener a los niños o constituir una narrativa más refinada, centrada en acontecimientos, lugares y personajes sobrenaturales o evidentemen-

te improbables. Suelen tener un carácter moralista o satírico, o bien, caprichoso y extravagante. El término alude tanto a cuentos populares al estilo de "La cenicienta" y "El gato con botas" como a cuentos de hadas literarios de creación posterior, como los de HANS CHRISTIAN ANDERSEN. A menudo resulta difícil distinguir si su origen es oral o literario, pues los cuentos populares han recibido un tratamiento literario desde antaño, y a su vez los relatos escritos pueden rastrearse con frecuencia en la tradición oral.

cuentos enjuiciables Forma típicamente africana de relato breve. Su final abierto da pie a conjeturas o resulta moralmente ambiguo, lo que permite que la audiencia comente o especule acerca de la solución correcta al problema planteado. Este puede ser un conflicto de lealtades, la necesidad de escoger una respuesta justa en una situación compleja o la determinación de la culpa cuando varias partes parecen igualmente responsables. Los cuentos enjuiciables enseñan y entretienen a la vez, y ayudan a establecer las normas sociales en el seno de una comunidad.

cuerda vocal Cualquiera de los dos pliegues de la membrana mucosa que se extienden por la cavidad interior de la LARINGE, responsables primarias de la fonación. El sonido es producido por la vibración de los pliegues en respuesta al paso entre ellos del aire exhalado desde los pulmones. El tono del sonido depende del grado de tensión de las cuerdas. Luego los sonidos son modificados por la lengua, el paladar y los labios para producir el habla. Cuando están en reposo, las cuerdas vocales permanecen separadas, formando una abertura en V (glotis) a través de la cual se respira el aire. Los pliegues que se ubican justo por encima de las cuerdas vocales se llaman cuerdas vocales vestibulares o falsas, porque no participan en la fonación. La inflamación (por uso exagerado) limita la contracción normal de las cuerdas vocales y causa ronquera.

cuerda, instrumentos de Cualquier instrumento musical que produce sonido mediante las vibraciones de cuerdas. Las cuerdas pueden ser de tripa, metal, fibra o plástico, y pueden ser pulsadas, rasgadas o percutidas. Los instrumentos de cuerda orquestales son el VIOLÍN, la VIOLA, el VIOLONCHELO, el CONTRABAJO y el ARPA. Los instrumentos de cuerda de teclado son el CLAVICORDIO, el CLAVECÍN, el PIANO y el VIRGINAL. Ver también ARPA EÓLICA; BALALAIKA; CÍTARA; DULCÉMELE; GUITARRA; KITHARA; KOTO; LAÚD; LIRA; MANDOLINA; PIPA; SITAR; 'ŪD; UKULELE; VIOLA DA GAMBA.

cuerdas, teoría de ver teoría de las SUPERCUERDAS

Cuernavaca Ciudad (pob., 2000: 327.162 hab.), capital del estado de MORELOS, en el centro-sur de México. Conocida como Cuauhnáhuac, cuando era la capital de los tlahuicas. El nombre fue cambiado (c. 1521) después de la conquista de HERNÁN CORTÉS; su palacio es sede de la Asamblea Legislativa de Morelos (decorado con murales del pintor DIEGO

Palacio de Hernán Cortés, sede de la Asamblea Legislativa de Morelos, Cuernavaca, México.

RIVERA). En las cercanías hay ruinas precolombinas. Era uno de los lugares de residencia preferidos por el emperador MAXIMILIANO y la zona todavía es muy apreciada por los turistas. La Universidad de Morelos se estableció allí en 1953.

cuernecillo LEGUMINOSA herbácea, perenne y rastrera (*Lotus corniculatus*), originaria de Europa y Asia, pero aclimatada en otras regiones. El tallo crece hasta unos 60 cm (2 pies) de largo. Sus hojas se componen de tres folíolos ovados más anchos cerca de la punta. Las flores, amarillas (a veces con matices rojos), crecen en racimos de 5 a 10 unidades. Usada a menudo como FORRAJE, ocasionalmente constituye una maleza problemática.

Cuerno de África Región del este de África. El territorio más oriental de África entre el océano ÍNDICO y el golfo de ADÉN, es ocupado por Etiopía, Eritrea, Somalia y Yibuti, cuyas culturas han estado unidas durante toda su larga historia.

cuero Pellejos animales tratados para preservarlos y acondicionarlos para el uso. El CURTIDO convierte el pellejo perecible en un material estable y que no se descompone. Aun cuando se han usado los pellejos de animales tan distintos como el avestruz, el lagarto, la anguila y el canguro, el cuero más común proviene del ganado bovino, como ternero y buey; de oveja y cordero; cabra y cabrito. También se utilizan cueros de caballo, mula y cebra; de búfalo, cerdo, foca, morsa, ballena y caimán. El arte del curtido es antiguo; se practica desde hace más de 7.000 años. Ver también PERGAMINO.

Cuerpo de Paz Servicio de voluntarios del gobierno de EE.UU., organizado por el pdte. JOHN F. KENNEDY en 1961, con el propósito de ayudar a otros países en sus iniciativas de desarrollo, mediante los servicios de personas calificadas en los campos de educación, agricultura, salud, comercio, tecnología y desarrollo comunitario. Sus miembros se comprometen a desempeñarse durante dos años como buenos vecinos en el país anfitrión, a hablar el idioma local y a tener un nivel de vida comparable con el de sus habitantes. A comienzos del s. XXI, más de 165.000 voluntarios habían prestado servicios en este cuerpo.

cuerpo negro Superficie teórica que absorbe toda la energía radiante que incide sobre ella, y que irradia energía electromagnética en todas las frecuencias, desde ONDAS DE RADIO hasta RAYOS GAMMA, con una distribución de intensidad dependiente de su temperatura. Debido a que toda luz visible incidente en tal superficie es absorbida sin reflexión, la superficie aparecerá negra mientras su temperatura sea tal que su emisión máxima no esté en la porción visible del ESPECTRO. Ver también ABSORCIÓN.

cuerpo, modificación y mutilación del Modificación intencional del cuerpo humano por motivos religiosos, estéticos o sociales. Suele realizarse con propósitos mágicos o seudomédicos, pero los motivos cosméticos son igualmente comunes. La variedad de resultados en diferentes culturas refleja la diversidad de ideales de belleza o moralidad. Las modificaciones comprenden el aplanamiento de la cabeza, la inserción de aros labiales, el TATUAJE, la escarificación y la perforación de las orejas y otras partes del cuerpo. Las mutilaciones abarcan la circuncisión masculina y femenina, el vendaje de pies y la amputación.

cuervo Cualquiera de varias especies (género *Corvus*, familia Corvidae de la CORNEJA) de pájaros canores de pico fuerte y

solitarios, otrora abundantes en todo el hemisferio norte, pero ahora restringidos a zonas tranquilas. El cuervo común (*C. corax*), el más grande de todos los PASERIFORMES, crece hasta 66 cm (26 pulg.) de largo y tiene una envergadura de más de 1,3 m (4 pies). El plumaje, oscuro e iridiscen-

Cuervo común (*Corvus corax*).

te, es desgreñado, especialmente en torno a la garganta. Come roedores, insectos, granos, huevos de aves y, en invierno, carroña y basura. Los pichones en cautiverio pueden aprender a imitar algunas palabras. El nido, de gran tamaño, es una estructura rústica de palos que construye en lo alto de un acantilado o en la copa de un árbol.

cuestión romana Disputa entre la Iglesia y el Estado en Italia. Una vez finalizada la unificación de Italia en 1870, el papado objetó el control italiano de Roma y los ESTADOS PONTIFICIOS. El conflicto finalizó en 1929 por medio del tratado de LETRÁN que creó la Ciudad del VATICANO y resolvió la disputa.

cuestor (latín, *quaestor*: "investigador"). En la antigua Roma, el magistrado de menor rango, cuya responsabilidad tradicional era el tesoro. Los cuestores actuaban como lugartenientes de los cónsules. Al igual que los CÓNSULES, PRETORES y PREFECTOS, pertenecían a la clase de los magistrados, funcionarios de gobierno de nivel superior. Constituían el nivel más bajo de esta clase. Al principio eran designados por los cónsules, pero posteriormente fueron elegidos por el pueblo. Después de 421 AC hubo cuatro cuestores, dos encargados del tesoro público y otros dos que ayudaban a los cónsules como comisarios. En tiempos de AUGUSTO, su número se fijó en 20, muchos de los cuales actuaban como funcionarios del tesoro y asistentes de los gobernadores provinciales.

cueva Cavidad subterránea formada naturalmente. Con frecuencia una cueva está constituida por una serie de cavernas o cámaras subterráneas. Un conjunto de cavernas conectadas por túneles constituye un sistema de cavernas. Las cuevas primarias, como los tubos de lava y las cuevas de coral, se desarrollan cuando su matriz receptora está en proceso de solidificación o siendo depositada. Las cuevas secundarias, como las grutas marinas, se originan después de que su matriz receptora ha sido depositada o consolidada. La mayoría de las cuevas son de este último tipo, incluidas las cuevas de disolución, formadas por disolución química de una roca receptora soluble que ha sido debilitada por fracturas y erosión mecánica; las cavernas de los parques nacionales MAMMOTH CAVE y Carlsbad Caverns son ejemplos de este tipo de cuevas.

Cuiabá, río o **río Cuyabá** Río de Brasil. Nace en el centro del estado de Mato Grosso y recorre 480 km (300 mi) hacia el sudoeste para confluir con el río São Lourenço. El curso combinado de ambos ríos desemboca en el río PARAGUAY, al norte de Corumbá. En la cabecera del Cuiabá se encuentran yacimientos de oro.

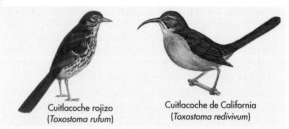

Cuitlacoche rojizo
(*Toxostoma rufum*)

Cuitlacoche de California
(*Toxostoma redivivum*)

Especies de cuitlacoche.

cuitlacoche Cualquiera de 17 especies (familia Mimidae) de pájaros canores del Nuevo Mundo, que tienen un pico curvo hacia abajo y son conocidos por buscar ruidosamente el alimento, en el suelo, en chaparrales tupidos y también, por sus cantos fuertes y diversos. Habitan desde el norte de Canadá hasta México central y el Caribe. El cuitlacoche rojizo (*Toxostoma rufum*), del este de las montañas Rocosas en Norteamérica, tiene unos 30 cm (12 pulg.) de largo y un plumaje marrón rojizo con la parte inferior veteada. En el sudoeste árido de EE.UU. y en México hay especies grisáceas rabilargas.

Cukierman, Itzhak ver Itzhak ZUCKERMAN

Cukor, George (Dewey) (7 jul. 1899, Nueva York, N.Y., EE.UU.–24 ene. 1983, Los Ángeles, Cal.). Director de cine estadounidense. Dirigió obras en Broadway antes de partir a Hollywood en 1929. A su primera película, *Honor mancillado* (1931), le siguieron la aclamada *Cuatro hermanitas* (1933), *David Copperfield* (1935), *Historia de Filadelfia* (1940) y *Luz que agoniza* (1944).

Dirigió varias comedias protagonizadas por KATHARINE HEPBURN y SPENCER TRACY, como *La costilla de Adán* (1949) y *La impostora* (1952). Se destacó por su talento en la dirección de actores, en especial con mujeres. Entre otras películas memorables de su filmografía se cuentan *Cena a las ocho* (1933), *Mujeres* (1939), *Ha nacido una estrella* (1954) y *Mi bella dama* (1964, premio de la Academia).

Escena de *Mi bella dama*, dirigida por George Cukor, y protagonizada por Audrey Hepburn y Rex Harrison.
FOTOBANCO

culantro ver CILANTRO

culebra ver SERPIENTE

culebra acuática Cualquiera de 65–80 especies de SERPIENTE de los géneros *Natrix* y *Nerodia* y otras serpientes similares de la familia Colubridae, presentes en todo el mundo excepto en Sudamérica. La mayoría tiene un cuerpo fornido con manchas o rayas oscuras y escamas aquilladas. Algunas lucen parecidas a especies venenosas. Cazan peces y anfibios con una mordedura no ponzoñosa. Las especies del Nuevo Mundo viven en el agua o cerca de ella y son vivíparas; las especies europeas dependen menos del agua y ponen huevos. Como defensa inflan la cabeza, atacan y despiden una secreción maloliente. El largo promedio es 1 m (3 pies) aprox.; algunas especies del Viejo Mundo alcanzan 1,8 m (6 pies).

Culiacán Ciudad (pob., 2000: 540.823 hab.), capital del estado de SINALOA, en el oeste de México. Situada en la ribera del río Culiacán, fue fundada en el emplazamiento de un poblado indígena en 1531, y cumplió un papel importante en los primeros tiempos de la colonia como base para las expediciones españolas. Un intrincado sistema de regadío del valle crea condiciones para diversos cultivos, entre ellos maíz, caña de azúcar, tabaco, frutas y hortalizas. Es la sede de la Universidad de Sinaloa (1873).

Cullen, Countee *orig.* **Countee Porter** (30 may. 1903, ¿Louisville, Ky?, EE.UU.–9 ene. 1946, Nueva York, N.Y.). Poeta estadounidense. Criado en Nueva York, un clérigo lo adoptó informalmente cuando tenía 15 años. Ganó un concurso de poesía de la ciudad y más tarde asistió a las universidades de Nueva York y de Harvard, donde se graduó con honores. Poeta representativo del renacimiento de HARLEM, su primer libro de poemas, *Color* (1925), fue aclamado por la crítica mientras Cullen todavía estaba en la universidad. *Copper Sun* [Sol cobrizo] (1927), en tanto, fue criticado por la comunidad negra por no dedicar suficiente atención al tema racial. Cullen enseñó en escuelas públicas de Nueva York desde 1934 hasta su muerte.

Cullen, William (15 abr. 1710, Hamilton, Lanarkshire, Escocia–5 feb. 1790, Kirknewton, cerca de Edimburgo). Médico y profesor escocés. Uno de los primeros en enseñar en inglés en vez de latín. Fue celebrado por sus clases clínicas que dictaba en la enfermería a partir de sus propios apuntes, en lugar de los textos. Enseñó que la vida era función de la energía nerviosa y que el músculo era una continuación de los nervios. Su influyente clasificación de las enfermedades incluía afecciones febriles, nerviosas, producidas por malos hábitos corporales y enfermedades locales.

Cullinan, diamante Mayor diamante jamás descubierto. Pesaba cerca de 3.106 quilates en bruto cuando fue encontrado en 1905 en la mina Premier, en Transvaal, Sudáfrica. Llamado así por Sir Thomas Cullinan, quien descubrió la mina, la piedra incolora fue comprada por el gobierno de Transvaal y obsequiada al rey Eduardo VII de Gran Bretaña. Fue tallado en 9 piedras grandes y cerca de 100 más pequeñas, todas libres de imperfecciones; actualmente son parte de las JOYAS DE LA CORONA británica.

Culloden, batalla de (16 abr. 1746). Última batalla de la "Rebelión del cuarentaicinco" que tuvo lugar en un páramo cerca de Inverness, Escocia. Los JACOBITAS, bajo la conducción de CARLOS EDUARDO, EL JOVEN PRETENDIENTE, fueron derrotados por las fuerzas británicas dirigidas por el duque de Cumberland. Mil bajas sufrió el ejército de 5.000 hombres del Joven Pretendiente que murieron a manos de los 9.000 casacas rojas, los cuales perdieron solamente 50 hombres. La batalla, que duró 40 minutos, marcó el fin de todo intento serio por restablecer a la casa de los ESTUARDO en el trono británico.

culpa concurrente En derecho, conducta que contribuye al propio daño o pérdida y supone falta de la diligencia que los hombres emplean ordinariamente en sus propios negocios (culpa leve). El acusado a menudo alega esta clase de culpa cuando se lo acusa de NEGLIGENCIA. En el derecho inglés y de numerosos estados de EE.UU., si se prueba que el demandante contribuyó al daño con su propia negligencia, de todas formas puede decretarse indemnización de perjuicios, pero sujeta a una reducción equitativa de su monto. Algunas autoridades han criticado el concepto de culpa concurrente sosteniendo que de hecho excusa a una de las partes (el demandado), pese a que ambas fueron negligentes.

culpa profesional NEGLIGENCIA, violación de los deberes propios de un cargo u oficio, falta del cuidado ordinario, o incumplimiento de deberes en el desempeño de servicios profesionales (p. ej., en medicina) que causa pérdidas o daños. Habitualmente, el demandante debe probar que el profesional no ha desempeñado sus funciones de acuerdo con las prácticas generalmente aceptadas de su disciplina. En EE.UU., el número de demandas por culpa profesional contra médicos, abogados, contadores y otros profesionales ha aumentado sostenidamente, lo que ha provocado un notable incremento de las primas de los seguros que cubren este tipo de riesgos.

culteranismo *o* **gongorismo** Una de las dos principales modalidades estilísticas de la literatura española durante el período BARROCO. A diferencia del CONCEPTISMO, el culteranismo consiste en el preciosismo de la forma poética, en pos de un cromatismo y musicalidad que halaguen los sentidos. Para ello, suele emplear atrevidas (METÁFORAS "guerra" por "amor"), caprichosos hipérbatos ("Pasos de un peregrino son, errantes, cuantos me dictó versos dulce musa"), perífrasis ("del sol nuncio canoro" por "gallo"), antítesis ("ayer naciste, y morirás mañana"), paralelismos ("ovejas del monte al llano y cabras del llano al monte"), paranomasias ("vendado que me has vendido"), neologismos cultos ("caliginoso", "canoro", "diuturno", "ebúrneo") y eruditas alusiones mitológicas (ver mitología ROMANA) ("aquel licor sagrado que a JÚPITER ministra el garzón de Ida"). Sus principales representantes son LUIS DE GÓNGORA (de cuyas obras se han tomado los ejemplos que anteceden) y PEDRO CALDERÓN DE LA BARCA. En América, esta modalidad está representada por la mexicana sor JUANA INÉS DE LA CRUZ.

cultivación Soltar y roturar (labrar) el suelo. Se cultiva el suelo que rodea a plantas que ya existen (manualmente con un azadón o con un cultivador mecánico) para desmalezar y estimular el crecimiento, aumentar la aireación del suelo y la penetración del agua. El suelo que se apronta para plantar un cultivo se prepara con una rastra o un arado.

cultivar Cualquier variedad de una planta, generada por clonación o hibridación (ver CLON, HÍBRIDO), que sólo se conoce cultivada. En plantas de reproducción asexual, el cultivar es un clon considerado tan valioso como para llevar nombre propio; en las de reproducción sexual, es una línea pura (en plantas autopolinizadas) o, en plantas de polinización cruzada, una población que se distingue genéticamente.

cultivo En agricultura, una planta o el producto de una planta que se puede cultivar y cosechar ampliamente con fines de lucro o subsistencia. Según el uso, los cultivos se dividen en seis categorías: alimentarios, para el consumo humano (p. ej., trigo, patatas); forrajeros, para el consumo del ganado (p. ej., avena, alfalfa); de fibra, para jarcias y textiles (p. ej., algodón, cáñamo); oleaginosos, para consumo o uso industrial (p. ej., semilla o pepita de algodón, maíz); ornamentales, para paisajismo (p. ej., cornejo, azalea); e industriales y secundarios, para usos personales e industriales diversos (p. ej., caucho, tabaco).

Cultivo de vides para producción vitivinícola, a orillas del lago Okanagan, Columbia Británica, Canadá.
KEVIN MILLER/PHOTOGRAPHER'S CHOICE/GETTY IMAGES

cultivo de cobertura CULTIVO de crecimiento rápido, como CENTENO, ALFORFÓN, FRIJOL CAUPÍ O VEZA, plantado para impedir la EROSIÓN del suelo, aumentar los nutrientes en él y suministrar materia orgánica. Los cultivos de cobertura se realizan ya sea en la temporada durante la cual no se cultivan productos agrícolas comerciables o entre las hileras de algunos cultivos (p. ej., árboles frutales). Ver también ABONO VERDE.

cultivo de tejido Método de investigación biológica en el cual se mantienen fragmentos tisulares (una célula, una población celular o una parte o el todo de un órgano) en un medio artificial para examinar y manipular la conducta de las células. Se ha usado para estudiar la estructura celular normal y anormal; la actividad bioquímica, genética y reproductora; el metabolismo, las funciones, y los procesos de envejecimiento y curación, y las reacciones a agentes físicos, químicos y biológicos (p. ej., drogas, virus). Una pequeña muestra de tejido es esparcida sobre o dentro del medio de cultivo de origen biológico (p. ej., suero sanguíneo o extracto tisular), sintético, o mixto, que contiene los nutrientes, la temperatura y el PH adecuados para incubar las células. Los resultados se observan con microscopio después de tratarlos (p. ej., tinción) para destacar características particulares. Algunos virus también se desarrollan en cultivos de tejido. Los estudios con cultivos de tejido han ayudado a identificar infecciones, deficiencias enzimáticas y anomalías cromosómicas; a clasificar los tumores cerebrales, y a formular y ensayar medicamentos y vacunas.

cultivo puro En microbiología, cultivo de laboratorio que contiene una sola especie de organismo. Los cultivos puros se obtienen habitualmente de cultivos mixtos (que contienen varias especies), por métodos que separan las células de modo que, cuando se multiplican, cada una formará una colonia distinta, que luego puede usarse para establecer nuevos cultivos con la seguridad de que tendrán sólo un tipo de organismo. Los cultivos puros se obtienen más fácilmente si el medio de crecimiento empleado para el cultivo mixto original favorece el desarrollo de un organismo con exclusión de otros.

cultivo, sistema de *neerlandés* **cultuurstelsel** Sistema de renta fiscal en las Indias Orientales Holandesas (actual Indonesia) que obligaba a los campesinos a pagar impuestos a los Países Bajos con productos agrícolas de exportación o con trabajo obligatorio. El sistema fue establecido en 1830 por el gobernador general colonial Johannes van den Bosch. En teoría, requería que los aldeanos destinaran un quinto de su tierra para cultivar productos de exportación (p. ej., café, azúcar) para el gobierno y que los campesinos sin tierra trabajaran durante una quinta parte del año en los campos gubernamentales. Sin embargo, en la práctica se requería de mayor tierra y tiempo, por lo que el sistema resultaba sumamente gravoso. Aunque profundamente criticado a mediados de la década de 1850, sólo fue abolido en 1870.

cultivos, rotación de ver ROTACIÓN DE CULTIVOS

culto del cargo Tributo religioso ofrendado por nativos al observar la entrega de suministros, por vía marítima y aérea, a los administradores de las colonias. Los cultos del cargo se observaron principalmente en Melanesia a fines del s. XIX y principios del s. XX. Se caracterizaban por la expectativa de que una nueva era de bendiciones y prosperidad se iniciaría con la llegada de un "cargamento" especial de bienes procedentes de fuentes sobrenaturales. Es posible que estas creencias hayan expresado ideas tradicionales milenarias, con frecuencia revitalizadas por las enseñanzas de los misioneros cristianos.

cultura Sistema integrado de conocimientos, creencias y conductas de grupos humanos, que son resultado y parte integrante a la vez de la capacidad humana de aprender y transmitir conocimiento a las generaciones posteriores. Por lo tanto, la cultura está constituida por elementos como lengua, ideas, creencias, costumbres, tabúes, normas, instituciones, herramientas, técnicas, obras de arte, rituales, ceremonias y símbolos. Ha desempeñado un rol crucial en la EVOLUCIÓN HUMANA, al permitir al hombre adaptar el medio adaptarse a sus propósitos en lugar de depender únicamente de la SELECCIÓN NATURAL para lograr una adaptación fructífera. Cada sociedad humana tiene su propia cultura o sistema sociocultural. Las diferencias existentes entre las culturas se atribuyen a factores como los distintos hábitats y recursos físicos; el rango de posibilidades implícitas en campos como el lenguaje, los rituales y la organización social, y a fenómenos históricos como el desarrollo de vínculos con otras culturas. Las actitudes, valores, ideales y creencias de un individuo están influenciados en gran medida por la cultura (o culturas) en que vive. El cambio cultural tiene lugar como resultado de factores ecológicos, socioeconómicos, políticos, religiosos u otros de igual importancia que afectan a una sociedad. Ver también CONTACTO CULTURAL; EVOLUCIÓN SOCIOCULTURAL.

Cultura del Chaco, parque histórico nacional de la Reserva nacional en el noroeste del estado de Nuevo México, EE.UU. Establecido como monumento nacional en 1907, recibió una nueva designación y nombre en 1980. Ocupa 137 km^2 (53 mi^2), contiene 13 yacimientos principales de la época precolombina y más de 300 sitios arqueológicos menores que representan a las culturas de los indios PUEBLO. Pueblo Bonito, construido en el s. X, es el sitio excavado de mayor magnitud que albergaba unas 800 habitaciones.

cultuurstelsel ver sistema de CULTIVO

Cumas Antigua ciudad al oeste de Nápoles, Italia. Probablemente la más antigua colonia griega en territorio continental de Europa occidental, fue el hogar de la profética SIBILA, cuya caverna todavía existe. Fundada c. 750 AC por colonos griegos procedentes de CALCIS, llegó a dominar gran parte de la llanura de la Campania. Conquistada por los samnitas en el s. V AC, fue sometida por Roma en 338 AC. En tiempos imperiales fue una tranquila ciudad rural. Pese a ser destruida en 1205 DC, en toda la zona se han encontrado ruinas de fortificaciones y tumbas que datan de esos períodos.

Cumberland, bahía de Ensenada del estrecho de DAVIS en Nunavut, Canadá. Posee un contorno accidentado por la costa sur de la isla de BAFFIN y tiene 270 km (170 mi) de largo por 160 km (100 mi) de ancho. El navegante inglés John Davis llegó al golfo en 1585 en búsqueda del paso del NOROESTE. A fines del s. XIX, la zona era conocida por la caza de ballenas. La Iglesia anglicana estableció misiones a principios del s. XX en asentamientos ubicados a lo largo de sus costas.

Cumberland, meseta de Altiplanicie en EE.UU. que comprende el margen occidental de los montes APALACHES y una parte de la meseta Allegheny. Se extiende hacia el sur 725 km (450 mi) desde la frontera sur del estado de Virginia Occidental hacia el nordeste de Alabama, con 80 km (50 mi) de ancho y una altura media de 600–1.263 m (2.000–4.145 pies). La parte más escabrosa y elevada es una cordillera angosta de 225 km (140 mi) de largo que forma su margen oriental en el este del estado de Kentucky y el nordeste del de Tennessee; generalmente se aplica el nombre de montes Cumberland a esta zona, que incluye el parque histórico nacional Cumberland Gap. La meseta tiene grandes yacimientos de carbón, piedra caliza y arenisca.

Cumberland, río Curso fluvial en los estados de Kentucky y Tennessee, EE.UU. Nace en la región sudoriental de Kentucky y fluye hacia el oeste, serpenteando por el norte de Tennessee para finalmente unirse al río OHIO, después de seguir un curso de 1.106 km (687 mi). Tiene una caída de 28 m (92 pies) en Cumberland (o Great) Falls, que es el emplazamiento de un parque estatal. Como parte del TENNESSEE VALLEY AUTHORITY se formaron una serie de lagos. La represa de Wolf Creek (1952) dio origen al lago Cumberland, que se extiende a los pies de Cumberland Falls.

Cumbre de la Tierra *ofic.* **Conferencia de las Naciones Unidas sobre el Medio Ambiente y el Desarrollo** Conferencia celebrada en Río de Janeiro (3–14 de junio de 1992) para reconciliar el desarrollo económico mundial con la protección del medio ambiente. Ha sido la reunión más grande de líderes mundiales de la historia, con 117 jefes de Estado y representantes de 178 países. Entre los temas que se debatieron cabe mencionar la biodiversidad, el RECALENTAMIENTO DE LA TIERRA, el desarrollo sostenible y la preservación del bosque húmedo tropical. Se firmaron cinco acuerdos internacionales en medio de las tensiones entre los países industrializados del Norte y los países pobres en desarrollo del Sur, que se mostraban renuentes a aceptar restricciones ambientales sin que mediara un aumento de la ayuda económica proveniente del Norte. Se celebraron reuniones complementarias en 1997, en la Asamblea General de las Naciones Unidas, en Nueva York, y en Johannesburgo, Sudáfrica, en 2002. Ver también tratado de RÍO.

Cumbria Condado administrativo (pob., 2001: 487.607 hab.) del noroeste de Inglaterra. Se extiende a lo largo de la costa del mar de IRLANDA desde la bahía de Morecambe hasta el golfo de Solway, comprende el famoso LAKE DISTRICT (distrito de los Lagos). Se estableció como condado en 1974, con CARLISLE como su capital. Ha sido habitada desde el NEOLÍTICO. Los romanos construyeron varios caminos, una serie de fuertes y el gran muro de ADRIANO. Después de mediados del s. X, Cumbria septentrional fue gobernada por Escocia e Inglaterra en forma alternada hasta que los ingleses lo tomaron en 1157. Desde el s. XII se extrae plomo, plata y hierro en los yacimientos de este distrito.

Cummings, E(dward) E(stlin) (14 oct. 1894, Cambridge, Mass., EE.UU.–3 sep. 1962, North Conway, N.H.). Poeta y pintor estadounidense. Educado en la Universidad de Harvard, durante la primera guerra mundial estuvo tres meses retenido en un campo de prisioneros por error de un censor de correspondencia, experiencia que volcaría en su primera obra en prosa, *La habitación enorme* (1922). Cummings produjo además 12 libros de poemas, el primero de ellos *Tulips and Chimneys* [Tulipanes y chimeneas] (1923). Su poesía entronca con la tradición de discrepancia y autosuficiencia de Nueva Inglaterra, y llama la atención por su puntuación y fraseo excéntricos, la ausencia de mayúsculas y un aire travieso que atrajo a multitud de lectores. Las conferencias Norton que dictó en Harvard se publicaron con el título de *i: six nonlectures* [seis anticonferencias] (1953).

cúmulo abierto *o* **cúmulo galáctico** Cualquier grupo de estrellas de población I (ver POBLACIONES I Y II) con un origen común, sostenido por gravitación mutua (no confundir con un CÚMULO DE GALAXIAS). Las estrellas en cúmulos abiertos están mucho más dispersas que aquellas que se encuentran en los CÚMULOS GLOBULARES. Todos los cúmulos abiertos que se conocen contienen entre 10 y 1.000 o más estrellas (casi la mitad contienen menos de 100) y tienen diámetros entre 5 y 75 años-luz. Más de mil han sido descubiertos en la VÍA LÁCTEA; ejemplos típicos son las PLÉYADES y las HIADES.

cúmulo de galaxias Agrupación de GALAXIAS ligadas gravitacionalmente, cuya cantidad va de cientos a decenas de miles. Por lo general los cúmulos grandes de galaxias exhiben una amplia emisión de rayos X, procedente de gas intergaláctico a millones de grados de temperatura. A su vez, la interacción entre las galaxias y de ellas con el gas del cúmulo, puede agotar a las galaxias de su propio gas. La VÍA LÁCTEA pertenece al GRUPO LOCAL, el cual está ubicado en la periferia del Cúmulo de VIRGO. Otro cúmulo más lejano es el de Coma, que contiene 1.000 galaxias.

cúmulo de Virgo ver cúmulo de VIRGO

cúmulo galáctico ver CÚMULO ABIERTO

cúmulo globular Cualquier grupo grande de estrellas viejas de Población II (ver POBLACIONES I Y II) aglutinadas de una manera simétrica y relativamente esférica. Se han identificado cerca de 150 en la VÍA LÁCTEA. La mayoría está distribuida en un volumen esférico sobre y bajo el disco galáctico (ver HALO GALÁCTICO). Los cúmulos globulares contienen muchas más estrellas (10.000–1.000.000) que los CÚMULOS ABIERTOS y pueden tener un diámetro de varios cientos de años-luz. Debido a que se encuentran muy alejados del sistema solar, la mayoría son invisibles a simple vista. Sólo OMEGA CENTAURI y otros pocos son visibles sin telescopio, como manchas difusas de luz.

cuna Pueblo indígena de habla chibcha que alguna vez ocupó la región central del actual territorio de Panamá y las islas vecinas de San Blas, y que aún sobrevive en áreas marginales. En el s. XVI vivían en aldeas federadas bajo jefes que detentaban un vasto poder. Organizados en una sociedad jerárquica, esclavizaban a sus prisioneros de guerra. Hoy viven en pequeñas aldeas y dependen de la agricultura, la que complementan con la caza y la pesca para su subsistencia.

Sir Samuel Cunard, litografía.
BBC HULTON PICTURE LIBRARY

Cunard, Sir Samuel, 1er baronet 21 nov. 1787, Halifax, Nueva Escocia–28 abr. 1865, Kensington, Londres, Inglaterra). Comerciante y naviero canadiense-británico. Tras convertirse en un próspero comerciante, en 1830 comenzó a planificar el establecimiento de un servicio de correos entre Inglaterra y América del Norte. Se trasladó a Inglaterra en

1838 y un año después fue cofundador de la British and North American Royal Mail Steam Packet Co., conocida como Cunard Line. En 1840, cuatro vapores de la línea Cunard iniciaron el primer servicio regular a través del océano Atlántico.

cuneiforme, códigos en escritura ver CÓDIGOS EN ESCRITURA CUNEIFORME

cuneiforme, escritura Sistema de escritura empleado en la antigüedad para escribir varias lenguas del Medio Oriente. El material de escritura original y principal de los textos cuneiformes era una tablilla de arcilla fresca en la que el escriba grababa un trazo en forma de cuña, presionando con un estilete o punzón de caña. Una configuración de esas impresiones constituía un carácter o signo. Los signos protocuneiformes, que datan de c. 3200–3000 AC, eran más bien dibujados que impresos y, en gran medida, pictográficos (ver PICTOGRAFÍA), aunque esos rasgos se perdieron a medida que evolucionaba la escritura. Un signo cuneiforme podría ser un logograma (representación arbitraria de una palabra) o un silabograma (representación del sonido de una sílaba). La primera lengua que se escribió en escritura cuneiforme fue el sumerio (ver SUMER). El ACADIO comenzó a escribirse en escritura cuneiforme c. 2350 AC. Posteriormente, la escritura se adaptó a otras lenguas sudasiáticas. La escritura cuneiforme fue desplazada lentamente en el primer milenio AC debido al surgimiento del ARAMEO, escrito en un ALFABETO de origen fenicio. El conocimiento del valor de los signos cuneiformes se perdió hasta mediados del s. XIX, cuando la escritura fue descifrada por eruditos europeos.

pictograma original	posición del pictograma en el cuneiforme posterior	babilónico primitivo	asirio	significado original o derivado
				ave
				pez
				sol, día
				arar, labrar

Ejemplos que muestran la evolución de la escritura cuneiforme.

© 2006 MERRIAM-WEBSTER INC.

Cunene, río o **río Kunene** Río en el sudoeste de Angola. Fluye en dirección sur pasando por el norte del desierto de KALAHARI. Forma parte de la frontera entre Angola y Namibia y cruza el desierto de NAMIBIA antes de desembocar en el océano Atlántico luego de un curso total de 1.125 km (700 mi) de largo.

Cunningham, Imogen (12 abr. 1883, Portland, Ore., EE.UU.–24 jun. 1976, San Francisco, Cal.). Fotógrafa estadounidense. Comenzó a tomar fotografías en 1901. Sus primeras copias imitaban la pintura académica contemporánea. Abrió un estudio de retratos en Seattle, Wash., en 1910. Pronto alcanzó reputación nacional como fotógrafa retratista. Alentada por EDWARD WESTON, exhibió sus fotografías de plantas en San Francisco, donde trabajaría durante el resto de su carrera. En 1932 se unió a los fotógrafos de la costa oeste, conocidos como el grupo f/64. Más tarde enseñó en el San Francisco Art Institute.

Cunningham, Merce (n. 16 abr. 1919, Centralia, Wash., EE.UU.). Bailarín y coreógrafo vanguardista estadounidense. En 1939 se integró a la compañía de MARTHA GRAHAM e interpretó papeles en varias de sus obras. Como coreógrafo independiente, inició su larga colaboración con el compositor JOHN CAGE de 1945 a 1952. Ese último año, Cunningham formó su propia compañía, donde desarrolló su interés por el movimiento puro (desprovisto de emociones) y la "coreografía al azar". Su *Suite by Chance* (1952) fue la primera danza en utilizar como base una composición electrónica. Entre sus trabajos se cuentan *Las estaciones* (1947), *Summerspace* (1958) y *Locale* (1980).

Cuno, Wilhelm (Carl Josef) (2 jul. 1876, Suhl, Alemania–3 ene. 1933, Aumühle). Político y empresario alemán. Ocupó diversos cargos de gobierno desde 1907, tras lo cual –en 1918– se convirtió en director general de la Hamburg-American Line, la mayor empresa naviera alemana. Fue canciller de la República de WEIMAR (1922–23) y contó con el fuerte respaldo de los empresarios e industriales alemanes, pero no logró renegociar las reparaciones de guerra o detener la inflación. Durante la ocupación del RUHR propició una política nacional de resistencia pasiva, pero finalmente la inflación agobió a la economía. Obligado a renunciar, regresó a la Hamburg-American Line, donde ocupó el cargo de presidente (1926–33).

CUNY ver Universidad de la Ciudad de NUEVA YORK

cuña En mecánica, una pieza, generalmente de metal o de madera, que se va adelgazando hasta terminar en una arista delgada. Se usa para partir, levantar o apretar, como, por ejemplo, fijar la cabeza de un martillo a su mango. La cuña es considerada una de las cinco MÁQUINAS simples. Las cuñas se han utilizado desde épocas prehistóricas para partir troncos y rocas; para fragmentar rocas se introducían cuñas de madera en una hendidura y se mojaban para que se hincharan. Por su operación mecánica, el TORNILLO se puede concebir como una cuña helicoidal envuelta alrededor de un cilindro.

cuota En comercio internacional, límite que impone un gobierno a la cantidad de bienes y servicios que pueden exportarse o importarse en un período específico de tiempo. Las cuotas son más efectivas que los ARANCELES para restringir el comercio, dado que limitan la disponibilidad de bienes en lugar de aumentar sus precios. Al restringir los bienes extranjeros, la cuota tiene por objeto permitir que los bienes nacionales compitan con más éxito, aunque su PRECIO puede también aumentar. Las cuotas que restringen el comercio fueron impuestas por primera vez a gran escala durante la primera guerra mundial. En la década de 1920, las cuotas se suprimieron en forma progresiva y se reemplazaron por aranceles, pero su uso se restableció con el surgimiento del PROTECCIONISMO originado por la GRAN DEPRESIÓN. Después de la segunda guerra mundial, los países occidentales europeos empezaron gradualmente a suprimir las restricciones cuantitativas a la importación, pero EE.UU. las fue eliminando con más lentitud. Ver también GATT; LIBRE COMERCIO.

Cupido Antiguo dios romano del amor en todas sus variedades, identificado con el griego EROS. Cupido era hijo de MERCURIO y VENUS. Solía representársele como un infante alado que llevaba un arco y un carcaj con flechas, las que disparaba a los humanos para infligir heridas que inspiraban amor o pasión. A veces se le retrataba también como un hermoso joven. Si bien era generalmente considerado benéfico, podía ser travieso como casamentero, a menudo por requerimiento de su madre.

cúpula En arquitectura, una estructura semiesférica que evolucionó del ARCO, y que forma un cielo o techo. Las primeras cúpulas aparecieron en chozas y tumbas circulares, ya en la antigüedad, en el Medio Oriente, India y el Mediterráneo, similares a montículos, adaptables sólo a construcciones menores. Fueron los romanos quienes introdujeron la semiesfera de albañilería de grandes proporciones. La cúpula ejerce empuje en todo su perímetro, por lo que los primeros ejemplos monumentales (ver PANTEÓN) requerían de muros soportantes macizos. Los arquitectos bizantinos inventaron una técnica para construir cúpulas sobre pilares, pasando de la base cúbica que la soportaba a la semiesfera mediante cuatro PECHINAS. Las cúpulas con forma de bulbo o puntiagudas se usaron ampliamente en la arquitectura islámica. El diseño se propagó a Rusia, donde adquirió gran popularidad la llamada cúpula imperial, una estructura de techo puntiaguda. La cúpula geodésica moderna, desarrollada por R. BUCKMINSTER FULLER, se fabrica con una armadura triangular liviana que distribuye los esfuerzos dentro de la propia estructura.

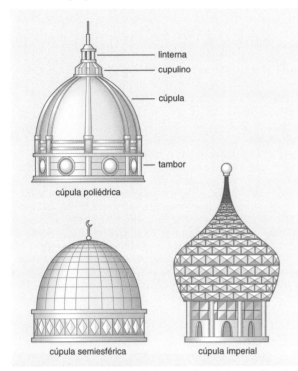

Una cúpula se apoya, por lo general, sobre un tambor cilíndrico o poligonal. Puede estar coronada por un cupulino con una linterna para dejar pasar la luz. La cúpula semiesférica clásica tiene una base circular y una sección semicircular. La cúpula poliédrica tiene segmentos que se apoyan en una base poliédrica y se encuentran en la parte superior. La cúpula imperial se apoya en una base circular y tiene una sección en gola.

© 2006 MERRIAM-WEBSTER INC.

Cúpula de la Roca
El más antiguo monumento musulmán existente. Está ubicado en el monte del Templo, otrora el lugar donde se encontraba el templo de JERUSALÉN. La roca sobre la cual está construida es considerada sagrada tanto para musulmanes como para judíos. En el Islam se cree que MAHOMA ascendió al cielo desde ese lugar. En el judaísmo, es el lugar donde ABRAHAM preparó el sacrificio de su hijo Isaac. Construida en 685–91 como lugar de peregrinación, el edificio octogonal tiene murallas ricamente decoradas y un domo cubierto con una capa de oro, montado sobre un círculo de contrafuertes y columnas.

Curaçao
La mayor isla (pob., est. 2000: 143.387 hab.) de las ANTILLAS NEERLANDESAS. Ubicada en el mar Caribe al norte de la costa de Venezuela; WILLEMSTAD es la ciudad principal. Ocupa una superficie de 44 km² (171 mi²) y tiene el mejor puerto natural de las Antillas. Aunque los europeos la visitaron por primera vez en 1499, fue colonizada por los españoles en 1527; judíos sefarditas provenientes de Portugal migraron a esta isla en la década de 1500 y dieron origen a la comunidad judía más antigua que ha habitado en forma permanente un lugar del Nuevo Mundo. La compañía Dutch West India Co. obtuvo el control de la isla en 1634 y fue cedida a los Países Bajos, según el tratado de PARÍS de 1815. En 1954 se le otorgó autonomía de gobierno. Entre sus principales productos se cuentan las naranjas, el licor de Curação y variedades de áloe.

Su industria principal es la refinación de petróleo proveniente de Venezuela, mientras que el turismo está adquiriendo una importancia cada vez mayor.

curación por la fe Curación de una enfermedad o discapacidad por medio del poder divino, sin emplear la medicina tradicional. Un sanador como un miembro del clero o un laico inspirado puede actuar de intermediario. Se cree que ciertos lugares, como la gruta de LOURDES en Francia, producen curas entre los creyentes. En la Grecia antigua, los templos que honraban a ASCLEPIO, el dios de la medicina, fueron construidos cerca de fuentes con aguas curativas. En el cristianismo, el fundamento de la curación por la fe se basa en las curas milagrosas obradas por Jesús durante su ministerio. La CIENCIA CRISTIANA se destaca por sus curaciones por la fe, y también se practica de manera más espectacular en el PENTECOSTALISMO mediante ritos como la imposición de manos.

curare Compuesto orgánico, un ALCALOIDE que se encuentra en varias plantas tropicales americanas (la mayoría del género *Strychnos*) y que provoca PARÁLISIS. Durante largo tiempo los pueblos aborígenes han usado preparados artesanales como un veneno para flechas. El curare relaja el MÚSCULO esquelético al competir con la ACETILCOLINA en los terminales nerviosos. Una forma purificada se utiliza en ANESTESIOLOGÍA para impedir cualquier movimiento del paciente durante la cirugía. Pequeñas cantidades producen relajación profunda, con una recuperación rápida y pocas complicaciones.

cúrcuma Planta herbácea perenne (*Curcuma longa*; familia Zingiberaceae), originaria del sur de India e Indonesia. Desde la antigüedad se han usado los RIZOMAS tuberosos como condimento, tinte y como estimulante aromático medicinal. El rizoma tiene un aroma a pimienta y un sabor un tanto amargo y cálido. Tiñe y sazona la mostaza preparada y se usa en el polvo de curry, condimentos, encurtidos, mantecas especiadas y numerosas especialidades culinarias. El papel matizado con cúrcuma cambia de amarillo a marrón rojizo cuando se agrega un álcali, generando así una prueba de alcalinidad.

Cúrcuma (*Curcuma longa*).
W.H. HODGE

curia En la Europa medieval, tribunal o grupo de personas que asesoraban a un gobernante en un momento determinado, con fines sociales, políticos o judiciales. El gobernante y la curia tomaban decisiones de política (sobre guerra, tratados, finanzas, relaciones con la Iglesia), y cuando el gobernante era poderoso, la curia a menudo funcionaba como tribunal. En rigor, las funciones judiciales cumplidas por las curias aumentaron al punto que gradualmente se vieron obligadas a delegarlas en grupos especiales de jueces. En Inglaterra, la Curia Regis (Corte del Rey) comenzó a funcionar en tiempos de la conquista NORMANDA (1066) y duró aproximadamente hasta fines del s. XIII. De ella surgieron los tribunales superiores de justicia, el Consejo Privado del Monarca y el gabinete. Ver también CURIA ROMANA.

curia romana Conjunto de reparticiones del Vaticano que ayudan al papa a ejercer su jurisdicción sobre la Iglesia católica. Su labor está tradicionalmente asociada con el colegio de CARDENALES. Un cardenal designado secretario de Estado coordina las actividades de la curia, mientras que varias congregaciones sagradas manejan asuntos administrativos. A modo de ejemplo, la Sagrada Congregación para las Causas de los Santos se preocupa de la beatificación y canonización de los santos y la conservación de las reliquias. La rama judicial de la curia consiste en tres tribunales, el más alto de los cuales es el Tribunal de la Signatura Apostólica.

Curie, Frédéric Joliot- ver (Jean-) Frédéric JOLIOT-CURIE

Curie, Marie *orig.* **Maria Sklodowska** (7 nov. 1867, Varsovia, Polonia, Imperio ruso–4 jul. 1934, cerca de Sallanches, Francia). Fisicoquímica francesa nacida en Polonia. Estudió en la Sorbona (desde 1891). Buscando en otra sustancia la presencia de RADIACTIVIDAD, que HENRI BECQUEREL acababa de descu-

Marie Curie.
THE GRANGER COLLECTION, NUEVA YORK

brir en el uranio, la encontró en el torio. En 1895 se casó con su colega el físico Pierre Curie (n. 1859– m. 1906). Juntos descubrieron los elementos polonio y radio, y lograron distinguir las radiaciones alfa, beta y gamma. En 1903, por su trabajo en la radiactividad (un término que ella acuñó), los Curie compartieron el Premio Nobel de Física con Becquerel. Después de la muerte de Pierre, Marie fue nombrada en su misma cátedra y se convirtió en la primera mujer en enseñar en la Sorbona. En 1911 obtuvo el Premio Nobel en Química por descubrir el polonio y aislar radio puro, siendo así la primera persona en obtener dos premios Nobel. Murió de leucemia causada por su larga exposición a la radiactividad. En 1995 se convirtió en la primera mujer cuyos propios logros le merecieron el honor de que sus cenizas tuvieran su relicario en el Panteón de París. Ver también FRÉDÉRIC JOLIOT-CURIE.

Curitiba Ciudad (pob., est. 2002: ciudad, 1.644.600 hab.; área metrop., 2.866.000 hab.), capital del estado de Paraná, en el sur de Brasil. Se encuentra a 900 m (3.000 pies) aprox. sobre el nivel del mar, en las tierras altas cercanas a la cabecera del río IGUAZÚ. Fundada en 1654 como campamento minero para la extracción de oro, pasó a ser la capital del estado en 1854. Recibió muchos colonizadores europeos desde los inicios del s. XIX y la inmigración continuó durante el s. XX con la llegada de inmigrantes provenientes de Siria y Japón. Es un moderno centro comercial y de transporte. Su catedral (1894) se inspiró en la catedral de BARCELONA, España.

Curlandia *letón* **Kurzeme** Región histórica de Letonia. Ubicada en el mar Báltico, debe su nombre a los curos, que a fines del s. IX establecieron un reino tribal en el lugar. Conquistada en el s. XIII por los livonios, en 1561 la zona fue incorporada al ducado de Curlandia, que pasó a ser un feudo polaco. Durante el s. XVII el ducado experimentó un período próspero con el auge de industrias y del comercio exterior. Desde 1737 cayó bajo influencia rusa y en 1795 quedó bajo su dominio. En 1918 pasó a formar parte del estado independiente de Letonia.

Curlandia, laguna de *o* **Kurski Zaliv** Ensenada del mar BÁLTICO en la desembocadura del río NIEMAN. Su parte septentrional se encuentra en Lituania y la meridional en la provincia de Kaliningrado, Rusia. Con una superficie de 1.619 km² (625 mi²), se encuentra conectada al Báltico por un estrecho navegable, donde se encuentra el puerto lituano de KLÁIPEDA.

Curley, James Michael (20 nov. 1874, Boston, Mass., EE.UU.–12 nov. 1958, Boston). Político estadounidense. Perteneció a la Cámara de Representantes (1911–14). Como alcalde de Boston (1914–18, 1922–26, 1930–34, 1947–50), dominó la actividad política de la ciudad durante 50 años. Gran parte de su éxito se debió a su preocupación por las necesidades de los inmigrantes irlandeses a cambio de votos. Centralizó en sus propias manos el patrocinio y distribuyó los

trabajos en obras públicas de tal manera que se aseguró la lealtad y el apoyo de su base electoral obrera. En su calidad de alcalde, llevó la ciudad al borde de la quiebra gastando sumas enormes en parques y hospitales para satisfacer a sus diversos electores. Al no lograr obtener un lugar en la delegación de Massachusetts a la convención demócrata de 1932, por medios que nunca reveló, consiguió la designación de delegado de Puerto Rico. Como gobernador de Massachusetts (1935–37), prodigó fondos del New Deal (nuevo trato) en caminos, puentes y demás programas de obras públicas. En 1942 ganó un lugar en la Cámara de Representantes y fue reelegido dos años más tarde. Durante su último período como alcalde pasó cinco meses en la cárcel, condenado por fraude postal. El pdte. HARRY TRUMAN obtuvo su libertad y posteriormente lo indultó. Su vistosa trayectoria inspiró la novela de Edwin O'Connor *The Last Hurrah* [El último viva] (1956). Su autobiografía, *I'd Do It Again* [Volvería a hacer lo mismo], se publicó en 1957.

curling Juego en que dos equipos de cuatro jugadores cada uno deslizan una piedra aplanada y redonda, dotada de un asa en la parte superior, por una superficie de hielo de 42 m (138 pies) hacia un objetivo constituido por un círculo. Los jugadores deben dejar la piedra lo más cerca posible del centro (llamado "casa"). Cada jugador lanza dos piedras, de unos 18,1 kg (40 lb) de promedio cada una, a menudo imprimiendo una trayectoria curva (*curl*) a la de la piedra. Los compañeros del lanzador usan escobas para barrer el hielo que está delante de la piedra para facilitar su deslizamiento o ajustar la comba del efecto. Bloquear y sacar de un golpe las piedras del rival son algunas de las estrategias importantes del juego. El *curling* surgió en Escocia a principios del s. XVI. Desde 1959 se han celebrado varios campeonatos mundiales, generalmente dominados por canadienses y escandinavos. En 1998, el *curling* se convirtió en competencia válida de los Juegos Olímpicos de Invierno.

Russ Howard, capitán del equipo masculino de *curling* de Canadá, avivando a sus compañeros de equipo en plena jugada.
CANAPRESS PHOTO SERVICE (CHUCK STOODY)

curruca capirotada CARRICERO (*Sylvia atricapilla*, familia Sylviidae) común, ave que se encuentra desde Europa y África septentrional hasta Asia central. Tiene 14 cm (6 pulg.) aprox. de largo, es pardusca por el dorso y gris en el rostro y parte ventral; el macho tiene una coronilla negra y la hembra una marrón rojiza. Es común en los márgenes del bosque y en setos rústicos y posee un canto bien timbrado.

curry (del tamil *kari*, "salsa"). Platillo o salsa de la cocina hindú. Es sazonado con una mezcla de especias que a menudo incluyen CÚRCUMA, COMINO, CILANTRO, JENGIBRE, y también ajo y pimientos. Algunas de las especias del curry son conocidas por sus propiedades antisépticas y preservantes. El curry ha sido parte de la cocina sudasiática desde la antigüedad. Los tipos de curry primordialmente vegetarianos del sur de India son los más acres. Los del norte de India, donde se comen cordero y ave, por lo general evitan los ingredientes picantes o acres.

curtido Tratamiento químico de pieles de animal en bruto para convertirlas en CUERO. El curtido vegetal (con corteza, madera, raíces o bayas) ha sido practicado desde tiempos prehistóricos. Después de la remoción del pelo, carne o grasa, un curtiente desplaza el agua de los intersticios entre las fibras de PROTEÍNA (en su mayor parte COLÁGENO) de la piel y cementa las fibras uniéndolas. Los curtientes más utilizados son el TANINO vegetal, las SALES, como sulfato de cromo, y aceites de pescado o de animal.

Curtis, Copa Trofeo de golf que desde 1932 disputan cada dos años equipos femeninos aficionados de EE.UU. y Gran Bretaña. Los equipos están compuestos de seis jugadoras, dos suplentes y un capitán. La copa fue donada por Harriot y Margaret Curtis, campeones aficionados de golf de principios del s. XX. Los equipos juegan seis circuitos de 18 hoyos en cuartetos, y 12 circuitos de 18 hoyos en forma individual.

Curtis, Cyrus (Herman Kotzschmar) (18 jun. 1850, Portland, Me. EE.UU.–7 jun. 1933, Wyncote, Pa.). Editor estadounidense. Comenzó publicando un semanario local en Portland. Luego de que un incendio destruyera sus instalaciones, se mudó a Boston, donde creó la revista *The People's Ledger*, que seguiría editando después de trasladarse a Filadelfia en 1876. En 1879 fundó *The Tribune and Farmer*, a partir de cuya sección femenina crearía la popular revista femenina *Ladies' Home Journal*. En 1890 organizó la empresa Curtis Publishing Co. Posteriormente adquirió el *Saturday Evening Post* (1897) y otros periódicos. Su hija Mary Louise (n. 1876–m. 1970) fue la fundadora del Instituto de Música CURTIS, que llamó así en honor a su padre.

Curtis, Instituto de música Conservatorio de música en Filadelfia, Pa., EE.UU. Fue fundado en 1924 por Mary Louise Curtis Bok (n. 1876–m. 1970), esposa del editor EDWARD BOK, y nombrado en honor a su padre, también editor, CYRUS CURTIS. Su donación permitió asegurar becas a estudiantes talentosos de todo el mundo. Muchos músicos notables han prestado servicios en este instituto, entre ellos WANDA LANDOWSKA, BOHUSLAV MARTINŮ y RUDOLF SERKIN. Entre sus egresados destacan SAMUEL BARBER, LEONARD BERNSTEIN y GIAN CARLO MENOTTI.

Curtis, Tony *orig.* **Bernard Schwartz** (n. 3 jun. 1925, Nueva York, N.Y., EE.UU.). Actor de cine estadounidense. Actuó en Broadway antes de partir a Hollywood en 1949. Protagonizó películas de aventuras y se hizo conocido por su hermoso rostro y su acento del Bronx. Posteriormente fue aclamado por sus actuaciones en *Chantaje en Broadway* (1957) y *Fugitivos* (1958). A su éxito en *Con faldas y a lo loco* de BILLY WILDER (1959), le siguieron otras comedias ligeras en la década de 1960. Continuó actuando en el teatro y el cine entrado el s. XXI.

Curtiss, Glenn (Hammond) (21 may. 1878, Hammondsport, N.Y., EE.UU.–23 jul. 1930, Buffalo, N.Y.). Pionero de la aviación estadounidense. Inicialmente elaboró motores para motocicletas. En 1904 fabricó un motor para un dirigible, y en 1908 voló un avión experimental para ganar el primer vuelo público de EE.UU., de 1 km (0,6 mi). En 1911 fabricó el primer HIDROAVIÓN práctico, y recibió el primer contrato para construir aviones para la armada estadounidense. Más tarde sus fábricas también suministraron aviones a Gran Bretaña y Rusia. Su avión más conocido fue el JN-4, o "Jenny", una aeronave de entrenamiento muy usada en la primera guerra mundial, y más tarde por pilotos de exhibición itinerantes. Luego, su empresa se fusionó con la compañía Wright, para convertirse en la Corporación Curtiss-Wright.

Curtiz, Michael *orig.* **Mihály Kertész** (24 dic. 1888, Budapest, Hungría–10 abr. 1962, Hollywood, Cal., EE.UU.). Cineasta hungaroestadounidense. Dirigió películas en Hungría y también en otros países europeos antes de ser invitado a trabajar a Hollywood por la WARNER BROTHERS en 1926. Fue director de más de 100 largometrajes para dicha compañía, entre ellos, filmes de aventuras con ERROL FLYNN como *Capitán Blood* (1935), *Las aventuras de Robin Hood* (1938) y *El halcón del mar* (1940). Entre muchas otras películas notables de su filmografía se cuentan *Yanki Dandy* (1942), la enormemente exitosa *Casablanca* (1942, premio de la Academia), *Alma en suplicio* (1945) y *Navidades blancas* (1954).

curva En matemática, un término abstracto usado para describir la trayectoria de un punto que se desplaza de modo continuo (ver CONTINUIDAD). A menudo, esta trayectoria es generada por una ecuación. La palabra también puede aplicarse a una recta o a una serie de segmentos de línea unidos con extremo. Una curva cerrada es un trazado que se repite y, por tanto, encierra una o más regiones. Ejemplos simples son CÍRCULOS, ELIPSES y POLÍGONOS. Curvas abiertas como PARÁBOLAS, HIPÉRBOLAS y espirales tienen longitud infinita.

curva de campana ver DISTRIBUCIÓN NORMAL

curvatura Medida de la tasa o velocidad de cambio de dirección en cualquier punto de una curva o superficie. En general, es el recíproco del radio del círculo o esfera que mejor se ajustan a la curva o superficie en ese punto, respectivamente. Esta noción de mejor ajuste deriva del principio de que sólo un círculo pasa por tres puntos distintos no ubicados en una misma recta. El radio de curvatura en el punto intermedio es aproximadamente igual al radio del correspondiente círculo único. Esta aproximación se hace más exacta a medida que los puntos se acercan entre sí. El valor preciso se encuentra usando el LÍMITE. Dado que una recta puede ser considerada como el arco de un círculo de radio infinito, su curvatura es nula.

Curzon (de Kedleston), George Nathaniel Curzon, marqués *o* **Lord Curzon** (11 ene. 1859, Kedleston Hall, Derbyshire, Inglaterra–20 mar. 1925, Londres). Virrey británico de India (1898–1905) y secretario (ministro) de asuntos exteriores (1919–24). Hijo mayor de un barón, estudió en Oxford e ingresó al parlamento en 1886. Un viaje alrededor del mundo lo hizo interesarse por Asia y en 1891 asumió como subsecretario de Estado para India; fue nombrado virrey en 1898. Redujo los impuestos y ordenó el inmediato castigo de cualquier británico que maltratara a ciudadanos indios. Dirigió la impopular partición de BENGALA y renunció después de un enfrentamiento con Lord KITCHENER. Más tarde participó en los gabinetes de H.H. ASQUITH y DAVID LLOYD GEORGE.

Lord Curzon.
BBC HULTON PICTURE LIBRARY

Curzon, línea Línea demarcatoria entre Polonia y la Rusia soviética. Lleva el nombre del secretario de asuntos exteriores británico Lord CURZON, quien la propuso como una posible frontera de armisticio en la guerra ruso-polaca de 1919–20. Su plan no fue aceptado y el tratado final de paz (1921) otorgó a Polonia casi 135.000 km² (52.000 mi²) de territorio al este de dicha línea. Con el estallido de la segunda guerra mundial, la Unión Soviética revivió la demarcación propuesta, exigiendo todo el territorio al este de ella. En 1945 un tratado soviético-polaco estableció como frontera entre ambos países un límite casi idéntico a la línea Curzon.

Cus ver KUSH

Cusa, Nicolás de ver NICOLÁS DE CUSA

Cusco ver CUZCO

cuscuta Cualquiera de las enredaderas parásitas (ver PARASITISMO), áfilas y volubles que constituyen el género *Cuscuta* (familia Cuscutaceae), contiene más de 150 especies distribuidas profusamente en regiones templadas y tropicales. Los tallos acordonados pueden ser de color amarillo, naranja, rosado o marrón. Muchas especies se han introducido junto con sus plantas hospedero en zonas nuevas. No contienen CLOROFILA y en cambio absorben agua y alimento a través de órganos rizoides llamados haustorios que penetran el tejido del hospedero y pueden matarlo. La cuscuta causa daño a cultivos de TRÉBOL, ALFALFA, lino (ver LINÁCEAS), LÚPULO y FRIJOLES. El mejor control es eliminar manualmente la planta de los campos y prevenir su introducción accidental.

Cushing, Caleb (17 ene. 1800, Salisbury, Mass., EE.UU.– 2 ene. 1879, Newburyport, Mass.). Abogado y diplomático estadounidense. Después de desempeñarse en la Cámara de Representantes (1835–43), fue nombrado comisionado de EE.UU. en China (1843–45). Desde dicho cargo negoció el tratado de Wanghia (1844), que abrió cinco puertos chinos al comercio con EE.UU. y estableció el principio de extraterritorialidad. Luego se desempeñó como fiscal general del gobierno (1853–57), asesor jurídico de EE.UU. en la Conferencia de Ginebra (1871–72) para resolver la cuestión del ALABAMA, y embajador en España (1874–77).

Cushing, Harvey Williams (8 abr. 1869, Cleveland, Ohio, EE.UU.–7 oct. 1939, New Haven, Conn.). Cirujano estadounidense. Enseñó principalmente en la Universidad de Harvard y se hizo conocido como el neurocirujano más destacado de los inicios del s. XX, desarrollando muchos procedimientos y técnicas que siguen siendo básicas para la neurocirugía y reduciendo su mortalidad. Fue el principal experto en el diagnóstico y tratamiento de los tumores intracraneanos y el primero en atribuir a la disfunción de la hipófisis, lo que ahora se conoce como síndrome de CUSHING. Publicó numerosos trabajos científicos, entre ellos, *The Life of Sir William Osler* (Premio Pulitzer, 1925).

Cushing, síndrome de Trastorno, así denominado en homenaje a su descubridor, HARVEY WILLIAMS CUSHING, causado por hiperactividad de la corteza suprarrenal. Si es provocado por un tumor de la HIPÓFISIS se llama enfermedad de Cushing. Sus síntomas son obesidad del tronco y de la cara ("cara de luna"), atrofia muscular, hipertensión arterial, magullones, osteoporosis, diabetes mellitus y acumulación de grasa entre los hombros ("cuello de búfalo"). Los síntomas obedecen al exceso de hormonas glucocorticoides, ya sean producidas por la glándula suprarrenal o administradas como medicamentos y, según su causa, se tratan con cirugía, radiaciones, medicamentos que bloquean el cortisol o suspendiendo el tratamiento con glucocorticoides. En el posoperatorio puede ser necesario dar un tratamiento con cortisol.

Cushman, Charlotte (Saunders) (23 jul. 1816, Boston, Mass., EE.UU.–18 feb. 1876, Boston). Actriz estadounidense. Debutó como cantante de ópera en Boston a la edad de 19 años, pero al poco tiempo fue perdiendo su voz y entonces se dedicó a la actuación. En 1837 estrenó su trabajó más popular, el papel de Meg Merrilies en *Guy Mannering*, convirtiéndose así en la primera estrella del teatro nacida en EE.UU. En 1842 comenzó a dirigir un teatro en Filadelfia, donde protagonizó *Macbeth* junto con WILLIAM MACREADY. En 1854–55 realizó una gira por Inglaterra con gran éxito. Fue una actriz con un poderoso y amplio rango emocional. Interpretó a Lady Macbeth, además de papeles masculinos como Romeo y Hamlet.

cúspide En arquitectura, la intersección de formas onduladas o lobuladas, particularmente la que se produce en arcos (arcos en cúspide) y en TRACERÍA. Así, por ejemplo, los tres lóbulos de un trifolio (trébol) están separados por dos cúspides. Las formas de cúspide aparecen en las primeras obras islámicas y fueron especialmente corrientes en la arquitectura morisca del norte de África y de España. La forma fue adoptada con entusiasmo por la arquitectura GÓTICA europea

Custer, George Armstrong (5 dic. 1839, New Rumley, Ohio, EE.UU.–25 jun. 1876, río Little Bighorn, territorio de Montana). Oficial de caballería estadounidense. Egresó de West Point y a los 23 años ascendió a general de brigada. Persiguió enérgicamente a las tropas confederadas comandadas por el general ROBERT E. LEE, las que se encontraban en retirada desde Richmond; este hecho apresuró la rendición de Lee (1865). En 1874, al mando de tropas estadounidenses, acudió a investigar rumores concernientes a la existencia de oro en la sierra de Black Hills, Dakota del Sur, un santuario de caza para los indios. La consiguiente fiebre del oro fue la causa de encuentros hostiles con los indígenas. En 1876, con 36 años de edad, tomó el mando de una de las dos columnas que participarían en un ataque preparado contra indios acampados en Montana, cerca del río Little Bighorn. En un acto temerario, decidió atacar sin la otra columna y, en este combate conocido como la batalla de LITTLE BIGHORN, murió con todos sus soldados.

Custozza, batallas de Dos batallas libradas en Custozza, Italia, con el objetivo de poner fin al control de Austria sobre el norte de Italia. En la primera batalla (24 jul. 1848), un ejército austríaco dirigido por JOSEPH RADETZKY derrotó a los sardos conducidos por CARLOS ALBERTO. En la segunda batalla (24 jun. 1866), como parte del esfuerzo para liberar Venecia, un desorganizado ejército italiano de 120.000 hombres conducido por VÍCTOR MANUEL II fue derrotado por una fuerza austríaca de 80.000 efectivos. A pesar de sus derrotas, posteriormente Italia obtuvo Venecia mediante el tratado de Viena (1866).

Cutberto, san (634/635, probablemente Northumbria, Inglaterra–20 mar. 687, islote de Inner Farne, o House, frente a Northumbria; festividad: 20 de marzo). Santo inglés. Pastor de oficio. En 651 ingresó en el monasterio de Melrose en Northumbria tras haber recibido una visión divina. Diez años después, cuando llegó la peste, socorrió a los afligidos y se dice que hizo milagros. En 664 se convirtió en prior de LINDISFARNE, donde instituyó una regla severa. En 676 se retiró a Inner Farne, para consagrarse a la oración. Sus esfuerzos por proteger a las aves lo convirtieron en uno de los más antiguos conservacionistas de la vida silvestre.

Cuvier, Georges (-Léopold-Chrétien-Frédéric-Dagobert), barón (23 ago. 1769, Montbéliard, Francia–13 may. 1832, París). Zoólogo y estadista francés que estableció las ciencias de ANATOMÍA comparada y PALEONTOLOGÍA. Como miembro del Museo de historia natural de París publicó *Le Règne animal distribué d'après son organisation* (1817), que explicaba su teoría de "correlación de las partes", en la cual cada órgano de un animal está relacionado funcionalmente con todos los demás, y que las funciones y hábitos de un animal determinan su forma anatómica. La clasificación de Cuvier de todos los animales en cuatro grupos independientes, completamente diferentes entre ellos, fue un avance significativo sobre el sistema de CARLOS LINNEO. Aplicó su concepto funcional al estudio de los fósiles; postuló que los principales

Georges Cuvier analizando un fósil.
FOTOBANCO

factores en la creación y destrucción de las especies eran cataclismos e inundaciones. Aunque la teoría no perduró, el trabajo de Cuvier puso a la paleontología sobre una base empírica firme. Fue inspector de instrucción pública de Napoleón, ayudó a establecer las universidades provinciales de Francia y también ocupó el cargo de canciller de la Universidad de París.

cuy ver CONEJILLO DE INDIAS

Cuyabá, río ver río CUIABÁ

Cuyahoga, río Río en el nordeste del estado de Ohio, EE.UU. Su curso lo lleva más allá de AKRON, donde desciende bruscamente hacia un valle profundo y se desvía hacia el norte para desembocar en el lago ERIE en CLEVELAND. Es navegable para buques de carga lacustre en una extensión de sólo 8 km (5 mi) de un total de 130 km (80 mi) aprox. de longitud. Hubo un tiempo en que se encontraba tan contaminado por residuos químicos que se incendió; a fines de la década de 1970, las medidas contra la contaminación habían mejorado considerablemente su condición. La Cuyahoga Valley National, zona recreativa de esparcimiento, cubre una superficie aproximada de 12.950 ha (32.000 acres) del valle del río entre Akron y Cleveland.

Cuyp, Aelbert Jacobsz(oon) (bautizado 20 oct. 1620, Dordrecht, Países Bajos–nov. 1691, Dordrecht). El miembro más famoso de una familia holandesa de paisajistas. Se formó con su padre, Jacob Gerritsz Cuyp (n. 1594–m. después de 1651), y fue influenciado por JAN JOSEPHS VAN GOYEN. Vivió la mayor parte de su vida en su Dordrecht natal, pintando animales y pájaros, retratos, pinturas históricas y, principalmente, escenas de ríos y paisajes con ganado, además de figuras bañadas por un suave resplandor de luz y atmósfera. El estilo italianizado, preferido en Utrecht, uno de los centros artísticos de Holanda, se hace evidente en su obra. Muchas de las pinturas que se conservan están firmadas, pero pocas tienen fecha.

Cuyuní, río Río del norte de Sudamérica. Nace en Venezuela y discurre a través de Guyana. Tiene una longitud de 560 km (350 mi) y forma la frontera entre Venezuela y Guyana a lo largo de cerca de 100 km (60 mi). Luego sigue su curso hacia el sudeste para unirse al río Mazaruni antes de desembocar en el río ESSEQUIBO. Los rápidos impiden la navegación, pero su importancia radica en los depósitos de oro y diamantes que se extraen. La UNESCO lo designó PATRIMONIO DE LA HUMANIDAD en 1983.

Cuzco o **Cusco** Ciudad (pob., est. 1998: 278.590 hab.) del centro-sur del Perú. Se ubica a gran altura en la cordillera de los ANDES, a una elevación de unos 3.300 m (11.000 pies). Fundada en el s. XI, fue la capital del vasto

Plaza de Armas y catedral de Cuzco.
ARCHIVO EDIT. SANTIAGO

Imperio INCA y conocida como "ciudad del Sol". El conquistador español FRANCISCO PIZARRO capturó la ciudad en 1533. Sufrió graves daños durante un terremoto en 1950, aunque muchos lugares ya han sido restaurados. Entre las ruinas cercanas hay una antigua fortaleza inca, la ciudad de MACHU PICCHU, y el Templo del Sol. Su catedral (1654) y universidad (1692) datan de la era colonial. La UNESCO la designó PATRIMONIO DE LA HUMANIDAD en 1983.

Cwmbrân Ciudad (pob., 1991: 46.020 hab.) del sudeste de Gales. Es una de las 32 ciudades fundadas en Gran Bretaña después de la segunda guerra mundial para descongestionar y fomentar el desarrollo. Cwmbrân fue inaugurada en 1949 en una zona de pequeñas localidades industriales en decadencia. Una de sus principales industrias es la de la fabricación de piezas para automóviles.

Cydones, Demetrio (c. 1324, Tesalónica, Imperio bizantino– c. 1398, Creta). Humanista, estadista y teólogo bizantino. Tuvo un maestro griego y tradujo a ese idioma a san AGUSTÍN y a santo TOMÁS DE AQUINO. Fue primer ministro del Imperio bizantino en dos oportunidades (1369–83, 1391–96). En 1390 estableció en Venecia una academia de cultura griega que difundió el pensamiento helénico por toda Italia, lo que constituyó un estímulo importante para el Renacimiento italiano. Convertido al catolicismo, trabajó infructuosamente por la unidad de los cristianos de Oriente y Occidente; en sus *Symbouleutikoi* ["Exhortaciones"] intentó persuadir sin resultados al pueblo bizantino a que se uniera con los latinos en su lucha contra los turcos. Se le considera el más brillante autor bizantino del s. XIV.

Cygnus A GALAXIA que emite ONDAS DE RADIO ubicada en la constelación del Cisne, a unos 700 millones de años-luz de la Tierra. Es la fuente cósmica de ondas de radio más brillante del firmamento y la primera radiogalaxia que se detectó. Debido a su morfología peculiar, se pensó por un tiempo que se trataba de dos galaxias en colisión. Los astrónomos ahora creen que se trata de una sola galaxia con un gran AGUJERO NEGRO en su núcleo; de esta región central emanan dos chorros opuestos de gas caliente que terminan en lóbulos que emiten ondas de radio y rayos X, llamados "manchas calientes". Ver también NÚCLEO ACTIVO DE GALAXIA.

Cyrano de Bergerac, Savinien (6 mar. 1619, París, Francia–28 jul. 1655, París). Dramaturgo y escritor satírico francés. Fue militar hasta 1641 y estudió con el filósofo Pierre Gassendi (n. 1592–m. 1655). Escribió obras tanto de teatro como fantásticas, combinando ciencia, fantasía y sátira política, que inspiraron a escritores posteriores como JONATHAN SWIFT. Se convirtió en figura de muchas leyendas románticas, como la obra de EDMOND ROSTAND *Cyrano de Bergerac* (1897), en la que es descrito como un amante valiente y brillante, aunque tímido y feo, con una nariz notablemente grande (que de hecho tenía).

Czartoryski, familia Familia noble polaca, la más importante de su país en el s. XVIII, conocida como la Familia. Ostentó amplios poderes gracias a los esfuerzos del príncipe Michal Fryderyk Czartoryski (n. 1696–m. 1775) y de su hermano August. Buscaban la promulgación de reformas constitucionales y alcanzaron su máxima influencia en la corte de AUGUSTO III. El patrimonio familiar en Pulawy fue confiscado en 1794, durante la tercera de las particiones de POLONIA. Sin embargo, continuaron ejerciendo un considerable poder, especialmente a través de los príncipes Adam Kazimierz Czartoryski (n. 1734–m. 1823), mecenas de las artes, y Adam Jerzy Czartoryski (n. 1770–m. 1861), quien dedicó sus esfuerzos a la restauración de Polonia.

Czerny, Karl (20 feb. 1791, Viena, Austria–15 jul. 1857, Viena). Compositor, profesor y pianista austríaco. Hijo de un músico, debutó como pianista a los nueve años y empezó a estudiar con LUDWIG VAN BEETHOVEN a los diez. Fue un pianista brillante y se convirtió posteriormente en un famoso profesor de piano. Entre sus discípulos destacan Sigismond Thalberg (n. 1812–m. 1871) y FRANZ LISZT. Aunque fue un compositor prolífico, hoy es conocido casi exclusivamente por sus centenares de ejercicios y estudios para piano.

Częstochowa Ciudad (pob., est. 2000: 255.500 hab.) en el centro-sur de Polonia, a orillas del río WARTA. En 1826 se unieron los dos asentamientos originales: Antigua Częstochowa (fundada en el s. XIII) y Jasna Góra (s. XIV). Reconocida por su riqueza durante el s. XV, en 1655 y 1705 la ciudad resistió ataques de los suecos, pero fue ocupada por los alemanes durante la primera y la segunda guerra mundial. Las industrias de la región producen tejidos, papel, acero, hierro, sustancias químicas y productos alimenticios. La famosa pintura *Nuestra Señora de Częstochowa* (*La Madonna Negra*) se encuentra en un antiguo monasterio.

da Gama, Vasco ver Vasco da GAMA

Da Nang *ant.* **Tourane** Ciudad portuaria (pob., est. 1992: 382.674 hab.) de Vietnam central. Fue cedida a Francia en 1787 y, después de 1858, pasó a ser una concesión francesa fuera de la jurisdicción del protectorado. Aumentó su importancia después de la partición del país en 1954 y, durante la guerra de VIETNAM, albergó las instalaciones de una base militar estadounidense. El puerto cuenta con una excelente rada de gran calado. Entre sus manufacturas se cuentan textiles y maquinarias.

Da Ponte, Lorenzo *orig.* **Emanuele Conegliano** (10 mar. 1749, Céneda, cerca de Treviso, Véneto–17 ago. 1838, Nueva York, N.Y., EE.UU.). Poeta y libretista italiano. Adoptó el nombre de un obispo local cuando su padre judío se convirtió al catolicismo para poder contraer matrimonio con una mujer de esa religión. En 1768, mientras enseñaba literatura y publicaba poesía, recibió las órdenes sacerdotales. En 1779, enemistado con las autoridades debido a sus ideas progresistas, fue expulsado de la República veneciana acusado de adulterio. En 1783 fue nombrado poeta cortesano del teatro italiano de Viena. Allí escribió una serie notable de más de 40 libretos operáticos, entre los que se cuentan las obras maestras *Las bodas de Fígaro* (1786), *Don Juan* (1787) y *Così fan tutte* (1790) para WOLFGANG A. MOZART. En 1791 las intrigas cortesanas lo obligaron a dejar Viena. En 1805 se estableció en Nueva York, impartió clases en el Columbia College, redactó sus pintorescas memorias y contribuyó a establecer la ópera italiana en la ciudad.

Dąbrowska, Maria *o* **Maria Dombrowska** *orig.* **Marja Szumska** (6 oct. 1889, Rusow, Polonia–19 may. 1965, Varsovia). Escritora y crítica literaria polaca. En su juventud vivió y estudió en varios países europeos. Es conocida por la narración épica *Noches y días*, 4 vol. (1932–34), una saga familiar sobre la capacidad potencial del ser humano para superarse en circunstancias inciertas. Publicó además cuatro volúmenes de cuentos, así como dramas, ensayos (entre otros, una serie sobre JOSEPH CONRAD) y traducciones (incluido el diario de SAMUEL PEPYS). Tuvo una activa y prolongada participación en causas políticas y sociales, y se le dispensó un funeral con honores de Estado a pesar de haber protestado contra la censura impuesta por el régimen comunista.

DAC ver CONVERSIÓN DIGITAL ANALÓGICA

Dacca ver DHAKA

Dachau Primer CAMPO DE CONCENTRACIÓN nazi en Alemania, fundado en 1933. Se convirtió en el modelo y centro de capacitación para el resto de los campos organizados por la SS. En la segunda guerra mundial fue complementado con cerca de 150 campos anexos creados en el sur de Alemania y en Austria, los que en conjunto fueron llamados Dachau. Fue el primero y el más importante, donde se instalaron laboratorios para efectuar experimentos médicos con los prisioneros, lo que sumado a las difíciles condiciones de vida, lo convirtieron en uno de los campos más conocidos, a pesar de no haber sido concebido como lugar de exterminio.

dachshund Raza canina descendiente del PERRO DE CAZA y del TERRIER, desarrollada en Alemania para perseguir a los TEJONES (alemán, *dachs*) en sus madrigueras. Es un perro vivaz de cuerpo alargado, con pecho abombado, paticorto, hocico ahusado y orejas largas. Normalmente

Dachshund.
© SALLY ANNE THOMPSON/ANIMAL PHOTOGRAPHY

es de color marrón rojizo o negro y canela y se lo cría en dos tamaños (estándar y miniatura), con tres tipos de pelaje (liso, largo y duro). El estándar mide 18–25 cm (7–10 pulg.) aprox. de estatura y pesa 7–14,5 kg (16–32 lb); el miniatura es más corto y pesa menos de 4 kg (9 lb).

Dacia Antigua región en Europa central. Corresponde en su mayor parte al territorio actual de Rumania; los primeros habitantes conocidos fueron los getas y los dacios, de origen tracio. Famosa por sus valiosas minas de plata, hierro y oro, en 107 DC la región pasó a ser una provincia romana luego de dos siglos de hostilidades. En 270 fue entregada a los godos y finalmente dividida en los principados de VALAQUIA y MOLDAVIA.

dadaísmo Movimiento nihilista de las artes. Se originó en Zurich, Suiza, en 1916, y prosperó a comienzos del s. XX en Nueva York y París, y las ciudades alemanas de Berlín, Colonia y Hannover. El nombre en francés para "caballito de madera" fue elegido por un procedimiento fortuito y adoptado por un grupo de artistas que incluía a JEAN ARP, MARCEL DUCHAMP, MAN RAY y FRANCIS PICABIA, para simbolizar su énfasis en lo ilógico y lo absurdo. El movimiento surgió de la aversión a los valores de la burguesía y la desesperanza después de la primera guerra mundial. Las formas arquetípicas de expresión dadaístas fueron los poemas sin sentido y el READY-MADE. El dadaísmo tuvo efectos de largo alcance sobre el arte del s. XX; las técnicas creativas del accidente y del azar persistieron en el SURREALISMO, en el EXPRESIONISMO ABSTRACTO, en el ARTE CONCEPTUAL y en el POP ART.

Daddi, Bernardo (c. 1290, ¿Florencia?–c. 1355, ¿Florencia?). Pintor italiano. Fue uno de los principales pintores de Florencia después de la muerte de su profesor, GIOTTO. Dirigió un activo taller especializado en pequeños paneles para devoción y retablos portátiles. Sus obras incluyen un tríptico para la iglesia de Ognissanti (1328) y el políptico *Crucifixión con ocho santos* (1348). Su estilo, una fusión entre la seriedad del Giotto y la suavidad del arte sienés que representaba sonrientes madonas y abundantes flores y drapeados, permaneció como estilo dominante de la pintura florentina del s. XIV.

dado En la arquitectura CLÁSICA, la porción sin ornamentación del pedestal de una columna, entre el zócalo y la cornisa de la base (o moldura del dado). Estos tres elementos –zócalo, dado y cornisa– forman el pedestal de una columna clásica.

dados Cubos pequeños, marcados en cada cara con puntos que van de uno a seis, utilizados en diversos juegos sociales y de APUESTAS. Después de agitados, se lanzan los dados sobre una superficie plana. La suma de los puntos de la cara superior decide, según las reglas del respectivo juego, si el lanzador (o "tirador") gana, pierde o sigue lanzando. En muchos juegos de salón, los dados determinan las jugadas de cada participante. Los dados, cuyos orígenes se remontan a la prehistoria, fueron en muchas culturas instrumentos mágicos para echar suertes y adivinar el futuro. En la era moderna se utilizan en diversos juegos de azar, entre ellos el CRAPS.

Dadra y Nagar Haveli Territorio (pob., est. 2001: 220.451 hab.) de la Unión India occidental. Situado entre los estados de GUJARAT y MAHARASHTRA, está compuesto por las entidades territoriales de Dadra y Nagar Haveli, y su capital es SILVASSA. Tiene una supreficie de 491 km² (190 mi²). Parte de él está cubierta de bosques y el resto está dedicado al cultivo y la pastura. Su desarrollo industrial es limitado. En 1783–85 pasó a dominio portugués. En 1954, los movimientos de liberación internos forzaron la salida de los portugueses y pasó a ser un territorio de la Unión India en 1961. Su población es predominantemente hindú.

Dafne En la mitología GRIEGA, la personificación del laurel. Era la hermosa hija de un dios del río que llevaba una existencia pastoril y rechazaba a cualquier amante. Cuando APOLO la pretendió, le suplicó a GEA o a su padre que la salvara, por lo que fue metamorfoseada en un laurel. Apolo tomó sus hojas para tejer guirnaldas que desde entonces se otorgaron a los poetas premiados. Otro pretendiente de Dafne fue Leucipo, quien fue muerto debido a los celos de Apolo.

Apolo y Dafne, escultura de Gian Lorenzo Bernini.
FOTOBANCO

Dafydd ap Llewelyn (c. 1208–25 feb. 1246, Aber, Gwynedd, Gales). Príncipe galés, gobernante del estado de GWYNEDD, en el norte de Gales (1240–46). Su padre, LLEWELYN AP IORWERTH, había convertido a Gwynedd en el centro del poder galés. Aunque Dafydd era el heredero legítimo, debió combatir por el poder contra su medio hermano, a quien encarceló en 1239. Se vio obligado a ceder parte de su territorio a ENRIQUE III de Inglaterra (1241) y después le declaró la guerra. El primer gobernante galés en declararse príncipe de Gales, enfermó y murió en el transcurso de la guerra.

Dagan Dios semítico occidental de la fertilidad de los cultivos, padre de BAAL. Fue el inventor mítico del arado. Tenía un templo importante en Ras Shamra y santuarios en Palestina, donde era conocido como dios de los filisteos. En Ras Shamra sólo era superado por EL, aunque Baal asumió sus funciones como dios de la vegetación c. 1500 AC.

Dagoberto I (605–19 ene. 639, Saint-Denis, Francia). Último rey franco de la dinastía MEROVINGIA que gobernó un reino políticamente unido. Se convirtió en rey de AUSTRASIA en 623 y de todo el reino franco en 629. Logró firmar un tratado con el emperador bizantino, derrotó a los gascones y bretones, y combatió contra los eslavos en el este. En 631 envió un ejército en ayuda del usurpador visigodo en España. Trasladó su capital de Austrasia a París y luego, en 634, nombró a su hijo rey de Austrasia. Asimismo, reformó el derecho franco, fomentó las artes y fundó la gran abadía de Saint-Denis.

Daguerre, Louis (-Jacques-Mandé) (18 nov. 1787, Cormeilles, Francia–10 jul. 1851, Bry-sur-Marne). Inventor francés. Inicialmente un pintor de decorados para la ópera, inauguró en 1822 el Diorama, una exhibición de vistas con efectos inducidos por cambios en la iluminación. En 1826, NICÉPHORE NIÉPCE supo de los experimentos de Daguerre para obtener imágenes permanentes por la acción de la luz solar, y ambos fueron socios en el desarrollo del proceso heliográfico de Niépce hasta la muerte de este último en 1833. Al seguir experimentando, Daguerre descubrió que al exponer una placa de plata yodurada en una cámara oscura, se creaba una imagen perdurable si se revelaba y fijaba la imagen latente sobre la placa. En 1839 se anunció en la Academia de ciencias la descripción de su proceso como DAGUERROTIPIA.

daguerrotipia Primera forma exitosa de FOTOGRAFÍA. Lleva su nombre por LOUIS DAGUERRE, quien inventó la técnica en colaboración con NICÉPHORE NIÉPCE. Descubrieron que si una placa de cobre revestida con yoduro de plata se exponía a la luz en una CÁMARA, y luego se la sometía a la acción de vapor de mercurio y se fijaba (se hacía permanente) por medio de una solución de sal común, formaba una imagen perdurable sobre ella. El primer daguerrotipo se produjo en 1837, cuando ya Niépce había muerto, de modo que el proceso llevó el nombre de Daguerre. Muchos daguerrotipos, especialmente retratos, se hicieron a mediados del s. XIX; la técnica fue reemplazada gradualmente por el proceso del colodión húmedo introducido en 1851.

Dahl, Roald (13 sep. 1916, Llandaff, Gales–23 nov. 1990, Oxford, Inglaterra). Escritor británico. Fue piloto de combate durante la segunda guerra mundial. Su carrera literaria comenzó después de que C.S. FORESTER lo animara a escribir sobre sus experiencias bélicas, las que fueron publicadas en *The Saturday Evening Post*. La colección de cuentos *Alguien como tú* (1953) fue un éxito editorial. Sus últimos relatos, muchos de los cuales fueron publicados en *The New Yorker*, suelen estar salpicados de elementos sobrenaturales o extraños. Sus libros para niños, *James y el melocotón gigante* (1961) y *Charlie y la fábrica de chocolate* (1964), ambos de gran popularidad, fueron adaptados al cine.

Dahomey ver BENÍN

Dahomey, reino de Reino de África occidental que floreció en los s. XVIII–XIX en la actual región central de Benín. Llamado inicialmente Abomey, se le dio el nombre de Dahomey al expandirse su territorio con la conquista de los reinos vecinos de Allada (1724) y Whydah (1727). Prosperó gracias al comercio de esclavos con Europa y llegó a su máximo desarrollo bajo Ghézo (r. 1818–58), período durante el cual se independizó del Imperio de OYO. La sociedad estaba rígidamente estratificada en realeza, plebeyos y esclavos; una burocracia centralizada daba cumplimiento a la voluntad del monarca. La nación estaba organizada para la guerra, tanto para ampliar su territorio como para capturar esclavos, y las mujeres actuaban como soldados al igual que los hombres. Cuando la trata de esclavos llegó a su fin en la década de 1840, Dahomey comenzó a exportar aceite de palma, que era un negocio menos lucrativo, lo que condujo a su decadencia económica. En 1892, Dahomey fue derrotado por una fuerza expedicionaria de Francia y pasó a formar parte de la colonia francesa de igual nombre.

Dahsūr Emplazamiento de antiguas pirámides en el norte de Egipto. Se encuentra cerca de MENFIS en la ribera occidental del Nilo. Dos de sus pirámides datan de la IV dinastía y fueron construidas por Snefru (r. 2575–2551 AC); se cree que la más pequeña es la primera de las pirámides no escalonadas. La tres restantes pertenecen a

Pirámide no escalonada del rey Snefru en Dahsūr, Egipto.
H. ROGER-VIOLLET

la XII dinastía (1938–1756 AC). Entre las tumbas cercanas se ha encontrado una impresionante colección de joyas y artículos personales.

daidálica, escultura ver ESCULTURA DEDÁLICA

Daigak Guksa (1055, Corea–1101, Corea). Sacerdote budista coreano que introdujo el BUDISMO Ch'ŏnt'ae (en chino, TIANTAI) en Corea. Se convirtió en monje a los 11 años de edad y estudió en China. A su regreso a Corea, difundió las doctrinas del Ch'ŏnt'ae, que intentaba conciliar las dos principales sectas coreanas, la Kyo (de carácter textual) y la Sŏn (en chino, Chan; en japonés, ZEN, de carácter contemplativo). La introducción del Ch'ŏnt'ae estimuló la reorganización de la escuela Sŏn y el desarrollo de su orden Chogye, que llegó a ser la más importante del budismo coreano. Reunió y publicó 4.750 libros de escrituras budistas y un catálogo de los escritos de la secta.

Daigo, Go- ver GO-DAIGO

d'Ailly, Pierre ver Pierre d'AILLY

daimio *o* **daimyo** Denominación con la que se designaba a la nobleza terrateniente de Japón (c. siglo X–XIX). El término daimio (en japonés, literalmente "gran nombre") fue aplicado primero a los jefes militares que habían asumido el control territorial de los diversos feudos en que había sido dividido el país. Más tarde, durante los s. XIV–XV, los daimio ejercieron como gobernadores militares del sogunado Ashikaga (ver período MUROMACHI). Aunque tenían jurisdicción legal sobre áreas tan grandes como las provincias, sus dominios territoriales propios eran relativamente pequeños. Cuando el país se sumió en una guerra de aniquilación mutua, los daimio tendieron a ejercer su control sobre pequeños aunque consolidados señoríos, en que toda la tierra les pertenecía a ellos o a sus vasallos. En forma gradual, por medio de constantes batallas, un número cada vez menor llegó a controlar cantidades crecientes de territorio. Cuando TOKUGAWA IEYASU dio término en 1603 a la unificación de Japón, unos 200 daimio ya habían sido sometidos a su hegemonía. Durante el período de los TOKUGAWA (1603–1867) ejercieron como gobernantes locales en tres cuartas partes del país. Después de la restauración MEIJI, los daimio pasaron a ser miembros de una nobleza jubilada residente en Tokio. Ver también han.

Daimler, Gottlieb (Wilhelm) (17 mar. 1834, Schorndorf, Württemberg Alemania–6 mar. 1900, Cannstatt). Inventor de automóviles alemán. Formado como ingeniero, fue cofundador de una compañía fabricante de motores, en 1882. En 1885 patentó uno de los primeros MOTORES DE COMBUSTIÓN INTERNA exitoso, y fue el primero en usar un motor de gasolina para una bicicleta (ver MOTOCICLETA). Sus innovaciones posteriores culminaron en 1889 con la fabricación de un automóvil de cuatro ruedas, comercialmente viable. En 1890 fundó en Cannstatt la compañía Daimler, la que produjo en 1899 el primer auto Mercedes. En 1926 se fusionó con la empresa fundada por KARL BENZ. Ver también DAIMLERCHRYSLER AG.

DaimlerChrysler AG Empresa alemana fabricante de automóviles. Se constituyó en 1998 mediante la fusión de Daimler-

Zona de los embarcaderos de Dakar, puerto marítimo y capital de Senegal.
OWEN FRANKEN/STOCK, BOSTON

Benz y la empresa estadounidense fabricante de automóviles CHRYSLER CORP. Sus predecesoras alemanas fueron las empresas fundadas por GOTTLIEB DAIMLER y KARL BENZ, que se fusionaron en 1926. La base del éxito financiero de la empresa es el automóvil de lujo Mercedes-Benz que Daimler fabricó por primera vez en 1901. DaimlerChrysler fabrica vehículos de pasajeros, camiones y vehículos comerciales, como autobuses. Utiliza las marcas Mercedes, Dodge, Jeep y Plymouth.

Dainan ver TAINAN

Dakar Ciudad (pob., est. 1999: aglomeración urbana, 1.999.000 hab.), capital de Senegal. Uno de los principales puertos marítimos de la costa africana occidental, su ubicación es equidistante de las bocas de los ríos GAMBIA y SENEGAL. Fundada por los franceses en 1857, su desarrollo fue acelerado por la inauguración del primer ferrocarril de África occidental en 1885, que recorría de Saint-Louis a Dakar. En 1902 pasó a ser la capital del ÁFRICA OCCIDENTAL FRANCESA y en 1960, de Senegal. Dakar es uno de los principales centros industriales y de servicios del África tropical. Cuenta con museos de etnografía y arqueología como también museos del mar y de historia en el poblado cercano de Gorée.

Dakota del Norte Estado (pob., 2000: 642.200 hab.) en el centro-norte de EE.UU. Cubre una superficie de 183.123 km² (70.704 mi²) y su capital es BISMARCK. Limita al norte con Canadá, al este con los estados de Minnesota, al sur con Dakota del Sur y al oeste con Montana. El río MISSOURI atraviesa el estado y el río ROJO DEL NORTE forma su límite oriental. Hay indicios en todo el estado de que estuvo habitado en la época prehistórica. Cuando llegaron los europeos, se encontraba habitado por diversas tribus de los indios de las LLANURAS. Pasó a ser una posesión de EE.UU. por medio de la adquisición de LUISIANA de 1803. El extremo nororiental fue añadido merced a un tratado con Gran Bretaña en 1818. En 1804–05 la expedición de LEWIS Y CLARK pasó el invierno allí entre los nativos. En 1861 se creó el Territorio de Dakota, del cual tomó parte. Separado de Dakota del Sur, fue admitido en la Unión en 1889 como el 39° estado. En el s. XX, la historia de Dakota del Norte se vio marcada por la mecanización creciente de la agricultura, la ampliación de las granjas y el éxodo de población rural. En la década de 1950 se convirtió en un estado productor de petróleo y en la de 1960 se construyeron allí emplazamientos de misiles y bases aéreas. Las principales ciudades son FARGO, Grand Forks y Minot.

Dakota del Norte, Universidad de Universidad pública estadounidense ubicada en Grand Forks. Está compuesta por *colleges* (colegios universitarios) de artes y ciencias, administración de empresas y administración pública, bellas artes, enfermería y desarrollo de recursos humanos. Sus escuelas de medicina y de derecho constituyen las únicas fuentes de formación profesional de médicos y abogados que posee el estado. Fue creada en 1883 y en 1895 otorgó su primer título de posgrado.

Dakota del Sur Estado (pob., 2000: 754.844 hab.) en el centro-norte de EE.UU. Con una superficie de 199.730 km² (77.116 mi²) y su capital es Pierre. Limita al norte con Dakota del Norte, al este con Minnesota y Iowa, al sur con Nebraska y Wyoming y al oeste Montana. El estado tiene tres regiones principales: la llanura oriental; las GRANDES LLANURAS del centro, que incluyen las BADLANDS; y la cadena montañosa Black Hills al oeste. El río MISSOURI divide el estado en dos de norte a sur. Los franceses exploraron la región en el s. XVIII y la vendieron a EE.UU. como parte de la adquisición de LUISIANA en 1803. La expedición de LEWIS Y CLARK pasó cerca de siete semanas allí en 1804. En 1861 se creó el Territorio de Dakota, del cual tomó parte, pero su poblamiento fue escaso hasta la fiebre del oro de Black Hills de 1875–76, cuando su población aumentó considerablemente. Hubo guerras intermitentes entre los indios y los inmigrantes de raza blanca hasta la masacre de WOUNDED KNEE en 1890. Dakota del Sur se convirtió en el 40° estado de EE.UU. en 1889. La economía del estado está basada en la agricultura e industrias afines. Es líder en la producción de ganado bovino y porcino y sus cultivos principales son los granos. El turismo es una de las actividades principales y entre sus atracciones se cuentan el monte RUSHMORE, el parque nacional WIND CAVE, el parque nacional Badlands y el Jewel Cave National Monument.

Dakota del Sur, Universidad de Universidad pública estadounidense situada en Vermillion. Fue creada en 1862 y sus clases se iniciaron en 1882. Cuenta con un *college* (colegio universitario) de artes y ciencias, una escuela de posgrado, un *college* de bellas artes y escuelas profesionales de derecho, medicina, educación y administración de empresas. Entre sus unidades académicas y de investigación se cuentan el Institute of American Indian Studies y el Shrine to Music Museum and Center for Study of the History of Musical Instruments.

Dakota, río ver río JAMES

Dal, río Río en el centro-sur de Suecia. Está conformado por dos brazos, los ríos Öster Dal (del este) y Vässter Dal (del oeste). Fluye hacia el sudeste a lo largo de unos 520 km (325 mi), desde las montañas, en forma paralela a la frontera noruega, hasta desembocar en el golfo de BOTNIA.

Daladier, Édouard (18 jun. 1884, Carpentras, Francia–10 oct. 1970, París). Político francés. Elegido para integrar la Cámara de Diputados en 1919 como miembro del Partido Radical, desempeñó varios cargos de ministro y formó gobiernos efímeros en 1933 y 1934. Como primer ministro (1938–40), intentó evitar la guerra mediante la firma del acuerdo de MUNICH. Detenido después de que Francia fuera invadida por Alemania en la segunda guerra mundial, los alemanes lo mantuvieron en prisión hasta 1945. Después de la guerra regresó a la Cámara de Diputados (1946–58).

Dalai Lama Jefe de la orden DGE-LUGS-PA, dominante en el BUDISMO TIBETANO. El primero de ellos fue Dge-'dun-grub-pa (1391–1475), fundador de un monasterio en el centro del Tíbet. Sus sucesores fueron considerados sus reencarnaciones y, tal como él, manifestaciones del BODHISATTVA AVALOKITESVARA. El segundo de ellos estableció el monasterio

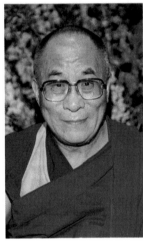

Tenzin Gyatso, 14° Dalai Lama.
FOTOBANCO

'Brasspungs cerca de Lhasa como sede de la orden y el tercero recibió el título de Dalai ("océano") del kan ALTAN. El quinto, Ngag-dbang-rgya-mtsho (1617–1682), estableció la supremacía de la orden Dge-lugs-pa sobre las demás. El 13er Dalai Lama, Thub-bstan-rgya-mtso (1875–1933), concentró el poder temporal y espiritual después de que los chinos fueron expulsados en 1912. El 14° y actual Dalai Lama, Bstan-'dzin-rgya-mtsho (n. 1935) fue entronizado en 1940, pero huyó en 1959 junto a 100.000 seguidores después de una fallida rebelión contra los chinos, que habían tomado el control del Tíbet en 1950–51. Su gobierno en el exilio se encuentra en Dharmsala, India. Figura respetada en todo el mundo, fue galardonado con el Premio Nobel de la Paz en 1989, en reconocimiento a sus propuestas visionarias y constructivas en aras de resolver los problemas mundiales.

D'Alembert, Jean Le Rond (17 nov. 1717, París, Francia–29 oct. 1783, París). Matemático, científico, filósofo y escritor francés. En 1743 publicó un tratado de DINÁMICA, que contiene el "principio de D'Alembert", relacionado con las leyes del movimiento de ISAAC NEWTON. D'Alembert desarrolló las ECUACIONES DIFERENCIALES PARCIALES y publicó los resultados de su investigación sobre CÁLCULO INTEGRAL. Estuvo vinculado con la ENCICLOPEDIA de DENIS DIDEROT c. 1746 como editor de sus artículos matemáticos y científicos. Contribuyó asimismo con artículos de música y publicó también tratados de acústica. Fue nombrado miembro de la Académie Française en 1754.

Daley, Richard J(oseph) (15 may. 1902, Chicago, Ill., EE.UU.–20 dic. 1976, Chicago). Político estadounidense, alcalde de Chicago (1955–76). Abogado en su ciudad natal, ocupó los cargos de director de impuestos internos de Illinois (1948–50) y actuario del condado de Cook (1950–55) antes de ser elegido alcalde. Promovió la renovación urbana y la construcción de carreteras, junto con una amplia reforma de la poli-

cía, pero fue criticado por no eliminar la segregación racial en los barrios y escuelas públicas, por promover la construcción de rascacielos en el centro de la ciudad y por los malos tratos de la policía a los manifestantes durante la convención nacional demócrata de 1968. Mantenia un estrecho control sobre su jurisdicción por medio del padrinazgo en la asignación de puestos de trabajo, por lo que se hizo famoso como "el último de los mandamases de grandes ciudades". Los escándalos que rodearon a funcionarios de su administración amargaron sus últimos años. Su hijo, Richard M. Daley (n. 1942), fue elegido alcalde de Chicago por primera vez en 1989.

Dalhousie, James Andrew Broun Ramsay, marqués de (22 abr. 1812, Dalhousie Castle, Midlothian, Escocia–19 dic. 1860, Dalhousie Castle). Gobernador general británico de India (1847–56). Se incorporó al parlamento en 1837. Más tarde, fue ministro de comercio, prestigiándose por su eficiencia administrativa. Como gobernador general de India, extendió los límites territoriales por medios pacíficos y militares. Aunque configuró el mapa de la India moderna al anexionar provincias independientes, su mayor logro fue convertir esos territorios en un estado centralizado. Desarrolló un moderno sistema de comunicación y transporte e instituyó reformas sociales. Abandonó India en 1856, pero su controvertida política de anexiones fue considerada un factor causante de la rebelión de los CIPAYOS de 1857.

Dalí (y Domenech), Salvador (Felipe Jacinto) (11 may. 1904, Figueras, España–23 ene. 1989, Figueras). Pintor, escultor, grabador y diseñador español. Estudió en Madrid y Barcelona antes de mudarse a París, donde a fines de la década de 1920, luego de haber leído los escritos de SIGMUND FREUD sobre la significación erótica de la imaginería subconsciente, se unió al grupo de artistas surrealistas (ver SURREALISMO). Una vez que Dalí encontró este método, estilo pictórico maduró con extraordinaria rapidez y, de 1929-37, realizó las pinturas que lo convirtieron en el artista surrealista más conocido del mundo. Sus pinturas representan un mundo de ensueño, en el que se yuxtaponen o metamorfosean de modos extraños objetos comunes, pintados con un meticuloso realismo. En su pintura más famosa, *La persistencia de la memoria* (1931), fláccidos relojes se derriten en un misterioso paisaje. Junto con LUIS BUÑUEL realizó las películas surrealistas *Un perro andaluz* (1928) y *La edad de oro* (1930). Una vez expulsado del movimiento surrealista, por haber adoptado un estilo más académico, diseñó escenografías, joyas, interiores e ilustraciones de libros. Gracias a su muy accesible arte sumado a la publicidad atraída por la excentricidad, el exhibicionismo y el extravagante comportamiento que cultivó a lo largo de su vida, amazó una considerable fortuna.

"Dalí Atomicus," o "Dalí con todo en suspensión", fotografía de Philippe Halsman, 1948.
© PHILIPPE HALSMAN

dalia Cualquiera de las 12–20 especies de plantas herbáceas de raíz tuberosa que constituyen el género *Dahlia*, de la familia de las COMPUESTAS, originarias de las altiplanicies de México y Centroamérica. Las hojas de la mayoría de ellas son segmentadas y dentadas, o cortadas. Se han seleccionado unas seis especies para cultivarlas como flores ornamentales. Las especies silvestres tienen flores discadas y radiadas en las cabezuelas, pero muchas variedades ornamentales,

Dalia (*Dahlia pinnata*).
© ENCYCLOPÆDIA BRITANNICA, INC.

como la dalia común de jardín (*D. bipinnata*), poseen flores radiadas acortadas. Las flores del género *Dahlia* pueden ser de color blanco, amarillo, rojo o púrpura.

Dalian *o* **Ta-lien** *japonés y convencional* **Dairén** Ciudad y puerto de gran calado (pob., est. 1999: 2.000.944 hab.) de la península de LIAODONG, en la provincia de LIAONING, China. Fue arrendada a Rusia en 1898 y pasó a ser puerto libre y terminal del ferrocarril TRANSIBERIANO (1899). Fue ocupada por los japoneses durante la guerra RUSO-JAPONESA (1904), y el contrato de arrendamiento fue transferido a Japón por el tratado de 1905; Dalian volvió a ser puerto libre en 1906. Fue capturada por tropas soviéticas en 1945, pero en virtud de un tratado chino-soviético se mantuvo bajo soberanía china, pero con derechos portuarios preferenciales para la U.R.S.S.; las tropas soviéticas se retiraron en 1955. En 1950 se anexó la vecina Lüshun. Entre sus industrias se cuentan la pesquera, de astilleros, refinería de petróleo y la fabricación de locomotoras, máquinas herramientas, textiles y productos químicos.

Dallapiccola, Luigi (3 feb. 1904, Pisino, Istria, Imperio austríaco–19 feb. 1975, Florencia). Compositor italiano de origen croata. Originalmente influenciado por la música de CLAUDE DEBUSSY, quedó después muy conmovido por la obra de ARNOLD SCHÖNBERG y se convirtió en el principal compositor dodecafónico italiano. Su obra *Canti di prigionia* (1941) fue inspirada por la experiencia del fascismo, tal como su ópera *El prisionero* (1948). También destacan las óperas *Vuelo nocturno* (1939), *Job* (1950) y *Ulises* (1968).

Dallas Ciudad (pob., 2000: 1.188.580 hab.) en el norte del estado de Texas, EE.UU. Ubicada junto al río Trinity, fue colonizada por primera vez en 1841 y es probable que haya recibido su nombre en honor a George Dallas. Si bien el algodón estimuló el crecimiento de la ciudad, el descubrimiento en 1930 del gran yacimiento petrolífero de East Texas convirtió a la ciudad en un centro importante de la industria del petróleo. Después de la segunda guerra mundial experimentó un crecimiento espectacular, cuando varias industrias aeronáuticas de importancia se instalaron en la región, a lo cual siguió la instalación de plantas de artículos electrónicos y de armado de vehículos. En esta ciudad se encuentran también las oficinas centrales de más de 100 compañías de seguros y es el principal centro financiero del sudoeste, al igual que centro de transporte. Entre sus numerosas instituciones educacionales destaca la Universidad Metodista del Sur (fundada en 1911). Es conocida por sus actividades culturales; el Dallas Theater Center es el único teatro diseñado por FRANK LLOYD WRIGHT.

Dalmacia *serbocroata* **Dalmacija** Región de Croacia. Formada por una franja costera y varias islas a lo largo del mar Adriático, está separada del interior del país por los Alpes dináricos. Gracias a la belleza de su paisaje, el turismo se ha convertido en un factor económico muy importante; DUBROVNIK y SPLIT son atracciones turísticas del Mediterráneo. Ocupada por los ilirios c. 1000 AC, fue colonizada por los griegos a partir del s. IV AC y gobernada por Roma entre los s. II y V DC. Bajo dominación veneciana en 1420, quedó siglos más tarde en manos de Austria tras la caída de NAPOLEÓN I. En 1920, la mayor parte de Dalmacia pasó a integrar el Reino de los serbios, croatas y eslovenos. Anexionada por Italia durante la segunda guerra mundial, fue reincorporada a Yugoslavia en 1947, como parte de la República de Croacia.

dálmata Raza canina así llamada por la región litoral adriática de Dalmacia, su primer lugar de residencia definido. La época y el lugar de origen de la raza son desconocidos. Aunque ha servido de perro guardián, perro de guerra, mascota de cuarteles de bomberos, cazador, perro pastor y perro actor, llegó a ser más conocido como perro de carruaje o carroza, oficiando de escolta o guardia de vehículos de tracción caballar. Elegante y de pelo corto, se distingue por su pelaje blanco con manchas negras. Tiene una alzada de 48–58,5 cm (19–23 pulg.) y pesa 23–25 kg (50–55 lb); generalmente es de carácter sosegado y amistoso.

Dálmata.
© RON KIMBALL

Dalriada Antiguo reino del nordeste de Irlanda y de Escocia occidental. Conocida desde el s. V DC, abarcaba el norte del actual condado de Antrim en Irlanda del Norte y parte de las islas HÉBRIDAS interiores y Argyll en Escocia. Otrora, Argyll había recibido a un pueblo de Irlanda del Norte conocido como escotos y había pasado a ser una región irlandesa (es decir, "escocesa"). A fines del s. V, los gobernantes de la Dalriada irlandesa extendieron su territorio a la Dalriada escocesa. La Dalriada irlandesa decayó gradualmente, mientras que la Dalriada escocesa siguió creciendo. A mediados del s. IX, los PICTOS cayeron definitivamente bajo dominio de Dalriada, y a partir de entonces todo el país se llamó Escocia.

Dalton, John (5 ó 6 sep. 1766, Eaglesfield, Cumberland, Inglaterra–27 jul. 1844, Manchester). Químico y físico británico. Pasó la mayor parte de su vida dictando clases particulares e investigando. Su trabajo sobre los GASES lo llevó a enunciar la ley de Dalton (ver leyes de los GASES). Diseñó un sistema de SÍMBOLOS QUÍMICOS, determinó los pesos relativos de los átomos y los organizó en una tabla. Su obra maestra de síntesis fue la teoría atómica, en la cual cada elemento está compuesto de partículas diminutas e indestructibles, llamadas ÁTOMOS, que son todas semejantes y tienen el mismo PESO ATÓMICO. Esto elevó la química al nivel de una ciencia cuantitativa. Fue también el primero en describir el daltonismo (1794); el diario meteorológico que mantuvo durante toda su vida contiene más de 200.000 observaciones. Es recordado como uno de los padres de la ciencia física moderna.

John Dalton, detalle de un grabado de W. Worthington, basado en un retrato de William Allen, 1814.

GENTILEZA DEL DIRECTORIO DEL MUSEO BRITÁNICO; FOTOGRAFÍA, J.R. FREEMAN & CO. LTD.

daltonismo ver CEGUERA A LOS COLORES

Daly, río Río del noroeste del TERRITORIO DEL NORTE, Australia. Está formado por la confluencia de tres ríos pequeños y recorre unos 320 km (200 mi) desde los cerros al oeste de la Tierra de Arnhem hasta la bahía de Anson, en el mar de Timor. Su cuenca favorece la crianza de ganado vacuno y el cultivo de cacahuetes (maní) y tabaco. La primera exploración realizada por europeos ocurrió en 1865. Es navegable por 115 km (70 mi) río arriba.

damán Cualquier miembro de tres géneros de mamíferos (orden Hyracoidea), pequeños, ungulados, cuadrúpedos, parecidos a los roedores y originarios de África y Asia meridional. Los damanes tienen un cuerpo achaparrado, cuello y cola cortos, y patas delgadas y cortas. Los adultos miden 30–50 cm (12–20 pulg.) de largo y pesan 4–5 kg (8–11 lb). Son primordialmente herbívoros, ágiles y trepan bien con ayuda de almohadillas especiales en sus pies. Su relación con los UNGULADOS es poco clara.

Daman y Diu Territorio asociado (pob., est. 2001: 158.059 hab.) de la costa occidental de India. Su capital es la localidad de Daman (pob., est. 2001: 35.743 hab.). El territorio consta de dos distritos muy distantes entre sí: Daman, en la costa de GUJARAT al norte de MUMBAI (Bombay), y la isla de Diu, frente a la costa meridional de la península de KATHIAWAR; la superficie total del territorio es de 112 km² (43 mi²). Fueron posesiones portuguesas hasta su anexión a la Unión India en 1962. La población es predominantemente hindú. Sus principales actividades económicas son la agricultura y la pesca.

Damaraland Región histórica en el centro-norte de Namibia. Ocupada por los pueblos HERERO y khoisan, que subyugaron a los bergdama, su pueblo originario, se extiende entre los desiertos de NAMIBIA y KALAHARI y desde Ovamboland a Gran Namaqualand. En el centro se encuentra la ciudad de WINDHOEK. La región de pastizales era apta tanto para la caza nómada como para la vida de pastoreo de sus habitantes originales, así como para la cría de ganado de los europeos que, a inicios del s. XX, desplazaron a los pueblos nativos y confiscaron sus rebaños.

damas Juego de dos jugadores, cada uno con 12 fichas dispuestas en las casillas negras de un tablero de 64 casillas. El juego consiste en avanzar una ficha diagonalmente a una casilla adyacente, con el objetivo de saltar y así capturar las piezas del rival hasta que se quede sin fichas. Cuando una ficha llega a la última fila del contrincante, es coronada con una ficha del mismo color (convirtiéndose en "dama") y puede moverse en cualquier dirección. Modalidades parecidas se han jugado en diversas culturas y épocas desde la antigüedad.

damasco ver ALBARICOQUE

Damasco *árabe* **Dimashq** Ciudad (pob., 1994: 1.549.932 hab.), capital de Siria. Situada en un oasis a los pies de la cordillera del ANTILÍBANO, ha sido un importante asentamiento humano desde la antigüedad. Se piensa que es la ciudad de permanencia poblada más antigua del mundo, y presenta indicios de haber sido habitada a partir del cuarto milenio AC. Las primeras referencias escritas acerca de Damasco se encuentran en tablillas egipcias que datan del s. XV AC y las fuentes bíblicas se refieren a ella como la capital de los ARAMEOS. Ha cambiado de manos repetidamente a lo largo de los siglos: perteneció a Asiria durante el s. VIII AC, luego a Babilonia, Persia, Grecia y Roma. Permaneció bajo dominio romano y de su estado sucesor, el Imperio bizantino, hasta que cayó frente a los árabes en 635 DC. Damasco prosperó como capital de la dinastía OMEYA y los restos de su gran mezquita aún están en pie. Capturada por el Imperio otomano en 1516, permaneció bajo su dominio hasta que fue ocupada por Francia en 1920. Pasó a formar parte de la república independiente de Siria en 1946. En la actualidad, es un floreciente centro de comercio, que ostenta muchas instituciones educacionales y científicas.

d'Amboise, Jacques ver Jacques d'AMBOISE

Dames, Paix des ver tratado de CAMBRAI

Damián, fray *orig.* **Pio Gianotti** (5 nov. 1898, Italia–31 may. 1997, Recife, estado de Pernambuco, Brasil). Fraile brasileño nacido en Italia. Se ordenó fraile capuchino a los 16 años y después estudió en Roma. En 1931 fue enviado a Brasil, donde pasó el resto de su vida viajando por la empobrecida región del nordeste. Pronto adquirió reputación como hacedor de milagros, cuyo contacto u oraciones podían aliviar el dolor y sanar a enfermos. Conservador en materias doctrinarias, estuvo reñido con los sacerdotes izquierdistas de la región, quienes apoyaban la TEOLOGÍA DE LA LIBERACIÓN. Después de su muerte, el obispo de Petrolina comenzó el proceso para beatificarlo.

Damián, Padre *orig.* **Joseph de Veuster** (3 ene. 1840, Tremelo, Bélgica–15 abr. 1889, Molokai, Hawai). Sacerdote belga. Después de estudiar en el colegio de Braine-le-Comte, ingresó en 1858 a la congregación de los Sagrados Corazones de Jesús y María. En 1863 fue de misionero a las islas Sandwich (hawaianas), donde fue ordenado en 1864. En 1873 se ofreció como voluntario para hacerse cargo de la colonia de leprosos en la isla Molokai. Ahí fue médico y sacerdote, mejoró notoriamente las condiciones de vida y construyó dos orfanatos. Contrajo lepra en 1884, pero rehusó abandonar su puesto y murió en Molokai cinco años más tarde.

Damo ver BODHIDHARMA

Damocles (floreció s. IV AC). Miembro de la corte de DIONISIO I el Viejo en Siracusa, Sicilia. Según la leyenda, cuando Damocles se refirió a la feliz y lujosa vida del soberano, este respondió invitándolo a un banquete y lo sentó debajo de una espada suspendida de un hilo, demostrando así la precaria fortuna de quien ostenta el poder.

Mezquita y mausoleo en honor a Sayyida Zeinab, descendiente de Mahoma, en Damasco, Siria.
FOTOBANCO

Damodar, río Río del nordeste de India. Nace, junto a sus muchos afluentes, en la meseta Chota Nagpur de JHARKHAND y fluye hacia el este por 592 km (368 mi) a través de BENGALA OCCIDENTAL para unirse al río HUGLI al sudoeste de KOLKATA (Calcuta). El valle contiene los yacimientos de carbón y mica más importantes de India y es una región de dinámico desarrollo industrial.

Dampier, William (ago. 1651, East Coker, Somerset, Inglaterra–mar. 1715, Londres). Corsario y explorador inglés. En su juventud, se dedicó a la piratería, principalmente a lo largo de la costa occidental de América del Sur y el océano Pacífico. En 1697 publicó un libro que alcanzó gran popularidad, *Viaje alrededor del mundo*. En 1699–1701 exploró las costas de Australia, Nueva Guinea y Nueva Bretaña para el almirantazgo británico. Aunque se le juzgó en una corte marcial por su crueldad, posteriormente dirigió una expedición corsaria a los mares del Sur (1703–07). Fue un agudo observador de los fenómenos naturales; la primera descripción europea de un tifón que se conoce se encuentra en uno de sus cuadernos de bitácora.

Dana, James D(wight) (12 feb. 1813, Utica, N.Y., EE.UU.–14 abr. 1895, New Haven, Conn.). Geólogo, mineralogista y naturalista estadounidense. Se graduó en la Universidad de Yale en 1833. Como geólogo y zoólogo, se unió a una expedición estadounidense de exploración de los Mares del Sur (1838–42). Sus contribuciones a la *American Journal of Science* estimularon la curiosidad geológica estadounidense. Su investigación acerca de la formación de los continentes y océanos lo llevó a creer en la evolución progresiva de los rasgos físicos de la Tierra. Hacia el final de su vida llegó a aceptar la evolución de las cosas vivientes, como lo describiera Charles Darwin. Durante su vida, y en gran parte bajo su liderazgo, la geología estadounidense se transformó, de una colección y clasificación de hechos inconexos, en una ciencia madura.

Dana, Richard Henry (1 ago. 1815, Cambridge, Mass., EE.UU.–6 ene. 1882, Roma, Italia). Escritor y abogado estadounidense. Abandonó el Harvard College debido a una afección ocular, y se hizo a la mar como marinero raso. Luego de recobrar la salud, volvió a estudiar y se tituló de abogado. Es recordado por su obra autobiográfica *Dos años al pie del mástil* (1840), donde reveló los abusos que deben soportar los marineros. *The Seaman's Friend* [El compañero del hombre de mar] (1841) se transformó en una guía autorizada sobre los deberes y derechos de los hombres de mar. Realizó una edición crítica de *Elements of International Law* [Elementos de derecho internacional] (1866), de Henry Wheaton, además de prestar asistencia legal gratuita a esclavos fugitivos. Fue fiscal general del estado de Massachusetts.

Richard Henry Dana.
GENTILEZA DE LA BIBLIOTECA DEL CONGRESO, WASHINGTON, D.C.

Dánae En la mitología griega, la hija de Acrisio, rey de Argos. Advertido este por un oráculo que un hijo de ella le daría muerte, la encerró en una torre. Pero Zeus la visitó en forma de una lluvia de oro y ella dio a luz a Perseo. Madre e hijo fueron entonces puestos en un cofre de madera y lanzados al mar, siendo llevados por las olas a la isla de Sérifos. Perseo creció allí y cuando el rey de la isla, Polidectes, deseó a Dánae, envió al joven héroe para que no interfiriera en sus planes en busca de la cabeza de Medusa. Más tarde, Perseo rescató a su madre y la llevó a Argos.

dandie dinmont terrier Raza de terrier desarrollada en la zona fronteriza entre Inglaterra y Escocia. Mencionada por primera vez c. 1700 como una raza característica, se le nombró más tarde por un personaje en *Guy Mannering* (1815) de Sir Walter Scott. Tiene un cuerpo alargado, suavemente curvado, patas cortas y una gran cabeza cupular coronada por un moño sedoso. Su pelaje rizado, una combinación de pelos duros y blandos, puede ser de color pimienta o mostaza. Tiene una alzada de 20–28 cm (8–11 pulg.) y pesa 8–11 kg (18–24 lb).

Dandolo, Enrico (¿1107?, Venecia–1205, Constantinopla). Dux de la República de Venecia (1192–1205). Después de hacer carrera como diplomático veneciano, fue elegido dux a la edad de 85 años. Emitió bajo juramento la "promesa ducal", enumerando detalladamente los deberes de su cargo. Reformó el código penal y publicó el primer código civil veneciano. También reformó el sistema monetario y promovió el comercio con Oriente. En 1199 libró una guerra victoriosa contra Pisa. Desempeñó un importante papel en la cuarta Cruzada, ofreciendo naves y abastecimientos a cambio de un determinado pago (ver tratado de Venecia). Cuando los cruzados no pudieron reunir el dinero para pagar la deuda, consintieron en ayudar a Venecia a recuperar Zara y contribuyeron a poner a Alejo IV en el trono bizantino, lo que condujo a la conquista de Constantinopla. Como uno de los líderes de la expedición, Dandolo adoptó el título de "Señor del cuarto y medio de Romania", que equivalía al territorio del Imperio bizantino cedido a los venecianos.

Danegeld Impuesto recaudado en la Inglaterra anglosajona para pagar a los invasores daneses durante el reinado de Etelred II (978–1016). El término continuó siendo utilizado para referirse a los impuestos recaudados por los reyes anglonormandos en los s. XI y XII.

Danelaw Región del nordeste de la Inglaterra anglosajona. Fue colonizada por los ejércitos daneses que invadieron la zona a fines del s. IX DC. Se llamó así porque el territorio se regía por leyes y costumbres danesas. Han prevalecido numerosos lugares con nombres daneses en la región.

danés Lengua oficial de Dinamarca, perteneciente a la rama escandinava (del norte) de las lenguas germánicas. Se comenzó a separar de las otras lenguas escandinavas c. 1000 DC. El danés moderno es la lengua escandinava que ha sufrido la mayor cantidad de cambios con respecto al escandinavo antiguo. Mediante una reforma de la ortografía llevada a cabo en 1948, se eliminó la escritura de los sustantivos con mayúscula inicial y se introdujo la letra å para reemplazar las letras *aa*; de esa manera, la ortografía se tornó más similar a la del noruego y el sueco. Una prueba de la influencia política de Dinamarca puede apreciarse en el sello impreso por la lengua danesa en el noruego, el sueco y el islandés. Se enseña en las escuelas de las islas Feroe, Islandia y Groenlandia.

Daniel Uno de los profetas de las Escrituras hebreas, la figura central del libro bíblico del mismo nombre. Es una obra mixta, escrita en parte en hebreo y en parte en arameo. Los seis primeros capítulos tratan de Daniel y sus aventuras en la ciudad de Babilonia, entre ellas, las historias de Daniel en el foso de los leones, los judíos en el horno ardiente y la escritura en el muro durante el festín de Baltasar. El resto del libro presenta visiones apocalípticas del fin de la historia y el Juicio Final. Aunque contiene referencias a gobernantes del s. VI AC, se cree que el libro fue escrito en el s. II AC durante las persecuciones a los judíos bajo Antíoco IV Epifanes. Su rectitud lo convirtió en un modelo para la comunidad perseguida.

Daniel Románovich *llamado* **Daniel de Galitzia** (1201–1264). Gobernante de Galitzia y Volinia, uno de los príncipes más poderosos de Europa centro-oriental. Heredó los dos principados a la edad de cuatro años, pero los pretendientes a la sucesión impidieron que gobernara. Finalmente obtuvo el control de Volinia en 1221 y de Galitzia en 1238. Hizo prosperar a su reino, sin embargo las invasiones mongolas (ver Mongol) (1240–41) lo obligaron a reconocer la autoridad del kan. Encabezó una rebelión contra los mongoles (1256) y logró expulsarlos de Volinia, pero otro ejército mongol sometió al principado en 1260.

Danilevski, Nikolái (Yákovlevich) (10 dic. 1822, Oberez, Rusia–19 nov. 1865, Tbilisi, Georgia rusa). Naturalista y filósofo de la historia ruso. Fue el primero en proponer una filosofía de la historia entendida como una serie de civilizaciones distintas. En su obra *Rusia y Europa* (1869), afirmó que Rusia y los eslavos deberían ser indiferentes ante Occidente y concentrarse en el desarrollo del absolutismo político, que constituía su propio y específico patrimonio cultural.

Danílova, Alexandra (Dionisievna) (20 nov. 1903, Peterhof, Rusia–13 jul. 1997, Nueva York, N.Y., EE.UU.). Bailarina y profesora de ballet estadounidense de origen ruso. Se formó en la Escuela de ballet del Teatro Imperial de San Petersburgo y llegó a ser solista del Teatro Maríinski. En 1924 se unió a los Ballets Rusos. Desde 1938 hasta 1952 bailó en el Ballet Ruso de Montecarlo y realizó giras internacionales como primera bailarina. Interpretó el papel principal de *El triunfo de Neptuno, Gaîté Parisienne, El lago de los cisnes* y *Coppélia*. Luego de su retiro

Alexandra Danílova en *El lago de los cisnes*.
THE BETTMANN ARCHIVE

en 1957, se integró al plantel docente de la School of American Ballet (1964–89). Contribuyó a llevar a EE.UU. los repertorios del ballet ruso clásico y moderno.

danio cebra Cualquier miembro de dos grupos no emparentados de peces: especies de agua dulce del género *Brachydanio* (familia Cyprinidae) y especies de agua salada del género *Pterois* (familia Scorpaenidae). El danio cebra (*Brachydanio rerio*), pez popular de acuarios de agua dulce, originalmente de Asia, crece hasta unos 4 cm (1,5 pulg.) de largo y tiene franjas longitudinales de color azul oscuro y plateadas. Los característicos danios cebra de agua salada (*Pterois*), que se encuentran en acuarios marinos, tienen aletas pectorales enormes, numerosas espinas en extremo venenosas y franjas verticales muy coloridas. Algunas especies se conocen más comúnmente como PEZ LEÓN y pez escorpión.

Danio cebra (*Brachydanio rerio*).
© ENCYCLOPÆDIA BRITANNICA, INC.

D'Annunzio, Gabriele (12 mar. 1863, Pescara, Italia–1 mar. 1938, Gardone Riviera, Lago Garda). Escritor y héroe militar italiano. Trabajó como periodista antes de dedicarse a la poesía y la ficción. Su prodigiosa producción incluye *El placer* (1898), donde introduce el primero de una serie de apasionados héroes, inspirados en el modelo del superhombre nietzscheano; *El triunfo de la muerte* (1894), su novela más conocida; *Alción* (1904), considerada su mejor obra lírica, y la potente obra teatral *La hija de Iorio* (1904). Sus obras están marcadas por el egocentrismo, un estilo fluido y melodioso, y un énfasis avasallador en la gratificación sensual. Alentó el ingreso de Italia a la primera guerra mundial, conflicto en el que se distinguió militarmente. En 1919 se autodesignó dictador en el puerto de Fiume, desafiando el tratado de Versalles y asegurando la soberanía italiana de la ciudad. Fue forzado a dimitir en 1920. Luego se transformó en un fascista apasionado. Su elocuencia, valentía y liderazgo político, así como sus gastos extravagantes y escandalosas aventuras (especialmente la que mantuvo con ELEONORA DUSE) lo convirtieron en una de las personalidades más singulares de su época.

Dante (Alighieri) (c. 21 may./20 jun. 1265, Florencia–13/14 sep. 1321, Ravena). Poeta italiano. Dante tenía ancestros nobles, y su vida estuvo marcada por los conflictos entre los partidarios del papa y los republicanos (GÜELFOS Y GIBELINOS). Cuando el bando llamado de los güelfos negros alcanzó mayor poder dentro del partido de Dante, este fue exiliado (1302) de Florencia, donde jamás volvió. Su vida fue guiada por el amor espiritual que experimentó por Beatrice Portinari (m. 1290), a quien dedicó gran parte de su obra lírica. Su gran amistad con GUIDO CAVALCANTI fue de gran importancia durante la última etapa de su carrera. *La vida nueva* (¿1293?) es una exaltación poética de Beatrice. Durante la difícil etapa del exilio, escribió la colección de poemas que componen *El convivio* (también traducido como *El convite*; c. 1304–07). *De vulgari eloquentia* (1304–07; "En torno a la lengua común") representa la primera discusión teórica acerca de la lengua literaria italiana, mientras que *Tratado de monarquía* (¿1313?) es un importante estudio en latín acerca de la filosofía política del medievo. Dentro de su prodigiosa obra, destaca el monumental poema épico *La Divina Comedia* (escrito c. 1310–14; y titulado inicialmente *Commedia*), el cual presenta una visión profundamente cristiana del destino humano, tanto en el plano terrenal como en el espiritual. La obra es una alegoría acerca del destino humano universal que relata el viaje de un peregrino a través del infierno y el purgatorio, donde es guiado por el poeta romano VIRGILIO, y luego por el paraíso, donde su guía es Beatrice. Al escribir el poema en italiano en lugar de hacerlo en latín, Dante se erigió como el principal articulador del italiano como lengua literaria. Se lo considera de manera unánime como una de las más altas cumbres de la literatura europea de todos los tiempos.

Danton, Georges (-Jacques) (26 oct. 1759, Arcis-sur-Aube, Francia–5 abr. 1794, París). Líder revolucionario francés. Abogado en París antes de la REVOLUCIÓN FRANCESA, fue uno de los fundadores del club de los CORDELIERS (1790), donde con frecuencia pronunció apasionados discursos, así como en el club de los JACOBINOS. Fue elegido ministro de justicia en 1792 y se convirtió en miembro del primer COMITÉ DE SALVACIÓN PÚBLICA en abril de 1793. Como jefe efectivo del gobierno durante tres meses, siguió una política de consenso y negociación. Al no ser reelegido cuando expiró su mandato en julio, se convirtió en líder de los indulgentes, grupo moderado que había surgido de los Cordeliers. Debido a su espíritu moderado y su oposición al régimen del TERROR, murió en la guillotina.

Georges Danton, retrato de Madame Constance-Marie Charpentier; Musée Carnavalet, París.
J.E. BULLOZ

Danubio, escuela del Tradición alemana de pintura y grabado desarrollada en el valle del río Danubio entre Regensburgo y Viena a principios del s. XVI. Los artistas más importantes asociados al movimiento fueron ALBRECHT ALTDORFER y LUCAS CRANACH EL VIEJO; otros fueron Wolf Huber (n. 1485–m. 1553) y Jörg Breu el Viejo (n. 1475/76–m. 1537). Fueron, entre otros, pioneros en representar el paisaje por sí mismo, con frecuencia de un modo altamente subjetivo y expresivo.

Danubio, río *alemán* **Donau** *eslovaco* **Dunaj** *serbocroata y búlgaro* **Dunav** *rumano* **Dunarea** *ruso* **Dunay** Río de Europa central. El segundo más largo de Europa (después del VOLGA), nace en la SELVA NEGRA de Alemania y recorre 2.850 km (1.770 mi) aprox. hasta desembocar en el mar Negro, pasando por Alemania, Austria, Eslovaquia, Hungría, Croacia, Serbia y Montenegro, Bulgaria, Rumania y Moldavia. Entre sus numerosos tributarios están los ríos DRAVA, TISZA y SAVA. Desde la antigüedad, ha sido una importante vía fluvial entre el centro y el este de Europa. El bajo Danubio es una de las principales rutas para el transporte de carga, y el alto Danubio es una valiosa fuente de hidroelectricidad. En 1948 se creó un organismo regulador integrado por las naciones ribereñas para fiscalizar su uso. En la década de 1970 se construyó un gran complejo hidroeléctrico y naviero en el desfiladero Puertas de Hierro, en Rumania. Desde 1992, cuando finalizó la construcción de un canal que comunica Kelheim en el Danubio con Bamberg en el MENO, las embarcaciones pueden navegar entre el mar del Norte y el mar Negro.

danza *o* **baile** Forma de expresión basada en movimientos corporales rítmicos y configurados (o a veces improvisados), generalmente acompañados de música. La danza, una de las manifestaciones artísticas más antiguas, se encuentra en todas las culturas y se ejecuta con fines que van desde lo ceremonial, litúrgico y mágico hasta lo dramático, social y simplemente estético. En Europa, las danzas tribales a menudo evolucionaron hasta convertirse en BAILES FOLCLÓRICOS, que más tarde se estilizaron para transformarse en el s. XVI en bailes cortesanos. El BALLET se desarrolló a partir de dichos bailes y se perfeccionó mediante innovaciones en la COREOGRAFÍA y la técnica. En el s. XX, la DANZA MODERNA introdujo una nueva forma de movimiento expresivo. Ver también ALEMANDA; BAILE DE SALÓN; CLAQUÉ; CONTRADANZA; COURANTE; CUADRILLA; DANZA DEL SABLE;

GAVOTA; GIGA; HULA; JITTERBUG; LÄNDLER; MAZURCA; MERENGUE; MINUÉ; danza MORRIS; PAVANA; POLCA; POLONESA; SAMBA; SQUARE DANCE; TANGO; VALS; ZARABANDA.

danza de la lluvia Danza ceremonial ejecutada para atraer la lluvia necesaria para regar los cultivos. Se han realizado con frecuencia en muchas culturas, desde los antiguos egipcios hasta la civilización de los MAYAS y los pueblos de los Balcanes en el s. XX. A menudo consisten en un baile en círculo, la participación de mozuelas, la decoración con vegetación, la desnudez, el vertimiento de agua y, por último, los giros que servirían como un hechizo del viento. También pueden formar parte de ellas ritos fálicos y de fertilidad.

danza de la muerte *o* **danza macabra** Concepto alegórico medieval acerca del poder irresistible e igualador de la muerte, expresado en el drama, la poesía, la música y las artes visuales de Europa occidental, principalmente en las postrimerías de la Edad Media. Consiste en la representación literaria o pictórica de una procesión o danza de figuras vivas y muertas, donde los vivos desfilan ordenados según su rango, desde los papas y emperadores hasta los niños, los obreros y los ermitaños, mientras los muertos los guían hacia la tumba. Estas representaciones tuvieron gran auge debido a la estela de muerte que dejaron en Europa la PESTE NEGRA y la guerra de los CIEN AÑOS. A pesar de que estas representaciones disminuyeron después del s. XVI, el tema fue reavivado por la literatura y la música de los s. XIX y XX.

danza del sable Danza folclórica masculina ejecutada con sables o espada de doble empuñadura, que representan temas rituales, como el sacrificio de seres humanos y de animales invocando fertilidad, pantomimas pírricas imitando un combate, o la defensa contra los espíritus malignos. Surgió en tiempos de la antigua Grecia y Roma. En 1350 apareció en Alemania un tipo de danza del sable, que más tarde formó parte del ballet cortesano, en que se representaban combates. La danza del sable escocesa desciende de las antiguas danzas de espadas cruzadas, y la danza MORRIS conserva vestigios de la danza del sable. Aparte de Europa, existen danzas de este tipo en India, Borneo y los Balcanes.

"Danza del sable del gremio de los cortadores", dibujo a lápiz de un artista desconocido, 1600; Germanisches Nationalmuseum, Nuremberg.
GENTILEZA DEL GERMANISCHES NATIONALMUSEUM, NUREMBERG, ALEMANIA.

danza del sol La ceremonia religiosa más importante y espectacular de los indios de las LLANURAS norteamericanas en el s. XIX. Habitualmente realizada por cada tribu a comienzos del verano, constituía una ocasión para purificarse y fortalecerse, así como una oportunidad para reafirmar creencias básicas sobre el universo y lo sobrenatural mediante rituales. La ceremonia, si bien se originaba entre los indígenas lakotas, alcanzó su máximo desarrollo entre los ARAPAJÓS, los CHEYENES y la división lakotas de los SIOUX oglala. En el rito central participaban bailarines de sexo masculino que, para cumplir un

voto o buscar "poder" (energía espiritual y lucidez), bailaban durante varios días sin detenerse a comer, beber o dormir, terminando frenéticos y exhaustos después de la dura prueba. En algunas tribus sus integrantes se hacían perforaciones en la piel y miraban fijamente el sol.

danza moderna Danza escénica que se desarrolló en EE.UU. y Europa en el s. XX en reacción al ballet tradicional. Entre sus precursores se cuentan LOIE FULLER e ISADORA DUNCAN. La enseñanza formal de la danza moderna comenzó en 1915 con la creación de las Denishawn Schools por RUTH ST. DENIS y TED SHAWN. Muchos de sus alumnos, especialmente DORIS HUMPHREY y MARTHA GRAHAM, contribuyeron posteriormente a definir la danza moderna como una técnica basada en principios como el de caída y recuperación (Humphrey) y el de contracción y relajación (Graham). Los movimientos a menudo ponían de relieve la expresión de emociones intensas y de temas contemporáneos, antes que los aspectos formales, clásicos y frecuentemente narrativos del ballet. La danza moderna continuó evolucionando; en la década de 1950 sobrevino una rebelión contra el expresionismo de la Graham, liderada por MERCE CUNNINGHAM, cuyas coreografías contemplaban las técnicas del ballet y el elemento del azar. Ver también AGNES DE MILLE; ALWIN NIKOLAIS; ANNA SOKOLOW; HANYA HOLM; JOSÉ LIMÓN; PAUL TAYLOR; TWYLA THARP.

danza sobre hielo Deporte en que parejas de patinadores sobre hielo ejecutan maniobras al ritmo de la música similares a los BAILES DE SALÓN. Los bailarines son evaluados sobre la base de la dificultad y originalidad de los pasos de baile, su interpretación de la música y su coordinación y sincronización. A diferencia del PATINAJE ARTÍSTICO, en la danza sobre hielo no están permitidos los movimientos de fuerza o destreza técnica, particularmente levantamientos sobre la cabeza, saltos y giros de más de una vuelta y media. Forma parte de los Juegos Olímpicos desde 1976.

Los patinadores sobre hielo franceses Isabelle y Paul Duchesnay durante el campeonato mundial de danza sobre hielo.
© DUOMO PHOTOGRAPHY

daños o desastres, seguro contra Provisión contra siniestros personales y materiales, que cubre tanto riesgos legales como aquellos provenientes de accidentes y enfermedades. Las clases principales comprenden el seguro de RESPONSABILIDAD CIVIL, contra robo, de aviación, SEGURO DE ACCIDENTES DEL TRABAJO, de CRÉDITO y de título. Los contratos de seguros de responsabilidad civil pueden cubrir las obligaciones emanadas del uso de un automóvil, de la operación de un negocio, de la CULPA PROFESIONAL (seguro por negligencia) o del derecho de propiedad. Los seguros de crédito pueden cubrir el riesgo de deudas incobrables por insolvencia, muerte e incapacidad, el riesgo de pérdida de los ahorros en caso de quiebra bancaria y el riesgo de pérdida del crédito de exportación por cambios políticos o comerciales.

dao ver TAO

Daodejing ver TAO TÊ-KING

daoísmo ver TAOÍSMO

Dapsang, monte ver monte K2

Dar es Salaam Ciudad más populosa (pob., est. 1995: 1.747.000 hab.), capital y puerto principal de Tanzania. Fundada en 1862 por el sultán de ZANZÍBAR, cayó bajo el dominio colonial alemán en 1887. Fue capital del ÁFRICA ORIENTAL

ALEMANA (1891–1916), de Tanganyika (1961–64) y posteriormente de Tanzania. Es un centro industrial y su puerto es el principal punto de embarque de las exportaciones agrícolas y minerales de Tanzania. Es sede de la Universidad de Dar es Salaam (1961).

Darby, Abraham (¿1678?, cerca de Dudley, Worcestershire, Inglaterra–8 mar. 1717, Madeley Court, Worcestershire). Empresario siderúrgico británico. En 1709, la empresa Bristol Iron Co. de Darby llegó a ser la primera en fundir con éxito mineral de HIERRO con COQUE (ver FUNDICIÓN DE MINERAL). Demostró la superioridad del coque en costo y en eficiencia, construyendo hornos de mucho mayor tamaño de lo que era posible con carbón de leña como combustible. La calidad de su hierro hizo factible fabricar piezas fundidas delgadas que compitieron con el latón en la fabricación de tarros y otros recipientes. El hierro de su fábrica se usó para los cilindros de los motores de THOMAS NEWCOMEN, para un puente de hierro fundido y para la primera locomotora con una caldera de alta presión.

Dardanelos, estrecho de los *antig.* **Helesponto** Angosto estrecho entre la península de GALLÍPOLI en Europa y el territorio turco en Asia. Mide unos 61 km (38 mi) de largo y 1–6 km (0,75–4 mi) de ancho. Comunica los mares EGEO y de MÁRMARA. Ha tenido importancia estratégica desde la antigüedad y, dada su ubicación en el lado asiático, fue defendido por TROYA. En 480 AC el rey persa JERJES I cruzó el estrecho para invadir Grecia; ALEJANDRO MAGNO también lo cruzó en 334 AC en su expedición contra Persia. Estuvo en poder de la República e Imperio romanos, del Imperio bizantino y más tarde del Imperio otomano; tiene gran importancia estratégica y económica como punto de entrada desde el mar Negro hacia Estambul y el mar Mediterráneo.

Dardanelos, campaña de los *o* **campaña de Gallípoli** (1915–16). Operación militar infructuosa encabezada por los británicos contra Turquía durante la primera GUERRA MUNDIAL, que intentó invadir el estrecho de los DARDANELOS, conquistar la península de Gallípoli y ocupar Constantinopla (Estambul). En respuesta a la petición rusa de aliviar la presión sobre sus tropas en el frente del Cáucaso, Gran Bretaña decidió emprender una acción naval contra Turquía en los Dardanelos. Cuando fracasó el bombardeo naval sin apoyo terrestre, tropas británicas, australianas y neozelandesas desembarcaron en la península de GALLÍPOLI en abril de 1915, donde encontraron una fuerte resistencia de las fuerzas turcas dirigidas por MUSTAFÁ KEMAL ATATÜRK. Tras seis meses en que no se produjo ningún avance, la campaña fue cancelada y las tropas aliadas fueron hábilmente evacuadas bajo difíciles condiciones. Las bajas de los aliados ascendieron a cerca de 250.000 efectivos. La malograda campaña dio la impresión de que los aliados eran militarmente ineptos, situación que provocó la dimisión de WINSTON CHURCHILL como primer lord del almirantazgo por haber sido el principal promotor de esta arriesgada empresa.

dardos Juego de tiro al blanco bajo techo. Consiste en lanzar dardos, emplumados en el extremo posterior, hacia un tablero circular con espacios numerados. El tablero, generalmente de corcho, cerdas u olmo, está dividido en 20 sectores que valen entre 1 y 20 puntos. Seis anillos concéntricos, que van desde la diana hasta un estrecho anillo exterior, determinan el puntaje. En la mayoría de los países, la distancia oficial de lanzamiento es de 2,37 m (7 pies 9,25 pulg.), pero hay variaciones que la extienden hasta 2,75 m (9 pies). Los dardos son un pasatiempo habitual en los *pubs* británicos.

Darfur Región histórica y antigua provincia del oeste de Sudán. Fue un reino independiente desde c. 2500 AC. Sus primeros gobernantes tradicionales, los daju, probablemente comerciaban con el antiguo Egipto; fueron sucedidos por los tunjur. Con el imperio de KANEM-BORNU el avance del Islam puso fin al período cristiano de Darfur (c. 900–1200). La región cayó bajo dominio egipcio y en 1916 llegó a ser provincia de Sudán.

Darién Provincia de Panamá. Su territorio limita por el noroeste con Colombia y vincula a AMÉRICA CENTRAL con AMÉRICA DEL SUR. Es una región calurosa y húmeda de selvas tropicales, que siempre ha estado escasamente poblada. En 1510, se fundó Santa María La Antigua del Darién, que fue el primer asentamiento europeo en tierra continental. Fue desde este poblado que VASCO NÚÑEZ DE BALBOA emprendió en 1513 su famosa travesía del océano Pacífico.

Darío I *llamado* **Darío el Grande** (550–486 AC). Rey de Persia (522–486 AC). Era hijo de Histaspes, sátrapa de PARTIA. Gran

parte de lo que se conoce acerca de él proviene de sus propias inscripciones. Ascendió al trono por la fuerza, después de dar muerte a Bardiya, hijo de CIRO II el Grande, a quien denunció como un impostor que había usurpado el poder. Continuando las conquistas de sus predecesores, sometió a TRACIA, MACEDONIA, algunas islas egeas y territorios que se extendían hasta el valle del Indo. Aunque fracasó en su gran expedición contra los escitas (513), sofocó la revuelta de los JONIOS (499), que había sido apoyada por Eretria y ATENAS. Después trató, en dos ocasiones, de conquistar Grecia, pero una tormenta destruyó su flota en 492 y luego, en 490, los atenienses lo derrotaron en la batalla de MARATÓN. Murió antes de poder emprender una tercera expedición. Considerado uno de los más grandes reyes de la dinastía AQUEMÉNIDA, fue célebre por su talento administrativo y sus construcciones, especialmente en PERSÉPOLIS.

Darío I, detalle de un bajorrelieve en Persépolis, s. VI y principios del s. V AC; Museo arqueológico, Teherán, Irán.
GENTILEZA DEL INSTITUTO ORIENTAL, UNIVERSIDAD DE CHICAGO, EE.UU.

Darío, Rubén *seudónimo de* **Félix Rubén García Sarmiento** (18 ene. 1867, Metapa, Nicaragua–6 feb. 1916, León). Poeta, periodista y diplomático nicaragüense. A los 19 años inició una vida trashumante, viajando continuamente por Europa y América. *Azul* (1888), una variada colección de textos escritos con un estilo simple directo e innovador, es su primera obra de importancia. Darío se transformó en figura central del MODERNISMO, novedoso movimiento literario en lengua española, mientras se desempeñaba como diplomático en Buenos Aires (desde 1893). Sus *Prosas profanas* (1896) fueron influenciadas por los simbolistas franceses. Mientras trabajaba como periodista en Europa se fue preocupando progresivamente de los problemas del imperialismo

Rubén Darío.
GENTILEZA DEL ARCHIVO GENERAL DE LA NACIÓN, BUENOS AIRES

y el nacionalismo. *Cantos de vida y esperanza* (1905) representa la culminación de su experimentación técnica y expedición artística. También incursionó en el género narrativo, llegando a escribir cerca de cien cuentos.

Darjeeling Ciudad (pob., est. 2001: 107.530 hab.) del estado de BENGALA OCCIDENTAL, nordeste de India. Los británicos la compraron al rajá de Sikkim en 1835 y la habilitaron como sanatorio para sus tropas. Se encuentra a una altura promedio de 2.286 m (7.500 pies) y ofrece una vista panorámica de los montes Kanchenjunga y Everest. Es la sede de verano del gobierno de Bengala Occidental. Su economía se basa principalmente el cultivo de té.

Darlan, (Jean-Louis-Xavier-) François (7 ago. 1881, Nérac, Francia–24 dic. 1942, Argel). Almirante francés. Tras

graduarse en la escuela naval francesa (1902), ascendió hasta convertirse en comandante en jefe de la armada (1939). Después de que Francia fuera derrotada por Alemania en la segunda guerra mundial, participó en el gobierno de Philippe Pétain como viceprimer ministro y ministro de asuntos exteriores (1941–42), convirtiéndose luego en comandante en jefe de todas las fuerzas militares de la Francia de Vichy. En 1942 acordó un armisticio con los aliados en Argel, siendo asesinado poco después por un opositor al régimen de Vichy.

François Darlan, almirante francés.
HARLINGUE–H. ROGER-VIOLLET

Darling, río Río del sudeste de Australia. Es el más extenso del sistema fluvial Murray-Darling. Nace de varios arroyos en la Gran Cordillera Divisoria y sigue un curso generalmente hacia el sudoeste atravesando Nueva Gales del Sur por 2.739 km (1.702 mi) antes de unirse al río Murray en el límite con Victoria.

Darlington, Cyril Dean (19 dic. 1903 Chorley, Lancashire, Inglaterra–26 mar. 1981). Biólogo británico. Profesor en la Universidad de Oxford desde 1953, creía que los cromosomas eran los componentes celulares que transmitían la información hereditaria de generación en generación. Explicó la conducta de los cromosomas durante la meiosis y formuló una teoría de la evolución en que el intercambio de partes de los cromosomas (entrecruzamiento) era la variable principal para determinar las características heredadas de la generación siguiente. Su obra *La evolución del hombre y la sociedad* (1969) generó controversia al insistir que la inteligencia de las razas estaba determinada por la herencia.

Darnley, Henry Stewart, Lord (7 dic. 1545, Temple Newsom, Yorkshire, Inglaterra–9/10 feb. 1567, Edimburgo, Escocia). Noble inglés, segundo esposo de María I Estuardo y padre de Jacobo I. Hijo de Matthew Stewart (Estuardo), conde de Lennox (n. 1516–m. 1571) y pretendiente al trono escocés, casó con su prima María en 1565, a pesar de la oposición de Isabel I y de los protestantes escoceses. Quedó de manifiesto, incluso para María, que el único atributo positivo de Henry era su encanto superficial. Después de participar en el asesinato del secretario de María, David Riccio, fue asesinado a su vez a la edad de 21 años por instigación de James Hepburn, conde de Bothwell (n. 1535–m. 1578), con quien María pronto se casó.

Lord Darnley, detalle de un grabado por R. Elstrack.
GENTILEZA DEL DIRECTORIO DEL MUSEO BRITÁNICO; FOTOGRAFÍA, J.R. FREEMAN & CO. LTD.

Darrow, Clarence (Seward) (18 abr. 1857, Kinsman, Ohio, EE.UU.–13 mar. 1938, Chicago, Ill.). Abogado y orador estadounidense. Asistió a la escuela de derecho sólo por un año antes de ser admitido a la asociación de abogados de Ohio en 1878. Darrow se trasladó a Chicago en 1887 e inmediatamente se unió a los intentos de liberar a los anarquistas acusados de asesinato en la revuelta de Haymarket. Fue designado abogado asesor de la corporación municipal de Chicago (1890) y luego se convirtió en fiscal general del ferrocarril Chicago and Northwestern. Su

defensa de Eugene V. Debs frente a cargos derivados de la huelga de Pullman (1894) creó la reputación de Darrow como abogado sindicalista y criminalista. Representó a los mineros del carbón en huelga de Pensilvania, y llamó la atención acerca de las condiciones de trabajo y el uso del trabajo infantil (1902–03); consiguió la absolución de William Haywood en el asesinato del gobernador Frank R. Steunenberg de Idaho (1907) y procuró defender a los hermanos MacNamara acusados de hacer estallar una bomba en el edificio de *Los Angeles Times* (1911). Salvó a Richard Loeb y Nathan Leopold de una sentencia de muerte por el asesinato de Robert Franks, de 14 años de edad, y obtuvo la absolución de miembros de una familia afroamericana que había enfrentado a una turba que intentaba expulsarlos de su hogar en un barrio blanco de Detroit (1925–26). Quizás su caso más famoso fue el juicio Scope (1925), en el cual defendió a un profesor de enseñanza secundaria acusado de violar una ley del estado de Tennessee contraria a la enseñanza de la teoría de la evolución de Darwin.

darsana *o* **darshana** En el culto hindú, la contemplación de deidades, personas u objetos propicios. A menudo la experiencia es entendida como recíproca y resulta una bendición para el espectador. En los *rathayatras* (festivales de carros), las imágenes son llevadas por las calles para que sean vistas por quienes no habrían podido hacerlo en el templo. Darsana también puede conferirla un gurú a sus discípulos, un gobernante a sus súbditos o un lugar de peregrinación (templo, sepulcro santo) a sus visitantes. En la filosofía india, darsana también alude a un sistema filosófico (p. ej., vedanta).

Dart, Raymond Arthur (4 feb. 1893, Toowong, Brisbane, Queensland, Australia–22 nov. 1988, Johannesburgo, Sudáfrica). Antropólogo, físico y paleontólogo sudafricano de origen australiano. En 1924, cuando aún se creía que Asia había sido la cuna de la humanidad, descubrió cerca del Kalahari el llamado cráneo de Taung, lo que demostró que Charles Darwin había estado en lo cierto cuando predijo que estas formas ancestrales de homínidos se encontrarían en África. Dart dio nombre al cráneo y lo clasificó como espécimen de un nuevo género y especie, el *Australopithecus africanus* (ver Australopithecus). Posteriormente alcanzó a ver corroborados sus hallazgos con otros descubrimientos que establecieron en forma categórica que África había sido el lugar de origen de los seres humanos. Dart fue docente en la Universidad de Witwatersrand entre 1923 y 1958.

Dartmouth College Institución privada de educación superior ubicada en Hanover, N.H., EE.UU., miembro tradicional del Ivy League. Es considerado uno de los mejores *colleges* (colegios universitarios) de artes liberales del país. Fue fundado en 1769 por el rvdo. Eleazar Wheelock (n. 1711–m. 1779) para la educación de "la juventud de las tribus indias... de los ingleses jóvenes y otros". La carta constitutiva original fue otorgada por el rey Jorge III. En 1972 fueron admitidas por primera vez estudiantes de sexo femenino. Además de ofrecer una amplia variedad de programas de pregrado, Dartmouth otorga títulos profesionales y de posgrado en artes y ciencias, administración de empresas, ingeniería y medicina. Ver también caso Dartmouth College.

Dartmouth College, caso *ant.* **Administradores fiduciarios de Dartmouth College v. Woodward** Caso en el cual la Corte Suprema de EE.UU. sostuvo (1819) que la carta constitutiva del Dartmouth College, otorgada en 1769 por el rey Jorge III, constituía un contrato y como tal no podía ser modificada por la legislatura de New Hampshire. Los legisladores del estado habían tratado de alterar sus términos respecto de la continuidad en sus cargos del Consejo Directivo, intento que fue rechazado por el tribunal. El fallo tuvo amplias repercusiones y fue aplicado a los estatutos de las empresas, a fin de proteger a estas y a las constituidas en corporations de una reglamentación gubernamental excesiva. El caso Dartmouth fue alegado por Daniel Webster.

Daruma ver BODHIDHARMA

Darwin *ant.* **Palmerston** Puerto y capital del TERRITORIO DEL NORTE (pob., est. 2001: 69.698 hab.), Australia. La ciudad está situada en Port Darwin, una profunda ensenada del estrecho de Clarence en el mar de Timor, y posee uno de los mejores puertos naturales de Australia. El puerto fue bautizado en 1839 en honor a CHARLES DARWIN. Poblado en 1869, fue conocido con el nombre de Palmerston hasta 1911. Situado en una región poco desarrollada, Darwin es un centro de abastecimiento y transporte marítimo del norte de Australia. Durante la segunda guerra mundial fue una base militar bombardeada por los japoneses en 1942, y luego reconstruida en gran parte. En 1974, un ciclón destruyó prácticamente toda la ciudad; reconstruida por segunda vez, hoy es una de las ciudades más modernas de Australia.

Darwin, Charles (Robert) (12 feb. 1809, Shrewsbury, Shropshire, Inglaterra–19 abr. 1882, Downe, Kent). Naturalista británico. Nieto de ERASMUS DARWIN y JOSIAH WEDGWOOD, estudió medicina en la Universidad de Edimburgo y biología en Cambridge. Fue recomendado para desempeñarse como naturalista en el velero *HMS Beagle*, destinado a una larga expedición científica por América del Sur y los mares australes (1831–36). Sus descubrimientos en zoología y geología durante el viaje dieron como resultado una serie de publicaciones importantes y formaron la base de sus teorías de la evolución. Observó la competencia entre individuos de la misma especie y se percató, por ejemplo, de que en una determinada población de aves, las de pico más aguzado tenían más opciones

Charles Darwin, acuarela de George Richmond, 1840.
FOTOBANCO

de sobrevivir y reproducirse, y que si tales rasgos se transmitían a las generaciones siguientes, estos predominarían en las poblaciones futuras. Percibió que esta SELECCIÓN NATURAL era el mecanismo por el cual las variaciones favorables pasaban a las generaciones posteriores y las desfavorables desaparecían gradualmente. Pulió esta teoría por más de 20 años antes de publicar su famosa obra *El origen de las especies por medio de la selección natural* (1859). El libro tuvo enseguida gran demanda, y la teoría tan controversial de Darwin fue aceptada rápidamente en la mayoría de los círculos científicos; la mayor oposición provino de líderes religiosos. Aunque las ideas de Darwin fueron modificadas posteriormente por los adelantos en genética y biología molecular, su trabajo sigue siendo capital para la teoría evolucionista moderna. Entre la serie de estudios publicados, destacan además *La variación de los animales y de las plantas bajo la acción de la domesticación* (1868) y *La descendencia humana y la selección sexual* (1871). Fue sepultado en la abadía de Westminster. Ver DARWINISMO.

Darwin, Erasmus (12 dic. 1731, Elston Hall, Nottinghamshire, Inglaterra–18 abr. 1802, Derby, Derbyshire). Médico británico, abuelo de CHARLES DARWIN y FRANCIS GALTON. Librepensador y radical, escribió a menudo sus opiniones y tratados científicos en verso. En *Zoonomía o las leyes de la vida orgánica* (1794–96) propuso una teoría de la evolución similar a la de LAMARCK, sugiriendo que las especies se modificaban a sí mismas adaptándose a su medio de manera intencional. Sus conclusiones, obtenidas de la observación simple, fueron rechazadas por los científicos más sofisticados del s. XIX, incluido su nieto Charles.

Darwin, pinzón de ver PINZÓN DE DARWIN

darwinismo Teoría del mecanismo evolutivo propuesta por CHARLES DARWIN para explicar el cambio orgánico. Denota el punto de vista de Darwin sobre cómo opera la EVOLUCIÓN. Darwin ideó el concepto de la evolución que consiste en la interacción de tres principios: variación (presente en todas las formas de vida), herencia (la fuerza que transmite formas orgánicas similares de una generación a otra) y lucha por la existencia (que determina las variaciones que serán ventajosas en un ambiente determinado, alterando así las especies a través de la reproducción selectiva). El conocimiento actual de las bases genéticas de la herencia ha contribuido a que los científicos entiendan los mecanismos que están detrás de las ideas de Darwin en una teoría conocida como neodarwinismo.

darwinismo social Teoría según la cual las personas, los grupos y las "razas" están sujetos a las mismas leyes de SELECCIÓN NATURAL propuestas por CHARLES DARWIN para las plantas y los animales en la naturaleza. Los darwinistas sociales, como HERBERT SPENCER y WALTER BAGEHOT, en Inglaterra, y William Graham Sumner, en EE.UU., sostenían que la vida de los seres humanos en sociedad consistía en una lucha por la existencia regida, en palabras de Spencer, por la "supervivencia de los más aptos". Afirmaban que la riqueza era un signo de superioridad natural y su ausencia, un signo de incapacidad. La teoría se aplicó desde fines del s. XIX para respaldar el capitalismo del *laissez-faire* y el conservadurismo político. El darwinismo social decayó cuando se desarrolló el conocimiento científico.

Dassault, Marcel *orig.* **Marcel Bloch** (22 ene. 1892, París, Francia–18 abr. 1986, París). Diseñador e industrial aeronáutico francés. Diseñó aviones durante la primera guerra mundial; en 1930 inició su propia compañía para fabricar aviones militares y civiles. Durante la segunda guerra mundial fue enviado al campo de prisioneros de Buchenwald por ser judío. Más tarde cambió su apellido (por el sobrenombre de su hermano en la Resistencia) y reanudó sus negocios. Su compañía fabricó el primer avión supersónico de Europa, el Mystère, y en 1956 comenzó la producción del avión de combate Mirage, que sería adquirido por países de todo el mundo.

data mining *o* **minería de datos** Tipo de análisis de bases de datos que intenta descubrir patrones o relaciones útiles en un grupo de datos. El análisis utiliza métodos estadísticos avanzados, como análisis de agrupaciones, y algunas veces emplea técnicas de INTELIGENCIA ARTIFICIAL o REDES NEURONALES. Un objetivo importante de la minería de datos es descubrir relaciones previamente desconocidas entre los datos, en especial cuando estos provienen de diferentes bases de datos. Las empresas comerciales pueden usar estas nuevas relaciones para desarrollar campañas publicitarias nuevas o para hacer predicciones acerca de cómo se venderá un producto. Los gobiernos también usan estas técnicas para distinguir actividades ilegales o prohibidas desarrolladas por personas, asociaciones y otros gobiernos.

datación En geología y arqueología, proceso para determinar la antigüedad de un objeto o un acontecimiento en una cronología. Los científicos pueden recurrir a la datación relativa, en la cual los elementos se ordenan cronológicamente sobre la base de claves estratigráficas (ver ESTRATIGRAFÍA) o de la probable evolución en la forma o la estructura, o bien, a la datación absoluta, en la cual se asigna a los elementos una fecha independiente del contexto. A este último tipo corresponden la DATACIÓN POR POTASIO-ARGÓN y la DATACIÓN POR CARBONO 14; ambas se basan en la medición de la desintegración radiactiva. El registro de los cambios de polaridad del campo magnético terrestre ha proporcionado una escala de tiempo para medir la EXPANSIÓN DEL FONDO MARINO y la SEDIMENTACIÓN marina en un período prolongado. La DENDROCRONOLOGÍA ha demostrado su utilidad en arqueología y climatología. Ver también DATACIÓN

POR FISIÓN; DATACIÓN POR HELIO; DATACIÓN POR PLOMO 210; DATACIÓN POR RUBIDIO-ESTRONCIO; DATACIÓN POR URANIO 234-URANIO 238; DATACIÓN POR URANIO-PLOMO-TORIO.

datación por carbono 14 *o* **datación por radiocarbono** Método para determinar la edad de un material orgánico extinto. Desarrollado por el físico estadounidense WILLARD LIBBY en 1947, se basa en la desintegración del isótopo radiactivo carbono 14 (radiocarbono) en nitrógeno. Todas las plantas y animales absorben carbono continuamente: las plantas verdes lo absorben en la forma de dióxido de carbono de la atmósfera y es traspasado a los animales a través de la cadena alimentaria. Parte de este carbono es carbono 14 radiactivo, que se desintegra lentamente en el isótopo estable nitrógeno 14. Cuando un organismo muere deja de absorber carbono, de modo que la cantidad de carbono 14 presente en sus tejidos decrece en forma constante. Debido a que el carbono 14 se desintegra a una tasa constante, el tiempo desde que un organismo ha muerto puede ser estimado midiendo la cantidad de radiocarbono en sus restos. El método es una técnica útil para datar fósiles y especímenes arqueológicos de entre 500 y 50.000 años de antigüedad y es ampliamente utilizado por geólogos, antropólogos y arqueólogos.

datación por fisión Método para determinar la edad de un mineral que utiliza el daño hecho por la fisión espontánea del uranio 238, el isótopo más abundante del URANIO. La fisión causa daños por radiación, o rayas de fisión, que pueden hacerse visibles por lixiviación preferencial (remoción de material por disolución) de la sustancia huésped con un reactivo químico apropiado; el proceso de lixiviación permite que las cavidades incisas de las rayas de fisión sean vistas y contadas bajo el microscopio. La cantidad de uranio presente puede ser determinada por la irradiación que produce la fisión térmica del uranio 235, que genera otra población de rayas, relacionada con la concentración de uranio del mineral. Por lo tanto, el cociente entre las rayas de fisión producidas naturalmente y las rayas inducidas es una medida de la edad de la muestra. Ver también DATACIÓN.

datación por helio Método de datación que depende de la producción de helio durante la desintegración de isótopos radiactivos de uranio y torio. Debido a esta desintegración, el contenido de helio de cualquier mineral o roca capaz de retenerlo aumentará durante la vida de dicho mineral o roca y la razón entre la cantidad de helio y la cantidad de sus progenitores radiactivos es una medida del tiempo geológico. Los fósiles también pueden ser datados por helio. La cantidad relativamente alta de helio producido en las rocas permitiría extender la datación por helio a rocas y minerales tan jóvenes como algunas pocas decenas de miles de años de edad.

datación por plomo 210 Método de DATACIÓN basado en la razón entre la cantidad del isótopo radiactivo plomo 210 y aquella del isótopo estable plomo 206. El método ha sido aplicado a los minerales de URANIO. La datación por plomo 210 es muy útil para determinar la edad de sedimentos marinos relativamente recientes, por lo que se ha aplicado en estudios que se ocupan del impacto de la actividad humana en el ambiente acuático.

datación por potasio-argón Método para determinar la edad de rocas ígneas basado en la cantidad de argón 40 en la roca. El potasio 40 radiactivo se desintegra en argón 40 con una vida media aprox. de 1.300 millones de años, haciendo que este método sea útil para la datación de rocas con miles de millones de años de edad. Un método más sofisticado, llamado datación por argón-argón, proporciona una estimación más exacta del contenido original de potasio 40 mediante la razón entre argón 40 y argón 39 en la roca, lo que da una determinación más exacta de la edad. Ver también DATACIÓN.

datación por rubidio-estroncio Método para determinar la edad de rocas, minerales y meteoritos basado en mediciones de la cantidad del isótopo estable estroncio 87 formado por la desintegración del isótopo inestable rubidio 87 presente en la roca al momento de su formación. El método es aplicable a rocas muy antiguas debido a que la transformación es extremadamente lenta: la vida media, o tiempo requerido para que la mitad de la cantidad inicial de rubidio 87 desaparezca, es de 48.800 millones de años aprox. Ver también DATACIÓN.

datación por uranio 234–uranio 238 Método de datación basado en la desintegración radiactiva del uranio 238 en uranio 234; el método puede ser usado para determinar la edad de sedimentos provenientes ya sea de ambientes marinos o de una PLAYA. Debido a que este método es útil para edades c. 100.000–1,2 millón de años, ayuda a salvar la brecha entre los métodos de DATACIÓN POR CARBONO 14 y DATACIÓN POR POTASIO-ARGÓN.

datación por uranio-plomo-torio *o* **datación por plomo común** Método para la datación de rocas muy antiguas por medio de la cantidad de plomo común que contienen. El plomo común es cualquier plomo de una roca o mineral que contiene gran cantidad de plomo y pequeñas cantidades de los precursores radiactivos de este (i.e., los isótopos uranio 235, uranio 238 y torio 232). Mediante este método se ha estimado la edad de la Tierra en c. 4.600 millones de años. Esta cifra concuerda con la edad de los meteoritos y con la edad de la Luna, determinadas en forma independiente.

datilera, palma ver PALMA DATILERA

datos de los sentidos Entidades que son objetos directos de la sensación. Ejemplos de datos de los sentidos son la imagen circular que se ve al mirar la cara de una moneda y la imagen oblonga que se ve al mirar la moneda desde un ángulo. Otros ejemplos son las imágenes que se ven con los ojos cerrados después de mirar fijamente una luz brillante (una imagen consecutiva) y la daga que Macbeth ve flotar ante sí (una alucinación). En cada caso, según los teóricos de los datos de los sentidos, hay algo de lo cual se es directamente consciente, y ese algo es un dato de los sentidos.

datos, encriptación de ver ENCRIPTACIÓN DE DATOS

Daubenton, Louis-Jean-Marie (26 may. 1716, Montbard, Côte d'Or, Francia–1 ene. 1800, París). Naturalista francés.

Científico prolífico, completó muchas descripciones y disecciones zoológicas; realizó estudios fructíferos sobre la anatomía comparada de animales recientes y fósiles, fisiología vegetal y mineralogía. Introdujo la oveja merina en Francia.

Louis-Jean-Marie Daubenton, detalle de un busto por un artista desconocido.
BOYER–H. ROGER-VIOLLET

Daubigny, Charles-François (15 feb. 1817, París, Francia–19 feb. 1878, París). Paisajista francés de la escuela de BARBIZON. Se formó con su padre, también pintor. Comenzó pintando obras históricas y religiosas, pero muy pronto se volcó al paisaje, pintando ríos, playas y canales desde un bote. Sus imágenes fueron notables por su despejada composición y precisa representación de la luz natural. Fue uno de los precursores de la pintura al aire libre. Se le considera un puente entre el naturalismo de mediados del s. XIX y el IMPRESIONISMO.

Daudet, Alphonse (13 may. 1840, Nîmes, Francia–16 dic. 1897, París). Novelista y cuentista francés. Daudet escribió su primera novela a los 14 años. Afectado por la quiebra económica de sus padres, no pudo seguir sus estudios y trabajó para la familia de un duque. Luego se enroló en el ejército, pero escapó de los terrores de la comuna de PARÍS de 1871. Su salud sufrió los estragos de la pobreza y las enfermedades venéreas que finalmente le costaron la vida. Es recordado por sus divertidos y sentimentales retratos de la vida y los personajes del sur de Francia, inspirados por sus experiencias vitales en distintos estratos sociales. Sus múltiples obras incluyen la colección de relatos *Cuentos del lunes* (1873), la obra teatral *La arlesiana* (1872), las novelas *El Nabab* (1877) y *Safo* (1884), y varios volúmenes de memorias. Su hijo, Léon Daudet (n. 1867–m. 1942), publicó junto a CHARLES MAURRAS la revista reaccionaria *L'Action Française*, y fue un virulento y mordaz polemista en temas relacionados con medicina y psicología, así como en asuntos de interés público.

Alphonse Daudet.
H. ROGER-VIOLLET

Daumier, Honoré (-Victorin) (20/26 feb. 1808, Marsella, Francia–11 feb. 1879, Valmondois). Pintor, escultor y caricaturista francés. Nació en el seno de una familia de artistas. Desde los 13 años de edad trabajó para el alguacil de un tribunal de justicia y luego como empleado de una librería, donde observó y analizó la apariencia y el comportamiento de la gente de diferentes clases sociales. En 1829, después de haber estudiado litografía, comenzó a realizar colaboraciones para periódicos con caricaturas y dibujos que satirizaban la política y la sociedad francesas del s. XIX, y llegó a disfrutar de una gran reputación. Realizó más de 4.000 litografías y 4.000 dibujos ilustrativos. Sus pinturas, que giraban en torno a temas literarios y a la documentación de la vida y las costumbres contemporáneas, fueron realizadas en un vigoroso estilo de trazo rápido, aunque rara vez fueron exhibidas y fue desconocido como pintor. En escultura se especializó en cabezas y figuras caricaturescas. Unos 15 pequeños bustos de arcilla ocupan un lugar importante en la historia de la escultura.

Davao Ciudad (pob., 2000: área metrop., 1.147.116 hab.) del sudeste de la isla de Mindanao, Filipinas. Está situada en la desembocadura del río Davao en el golfo homónimo; es un puerto internacional y el principal centro comercial de la región. Se desarrolló inicialmente como colonia japonesa, la que fue arrasada durante la segunda guerra mundial. Su reconstrucción es una mezcla de influencias española, estadounidense y morisca. Aparte de su núcleo urbano, es esencialmente rural, por lo que es una de las ciudades más extensas del mundo, con 2.212 km² (854 mi²). Es la sede de la Universidad de Mindanao (1946).

Davenant, Sir William o **William D'Avenant** (1606, Oxford, Inglaterra–7 abr. 1668, Londres). Poeta, dramaturgo y empresario teatral británico. Sus primeros trabajos abarcan la comedia *The Witts* (autorizada en 1634) y un volumen de poemas, *Madagascar* (1638). Fue nombrado poeta laureado en 1638. Durante las guerras civiles INGLESAS se vio envuelto en intrigas, y fue encarcelado en la Torre de Londres, donde trabajó en su poema épico *Gondibert* (1651). Tiempo después realizó un primer intento

Sir William Davenant, grabado de William Faithorne al estilo de John Greenhill, 1672.

GENTILEZA DEL DIRECTORIO DEL MUSEO BRITÁNICO; FOTOGRAFÍA, J.R. FREEMAN & CO. LTD.

por reavivar el teatro inglés (prohibido por OLIVER CROMWELL) y fue el primero en estrenar una ópera, además de incorporar actrices-cantantes y ser pionero en pintar escenografías en los escenarios ingleses. Luego de la Restauración continuó su labor como dramaturgo y fundó un teatro.

David (Belén, Judá–c. 962 AC, Jerusalén). Segundo rey israelita (reinó c. 1000–c. 962 AC). Fue un ayudante en la corte de SAÚL hasta que los celos del monarca lo obligaron a vivir como un proscrito. Se convirtió en rey de Israel a la muerte de Saúl. Conquistó Jerusalén a los jebuseos y la hizo su capital, derrotó a los FILISTEOS y sometió muchos reinos fronterizos. Enfrentó varias rebeliones, entre ellas, una encabezada por su tercer hijo, ABSALÓN. Unificó todo Israel en un solo reino y convirtió a Jerusalén en el centro religioso y político. Hizo que Yahvé fuese el nombre supremo del dios de Israel, que era adorado en Jerusalén, y dispuso que todos los otros nombres de Dios fuesen meros títulos o atributos de Yahvé. Aunque el reino se dividió bajo el reinado de su hijo y sucesor SALOMÓN, la unidad religiosa perduró y la casa de David simbolizó el vínculo entre Dios e Israel. La palabra MESÍAS proviene de *hameshiach*, título de los reyes del linaje de David.

David I (c. 1082–24 may. 1153, Carlisle, Cumberland, Inglaterra). Rey de Escocia (1124–53). El menor de los seis hijos de MALCOLM III CANMORE, se convirtió en rey de Escocia a la muerte de su hermano Alexander I. Organizó un gobierno central rudimentario, emitió la primera moneda real escocesa, y permitió la presencia en Escocia de una influyente aristocracia normanda. Asimismo, reorganizó el cristianismo escocés para adaptarlo a las costumbres inglesas y europeas, y fundó numerosas comunidades religiosas. En 1113 había obtenido tierras en la región central de Inglaterra mediante su matrimonio con la hija de un conde inglés, y en 1149 obtuvo del futuro rey ENRIQUE II el derecho sobre Northumberland.

David II *llamado* **David el Constructor** (1073–1125). Rey de Georgia (1089–1125). Llamado a veces David III, en 1089 se convirtió en cogobernante con su padre, Giorgi II. Derrotó a los turcos en la batalla de Didgori (1122) y capturó Tbilisi. Bajo su liderazgo, Georgia pasó a ser el estado más poderoso del Cáucaso.

David II (5 mar. 1324, Dunfermline, Fife, Escocia–22 feb. 1372, Escocia). Rey de Escocia desde 1329. En conformidad con un tratado de paz entre Escocia e Inglaterra, fue casado a la edad de cuatro años con la hermana de EDUARDO III de Inglaterra. Su reinado estuvo marcado por los conflictos con Inglaterra y la pérdida de prestigio de la monarquía. En 1334 marchó al exilio en Francia después de que Eduardo III concedió su apoyo a un rival en el trono, y combatió contra Eduardo en las huestes del rey francés FELIPE VI. Regresó a Escocia en 1341 y emprendió incursiones militares contra los ingleses, que lo capturaron en 1346. Fue liberado en 1357 bajo la promesa de pagar un rescate. Su ofrecimiento de entregar el trono escocés a cambio de que se lo eximiese del pago del rescate fue repudiado en Escocia.

David de Tao (m. 1000). Príncipe georgiano de la familia bagrátida de Tao, región ubicada entre Georgia y Armenia. Gobernante justo y amigo de la Iglesia, se alió con BASILIO II para derrotar al líder rebelde Bardas Skleros (976–979), por lo cual fue recompensado con un vasto territorio que hizo de él el gobernante más importante del Cáucaso. En 987–989 apoyó a Bardas Fokas contra Basilio, pero fue derrotado y acordó ceder sus tierras a Basilio después de su muerte. A pesar de este revés, su heredero, Bagrat III (n. 978–m. 1014), pudo convertirse en el primer gobernante de un reino georgiano unificado.

David, Gerard (1460, Oudewater, Países Bajos–13 ago. 1523, Brujas). Pintor flamenco. Trabajó principalmente en Brujas, donde ingresó al gremio de pintores en 1484, y llegó a

"La Virgen y el Niño con ángeles y santos", pintura sobre panel de Gerard David, c. 1505; National Gallery, Londres.
FOTOBANCO

ser decano en 1501. Se convirtió en el principal pintor de la ciudad tras la muerte de HANS MEMLING. La mayoría de sus obras eran retablos y otros paneles con temas religiosos tradicionales, pero sus pinturas más conocidas, *El juicio de Cambyses* y *El desollamiento del juez prevaricador* (1498), tratan el tema de la justicia; fueron exhibidas originalmente en el ayuntamiento de Brujas. Sus obras se encuentran entre las primeras pinturas flamencas en representar la iconografía renacentista italiana de *putti* (ángeles niños masculinos) y guirnaldas.

David, Jacques-Louis (30 ago. 1748, París, Francia–29 dic. 1825, Bruselas). Pintor francés. A los 18 años ingresó a la Academia Real de pintura y escultura. En 1775 se fue a Roma y adhirió al estilo neoclásico, aunque también estudió la obra de pintores del s. XVII como NICOLAS POUSSIN y CARAVAGGIO. Su obra sintetizó la reacción neoclásica de fines del s. XVIII en contra del florido estilo rococó. Sus tópicos fueron los temas clásicos, históricos y mitológicos, y también fue un gran retratista. Se transformó en el pintor indiscutible de la Revolución francesa y más tarde fue nombrado retratista oficial de NAPOLEÓN I. Fue miembro fundador del nuevo Instituto de Francia, que reemplazó a la Academia Real, y realizó medallas conmemo-

Jacques-Louis David, autorretrato, pintura al óleo, 1794; Museo del Louvre, París
ALINARI—ART RESOURCE/EB INC.

rativas y otras propagandas revolucionarias. Entre sus obras maestras se encuentra *La muerte de Marat* (1793), pintura que resume la tragedia universal y es la representación de un evento clave de la Revolución francesa. Su influencia sobre el arte europeo fue trascendente. Entre sus alumnos están ANTOINE-JEAN GROS y J.-A.-D. INGRES.

davidiana, rama Secta religiosa que cree en el retorno inminente de Jesucristo. La fundó Victor Houteff en 1936, cerca de Waco, Texas, como grupo disidente de los adventistas del séptimo día. Dirigida por Vernon Howell, predicador carismático y apocalíptico que luego adoptaría el nombre de David Koresh (n. 1959–m. 1993), la secta almacenó armas en el recinto en el cual vivían unos 130 adeptos en 1993. Ese año, luego de un tiroteo en que murieron cuatro agentes federales, las fuerzas de orden sitiaron el recinto durante 51 días. El asalto terminó, por orden de Janet Reno, la fiscal general, en una con-

flagración en la que perecieron unos 80 miembros del grupo, entre ellos varios niños y el propio Koresh. Una intensa controversia, relativa a las circunstancias precisas y a la necesidad del último asalto, condujo a una investigación parlamentaria que, en 2000, exoneró a los agentes federales.

Davidson, Bruce (n. 5 sep. 1933, Oak Park, Ill., EE.UU.). Fotógrafo y cineasta estadounidense. Después de estudiar en la Escuela de diseño de la Universidad de Yale, trabajó por corto tiempo en la revista *Life* y en 1958 se unió a la cooperativa de fotógrafos Magnum Photos. Realizó numerosos y sobresalientes ensayos fotográficos, siendo el más importante *East 100th Street* (1970), 123 fotografías tomadas con una cámara de gran formato, en East Harlem, Nueva York. También realizó varios cortometrajes.

Davies, (William) Robertson (28 ago. 1913, Thamesville, Ontario, Canadá–2 dic. 1995, Orangeville, Ontario). Novelista y dramaturgo canadiense. Davis, formado en la Universidad de Oxford y docente en la Universidad de Toronto, fue durante muchos años director del *Examiner* de Peterborough (Ontario). De su obra destacan tres trilogías: la de Deptford consta de *Fifth Business* [El quinto negocio] (1970), *The Manticore* [El adivino] (1972) y *World of Wonders* [Mundo de prodigios] (1975), novelas que escudriñan en las vidas cruzadas de tres hombres de un pequeño pueblo de Canadá; la trilogía de Salterton está compuesta por tres comedias costumbristas ambientadas en una ciudad universitaria de provincia; y la trilogía de Cornish, compuesta por *The Rebel Angels* [Los ángeles rebeldes] (1981), *What's Bred in the Bone* [Lo que se lleva en la sangre] (1985) y *The Lyre of Orpheus* [La lira de Orfeo] (1988). Las novelas de Davies se distinguen por satirizar el provincialismo burgués y explorar las relaciones entre el arte y el misticismo.

Davies, Sir Peter Maxwell (n. 8 sep. 1934, Manchester, Inglaterra). Compositor británico. Estudió en Inglaterra, Italia y EE.UU. Fue cofundador y director musical del conjunto contemporáneo The Fires of London (1970–87) y escribió varias de sus obras para este grupo. Desde 1970 ha vivido y compuesto principalmente en las lejanas islas Orcadas. Ha escrito varias obras de teatro musical y dirigido orquestas en todo el mundo. Sus composiciones más famosas son *Ocho canciones para un rey loco* (1969) y *An Orkney Wedding, with Sunrise*. Destacan además *Vesalii Icones* (1969), *Miss Donnithorne's Maggot* (1974) y *Ave maris stella* (1975); las óperas *Taverner* (1968), *The Martyrdom of St. Magnus* (1976) y *Le Jongleur de Notre Dame* (1978) y siete sinfonías.

Davis, Angela (Yvonne) (n. 26 ene. 1944, Birmingham, Ala., EE.UU.). Activista política estadounidense. Candidata al doctorado por la Universidad de California (UCLA), en San Diego, estudió con HERBERT MARCUSE. Debido a sus opiniones políticas radicales, no se le renovó su calidad de profesora de filosofía en la UCLA. Activista de la causa de los presos negros, sentía un especial afecto por George Jackson, miembro del grupo de los llamados Soledad Brothers (después Soledad Prison). En agosto de 1970, luego de una infructuosa tentativa de huir de la sala del tribunal y de un fallido intento de secuestro, en que murieron cuatro personas, entre ellas el hermano de Jackson y el juez de la causa, quedó bajo sospecha de participación y pasó a engrosar la lista de los delincuentes más buscados por la Oficina Federal de Investigación. En octubre fue detenida en la ciudad de Nueva York, donde un jurado de blancos la absolvió de las acusaciones de asesinato, secuestro y conspiración. En 1980 se presentó, sin éxito, como candidata a la vicepresidencia por el Partido Comunista. En 1991 ingresó como docente a la Universidad de California en Santa Cruz.

Davis, Benjamin O(liver), Jr. (18 dic. 1912, Washington, D.C., EE.UU.–4 jul. 2002, Washington, D.C.). Piloto y administrador estadounidense, primer general afroamericano de la Fuerza Aérea de EE.UU. Egresó de West Point y en 1941 entró al Cuerpo aéreo del ejército. Organizó el 99° escuadrón de combate, primera unidad aérea compuesta enteramente de afroamericanos, y en 1943 organizó y mandó a los TUSKEGEE AIRMEN. Participó en 60 misiones de combate. En 1948 ayudó a planificar la integración racial en la Fuerza Aérea y más adelante estuvo al mando de un ala de combate en la guerra de Corea. Después de su retiro en 1970, con el grado de teniente general, fue nombrado director de seguridad de la aviación civil en el Departamento de Transporte de EE.UU. (1971–75). En 1998 se le otorgó la cuarta estrella de general, con lo que alcanzó el grado más alto de las fuerzas armadas estadounidenses.

Davis, Bette *p. ext.* **Ruth Elizabeth Davis** (5 abr. 1908, Lowell, Mass. EE.UU.–6 oct. 1989, Neuilly-sur-Seine, Francia). Actriz de cine estadounidense. Interpretó pequeños roles teatrales antes de partir a Hollywood en 1931. Después de una serie de papeles menores, ganó reputación con *Cautivo del deseo* (1934) y *Peligrosa* (1935, premio de la Academia). Fue conocida por sus intensas caracterizaciones de mujeres fuertes, y brindó actuaciones electrizantes en películas como *El bosque petrificado* (1936), *Jezabel* (1938, premio de la Academia), *Amarga victoria* (1939), *La loba* (1941), *La extraña pasajera* (1942) y *Eva al desnudo* (1950). Participó en películas posteriores como *¿Qué fue de Baby Jane?* (1962) y *Las ballenas de agosto* (1987).

Davis, Copa Trofeo otorgado al equipo ganador de un torneo internacional de tenis masculino. La copa fue donada en 1900 por Dwight F. Davis, jugador que participó en los dos primeros partidos en que compitieron equipos de EE.UU. y Gran Bretaña. Desde entonces, el torneo se ha desarrollado hasta convertirse en un verdadero evento mundial. Más de 100 países han participado en él, pero los ganadores han sido principalmente de EE.UU., Australia, Francia, Gran Bretaña y Suecia.

Davis, estrecho de Estrecho en el océano Atlántico norte. Se ubica entre la isla de BAFFIN por el sudeste y GROENLANDIA por el sudoeste, y separa la bahía de BAFFIN, por el norte, del mar del Labrador, por el sur; forma parte del paso del NOROESTE. Tiene una extensión de cerca de 650 km (400 mi) de norte a sur y 325–650 km (200–400 mi) de ancho; en 1585 fue explorado por el navegante inglés John Davis. La corriente de Groenlandia, a lo largo de la costa de la isla homónima, lleva aguas relativamente templadas en dirección norte, mientras que la corriente fría del Labrador transporta témpanos en dirección sur a lo largo de la costa oriental de la isla de Baffin.

Davis, Jefferson (3 jun. 1808, cond. de Christian, Ky., EE.UU.–6 dic. 1889, Nueva Orleans, La.). Dirigente político estadounidense, presidente de los ESTADOS CONFEDERADOS DE AMÉRICA (1861–65). Egresó de West Point y ejerció como teniente en el territorio de Wisconsin y más tarde en la guerra de Halcón Negro. En 1835 se convirtió en hacendado en Mississippi. Elegido miembro de la Cámara de Representantes (1845–46), renunció para participar en la guerra MEXICANO-ESTADOUNIDENSE, en la que se distinguió en la batalla de BUENA VISTA. Convertido en héroe nacional, se desempeñó como senador (1847–51) y fue secretario de guerra del pdte. FRANKLIN PIERCE (1853–57). En 1857 retornó al senado, donde abogó por los DERECHOS DE LOS ESTADOS, pero procuró desalentar la secesión. Cuando Mississippi se separó, en 1861, renunció y fue elegido presidente de la Confederación.

Jefferson Davis, dirigente político estadounidense.
GENTILEZA DE LA BIBLIOTECA DEL CONGRESO, WASHINGTON, D.C.

Dirigió las actividades bélicas del Sur, a pesar de la escasez de soldados, de suministros y de dinero, y de la oposición de los radicales dentro de su propio gobierno. Cuando el gral. ROBERT E. LEE se rindió, en abril de 1865, sin su aprobación, huyó de Richmond, Va., capital de la Confederación, con la esperanza de continuar la lucha hasta lograr que el Norte ofreciera mejores condiciones. Fue capturado y acusado de traición, pero nunca se le juzgó. Luego de dos años en prisión, quedó en libertad en 1867 por su malograda salud. Alejado de la vida pública, se fue a vivir a Mississippi. En 1978 se le restauró en forma póstuma la ciudadanía.

Davis, Miles (Dewey) (25 may. 1926, Alton, Ill., EE.UU.– 28 sep. 1991, Santa Mónica, Cal.). Trompetista y director de banda estadounidense. Davis creció en East St. Louis, Mo., y en 1944 comenzó a estudiar en la Juilliard School de Nueva York. Trabajó con CHARLIE PARKER (1946–48). Sus esfuerzos iniciales como director de banda se tradujeron en las grabaciones conocidas como *Birth of the Cool* (1949), en las cuales una estética calmada reemplazó al BEBOP más frenético con el "cool jazz" de la década de 1950. Desde 1955, los grupos de Davis enmarcaron su interpretación parca y lírica en contraste con la complejidad densa de saxofonistas como JOHN COLTRANE y Wayne Shorter. Su tono oscuro y cavilloso, sus improvisaciones ritmadas con lógica y su uso frecuente de la sordina metálica influyeron notoriamente en los trompetistas solistas de jazz. El álbum *Kind of Blue* de 1959 fue un ejemplo pionero del jazz armónico modal. En la década de 1960, su música se tornó más agresiva y el empleo de instrumentos electrónicos hacia fines de esa década (*Bitches Brew*, 1969) dio origen a la fusión jazz-rock de la década de 1970. Davis fue uno de los músicos de jazz más originales e influyentes.

Miles Davis, 1969.
VOTAVAFOTO DEL LONDON DAILY EXPRESS—PICTORIAL PARADE

Davis, Sir Colin (Rex) (n. 5 sep. 1927, Weybridge, Surrey, Inglaterra). Director de orquesta británico de formación autodidacta. En 1958 cosechó sus primeros éxitos con una producción de la ópera de Mozart titulada *El rapto en el serrallo*. Al año siguiente cimentó su reputación cuando reemplazó a OTTO KLEMPERER. Fue director de música del Covent Garden (1971–86) y director titular de la sinfónica de la radio de Baviera (1983–92). En 1995 fue nombrado director titular de la orquesta sinfónica de Londres. Tiene una afinidad especial por la música de HÉCTOR BERLIOZ y de JEAN SIBELIUS.

Davis, Stuart (7 dic. 1894, Filadelfia, Pa., EE.UU.–24 jun. 1964, Nueva York, N.Y.). Pintor abstracto estadounidense. Su padre era un artista gráfico que estimuló su interés por el arte. Estudió en la ciudad de Nueva York con ROBERT HENRI (1909–12), realizó dibujos para el periódico *The Masses*, se asoció a la escuela de ASH-CAN y expuso en el ARMORY SHOW. Una visita a París en 1928–29 inspiró su propia versión del CUBISMO; comenzó a reorganizar las formas naturales de la vida cotidiana en diseños planos, tipo cartel, con bordes bien delineados y colores contrastantes. Los colores disonantes y los ritmos repetitivos reflejaban su interés por el jazz, en un estilo que con el tiempo lo conduciría a patrones totalmente abstractos. Es considerado el más destacado artista estadounidense que cultivó el estilo cubista.

Davos Comuna (pob., 2000: 11.417 hab.) del este de Suiza. Formada por dos localidades, Davos-Platz y Davos-Dorf, ubicadas en un valle de los ALPES. Habitada primeramente por gente de habla romanche, en el s. XIII se establecieron colonos germanohablantes. En 1436 se transformó en la capital de la Liga de las diez jurisdicciones y desde 1477 hasta 1649 fue gobernada por Austria. Después de la década de 1860 se transformó en un centro de salud en boga y en el s. XX se desarrolló como centro de esquí y otros deportes invernales. En la década de 1990, Davos se hizo famosa por ser la sede del Foro Económico Mundial, reunión anual de políticos y financistas internacionales en representación de una elite transnacional.

Davout, Louis-Nicolas, príncipe d'Eckmühl (10 may. 1770, Annoux, Francia–1 jun. 1823, París). General francés en las guerras NAPOLEÓNICAS. A pesar de sus orígenes nobles, en 1790 dirigió a su regimiento en una revuelta prorrevolucionaria y tuvo una meritoria participación en la campaña belga de 1792–93. Acompañó a NAPOLEÓN I en la campaña de Egipto (1798–99) y fue nombrado mariscal. Como comandante de cuerpo, jugó un papel significativo en las victorias de Austerlitz (1805), Auerstedt (1806), Jena (1806), Eylau (1807), Eckmühl (1809) y Wagram (1809), por lo que Napoleón lo nombró duque (1808) y príncipe (1809). Fue ministro de guerra durante los CIEN DÍAS.

Louis-Nicolas Davout, litografía de Aloys Senefelder según un retrato de Trolle.
H. ROGER-VIOLLET

Davy, Sir Humphry (16 jun. 1806, Ottery, Devon, Inglaterra–26 ene. 1885, Malmsbury, Queensland, Australia). Químico inglés. A los 20 años ya se había forjado una reputación por su trabajo sobre los gases. En 1799, su descubrimiento del

Sir Humphry Davy, detalle de una pintura al óleo de Sir Thomas Lawrence.
GENTILEZA DE LA NATIONAL PORTRAIT GALLERY, LONDRES

efecto anestésico del ÓXIDO NITROSO fue una contribución importante a la cirugía. También realizó investigaciones preliminares sobre las celdas voltaicas y BATERÍAS, CURTIDO, ELECTRÓLISIS y análisis de minerales. Con *Elements of Agricultural Chemistry* [Elementos de química agrícola] (1813) se convirtió en el primero en aplicar principios químicos en forma sistemática a la agricultura y también el primero en aislar el POTASIO, SODIO, BARIO, ESTRONCIO, MAGNESIO y CALCIO; también descubrió el BORO y estudió extensamente el CLORO y YODO. Analizó muchos PIGMENTOS y comprobó que el DIAMANTE es una forma del CARBONO. Fue uno de los más grandes exponentes del MÉTODO CIENTÍFICO. Sus investigaciones sobre las explosiones en minas y su relación con la llama, y su invención de la lámpara de seguridad le trajeron gran prestigio; en 1820 fue designado presidente de la Royal Society de Londres.

Dawenkou, cultura *o* **cultura Ta-wen-k'ou** Cultura neolítica china que data c. 4500–2700 AC. Se caracterizó por el surgimiento de una delicada cerámica policroma realizada con torno, además de ornamentos de piedra, jade y hueso. Esta cultura se destacó también por la construcción de pueblos amurallados, y de sepulcros de personas de alto rango en cámaras mortuorias con salientes para colocar artículos funerarios, además del entierro de dientes de animales, cabezas y quijadas de cerdo. Ver también cultura ERLITOU; cultura HONGSHAN; cultura de LONGSHAN; período NEOLÍTICO.

Dawes, Charles G(ates) (27 ago. 1865, Marietta, Ohio, EE.UU.–23 abr. 1951, Evanston, Ill.). Político estado-

Charles G. Dawes, 1925.
GENTILEZA DE LA BIBLIOTECA DEL CONGRESO, WASHINGTON, D.C.

unidense. Ejerció como abogado en Nebraska antes de trabajar como controlador de la moneda en el Departamento del Tesoro (1897–1902). Durante la primera guerra mundial dirigió la adquisición de materiales para la fuerza expedicionaria estadounidense en Francia. En 1923 presidió la Comisión aliada de reparaciones y formuló el plan DAWES. Ocupó el cargo de vicepresidente (1925–29) con CALVIN COOLIDGE. En 1925 compartió el Premio Nobel de la Paz con Sir AUSTEN CHAMBERLAIN.

Dawes, ley *o* **ley de adjudicación** (1887). Ley estadounidense de distribución de tierras que propuso el sen. Henry L. Dawes (n. 1816–m. 1903), de Massachusetts, con el fin de "civilizar" a los indígenas norteamericanos y convertirlos en agricultores. Se ofrecieron concesiones de 32,5 a 65 ha (80 a 160 acres) a cada indio jefe de familia, aunque el título efectivo se reservaba durante 25 años, como precaución contra la venta a especuladores. Las consecuencias impensadas de la ley fueron el debilitamiento de la estructura tribal, la incapacidad de muchos indios nómadas para adaptarse a una vida agraria y, en las reservas, cundió la pobreza, las enfermedades y el abatimiento. En virtud de la disposición que permitía la venta pública de toda tierra "sobrante" de las reservas, en 1932 los blancos ya habían adquirido dos tercios de las tierras de los indios.

Dawes, plan (1924). Disposiciones para establecer el pago de REPARACIONES por Alemania a los aliados después de la primera GUERRA MUNDIAL, elaborado por un comité de expertos presidido por CHARLES G. DAWES. El monto total de las reparaciones no fue determinado, pero el plan de pagos comenzaba con mil millones de marcos oro en el primer año y ascendía a dos mil millones y medio en 1928. El plan, que también establecía la reorganización del Reichsbank y un empréstito exterior inicial de 800 millones de marcos a Alemania, fue más tarde reemplazado por el plan YOUNG de carácter más indulgente.

Dawson, George Geoffrey *orig.* **George Geoffrey Robinson** (25 oct. 1874, Skipton-in-Craven, Yorkshire, Inglaterra–7 nov. 1944, Londres). Periodista inglés, director del influyente periódico *The Times* de Londres. Mientras se desempeñaba como funcionario público en Sudáfrica, fue nombrado director del *Johannesburg Star* como parte de un esfuerzo para fomentar el apoyo de las políticas oficiales. Fue director de *The Times* durante los períodos 1912–19 y 1923–41, época en que se relacionó con un grupo de personalidades que buscaba delinear las políticas públicas inglesas mediante el diálogo personal con estadistas de renombre. Dawson se consideraba el "secretario general del orden establecido". Fue una persona fervientemente convencida del entendimiento pacífico, y su labor fue clave en la táctica que desembocó en el acuerdo de MUNICH de 1938.

Daxue *o* **Ta hsüeh** (chino: *"Gran estudio"*). Breve texto chino generalmente atribuido a CONFUCIO y a su discípulo Zengzi. Durante siglos existió sólo como un capítulo de los *Liji* (ver CINCO CLÁSICOS); cobró renombre cuando fue publicado nuevamente como uno de los CUATRO LIBROS. Afirma que la paz mundial es imposible a menos que un gobernante regule primero su propio país, pero que ningún gobernante puede lograrlo sin primero poner en orden su propia casa, lo que exige una virtud personal. El prefacio de ZHU XI explica que el texto es un medio de desarrollo personal, que enseña a cada individuo a cultivar la benevolencia, probidad, corrección y sabiduría.

Day, Doris *orig.* **Doris von Kappelhoff** (n. 3 abr. 1924, Cincinnati, Ohio, EE.UU.). Actriz y cantante estadounidense. Trabajó como vocalista de grupos musicales y en la década de 1940 continuó con gran éxito como cantante solista de estudio. Debutó en el cine en 1948 y protagonizó musicales como *Doris Day en el oeste* (1953), *Siempre tú y yo* (1955) y *The Pajama Game* (1957). Sus interpretaciones como la muchacha común, alegre y sana reflejaron a la idealizada mujer estadounidense de la década de 1950. Interpretó papeles dramáticos en *Ámame o déjame* (1955) y *El hombre que sabía demasiado* (1956), antes de estelarizar comedias de alcoba como *Confidencias a* *medianoche* (1959) y *Suave como visón* (1962). Además fue la anfitriona televisiva de *The Doris Day Show* (1968–73).

dayak Miembro de un pueblo indígena no musulmán que vive en el sur y oeste de la zona interior de Borneo. Dayak es un término genérico que no tiene significado étnico o tribal preciso, pero distingue a este pueblo indígena de la población mayoritariamente MALAYA de las zonas costeras. La mayoría de los dayaks viven a lo largo de los ríos en pequeñas comunidades. Los hijos viven con sus padres hasta contraer matrimonio, y los jóvenes, que generalmente buscan novia fuera de su propia aldea, se van a vivir a la comunidad de su esposa. Su economía de subsistencia se basa en el cultivo migratorio de arroz en terrazas, lo que se complementa con la pesca y la caza. Suman más de dos millones de personas.

Moshé Dayán.
GAMMA LIAISON

Dayán, Moshé (20 may. 1915, Deganya, Palestina–16 oct. 1981, Tel Aviv-Yafo, Israel). Militar y estadista israelí. Nacido de padres rusos en el primer kibutz de Israel, se convirtió en un guerrillero que combatió contra los árabes durante el período del mandato británico. Aunque fue brevemente encarcelado por los británicos por su participación en la organización HAGANÁ, combatió junto a las fuerzas de Gran Bretaña en Siria durante la segunda guerra mundial (1939–45), donde perdió un ojo. Fue comandante en el ejército israelí durante la primera guerra árabe-israelí (1948–49); jefe del estado mayor del ejército durante la crisis del canal de SUEZ (1956) y luego, ministro de agricultura (1959–64). Fue nombrado ministro de defensa justo antes de la guerra de los SEIS DÍAS (1967) y se hizo célebre después de la victoria israelí, desempeñando el cargo hasta 1974. Se integró al gobierno del partido LIKUD como ministro de asuntos exteriores, cuando ese partido llegó al poder en 1977 y contribuyó a negociar los acuerdos de CAMP DAVID en 1978.

Day-Lewis, C(ecil) (27 abr. 1904, Ballintubbert, County Leix, Irlanda–22 may. 1972, Hadley Wood, Hertfordshire, Inglaterra). Poeta británico de origen irlandés. Day-Lewis, hijo de un clérigo, estudió en la Universidad de Oxford y en la década de 1930 formó parte de un círculo de poetas de izquierda encabezado por W.H. AUDEN, aunque luego se volcó hacia un lirismo individualista expresado en formas tradicionales. Entre sus obras figuran las traducciones de las *Geórgicas* (1940), *La Eneida* (1952) y las *Églogas* (1963) de VIRGILIO, y los volúmenes de poesía *The Room* [La habitación] (1965) y *The Whispering Roots* [Las raíces susurrantes] (1970). También publicó una autobiografía, *The Buried Day* [El día sepultado] (1960), y varias novelas policiales bajo el seudónimo de Nicholas Blake. Fue nombrado poeta laureado de Inglaterra en 1968. Fue el padre del actor Daniel Day-Lewis.

Templo de la reina Hatshepsut, en Dayr al-Baḥarī, Egipto, cerca de Tebas.
FOTOBANCO

Dayr al-Baḥarī Yacimiento arqueológico de Egipto. Se encuentra en la ribera occidental del río Nilo, cerca de los restos de TEBAS y en la ribera opuesta a las ruinas de KARNAK; abarca los restos de tres templos vinculados con tres monarcas egipcios diferentes: el templo funerario del faraón Mentuhotep II (construido c. 1970 AC), un templo construido por TUTMOSIS III (c. 1435 AC)

y el templo con terraplenes de la reina HATSHEPSUT (construido c. 1470 AC), gran parte del cual ha sido restaurado.

Dayton Ciudad (pob., 2000: 166.179 hab.) en el sudoeste del estado de Ohio, EE.UU. Emplazada en 1796 junto al río Miami por un grupo de veteranos de la guerra de independencia de los EE.UU., creció como puerto fluvial para el embarque de productos agrícolas. La apertura del canal de Miami y Erie en 1829 entre Dayton y CINCINNATI y la llegada del ferrocarril en 1851 estimularon su crecimiento industrial. Vivieron allí WILBUR Y ORVILLE WRIGHT y es también el lugar donde fueron enterrados. La ciudad es centro de distribución y de mercados, así como sede de la base aérea de Wright-Patterson (establecida en 1946) y el Instituto de Tecnología de la Fuerza Aérea (1947). Tiene varios institutos de educación superior y universidades, y también un instituto de arte y una orquesta sinfónica.

Daytona Beach Ciudad costera (pob., 2000: 64.112 hab.) en el nordeste del estado de Florida, EE.UU. Ubicada al sur de JACKSONVILLE, fue fundada por Mathias Day en 1870 y constituida como ciudad en 1876. En 1926, las ciudades de Seabreeze, Daytona y Daytona Beach se constituyeron como Daytona Beach. Desde 1903, la playa de Ormond-Daytona, de arena blanca y dura, se convirtió en escenario de pruebas de velocidad para automóviles. La ciudad es conocida por la pista de carreras Daytona International Speedway.

Dazai Osamu *orig.* **Shuji Tsushima** (19 jun. 1909, Kanagi, prefectura de Aomori, Japón–13 jun. 1948, Tokio). Novelista japonés. A fines de la segunda guerra mundial, Dazai emergió como la voz literaria de su época, al retratar el período de confusión de la posguerra, cuando los valores tradicionales se vieron desacreditados. Hijo de un terrateniente y político acaudalado, utilizó a menudo sus orígenes como material de sus ficciones. *Tsugaru* (1944) es quizás su mejor novela. Sus obras de posguerra –*The Setting Sun* [El sol poniente] (1947), *Villon's Wife* [La esposa de Villon] (1947) y *Ya no humano* (1948)– cobraron un tono de desesperanza creciente, lo que culminó en la crisis que lo llevó a suicidarse a pocos días de cumplir 39 años.

DBMS *sigla de* **database management system** (sistema de administración de bases de datos). Sistema para la búsqueda y recuperación rápida de información en una BASE DE DATOS. El DBMS determina cómo se guardan y recuperan los datos. Debe abordar problemas como la seguridad, la exactitud y la consistencia entre los diferentes registros, el tiempo de respuesta y los requerimientos de memoria. Estos temas son más significativos para los sistemas de bases de datos en REDES DE COMPUTADORAS. Se requieren velocidades de procesamiento cada vez mayores para administrar una base de datos de manera eficiente. Los DBMS relacionales, en los cuales los datos están organizados en series de tablas ("relaciones"), que son reorganizadas fácilmente para el acceso de datos de diferentes maneras, son los más usados en la actualidad.

DDT *sigla de* **diclorodifeniltricloroetano** INSECTICIDA sintético que pertenece a la familia de los HALÓGENOS orgánicos. En 1939 fue descubierta su toxicidad para una amplia variedad de insectos (por Paul Hermann Müller, a quien le fue otorgado el Premio Nobel por su trabajo) y fue utilizado eficazmente en contra de muchos vectores de enfermedad. Hacia la década de 1960, muchas especies de insectos desarrollaron poblaciones resistentes al DDT; mientras tanto, este compuesto altamente estable se fue acumulando a lo largo de la CADENA ALIMENTARIA y tuvo efectos tóxicos en diversas aves y peces. Durante la década de 1960 se encontró que este y otros productos químicos similares habían reducido fuertemente las poblaciones de ciertas aves, como el águila calva.

De Beers Consolidated Mines El mayor productor y distribuidor de diamantes del mundo. Los diamantes se descubrieron por primera vez en África meridional a mediados de la década de 1860 en la granja De Beers, en la que se desarrolló el centro urbano que hoy se conoce como KIMBERLEY. Las dos minas de diamantes explotadas en ese lugar (que ya no están en operaciones) fueron otrora las más productivas del mundo. CECIL RHODES adquirió una concesión de la mina De Beers en 1871 y finalmente adquirió las concesiones de la mayoría de las minas de diamantes de África meridional. Para mantener los precios altos y la demanda estable, y como medio de restringir la oferta de diamantes en el mercado, en la década de 1890 creó una entidad denominada London Diamond Syndicate, la que, con un nuevo nombre, Central Selling Organization (CSO), llegó a controlar cerca del 80% del comercio mundial de diamantes a fines de la década de 1980. Debido a una demanda menguante, la CSO fue reemplazada en 2000 por la Diamond Trading Company (DTC). Estuvo entre las primeras empresas de Sudáfrica en patrocinar los tratamientos farmacológicos para sus trabajadores infectados con el VIH. De Beers también tiene participaciones en las áreas de diamantes sintéticos, minerales y minerales metalíferos, producción minera y equipos de procesamiento. Dadas su gran participación en el mercado y su disposición para trabajar con los competidores, De Beers continúa influyendo en el precio y en la disponibilidad de diamantes en el mundo, por lo que ha sido acusada de incurrir en prácticas comerciales desleales. Anglo American PLC tiene una participación mayoritaria en la empresa.

De Forest, Lee (26 ago. 1873, Council Bluffs, Iowa, EE.UU.–30 jun. 1961, Hollywood, Cal.). Inventor estadounidense. A la edad de 13 años había inventado muchos artefactos, entre ellos un aparato para el enchapado en plata. Después de obtener un Ph.D. en la Universidad de Yale, fundó la De Forest Wireless Telegraph Co. (1902) y la De Forest Radio Telephone Co. (1907). En 1907 patentó el AUDION, detector de tubo de vacío que permitió recepciones más sensibles de señales de radio, como su transmisión en vivo de una función de ENRICO CARUSO (1910). Desarrolló un sistema de grabación óptica del sonido en las películas, llamado Fonofilm y lo ensayó en teatros (1923–27). Fue un empresario mediocre, defraudado dos veces por socios; finalmente vendió sus patentes a bajos precios a empresas como American Telephone & Telegraph Co., la cual se benefició muchísimo con su desarrollo comercial. Aunque resentido, fue reconocido ampliamente como el padre de la radiodifusión y el abuelo de la televisión.

De Gasperi, Alcide (3 abr. 1881, Pieve Tesino, cerca de Trento, Tirol, Austria-Hungría–19 ago. 1954, Sella di Valsugana, Italia). Primer ministro italiano (1945–53). Fue elegido miembro del Parlamento austríaco (1911–19) y abogó porque su nativa región del Tirol meridional fuese anexada a Italia. Más tarde, como parlamentario italiano (1921–27) fue uno de los fundadores del PARTIDO POPULAR ITALIANO (PPI). Tras permanecer 16 meses en prisión por antifascista, puesto en libertad en 1929 trabajó en la Biblioteca del Vaticano. En la segunda guerra mundial participó

Alcide de Gasperi, 1952.
EB INC.

activamente en la Resistencia y después de la caída del régimen fascista, se convirtió en líder del flamante Partido Democratacristiano. Como primer ministro (1945–53), promulgó una nueva constitución, instituyó la reforma agraria y dirigió la reconstrucción económica de Italia en la posguerra. Bajo su liderazgo, Italia se integró a la OTAN y contribuyó a organizar el Consejo de EUROPA y la COMUNIDAD EUROPEA DEL CARBÓN Y DEL ACERO (CECA).

De Gaulle, Charles ver Charles de GAULLE

De Grey, río Río del noroeste de Australia Occidental. Nace con el nombre de Oakover en los montes Robertson y fluye hacia el norte. En la mitad de su curso desvía hacia el noroeste para unirse al río Nullagine y juntos constituyen el De Grey durante los próximos 190 km (118 mi) hasta desembocar en el océano Índico. En 1888, los ricos yacimientos auríferos de Pilbara atrajeron muchos colonos al valle. El río aporta tierras aptas para pastoreo de ganado ovino y vacuno.

De Havilland, Olivia (Mary) (n. 1 jul. 1916, Tokio, Japón). Actriz de cine estadounidense. Hija de padres británicos, se crió en California. Debutó en el cine en 1935, y más tarde interpretó a la ingenua heroína junto a ERROL FLYNN en películas de capa y espada como *Capitán Blood* (1935) y *Robin Hood* (1938). Develó una intensa capacidad dramática en *Lo que el viento se llevó* (1939), *La vida íntima de Julia Norris* (1946, premio de la Academia), *Nido de víboras* (1948) y *La heredera* (1949, premio de la Academia). En 1945, su victoria en un proceso judicial contra la WARNER BROS. INC. marcó un hito, ya que limitó a siete años los contratos de los actores, incluidos los períodos de suspensión. Se trasladó a París en 1955 y de ahí en adelante tuvo esporádicas actuaciones en el cine.

De Havilland, Sir Geoffrey (27 jul. 1882, Haslemere, Surrey, Inglaterra–21 may. 1965, Watford, Hertfordshire). Diseñador y fabricante de aviones británico. En 1910 construyó y piloteó un avión con un motor de 50 HP. En 1920 formó su propia compañía y fabricó el biplaza Moth (polilla), un éxito comercial. En la segunda guerra mundial, el bimotor Mosquito fue el producto más destacado de la empresa. Después de la guerra, fue un pionero en la fabricación de aviones propulsados a reacción, con su jet para pasajeros Comet y los cazas de reacción Vampire y Venom.

De Kooning, Willem ver Willem de KOONING

De la Renta, Óscar (n. 22 jul., 1932, Santo Domingo, República Dominicana). Diseñador de modas estadounidense de origen dominicano. Después de cursar estudios en Santo Domingo y Madrid, se incorporó al grupo de los diseñadores de CRISTÓBAL BALENCIAGA en Madrid. Se trasladó a la ciudad de Nueva York en 1962 e inició su propia empresa para producir moda *prêt-à-porter* femenina. En 1973 fundó la casa Óscar de la Renta Couture e incursionó en el diseño de ropa blanca, vestuario masculino y en perfumería. En la década de 1970 introdujo la moda étnica con temas "gitanos" y rusos. Más recientemente ha producido vestimenta de noche romántica, en tafetán, gasa, terciopelo, brocado y piel. Entre 1993 y 2002 diseñó moda para la casa de PIERRE BALMAIN.

De La Warr, Thomas West, 12° barón o **barón Delaware** (9 jul. 1577–7 jun. 1618, en alta mar frente a la costa de Virginia o de Nueva Inglaterra). Fundador inglés de Virginia. Luego de servir bajo las órdenes del conde de Essex en los Países Bajos y en Irlanda, ingresó a la Virginia Company y en 1610 fue nombrado gobernador de la colonia. Junto con 150 colonos, llegó a Jamestown cuando otro grupo la abandonaba. Estableció dos fuertes en la desembocadura del río James y reconstruyó Jamestown. La bahía de Delaware, el río Delaware y el estado de Delaware llevan su nombre.

De Laurentiis, Dino (n. 8 ago. 1919, Torre Annunziata, Italia). Productor de cine italoestadounidense. Produjo su primera película a los 20 años de edad y su primer éxito fue *Arroz amargo* (1948). Se asoció con Carlo Ponti para formar una compañía productora que hizo largometrajes como *La strada* (1954, premio de la Academia) y *Las noches de Cabiria* (1956, premio de la Academia), ambas de FEDERICO FELLINI. A comienzos de la década de 1960 construyó Dinocittà, un estudio cinematográfico donde realizó varias películas épicas, pero al inicio de la década de 1970 lo vendió debido a su escaso éxito. Más tarde se mudó a EE.UU., donde produjo películas como *Serpico* (1973), *Ragtime* (1981) y *Hannibal* (2001).

De Leon, Daniel (14 dic. 1852, Curaçao, Antillas Neerlandesas–11 may. 1914, Nueva York, EE.UU.). Socialista estadounidense de origen holandés. Llegó a EE.UU. en 1874 y en 1890 ingresó al Partido Laboral Socialista; pronto se convirtió en uno de sus dirigentes. Como le pareció que los líderes sindicales eran poco radicales, encabezó una facción que se separó de los Caballeros del trabajo (Knights of Labor) en 1895 y luego formó la Socialist Trade and Labor Alliance (STLA) (Alianza socialista del comercio y el trabajo). En 1905 colaboró en la fundación de Industrial Workers of the World (IWW) (Trabajadores industriales del mundo), que absorbió a la STLA. En 1908, unos extremistas que se oponían a su estilo político y que promovían tácticas más violentas le negaron el acceso a la convención de IWW. Creó, entonces, el Sindicato internacional de trabajadores industriales, que no prosperó.

De Mille, Agnes (George) (18 sep. 1905, Nueva York, EE.UU.–7 oct. 1993, Nueva York). Bailarina y coreógrafa estadounidense. Se graduó de UCLA, regresó a Nueva York y pronto realizó giras por EE.UU. con sus propios conciertos de danza-mímica (1929–40). En sus coreografías para el Ballet Theatre (más tarde, AMERICAN BALLET THEATRE), utilizó en forma innovadora temas, bailes folclóricos y expresiones idiomáticas estadounidenses. En *Rodeo* (1942) introdujo el CLAQUÉ por primera vez en un ballet. Compuso la coreografía de numerosos musicales de Broadway, entre ellos *Oklahoma!* (1943), *Carousel* (1945), *Brigadoon* (1947) y *Paint Your Wagon* (1951), y escribió varios libros sobre danza y una autobiografía.

De Niro, Robert (n. 17 ago. 1943, Nueva York, EE.UU.). Actor de cine estadounidense. Debutó en 1968 y actuó en películas menores hasta que su interpretación en *La muerte de un jugador* (1973) fue aclamada por la crítica. Protagonizó *Malas calles* (1973) y otros filmes dirigidos por MARTIN SCORSESE, como *Taxi Driver* (1976), *Toro salvaje* (1980, premio de la Academia) y *Buenos muchachos* (1990). Célebre por el intenso compomiso con sus personajes, también actuó en *El padrino II* (1974, premio de la Academia), *El francotirador* (1978), *Érase una vez en América* (1984), *Fuego contra fuego* (1997) y *La familia de mi novia* (2000). En 1993 dirigió su primera película, *Una historia del Bronx*.

De Quincey, Thomas (15 ago. 1785, Manchester, Lancashire, Inglaterra–8 dic. 1859, Edimburgo, Escocia). Ensayista y crítico inglés. Durante su época de estudiante en Oxford, comenzó a tomar opio para calmar los dolores provocados por una neuralgia facial. Fue un adicto vitalicio, experiencia que inspiró su obra más conocida, *Confesiones de un inglés comedor de opio* (1822), de prosa muy poética e imaginativa, que es considerada una de las más altas cumbres del estilo literario inglés. También es conocido por los ya clásicos ensayos *Del asesinato considerado como una de las bellas artes (1827)* y *Suspiria de profundis* (que es la continuación de sus *Confesiones*, 1845).

De Sica, Vittorio (7 jul. 1901, Sora, Italia–13 nov. 1974, París, Francia). Director de cine y actor italiano. Se unió a una compañía de teatro en 1923 y rápidamente se convirtió en galán. Debutó en el cine como protagonista de diversas comedias ligeras y sobresalió en un papel dramático en *El general de la Rovere* (1959) de ROBERTO ROSSELLINI. Dirigió su primera película en 1940 y, junto con el guionista Cesare Zavattini, realizaron un importante aporte al movimiento cinematográfico del neorrealismo italiano de la posguerra con los largometrajes *Limpiabotas* (1946, premio de la Academia) y *Ladrón de bicicletas* (1948, premio de la Academia). Entre sus filmes posteriores se cuentan *Umberto D.* (1952), *Dos mujeres* (1961), *Ayer, hoy y mañana* (1963, premio de la Academia) y *El jardín de los Finzi-Contini* (1971, premio de la Academia).

De Stijl ver De STIJL

De Valera, Eamon *orig.* **Edward de Valera** (14 oct. 1882, Nueva York, EE.UU.–29 ago. 1975, Dublín, Irlanda). Político y patriota irlandés. Nacido en EE.UU. de padre hispanocubano y madre irlandesa, a los dos años de edad fue enviado a vivir con la familia de su madre en Irlanda cuando su padre murió. En 1913 se unió a los Voluntarios irlandeses y en 1916 ayudó a dirigir a los rebeldes en el levantamiento de PASCUA. Fue elegido presidente del SINN FÉIN en 1918. Repudió el tratado que formó el Estado Libre de Irlanda porque estipulaba la partición de Irlanda, apoyó la resistencia republicana en la consiguiente guerra civil. En 1924 fundó FIANNA FÁIL, que ganó las elecciones de 1932. Como primer ministro (1932–48), retiró al Estado Libre de Irlanda de la COMMONWEALTH británica e hizo de su país un Estado "soberano", bajo el nombre de Irlanda o Eire. Declaró la neutralidad de Irlanda en la segunda guerra mundial. Se desempeño como primer ministro en otras dos ocasiones (1951–54, 1957–59), y luego se convirtió en presidente de Irlanda (1959–73).

Eamon de Valera, c. 1965.
GENTILEZA DE LA EMBAJADA DE IRLANDA; FOTOGRAFÍA, LENSMEN LTD. PRESS PHOTO AGENCY, DUBLÍN

De Valois, Dame Ninette *orig.* **Edris Stannus** (6 jun. 1898, Blessington, Co. Wicklow, Irlanda–8 mar. 2001, Londres, Inglaterra). Bailarina y coreógrafa británica de origen irlandés, fundadora de la compañía precursora del ROYAL BALLET. Actuó en revistas y pantomimas a partir de 1914, antes de incorporarse a los BALLETS RUSOS como solista en 1923. Fundó la Academia de arte coreográfico en 1926, para enseñar movimiento a los actores, y en 1930 fue cofundadora de la Camargo Society. En 1931 fundó y dirigió el Vic-Wells Ballet, que se convirtió en el Sadler's Wells Ballet (1946–56) y, más tarde, en el Royal Ballet (1956), cuya dirección ejerció hasta 1963. Compuso la coreografía de numerosos ballets en las décadas de 1930–40 y continuó participando activamente en la compañía hasta 1971.

De Voto, Bernard (Augustine) (11 ene. 1897, Ogden, Utah, EE.UU.–13 nov. 1955, Nueva York). Periodista, historiador y crítico estadounidense. Fue académico de las universidades de Harvard y Northwestern, editor de *The Saturday Review* (1936–38) y columnista de la revista *Harper's* (1935–55). Es conocido por sus trabajos acerca de la literatura estadounidense y la historia de la conquista del Oeste americano, así como por su estilo franco y enérgico, que lo transformaron en uno de los intelectuales más leídos de su época. Su obra narrativa comprende los trabajos *Mark Twain's America* [La América de Mark Twain] (1932), *Across the Wide Missouri* [A través del ancho Missouri] (1948, Premio Pulitzer) y *The Course of Empire* [El rumbo del imperio] (1952).

De Wolfe, Elsie ver Elsie de WOLFE

Deák, Ferenc (17 oct. 1803, Söjtör, Hungría, Imperio austríaco–28/29 ene. 1876, Budapest). Político húngaro. Ingresó a la dieta húngara en 1833, y se convirtió en líder del movimiento reformista por la emancipación política de Hungría. Nombrado ministro de justicia en 1848, fue el principal autor de las "leyes de abril", de carácter reformista. En la década de 1860 estableció las condiciones para que Hungría se reconciliara con Austria en términos que permitieron acordar el COMPROMISO DE 1867, que instituyó la monarquía dual de Austria-Hungría. Además, contribuyó a elaborar la legislación restante emanada de dicho compromiso.

Dean, James (Byron) (8 feb. 1931, Marion, Ind., EE.UU.– 30 sep. 1955, cerca de Paso Robles, Cal.). Actor de cine estadounidense. Actuó en papeles menores en cuatro películas antes de probar suerte en los teatros de Broadway, donde su actuación en *El inmoralista* (1954) le abrió el camino a una prueba de cámara y a una brillante, aunque corta, carrera cinematográfica. Su rol protagónico en *Al este del paraíso* (1955) le valió una nominación para un premio de la Academia. Al interpretar a un incomprendido adolescente en *Rebelde sin causa* (1955), personificó a la juventud confusa e inquieta de la década de 1950. Poco después interpretó a un inconformista jornalero en su última película,

James Dean en *Gigante* (1956).
© 1956 GIANT PRODUCTIONS, GENTILEZA DE WARNER BROS.; FOTOGRAFÍA, CULVER PICTURES

Gigante (1956). Su muerte a los 24 años de edad en un choque automovilístico causó angustia entre sus admiradores y contribuyó a su consagración como ídolo de culto.

Dean, John Wesley, III (n. 14 oct. 1938, Akron, Ohio, EE.UU.). Abogado estadounidense y asesor jurídico de la Casa Blanca. En 1965 se tituló de abogado en la Universidad de Georgetown y en 1970 el pdte. RICHARD NIXON lo nombró asesor jurídico de la Casa Blanca. En 1972 el mandatario le encargó investigar si funcionarios de la Casa Blanca habían participado en la irrupción en el Hotel Watergate (ver escándalo de WATERGATE). Se negó a emitir un informe ficticio que se le propuso para negar que se hubiera encubierto la operación. Como los indicios de la participación de la Casa Blanca se acrecentaron, comenzó a revelar a los investigadores federales lo que sabía. Nixon lo despidió en abril de 1973; dos meses más tarde, prestaba declaración ante un comité del senado sobre la obstrucción a la justicia cometida por funcionarios de la Casa Blanca, incluido el presidente. Pasó cuatro meses en la cárcel por su participación en el encubrimiento de Watergate. Sus revelaciones contribuyeron a que Nixon decidiera renunciar en 1974.

Deane, Silas (24 dic. 1737, Groton, Conn., EE.UU.–23 sep. 1789, en alta mar, cerca de Deal, Kent, Inglaterra). Diplomático estadounidense. Asistió como delegado al Congreso CONTINENTAL, que, en 1776, lo envió en forma secreta a Francia para obtener apoyo financiero y militar. Los cargamentos de armas que consiguió apoyaron la victoria estadounidense en la batalla de SARATOGA. En 1777, junto con BENJAMIN FRANKLIN y Arthur Lee, negoció tratados de comercio y de alianza con Francia. Posteriormente, Lee insinuó que había cometido un desfalco y aunque los cargos nunca se comprobaron, arruinaron su reputación.

Dearborn Ciudad (pob., 2000: 97.775 hab.) en el sudeste del estado de Michigan, EE.UU. Colonizada en 1795, tuvo su origen como puesto de detención de diligencias entre DETROIT y CHICAGO. Fue el lugar de nacimiento de HENRY FORD y sede de las oficinas centrales de la FORD MOTOR CO. Su desarrollo industrial comenzó con la construcción de la planta de armado de vehículos Ford en 1917 y continuó con las industrias relacionadas con la fabricación de automóviles. Fue constituida oficialmente como ciudad en 1925.

Dearborn, Henry (23 feb. 1751, Hampton, N.H., EE.UU.– 6 jun. 1829, Roxbury, Mass.). Oficial del ejército estadounidense y secretario de guerra (1801–09). Combatió en la guerra de independencia de los ESTADOS UNIDOS DE AMÉRICA y posteriormente se le nombró mariscal del Distrito de Maine (1789– 93). Representó a Massachusetts en la Cámara de Representantes (1793–97), fue secretario de guerra del pdte. THOMAS JEFFERSON y dispuso el establecimiento del Fort Dearborn en "Chikago" en 1803. Durante la guerra ANGLO-ESTADOUNIDENSE estuvo al mando de varias tentativas fallidas de invadir Canadá y más tarde fue llamado por el pdte. JAMES MADISON.

DeBakey, Michael (Ellis) (n. 7 sep. 1908, Lake Charles, La., EE.UU.). Cirujano estadounidense. Obtuvo un M.D. en la Universidad Tulane. En 1932 diseñó la "bomba de rodillos" para ser usada en las máquinas de circulación extracorpórea. Su labor en la oficina del director de Servicios de salud de EE.UU. condujo al desarrollo de los hospitales quirúrgicos móviles del Ejército (unidades MASH). También desarrolló un método eficiente para injertar vasos sanguíneos preservados por congelación para corregir aneurismas aórticos, y fue pionero en el empleo de conductos de plástico en lugar de injertos (1956). Fue el primero en realizar un puente coronario exitoso y, en 1963, el primero en insertar un dispositivo mecánico en el tórax para asistir la función cardíaca. Editó el *Yearbook of Surgery* [Anuario de cirugía] (1958–70). Entre sus numerosos premios destaca la Medal of Freedom (Medalla de la libertad).

debido proceso Juicio que se lleva a cabo en forma imparcial y de acuerdo con normas y principios reconocidos. Las normas del debido proceso son sustantivas o de procedimiento. Las primeras tienen que ver con el requisito de que las leyes y reglamentos se relacionen con un interés legítimo del Estado (p. ej., la prevención del delito) y no contengan disposiciones que resulten injustas o arbitrarias para las personas. La V enmienda de la Constitución de los ESTADOS UNIDOS DE AMÉRICA señala que "nadie será privado de su vida, libertad o bienes, sin el debido proceso legal". Este derecho se hizo extensivo a los estados en virtud de la XIV enmienda (1868). Para que haya debido proceso desde el punto de vista procesal es preciso que el Estado haya notificado adecuadamente al afectado antes de privarlo de su vida, libertad o bienes y le haya dado la oportunidad de ser escuchado y de defender sus derechos. Los alcances del debido proceso no se han fijado con precisión y han sido objeto de interminable jurisprudencia interpretativa y resoluciones de los tribunales. Ver también principio de COSA JUZGADA; derechos del INCULPADO.

Déblé del pueblo senufo, en madera, Costa de Marfil; Museo Rietberg, Zurich.
HOLLE BILDARCHIV, BADEN-BADEN

déblé Figura femenina de madera tallada realizada por el pueblo senufo del oeste de África. Se usaba para "marcar el ritmo" en danzas rituales que pretendían promover la fertilidad de la tierra. La sociedad masculina secreta Poro (o Lo) sostenía las figuras por los brazos y las golpeaban en el suelo para mantener el ritmo mientras realizaban el baile de la fertilidad. Las figuras también se ponían en los campos durante las competencias de excavación que realizaban.

Debré, Michel (-Jean-Pierre) (15 ene. 1912, París, Francia–2 ago. 1996, Montlouis-sur-Loire). Político francés. Comenzó su carrera en la administración pública y ascendió en forma ininterrumpida. En la segunda guerra mundial escapó de una prisión alemana para sumarse a la Resistencia, y trabajó clandestinamente en la Francia ocupada por Alemania. En 1945 se incorporó al gobierno provisional de CHARLES DE GAULLE y más tarde fue senador (1948–58). Autor principal de la constitución de la QUINTA REPÚBLICA y primer ministro (1959–62) de esta. Con posterioridad, fue elegido para integrar la Asamblea Nacional (1963–68), y ocupó luego varios cargos ministeriales, entre ellos, el de ministro de defensa (1969–73).

Debrecen Ciudad (pob., 2001: 211.034 hab.) en el este de Hungría. Durante mucho tiempo ha sido un centro de actividad comercial y escenario de actividades religiosas, políticas y culturales. Fundada en el s. XIV, adquirió notoriedad durante y después de la ocupación turca. En 1849, Hungría proclamó en Debrecen su corta independencia de la dinastía HABSBURGO; más tarde, la ciudad quedó nuevamente bajo control austríaco. Durante la segunda guerra mundial, fue la sede del gobierno húngaro interino por un breve período. La Iglesia Reformada y la Universidad de Lajos Kossuth (1912) están en esta ciudad.

Gran Iglesia Reformada, s. XIX, Debrecen, Hungría.
PAUL ALMASY

Debs, Eugene V(ictor) (5 nov. 1855, Terre Haute, Ind., EE.UU.–20 oct. 1926, Elmhurst, Ill.). Dirigente laboral estadounidense. Dejó su hogar a la edad de 14 años para trabajar en los talleres ferroviarios. Como fogonero de locomotora, fue pionero en la defensa del sindicalismo y llegó a ser presidente del sindicato ferroviario estadounidense en 1893. Debido a su participación en la huelga ferroviaria de Pullman, estuvo seis meses en la cárcel en 1895. En 1898 ayudó a fundar el Partido Socialista de EE.UU. y fue candidato a la presidencia por este partido en cinco oportunidades (1900–20). En 1905 contribuyó a la fundación de la organización Industrial Workers of the World (IWW). Debs fue acusado de sedición en 1918, después de haber denunciado la ley de espionaje de 1917. Dirigió su última campaña presidencial desde la cárcel y obtuvo 915.000 votos antes de ser liberado por orden presidencial en 1921.

Debussy, (Achille-) Claude (22 ago. 1862, Saint-Germain-en-Laye, Francia–25 mar. 1918, París). Compositor francés. De extracción humilde, mostró precozmente un talento pianístico. En 1873 ingresó en el conservatorio de París. Poco después Nadezhda von Meck, mecenas de PIOTR CHAIKOVSKI, lo contrató como pianista. Influenciado por los poetas simbolistas y los pintores impresionistas, desde sus comienzos se inclinó por un estilo de composición de gran originalidad, evitando las limitaciones del contrapunto y de la armonía tradicionales para lograr nuevos efectos de gran sutileza. Considerado el fundador del IMPRESIONISMO musical, usó la progresión de las voces y colores tonales inusuales para evocar imágenes pictóricas y estados de ánimo, especialmente de carácter lánguido y hedonista. Su importancia en la merma del dominio de la armonía tonal tradicional es equivalente a la de FRANZ LISZT, RICHARD WAGNER y ARNOLD SCHÖNBERG. Por su efecto sobre compositores como MAURICE RAVEL, IGOR STRAVINSKI, BÉLA BARTÓK, ALBAN BERG, ANTON WEBERN y PIERRE BOULEZ, se puede considerar

Claude Debussy, pintura de Marcel Baschet, 1884; Museo de Versalles.
GIRAUDON–ART RESOURCE

como el compositor francés más influyente de los tres últimos siglos. Entre sus obras figuran la ópera *Peleas y Melisande* (1902), las composiciones orquestales *Preludio a la siesta de un fauno* (1894) y *El mar* (1905), y los *Preludios* para piano (1910, 1913).

Debye, Peter *orig.* **Petrus Josephus Wilhelmus Debije** (24 mar. 1884, Maastricht, Países Bajos–2 nov. 1966, Ithaca, N.Y., EE.UU.). Fisicoquímico estadounidense de origen holandés. Su primera investigación importante, sobre los momentos de DIPOLO ELÉCTRICO, significó un avance en el conocimiento sobre la disposición de los ÁTOMOS en las MOLÉCULAS y sobre las distancias entre ellos. Demostró que la CRISTALOGRAFÍA por rayos X funcionaba sobre el material pulverizado, obviando el difícil primer paso de preparar buenos cristales. En 1923, él y Erich Hückel ampliaron la teoría de SVANTE ARRHENIUS acerca de la DISOCIACIÓN de las SALES en solución y probaron que la IONIZACIÓN es completa. También investigó acerca de la dispersión de la luz en los gases. Obtuvo el Premio Nobel en 1936.

decadentistas Grupo de poetas de fines del s. XIX, en el cual se incluyen algunos simbolistas franceses (ver movimiento SIMBOLISTA), en especial STÉPHANE MALLARMÉ y PAUL VERLAINE, y otros de la generación tardía del movimiento esteticista inglés (ver ESTETICISMO), sobre todo ARTHUR SYMONS y OSCAR WILDE. También se asocia a menudo con el movimiento decadentista a novelistas y artistas como JORIS-KARL HUYSMANS y AUBREY BEARDSLEY, respectivamente. Los decadentistas preconizaban el arte por el arte (ver WALTER PATER), viéndolo como algo autónomo y opuesto a la naturaleza y a las preocupaciones materialistas de la sociedad industrializada, poniendo énfasis, tanto en sus obras como en sus vidas, en lo extravagante, lo incongruente y lo artificial.

Decálogo ver DIEZ MANDAMIENTOS

Decán Región de India situada al sur del río NARMADA. En términos más estrictos, es la meseta existente entre los ríos Narmada y KRISHNA, que abarca al estado de MAHARASHTRA y partes de los estados de MADHYA PRADESH, CHATTISGARH, ORISSA, ANDHRA PRADESH y KARNATAKA. Su elevación promedio alcanza a alrededor de 600 m (2.000 pies). Sus ríos principales, GODAVARI, KRISHNA y KAVERI, fluyen desde los GHATES OCCIDENTALES hacia el este para desembocar en el golfo de BENGALA. Sus primeros habitantes fueron una población drávida no alcanzada por la invasión aria del segundo milenio AC. Gobernada por el Imperio MAURYA (s. IV–II AC) y la dinastía GUPTA (s. IV–VI DC), pasó a ser un reino musulmán independiente en 1347. Más tarde se dividió en cinco sultanatos musulmanes; la mayor parte del Decán fue conquistada por la dinastía MOGOL en el s. XVII. Durante la centuria siguiente la región fue escenario de rivalidades entre británicos y franceses y, más tarde, de la lucha de los británicos contra la Confederación MAHRATTA. Permaneció bajo dominio británico hasta 1947, año en que India se independizó.

decápodo Cualquiera de más de 8.000 especies (orden Decapoda) de CRUSTÁCEOS que tienen cinco pares de patas pegadas al tórax. Los camarones y las especies afines, que pueden ser tan pequeños que no miden más de 12 mm (0,5 pulg.) de largo, tienen un cuerpo esbelto con un largo abdomen, un telson o cola en forma de abanico bien desarrollado y, a menudo, patas largas y delgadas. Los cangrejos y las especies similares a cangrejos, cuya envergadura de las pinzas puede medir 4 m (13 pies), tienen un cuerpo aplanado y con frecuencia patas cortas y gruesas y un reducido abanico caudal. Los decápodos son primordialmente marinos y muy abundantes en aguas tropicales someras, pero tienen valor comercial en todo el mundo. Algunas especies (p. ej., CANGREJO ERMITAÑO y CANGREJO VIOLINISTA) están adaptadas a ambientes terrestres. Ver también CAMARÓN; CANGREJO; CANGREJO DE RÍO; LANGOSTA.

Decápolis Liga formada por diez antiguas ciudades griegas, incluida DAMASCO, en el este de PALESTINA. Se creó después de la conquista romana en 63 AC para protegerse mutuamente de los vecinos semitas. El nombre corresponde también al territorio más o menos contiguo formado por estas ciudades, todas excepto una ubicada al este del río JORDÁN. Esta liga, dependiente del gobernador romano de Siria, existió hasta el s. II DC.

DeCarava, Roy (n. 9 dic. 1919, Nueva York, EE.UU.). Fotógrafo estadounidense. Comenzó con la fotografía a fines de la década de 1940. En 1952 ganó la beca Guggenheim, en apoyo a su proyecto de fotografiar a la gente de su Harlem natal. Muchas de estas fotos se recopilaron en el libro *The Sweet Flypaper of Life* (1955), con textos escritos por el poeta LANGSTON HUGHES. El interés de DeCarava por la educación lo llevó a fundar en 1955 A Photographer's Gallery, que buscaba educar al público sobre la fotografía, y una asociación de fotógrafos afroamericanos en 1963. Es quizás más conocido por sus retratos de músicos de jazz.

decatlón Prueba combinada del atletismo que consta de diez competencias: carreras de 100, 400 y 1.500 m planos, 110 m vallas, lanzamientos de JABALINA, DISCO Y BALA, y SALTO DE ALTURA, SALTO DE LONGITUD y SALTO CON PÉRTIGA. Introducido en los Juegos Olímpicos de 1912 como competencia de tres días, luego pasó a disputarse en dos días. Los competidores reciben puntos según una tabla fijada por la Federación Atlética Internacional Amateur. El decatlón es considerado como la gran prueba de la capacidad total de un atleta.

Decatur Ciudad (pob., 2000: 81.860 hab.) en el centro del estado de Illinois, EE.UU. Ubicada junto al río Sangamon al este de SPRINGFIELD, fue fundada en 1829. En 1860 fue el sitio de la primera proclamación de ABRAHAM LINCOLN como candidato a la presidencia por una convención de partidos. Es un centro de actividad comercial para la región agrícola circundante. Entre sus industrias destacan la de elaboración de granos y soja y la de fabricación de tractores y otros vehículos.

Liberal Arts Hall, Universidad de Millikin, Decatur, Illinois, EE.UU.
GENTILEZA DEL ILLINOIS DEPARTMENT OF BUSINESS AND ECONOMIC DEVELOPMENT

Decatur, Stephen (5 ene. 1779, Sinepuxent, Md., EE.UU.–22 mar. 1820, Bladensburg, Md.). Oficial naval estadounidense. Entró a la marina en 1798. Durante la guerra de TRIPOLITANIA, dirigió una osada expedición al interior del puerto de Trípoli destinada a prender fuego a un buque estadounidense que había sido capturado. En la guerra ANGLO-ESTADOUNIDENSE estuvo al mando del *USS United States* y se apoderó del buque inglés *Macedonian*. En 1815 fue comandante de un escuadrón en el Mediterráneo que obligó a los estados bereberes a firmar la paz según las condiciones estadounidenses. A su regreso, en un banquete, hizo un brindis a "Nuestra patria, con razón o sin ella". El mismo año ascendió a comisionado naval, cargo que desempeñó hasta que murió en un duelo.

decembrista ver REVOLUCIÓN DECEMBRISTA

decibel (dB) Unidad de medición las intensidades relativas de sonido o las magnitudes relativas de energía acústica o eléctrica. Para el oído humano, duplicar la sensación de intensidad de un sonido requiere un aumento de diez veces su potencia; por tal motivo, se creó una escala logarítmica útil para comparar intensidades de sonido. En consecuencia, al umbral de la audición humana (silencio absoluto) se le asigna el valor 0 dB, y cada

incremento de 10 dB corresponde a un aumento de diez veces en la intensidad y a duplicar el nivel de ruido. En la práctica se emplea el decibel, que es la décima parte de un bel (1 bel = 10 dB). El "umbral del dolor" para la intensidad varía entre los distintos individuos desde 120 hasta 130 dB.

Escalas no lineal (decibel) y lineal (intensidad)		
Decibeles	Intensidad*	Tipo de sonido
130	10	fuego de artillería muy cercano (umbral del dolor)
120	1	música rock amplificada; motor de un jet cercano
110	10^{-1}	música orquestada fuerte, en vivo
100	10^{-2}	sierra eléctrica
90	10^{-3}	dentro de un bus o camión
80	10^{-4}	dentro de un automóvil
70	10^{-5}	ruido callejero promedio; campanilla del teléfono fuerte
60	10^{-6}	conversación normal; oficina comercial
50	10^{-7}	restaurante; oficina privada
40	10^{-8}	habitación silenciosa en una casa
30	10^{-9}	sala de lectura silenciosa; dormitorio
20	10^{-10}	radio, televisión; o estudio de grabación
10	10^{-11}	habitación insonorizada
0	10^{-12}	silencio absoluto (umbral de la audición)

*En watts por metro cuadrado.

Decio, Cayo Mesio Quinto Trajano (c. 201, Bubalia, Panonia Inferior–jun. 251, Abryttus, Mesia). Emperador romano (249–251). De orígenes inciertos, fue senador, cónsul y comandante militar provincial antes de arrebatarle el trono a Filipo el Árabe. Frustró el intento godo de invadir MESIA e instituyó la primera persecución organizada contra los cristianos en todo el Imperio (250), que solo sirvió para fortalecer la causa cristiana. En 251 puso fin a las persecuciones, poco antes de ser derrotado y muerto por los GODOS.

decisión, teoría de la En ESTADÍSTICA y subáreas relacionadas a la filosofía, la teoría y método de formular y resolver problemas generales de decisión. Tal tipo de problema está especificado por un conjunto de estados posibles del ambiente o condiciones iniciales posibles; un conjunto de experimentos disponibles y un conjunto de resultados posibles para cada experimento, que entregan información sobre el estado de cosas existente antes de tomar la decisión; un conjunto de actos disponibles que dependen de los experimentos hechos y sus consecuencias, y un conjunto de posibles consecuencias de los actos, en que cada acto posible asigna una consecuencia particular a cada posible estado inicial. El problema se resuelve estimando la probabilidad de las consecuencias que dependen de diferentes elecciones de experimentos y actos, y asignando una función de utilidad al conjunto de las consecuencias según un esquema de valor o preferencia de quien toma la decisión. Una solución óptima está determinada por una función de decisión óptima, que asigna a cada posible experimento un acto óptimo que maximiza la utilidad o valor, y la elección de un experimento óptimo. Ver también análisis COSTO-BENEFICIO, teoría de JUEGOS.

Declaración de derechos (1689). Ley británica y uno de los instrumentos fundamentales de la constitución británica. Incorporó las disposiciones de la Declaración de derechos que GUILLERMO III y MARÍA II aceptaron al ascender al trono. Su propósito principal era declarar ilegal varias prácticas de JACOBO II, como la prerrogativa real de prescindir de la ley en ciertos casos. Resultado de una larga lucha entre los reyes de la dinastía ESTUARDO, el pueblo y el PARLAMENTO BRITÁNICO, dejó a la monarquía condicionada a la voluntad del parlamento, y liberó al país de la arbitrariedad gubernamental. También trató el tema de la sucesión al trono.

Declaración de Independencia ver Declaración de INDEPENDENCIA

declaración jurada Declaración voluntaria, hecha por escrito, confirmada por el juramento o promesa del declarante, y suscrita ante un funcionario público facultado para recibirla.

Habitualmente indica el lugar en que se prestó y certifica que el declarante afirma la verdad de ciertos hechos y que compareció ante el funcionario en una fecha determinada y que "juró y firmó" la declaración.

Declaración Universal de Derechos Humanos Declaración adoptada por la ASAMBLEA GENERAL DE LAS NACIONES UNIDAS en 1948. Redactada por un comité presidido por ELEANOR ROOSEVELT, fue adoptada sin disenso, pero con ocho abstenciones. Entre sus 30 artículos hay definiciones de los derechos civiles y políticos (como el derecho a la vida, a la libertad y a un juicio justo), así como definiciones de los derechos económicos, sociales y culturales (entre ellos, el derecho a la seguridad social y a la participación en la vida cultural de la comunidad), todos los cuales deben ser garantizados por los estados miembros de la Naciones Unidas a quienes viven bajo su jurisdicción. Con el tiempo ha adquirido un carácter más jurídico del que se pretendió en sus orígenes y ha sido ampliamente utilizada, incluso por tribunales nacionales, como un medio para juzgar el cumplimiento por los estados miembros de sus obligaciones en materia de derechos humanos. La declaración ha sido el fundamento del trabajo de ORGANIZACIONES NO GUBERNAMENTALES (ONG), como AMNISTÍA INTERNACIONAL.

declaratoria, ley (1766). Declaración del parlamento británico que acompañó a la derogación de la ley del TIMBRE. En ella se sostenía que el parlamento tenía igual autoridad en América y en Gran Bretaña y se reafirmaba su facultad para aprobar leyes vinculantes para las colonias norteamericanas.

deconstrucción Método de análisis filosófico y literario, derivado principalmente de la obra de JACQUES DERRIDA, que cuestiona las distinciones (u "oposiciones") conceptuales fundamentales de la filosofía occidental por medio de un examen detallado del lenguaje y la lógica de textos filosóficos y literarios. Estas oposiciones suelen ser "binarias" y "jerárquicas", y consisten en un par de términos de los cuales uno se supone primario o fundamental y el otro secundario o derivado. Ejemplos de estos pares son naturaleza/cultura, habla/escritura y mente/cuerpo. "Deconstruir" una oposición es explorar las tensiones y contradicciones entre el ordenamiento jerárquico supuesto en el texto y otros aspectos de su significado, especialmente los figurativos o performativos. La deconstrucción "desplaza" la oposición mostrando que ninguno de los términos es primario; la oposición es un producto, o "construcción", del texto y no algo que se dé independientemente de él. La oposición habla/escritura, según la cual el habla está "presente" para el hablante o autor y la escritura está "ausente", es una manifestación de lo que Derrida denomina el "logocentrismo" de la cultura occidental (i.e., la suposición general de que hay un ámbito de "verdad" que existe con anterioridad a su representación por medio de signos lingüísticos e independientemente de ella). En debates polémicos sobre las tendencias intelectuales de fines del s. XX, se ha utilizado a veces peyorativamente el término *deconstrucción* para sugerir el nihilismo y escepticismo frívolo. En el uso popular, el término ha adquirido el significado de un desmontaje crítico de la tradición y de modos tradicionales de pensar. Ver también POSMODERNISMO y POSTESTRUCTURALISMO.

decoración floral ver decoración FLORAL

decorativas, artes Artes cuyo interés se centra en el diseño y la decoración de objetos, más bien utilitarios que puramente estéticos, como la CERÁMICA, cristalería, CESTERÍA, JOYERÍA, METALISTERÍA, MOBILIARIO y textiles (ver TEXTIL). La separación entre artes decorativas y bellas artes es una distinción moderna.

Decretales, Falsas Colección de leyes eclesiásticas del s. IX que contienen algunos documentos falsificados. También llamadas las Decretales Seudoisidoranas, porque fueron emitidas con el nombre de san ISIDORO DE SEVILLA. La colección estaba destinada a proteger los derechos de los obispos diocesanos de la usurpación por sus superiores metropolitanos, y a proteger al clero de la injerencia laica. Las decretales también destacaban el predominio de la autoridad papal a expensas de la de los arzobispos. Están compuestas de leyes, epístolas papales y decretos de consejos, algunos genuinos, pero muchos falsificados (entre ellos, la famosa donación de CONSTANTINO). Ampliamente aceptada hacia fines del s. X, esta colección sólo se demostró fraudulenta en el s. XVII.

dedal de oro Planta de jardín anual (*Eschscholzia californica*) de la familia de las PAPAVERÁCEAS, originaria de la costa oeste de Norteamérica y naturalizada en algunas regiones del

sur de Europa, Asia y Australia. Generalmente, las flores silvestres son de color amarillo pálido, naranjo, o crema, pero las flores cultivadas tienen variedades en color blanco, con matices de rojo y rosado. El follaje es verde grisáceo y velludo. Las flores se abren sólo bajo la luz solar. Florece todo el verano en climas boreales y hasta el invierno en zonas con inviernos templados.

Dedal de oro (*Eschscholzia californica*).
© ENCYCLOPÆDIA BRITANNICA, INC.

dedálica, escultura ver ESCULTURA DEDÁLICA

Dédalo En la mitología GRIEGA, un brillante arquitecto, escultor e inventor. Se le atribuye haber construido el Laberinto, para el rey MINOS de Creta, en el cual estaba confinado el MINOTAURO. Cuando el rey se enemistó con él y lo encarceló, fabricó secretamente alas para sí y para su hijo Ícaro, con el fin de escapar a Sicilia. A pesar de las recomendaciones de su padre, Ícaro voló demasiado cerca del Sol; la cera que mantenía unidas las plumas de sus alas se derritió, cayó al mar y se ahogó.

deducción En LÓGICA, tipo de inferencia o argumento que pretende ser válido, donde un argumento válido es aquel cuya conclusión debe ser verdadera si sus premisas son verdaderas (ver VALIDEZ). Por lo tanto, la deducción se diferencia de la INDUCCIÓN, donde no existe tal presunción. Los argumentos deductivos válidos pueden tener premisas falsas, como lo demuestra el ejemplo: "Todos los hombres

Dédalo e Ícaro, antiguo bajorrelieve; Villa Albani, Roma.
ALINARI—ART RESOURCE

son mortales; Cleopatra es hombre; por lo tanto, Cleopatra es mortal". Los argumentos deductivos no válidos encierran a veces falacias formales (i.e., errores de razonamiento basados en la estructura de las proposiciones del argumento). Ejemplo de ello es "afirmar el consecuente": "Si A entonces B; B; por lo tanto, A" (ver FALACIA FORMAL E INFORMAL).

Deep Blue Sistema de juego de ajedrez para computadora diseñado por la IBM CORP. En 1996, Deep Blue hizo historia al vencer a GARRI KASPÁROV en uno de sus seis juegos y fue la primera vez que una computadora ganó un juego contra un campeón mundial bajo condiciones de torneo. En la revancha de 1997, Deep Blue ganó el decisivo sexto juego en sólo 19 movidas; su victoria 3,5–2,5 (ganó dos juegos y tuvo tres empates) marcó la primera vez que un campeón mundial en ejercicio haya perdido un match contra una computadora en un torneo. En su configuración definitiva, la computadora IBM

RS6000/SP usó 256 procesadores trabajando conjuntamente, con una capacidad para evaluar 200 millones de posiciones de ajedrez por segundo.

Deere, John (7 feb. 1804, Rutland, Vt., EE.UU.–17 may. 1886, Moline, Ill.). Inventor y fabricante estadounidense de implementos agrícolas. Fue aprendiz de un herrero y más tarde estableció su propia herrería y se mudó a Illinois. Allí encontró, por las frecuentes reparaciones que tuvo que hacer, que los arados de madera y de hierro fundido que se habían usado en el este de EE.UU. desde la década de 1820 no eran apropiados para los suelos pesados y húmedos de las praderas. En 1838 ya había vendido tres arados de acero de su propio diseño; hacia 1846 había vendido unos mil, y para 1857, diez mil. En 1868 formó la empresa Deere & Co., que llegó a ser la mayor fabricante de maquinaria agrícola de EE.UU.

defecación *o* **evacuación intestinal** Eliminación de HECES del tracto digestivo. La PERISTALSIS mueve las heces a lo largo del COLON hasta el RECTO, donde estimulan el deseo de defecar. El recto se contrae, empujando las heces al canal ANAL, cuyos esfínteres interno y externo permiten su evacuación o retención. Los músculos torácicos, abdominales y pélvicos contribuyen a la defecación. Si esta se retrasa demasiado, las deposiciones se endurecen y se produce constipación. Ver también DIARREA, INCONTINENCIA.

defecto de nacimiento ver defecto de NACIMIENTO

defecto del campo visual ver defecto del CAMPO VISUAL

defecto del tubo neural ver defecto del TUBO NEURAL

defensa civil Acciones no militares realizadas para reducir las pérdidas de vida y propiedad resultantes de acciones enemigas. La amenaza de ataque aéreo a las ciudades llevó durante la segunda guerra mundial a la planificación de una defensa civil organizada. El gobierno británico proporcionó máscaras de gas a su población, y casi todos los países entrenaron a sus ciudadanos para combatir incendios, realizar rescates e impartir primeros auxilios. Las acciones incluían apagones para reducir el resplandor de las luces de la ciudad que podían guiar a los pilotos enemigos; sirenas que alertaban de bombardeos y protección de los ciudadanos en refugios, sótanos y trenes subterráneos. La amenaza de ataque nuclear en la posguerra impulsó a las autoridades civiles a identificar los edificios que ofrecían el mejor refugio contra la precipitación RADIACTIVA. Pero ya en la década de 1970, Occidente había abandonado en gran parte las preparaciones de defensa civil, en la medida en que se había hecho patente que era improbable sobrevivir a un ataque nuclear directo.

deficiencia de calcio ver deficiencia de CALCIO

deficiencia de hierro, anemia por ver ANEMIA FERROPÉNICA

deficiencia de vitamina B1 ver BERIBERI

deficiencia de vitamina C ver ESCORBUTO

deficiencia de vitamina D ver RAQUITISMO

deficiencia de yodo ver deficiencia de YODO

déficit de atención, trastorno por *o* **hiperactividad** Síndrome conductual en niños cuyos principales síntomas son falta de atención y distractibilidad, inquietud, incapacidad para controlar impulsos y dificultad para mantener la concentración durante un tiempo determinado. Se presenta en casi un 5% de los escolares, y es tres veces más frecuente en niños que en niñas. Aun cuando muchos niños con déficit de atención pueden aprender a controlar sus dificultades con tal de rendir en forma satisfactoria en el colegio, puede afectar negativamente el aprendizaje. Al parecer es causado por una combinación de factores genéticos y ambientales. Algunos aspectos del síndrome pueden persistir hasta la ADULTEZ. Por lo general, el tratamiento involucra orientación y una estrecha supervisión parental. También puede incluir la prescripción de medicamentos.

déficit, financiamiento del En términos gubernamentales, práctica de gastar más dinero que el percibido como ingreso, en que la diferencia se cubre mediante préstamos o emisión de fondos. El término se refiere por lo general al intento consciente de estimular la economía en función de la reducción de las tasas impositivas o del aumento del gasto fiscal. Los detractores del financiamiento del déficit normalmente lo muestran como ejemplo de políticas gubernamentales con falta de visión. Sus defensores argumentan que puede utilizarse en forma exitosa como respuesta a la RECESIÓN O DEPRESIÓN y proponen que el ideal del presupuesto equilibrado anualmente se reemplace por el de un presupuesto equilibrado en el lapso de un CICLO ECONÓMICO. Ver también DEUDA NACIONAL; JOHN MAYNARD KEYNES.

definición En filosofía, especificación del significado de una expresión perteneciente a una lengua. Las definiciones pueden clasificarse en léxicas, ostensivas y estipulativas. La definición léxica especifica el significado de una expresión mediante su enunciación en términos de otras expresiones cuyo significado se supone conocido (p. ej., la oveja es la hembra del carnero). La definición ostensiva especifica el significado de una expresión mediante ejemplos de cosas a las cuales se aplica la expresión (p. ej., verde es el color del pasto, las limas, las hojas del lirio y las esmeraldas). La definición estipulativa asigna un significado nuevo a una expresión (o un significado a una expresión nueva); la expresión definida (definiendum) puede ser una expresión nueva que se está introduciendo por primera vez a la lengua, o una expresión ya existente.

deflación Contracción del volumen de dinero o CRÉDITO disponible que provoca una disminución generalizada de los precios. Una condición menos extrema se denomina desinflación. A veces se intenta crear deflación (mediante el alza de las tasas de interés y la restricción de la OFERTA MONETARIA) para combatir la INFLACIÓN y desacelerar la economía. La deflación es característica de las DEPRESIONES y RECESIONES.

Defoe, Daniel *orig.* **Daniel Foe** (1660, Londres, Inglaterra–24 abr. 1731, Londres). Novelista, periodista y folletista británico. Defoe, culto comerciante londinense, se transformó en un sagaz teórico económico que escribía elocuentes, ingeniosos y, en ocasiones, audaces opúsculos acerca de asuntos públicos. En 1703 cayó en prisión debido a la publicación de una sátira, lo que provocó la quiebra de su negocio. Viajó como agente secreto del gobierno, mientras seguía escribiendo prolíficamente. Entre 1704 y 1713 redactó casi por su cuenta la seria y elocuente revista *Review*, que influenció publicaciones periódicas ensayísticas posteriores como *The Spectator*. *Un viaje por toda la isla de Gran Bretaña*, que consta de 3 volúmenes (1724–26), fueron sus registros de bitácora de su serie de viajes por Escocia. En sus últimos años se volcó hacia la ficción. Consiguió la inmortalidad literaria con su novela *Robinson Crusoe* (1719), inspirada en parte en las memorias de náufragos y viajeros. También se le recuerda por *Moll Flanders* (1722), novela realista y picaresca; su crónica *Diario del año de la peste* (1722), acerca de la gran peste de LONDRES en los años 1664–65; y *Lady Roxana o la cortesana afortunada* (1724), un prototipo de la novela moderna.

Daniel Defoe, grabado de M. Van der Gucht, basado en un retrato de J. Taverner, primera mitad del s. XVIII.
GENTILEZA DE LA NATIONAL PORTRAIT GALLERY, LONDRES

defoliante Polvo o aerosol químico que aplicado a las plantas provoca la caída prematura de las hojas. A veces, los defoliantes se aplican a CULTIVOS como el ALGODÓN para facilitar la cosecha. También se han utilizado con fines bélicos para eliminar los cultivos alimentarios del enemigo y las zonas de escondite eventuales (como en la guerra de VIETNAM). Ver también AGENTE NARANJA.

deforestación Proceso de tala de los bosques. Los índices de deforestación son muy altos en los trópicos, donde la mala calidad del suelo ha llevado a la práctica rutinaria de la tala rasa para aumentar la disponibilidad de suelo agrícola. La deforestación puede causar EROSIÓN, sequía, pérdida de la biodiversidad, debido a la extinción de especies de plantas y animales, e incremento de la cantidad de dióxido de carbono en la atmósfera. Muchas naciones han iniciado proyectos de forestación o reforestación para revertir los efectos de la deforestación, o para aumentar la madera en pie disponible. Ver también EFECTO INVERNADERO.

Deforestación de bosques de pino oregón, EE.UU.
ALAN KEARNEY/TAXI/GEETY IMAGES

deformación unitaria En las ciencias físicas y en ingeniería, un número que describe la deformación relativa de materiales elásticos, plásticos y fluidos bajo fuerzas aplicadas. Ocurre en cada punto del material al desplazarse sus partículas de su posición normal. La deformación unitaria normal se produce por fuerzas perpendiculares a planos o secciones transversales del material, tal como en un volumen que está sometido a una presión uniforme. La deformación unitaria tangencial (paralela o de cizalle) se produce por fuerzas paralelas que se sitúan en planos o secciones transversales, como en un tubo metálico corto sometido a torsión en torno a su eje longitudinal. Ver también DEFORMACIÓN Y FLUJO.

deformación y flujo Alteración en tamaño o forma de un cuerpo bajo la influencia de fuerzas mecánicas. Flujo es un cambio de deformación que continúa mientras las fuerzas sigan aplicadas. Los gases y líquidos fluyen normalmente con relativa facilidad, mientras que los sólidos se deforman sólo si están sometidos a fuerzas. La mayoría de los sólidos se deforman inicialmente de manera elástica (ver ELASTICIDAD), aunque materiales rígidos, como metales, concreto o rocas, pueden soportar grandes fuerzas deformándose muy poco. Si se aplica suficiente fuerza, aún dichos materiales alcanzarían su límite elástico, punto en el cual las sustancias quebradizas se fracturan mientras que los materiales dúctiles (ver DUCTILIDAD) reacomodan su estructura interna, resultando una deformación plástica (ver PLASTICIDAD).

defraudación Delito que consiste en apropiarse por medios fraudulentos de bienes confiados al cuidado de una persona, destinándolos a su propio uso y beneficio. Tiene lugar cuando una persona obtiene la tenencia de una cosa en forma legítima, pero luego se apodera indebidamente de ella y no la restituye. En consecuencia, es contraria al hurto, delito que consiste en apropiarse de cosas ajenas sin el consentimiento de su dueño. Las leyes más generales sobre la apropiación indebida sancionan a los depositarios o a aquellos que tienen a su cargo recursos públicos. Muchas leyes imponen severas sanciones a los funcionarios públicos, aunque los fondos se hayan perdido debido a una administración deficiente y no por la clara intención de apoderarse de lo ajeno. Ver también ESTAFA; HURTO.

Degas, (Hilaire-Germain-) Edgar (19 jul. 1834, París, Francia–27 sep. 1917, París). Pintor, artista gráfico y escultor francés. Hijo de un acomodado banquero, ingresó a la Escuela de Bellas Artes en 1855. Pasó gran parte de su vida en Italia estudiando y copiando a los antiguos maestros y se convirtió en un hábil dibujante que produjo pinturas históricas y retratos. En la década de 1860 fue introducido al IMPRESIONISMO por ÉDOUARD MANET y abandonó sus aspiraciones académicas, interesándose por temas relacionados con la vertiginosa vida urbana de París, particularmente el ballet, el teatro, el circo, el hipódromo y los cafés. Influenciado por los grabados japoneses y el nuevo medio de la fotografía, se concentró en agrupaciones de carácter figurativo y en una perspectiva poco común para crear grupos de figuras vistas en actitudes informales y en movimiento, similar al efecto de las fotos instantáneas. Su fascinación por el ballet y el hipódromo surgió de su interés por pintar gente realizando movimientos propios de sus ocupaciones. Solía trabajar con pastel, su medio favorito, produciendo series de mujeres, bañistas, bailarinas y carreras de caballos. A partir de 1880 modeló figuras en cera, las que fueron fundidas en bronce después de su muerte. Fue el primero de los impresionistas en adquirir reconocimiento.

degeneración hepatolenticular ver enfermedad de WILSON

degeneración macular Degeneración de la mácula (parte central de la RETINA), con el correspondiente defecto del CAMPO VISUAL. Es la principal causa de CEGUERA en la vejez. Probablemente debida a reducción de la circulación sanguínea, se sabe que tiene un componente genético. Es dos veces más frecuente en los fumadores que en los no fumadores, y también se correlaciona con toda una vida de exposición solar. La visión periférica se conserva habitualmente, pero la pérdida de la agudeza visual central dificulta o imposibilita la lectura y la realización de trabajos finos, aun con anteojos especiales de aumento. Algunas formas pueden detenerse (pero no revertirse) mediante cirugía con láser.

deglución Movilización de alimentos de la boca al estómago. La LENGUA empuja los líquidos y los alimentos masticados mezclados con SALIVA (bolo alimenticio) a la FARINGE. Al elevarse el PALADAR blando para ocluir la cavidad nasal, comienza la etapa refleja (ver REFLEJO); la LARINGE sube y la epiglotis cubre la TRÁQUEA, interrumpiendo la respiración. La presión en la boca y la faringe empujan el bolo hacia el ESÓFAGO, cuyo esfínter superior se abre para permitir su paso y se cierra para impedir el reflujo. Al descender la laringe, se reanuda la respiración. La PERISTALSIS impulsa los alimentos hacia el ESTÓMAGO, el esfínter esofágico se abre y luego se cierra para impedir el reflujo. La deglución dolorosa es producida habitualmente por INFLAMACIÓN; otros problemas se deben a obstrucción o a trastornos de los movimientos de la deglución.

Deinarco ver DINARCO

Deinonychus Género de dinosaurios TERÓPODOS con garras que medraron en la parte occidental de América del Norte durante el CRETÁCICO inferior (hace 144–99 millones de años). El *Deinonychus* caminaba y corría en dos patas, pero sus dispositivos mortíferos, grandes garras falciformes de 13 cm (5 pulg.) de largo en el segundo dedo de cada pie, exigían que estuviese parado en un pie mientras dilaceraba su presa con el otro. Su larga cola extendida estaba encerrada en haces de varillas óseas que emergían de sus vértebras caudales y hacían que la cola fuese muy rígida. De unos 2,4–4 m (13 pies) de largo y con un peso de 45–68 kg (100–150 lb), tenía un cerebro grande y era evidentemente un predador ágil y rápido.

Deira Reino anglosajón, Gran Bretaña. Ubicado en la parte este del actual condado de YORKSHIRE, se extendía desde el río HUMBER hasta el río TEES. El primer rey de que se tiene registro,

Aelle (Ethelfrith), gobernó desde 560 DC. En el último cuarto del s. VII se unió con BERNICIA, reino colindante, para formar el nuevo reino de NORTHUMBRIA.

Deirdre En la literatura medieval irlandesa, la heroína de *The Fate of the Sons of Usnech*, la gran historia de amor (escrita en el s. VIII o IX) del ciclo de ULSTER. Cuando nació, un druida predijo que muchos hombres morirían a causa de ella, por lo que fue criada en confinamiento. Mujer de gran belleza, rechazó los requerimientos amorosos del rey Conor, se casó con Noísi, uno de los hijos de Usnech, y huyó con él a Escocia. Atraídos con engaño de regreso a Irlanda, Noísi y sus hermanos fueron asesinados y Deirdre se suicidó para evitar casarse con Conor. En el s. XX, la historia fue dramatizada por WILLIAM BUTLER YEATS y JOHN MILLINGTON SYNGE.

deísmo Creencia en Dios basada en la razón y no en la revelación o la enseñanza de una religión en particular. Una forma de religión natural se originó en Inglaterra a principios del s. XVII como rechazo al cristianismo ortodoxo. Los deístas sostenían que la razón podía encontrar pruebas de la existencia de Dios en la naturaleza y que Dios había creado el mundo y luego había dejado que funcionara conforme a las leyes naturales que había ideado. El filósofo Edward Herbert (1583–1648) desarrolló este enfoque en *On Truth* (1624). A fines del s. XVIII, el deísmo era la actitud religiosa predominante entre las clases educadas de Europa; fue aceptado por muchos estadounidenses de clase alta de la época, entre ellos, los tres primeros presidentes de EE.UU

Delacour, Jean Theodore (26 sep. 1890, París, Francia–5 nov. 1985, Los Ángeles Calif., EE.UU.). Avicultor estadounidense de origen francés. En su niñez coleccionó más de 1.300 aves vivas que fueron destruidas durante la primera guerra mundial. Más tarde, realizó expediciones por todo el mundo y juntó nuevamente una colección enorme en el castillo de Clères en Normandía. Crió faisanes en cautiverio, descubrió y nombró muchas especies nuevas de aves y mamíferos, fundó la revista *L'Oiseau* (1920) y escribió la obra clásica *The Birds of French Indochina* [Las aves de Indochina francesa] (1931). Emigró a EE.UU. cuando los alemanes destruyeron una vez más su colección, para restablecer posteriormente su aviario y zoológico en Clères.

Delacroix, (Ferdinand-) Eugène (-Victor) (26 abr. 1798, Charenton-Saint-Maurice, Francia–13 ago. 1863, París). Pintor francés. De joven estuvo fuertemente influenciado por el ROMANTICISMO del pintor THÉODORE GÉRICAULT y el compositor y pianista polaco FRÉDÉRIC CHOPIN. En 1822 exhibió la pintura *Dante y Virgilio en los infiernos*, un hito en el desarrollo del romanticismo francés del s. XIX. En su elección de temas, Delacroix solía mostrar afinidad con LORD BYRON y otros poetas románticos de su época. Su obra estuvo caracterizada por una ilimitada expresión de energía y movimiento, una fascinación por la violencia, la destrucción, los aspectos más trágicos de la vida y un uso sensual del color. Después del éxito obtenido en el Salón de París, se le encargó la decoración de edificios gubernamentales. Se convirtió en uno de los pintores de murales monumentales más distinguidos de la historia del arte francés. Exploró el nuevo medio de la litografía y en 1827 realizó 27 litografías para una edición de *Fausto*. En 1830 pintó

La libertad guiando al pueblo para conmemorar la Revolución de julio que llevó a LUIS-FELIPE al trono francés. Su uso del color influyó en el desarrollo del IMPRESIONISMO.

Delagoa, bahía Bahía en la costa sudoriental de Mozambique. Tiene alrededor de 31 km (19 mi) de largo y 26 km (16 mi) de ancho; la isla Inhaca, centro turístico, se encuentra en un extremo. El puerto más importante es MAPUTO, capital de la nación. Explorada por primera vez por los portugueses, adquirió importancia como punto de embarque del marfil y de los esclavos, como también para el comercio marítimo del océano Índico y como ruta hacia las minas de diamantes y yacimientos auríferos de Sudáfrica. Su posesión fue disputada por portugueses, holandeses, ingleses y bóers hasta que por arbitraje fue concedida a Portugal en 1875.

Delano, Jane A(rminda) (12 mar. 1862, Montour Falls, N.Y., EE.UU.–15 abr. 1919, Savenay, Francia). Enfermera y educadora estadounidense. Se desempeñó como directora de enfermeras en Jacksonville, Fla., donde usó mosquiteros para evitar la diseminación de la fiebre amarilla, antes de saber que los mosquitos eran los portadores. En Bisbee, Ariz., estableció un hospital para mineros con escarlatina. Supervisó el alistamiento de más de 20.000 enfermeras de EE.UU. para servir en ultramar durante la primera guerra mundial.

Delany, Martin R(obison) (6 may. 1812, Charles Town, Virginia, EE.UU.–24 ene. 1885, Xenia, Ohio). Abolicionista y médico estadounidense. Después de trabajar en Pittsburgh, Pa., como ayudante de médico, fundó un periódico, *Mystery*, en la década de 1840, para publicar las aflicciones de los afroamericanos; luego publicó *North Star* (1846–49), junto con FREDERICK DOUGLASS. Fue uno de los primeros estudiantes de raza negra admitidos en la escuela de medicina de Harvard (1850–51); más tarde ejerció en Pittsburgh. Se interesó profundamente en la emigración de afroamericanos hacia África y viajó al continente a investigar diversos lugares. Se trasladó a Canadá en 1856 y regresó en los comienzos de la guerra de SECESIÓN a reclutar soldados para el 54° Regimiento de voluntarios de Massachusetts, en el cual también se desempeñó como cirujano. Se le otorgó el grado de comandante, convirtiéndolo en el primer ciudadano afroamericano en recibir un grado de oficial de ejército. Más adelante trabajó en la oficina de los LIBERTOS.

Delany, Samuel R(ay) (n. 1 abr. 1942, Nueva York, N.Y., EE.UU.). Escritor de ciencia ficción y crítico estadounidense. Nació en el seno de una distinguida familia afroamericana. Delany estudió en el City College de Nueva York. Publicó su primera novela en 1962. Sus obras, cargadas de imaginación y aclamadas por la crítica, abordan temas sociales y raciales, la sexualidad, las búsquedas heroicas, y la naturaleza del lenguaje. *Dhalgren* (1975), su novela más controvertida, narra la historia de un joven bisexual en busca de su identidad en una ciudad populosa y decadente. Sus otros escritos incluyen las novelas *Babel-17* (1966, Premio Nebula), *La intersección de Einstein* (1967, Premio Nebula) y *Stars in My Pocket Like Grains of Sand* [Estrellas en mi bolsillo como granos de arena] (1984), además de libretos para películas, radio y libros de historietas de la Mujer Maravilla. Entre sus publicaciones ensayísticas

"La libertad guiando al pueblo", detalle, óleo sobre tela de Eugène Delacroix, 1830; Museo del Louvre, París.
FOTOBANCO

figuran *Longer Views: Extended Essays* [Perspectivas amplias: ensayos extensos] (1996) y *Shorter Views: Queer Thoughts and the Politics of the Paraliterary* [Perspectivas acotadas: ideas homosexuales y la política de lo paraliterario] (1999).

Delaunay, Robert (12 abr. 1885, París, Francia–25 oct. 1941, Montpellier). Pintor francés. Inició su carrera como diseñador de escenografías a tiempo parcial. Luego trabajó bajo la influencia del NEOIMPRESIONISMO, FAUVISMO y CUBISMO. En 1909–11, sus experimentos de color culminaron en una serie de pinturas de la Torre Eiffel, en las que combinaba formas cubistas fragmentadas con movimientos dinámicos y colores vibrantes. La introducción del color brillante al cubismo –estilo que vino a conocerse como ORFISMO– diferenció su obra de la de los pintores cubistas más ortodoxos e influenció a los artistas de Der BLAUE REITER (El jinete azul). Con su esposa, la pintora y diseñadora textil de origen ucraniano, Sonia Terk Delaunay (n. 1885–m. 1979), pintó decoraciones murales abstractas para la Exposición de París de 1937.

"La Tour Eiffel", óleo sobre tela de Robert Delaunay, 1910–11; Kunstmuseum, Basilea, Suiza.

DEPOSITADO POR LA FUNDACIÓN EMANUEL HOFFMAN EN EL KUNSTMUSEUM DE BASILEA, SUIZA; FOTÓGRAFO, HANS HINZ

delaware *o* **lenape** Pueblo indígena de América del Norte que viven mayoritariamente en Oklahoma, EE.UU. Millares de ellos habitan en Wisconsin y Kansas, EE.UU., y en Ontario, Canadá. Hablan una de las lenguas ALGONQUINAS. Alguna vez ocuparon el litoral atlántico desde el sur de Delaware hasta el lado oeste de Long Island, especialmente el valle del río Delaware, de cuyo nombre deriva el de la confederación que formaron. Para otros pueblos de lenguas algonquinas, los lenapes eran considerados los "abuelos", pues se creía que eran la tribu original de la cual descendían todas las demás, por lo que eran muy respetados. Dependían fundamentalmente de la agricultura, pero también cazaban y pescaban. Se agrupaban en tres clanes sobre la base de la ascendencia materna; estos se dividían a su vez en linajes, cuyos miembros vivían juntos en un *longhouse*. Eran gobernados por un consejo de caciques (jefes) del linaje, que conducían los asuntos públicos de la comunidad; la mujer más anciana del linaje designaba al cacique. Según WILLIAM PENN, eran los indios más amistosos; fueron recompensados con el infame Walking Purchase, un tratado que los privó de todos sus territorios, forzándolos a establecerse en tierras asignadas a los iroqueses. Después de 1690 se desplazaron hacia el oeste. Se alinearon con los franceses en la guerra FRANCESA E INDIA (1754–63) y contribuyeron a derrotar al general británico Edward Braddock. En 1867, la mayoría de los que quedaban fueron trasladados a Oklahoma. Cerca de 8.300 personas declararon descender exclusivamente de los delaware en el censo estadounidense de 2000.

Delaware Estado (pob., 2000: 783.600 hab.), en el este de EE.UU. Se ubica junto al océano Atlántico y limita con Pensilvania, Nueva Jersey y Maryland. Cubre una superficie de 5.247 km^2 (2.026 mi^2) y su capital es DOVER. Originalmente fue habitado por tribus de lenguas ALGONQUINAS y el primer asentamiento permanente de raza blanca (suecos) tuvo lugar en 1638 en Fort Christina, en la actualidad WILMINGTON. En 1655, Nueva Suecia fue capturada por los holandeses de Nueva Amsterdam y, en 1664, por los ingleses. Después de ello, Delaware se convirtió en parte de Nueva York hasta 1682, al ser cedido a WILLIAM PENN. Fue gobernado por Pensilvania hasta 1776, aun cuando se le había concedido autonomía en 1704. Primer estado en ratificar la constitución de EE.UU. en 1787. Delaware es el segundo estado más pequeño del país, pero uno de los que posee mayor densidad poblacional. La industria principal es la de productos químicos, seguida por la de elaboración de alimentos. La vía de transporte más importante es el canal Chesapeake y Delaware, navegable por barcos oceánicos y que acorta la distancia entre FILADELFIA y BALTIMORE.

Delaware, bahía de Ensenada en la costa atlántica de EE.UU. Forma parte del límite entre los estados de Nueva Jersey y Delaware y se extiende 84 km (52 mi) hacia el sudeste desde la unión del río DELAWARE con el Alloway Creek hasta su ingreso entre Cape May y Cape Henlopen. Rodeada de tierras bajas pantanosas, la bahía constituye un enlace importante del CANAL INTRACOSTAL DEL ATLÁNTICO.

Delaware, río Curso fluvial en los estados de Pensilvania y Delaware, EE.UU. Formado por la unión de sus dos brazos, oriental y occidental, en el sur del estado de Nueva York, corre 451 km (280 mi) aprox. para desembocar en la bahía de DELAWARE y el océano Atlántico. Navegable hasta TRENTON, N.J., lo cruza el puente Commodore John Barry (500 m [1.644 pies] de largo), que fue terminado en 1974.

El río Delaware a su paso por Tocks Island, Nueva Jersey, EE.UU.

GENTILEZA DEL SERVICIO DE PARQUES NACIONALES DE EE.UU.; FOTOGRAFÍA, ALBERT DILLAHUNTY

Delbrück, Max (4 sep. 1906, Berlín, Alemania–9 mar. 1981, Pasadena, Cal., EE.UU.). Biólogo estadounidense de origen alemán. Obtuvo un Ph.D. en la Universidad de Gotinga en 1930, y en 1937 emigró a EE.UU., donde ingresó como miembro a la facultad del Instituto Tecnológico de California. En 1939 descubrió un proceso monofásico para desarrollar bacteriófagos, que induciría a los fagos, después de una hora de inactividad, a multiplicarse para producir una progenie de cientos de miles. En 1946, junto con A.D. HERSHEY, descubrió en forma independiente que el material genético de diferentes clases de virus se puede combinar para crear nuevos tipos de virus, proceso que previamente se creía circunscrito a las formas de vida superiores que se reproducen sexualmente. En 1969 compartió el Premio Nobel con Hershey y su colega SALVADOR LURIA.

Delcassé, Théophile (1 mar. 1852, Pamiers, Francia–22 feb. 1923, Niza). Político y periodista francés. Fue elegido miembro de la Cámara de Diputados en 1885 y desempeñó varios cargos ministeriales a partir de 1893. Como ministro de asuntos exteriores en seis gobiernos sucesivos (1898–1905), logró un acuerdo con los británicos que fomentó la creación de la ENTENTE CORDIALE. Considerado el principal artífice del nuevo sistema de alianzas europeas establecido antes de la primera guerra mundial, también allanó el camino para la entente ANGLO-RUSA de 1907. Más tarde fue ministro de marina (1911–13) y nuevamente ministro de asuntos exteriores (1914–15).

Deledda, Grazia (27 sep. 1871, Nuoro, Cerdeña–15 ago. 1936, Roma, Italia). Novelista italiana. Sus primeros relatos, escritos a los 17 años, fueron influenciados por la escuela del verismo. En su abundante producción, compuesta por cerca de 40 novelas –entre ellas *Después del divorcio* (1902), *Elias Portolu* (1903) y *Cenizas* (1904)–, a menudo entran en conflicto las viejas costumbres de su Cerdeña natal con los usos modernos. Su novela de madurez, *La madre* (1920), y otra de índole autobiográfica publicada póstumamente, *Cosima* (1937), fueron muy alabadas. Fue galardonada con el Premio Nobel de Literatura en 1926.

Deleuze, Gilles (18 ene. 1925, París, Francia–4 Nov. 1995, París). Filósofo antirracionalista y crítico literario francés. Comenzó a estudiar filosofía en la Sorbona en 1944 y en 1957 fue nombrado profesor en esa misma universidad; más tarde enseñó en las universidades de Lyon y de París VIII (Vincennes). Sus primeras publicaciones importantes, *David Hume* (1952) y *Nietzsche y la filosofía* (1962), fueron estudios históricos sobre dos pensadores que destacaban los limitados poderes de la razón humana. En *Différence et Répétition* (1968) se manifestó en contra de la devaluación de la "diferencia" en la metafísica occidental y trató de mostrar que la diferencia es inherente a la repetición misma. Un tema central de su obra durante este período fue el "sesgo eleático-platónico" de la metafísica occidental, es decir, su preferencia por la unidad sobre la multiplicidad ("lo uno" sobre "lo múltiple") y por la semejanza sobre la diferencia. Según Deleuze, este sesgo falsea la naturaleza de la experiencia, que está constituida por multiplicidades más que por unidades. En *El Antiedipo* (1972), el primero de una obra de dos volúmenes *Capitalismo y esquizofrenia*, Deleuze y el psicoanalista radical Félix Guattari (1930–1992), acusaron al psicoanálisis tradicional de reprimir el deseo humano en pro de la normalización y el control. El segundo volumen, *Mil mesetas* (1980), condenó toda metafísica racionalista como "filosofía de Estado". Deprimido por una enfermedad crónica, se suicidó en 1995.

delfín Título del primogénito del rey de Francia, otorgado al heredero de la corona francesa, desde 1350 hasta 1830. Derivado de un nombre personal, el término delfín fue empleado originalmente como título en el s. XII por condes franceses de Auvernia y Vienne. El título pasó a la corona francesa cuando FELIPE VI compró, en 1349, las tierras conocidas como el DELFINADO, el que fue conferido después a su nieto, el futuro CARLOS V. El término pasó a designar al heredero forzoso del trono durante el reinado de Carlos V, que otorgó a su hijo, CARLOS VI, el título y el Delfinado.

delfín Miembro de un grupo grande de ballenas pequeñas, gregarias y estilizadas. Los delfines son BALLENAS DENTADAS, normalmente con un morro picudo bien definido. (A veces se los llama MARSOPAS, pero este nombre se debe restringir en propiedad a una familia de ballenas de morro romo). El delfín común (*Delphinus delphis*) y el DELFÍN MULAR, ambos de la familia Delphinidae, se hallan ampliamente en mares templado-cálidos, aunque algunos viven en ríos tropicales. La mayoría de las 32 especies de delfínidos son marinos; grises, un tanto oscuros o marrones por el dorso y claros por el vientre y de 1–4 m (3–13 pies) aprox. de largo. Los delfines de río (familia Platanistidae; cinco especies) viven principalmente en medios dulceacuícolas de Sudamérica y Asia. Ver también ORCA.

delfín mular Especie (*Tursiops truncatus*) muy conocida de MAMÍFERO de la familia Delphinidae (ver DELFÍN), presente en todo el mundo en mares cálidos y templados. Alcanza una longitud

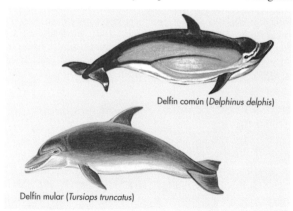

Delfín común (*Delphinus delphis*)

Delfín mular (*Tursiops truncatus*)

Especies de delfín.
© ENCYCLOPÆDIA BRITANNICA, INC.

promedio de 2,5–3 m (8–10 pies) y un peso de 135–300 kg (300–650 lb). Los machos suelen ser más grandes que las hembras. Es actor conocido en los espectáculos acuáticos, caracterizado por una "rictus" dibujada por la curvatura de la boca. También ha sido sujeto de estudios científicos por su inteligencia y habilidad para comunicarse con sus semejantes a través de sonidos y pulsos ultrasónicos.

Delfinado Región histórica y antigua provincia en el sudeste de Francia. Ocupada por los borgoñeses y más tarde por los francos, formó parte del reino central de LOTARIO I, luego de la división del Imperio carolingio en 843 y fue parte del reino de Arles. Fue vendida a FELIPE VI de Francia y se convirtió en la posesión tradicional del primogénito (DELFÍN) del rey. La zona era prácticamente independiente hasta que fue anexionada por la corona en 1457. El Delfinado abarca partes de las actuales regiones administrativas de Ródano-Alpes y de Provenza-Alpes-Costa Azul.

Delfos Sitio del antiguo templo y ORÁCULO de APOLO en Grecia. Ubicado en las laderas del monte PARNASO, fue el centro del mundo en la antigua religión griega. Según la leyenda, el oráculo estaba originalmente consagrado a GEA, pero Apolo se adueñó de él al matar a su hijo, la serpiente Pitón. A contar de 582 AC, Delfos fue sede de los JUEGOS PÍTICOS. El oráculo era consultado no sólo sobre cuestiones privadas, sino también sobre asuntos de Estado, como la fundación de nuevas colonias.

Vestigios del *tholos* en Marmaria, Delfos, Grecia, c. 390 AC.
© FARRELL GREHAN–PHOTO RESEARCHERS

Delft Ciudad (pob., est. 2001: 96.180 hab.) en el sudoeste de los Países Bajos. Fundada en 1075, recibió la carta que le otorgaba el título de ciudad en 1246. Durante los s. XVI y XVII fue un centro mercantil y famosa por su cerámica de DELFT. Fue el lugar de nacimiento del jurista HUGO GROCIO (1583) y del pintor JAN VERMEER (1632). Entre los edificios históricos de la ciudad destacan una iglesia gótica, el ayuntamiento de estilo renacentista y una armería del s. XVII. La cerámica es una de las principales actividades manufactureras.

Delft, cerámica de LOZA con barniz de estaño y decoración policromada azul y blanca fabricada por primera vez a principios del s. XVII en Delft, Holanda. Posteriormente, los alfareros holandeses introdujeron el arte del barnizado con estaño a Inglaterra junto con el nombre, el que hoy se aplica a las porcelanas fabricadas en los Países Bajos e Inglaterra. Se diferencia de la FAYENZA (fabricada en Francia, Alemania, España y Escandinavia) y de la MAYÓLICA (fabricada en Italia).

Delhi Territorio de la capital nacional (pob., est. 2001: 13.782.976 hab.) en el centro-norte de India. Limita con los estados de UTTAR PRADESH y HARYANA, tiene una superficie de 1.483 km^2 (573 mi^2), y abarca las ciudades de Delhi (conocida popularmente como Antigua Delhi) y NUEVA DELHI (la capital de India) y las zonas rurales adyacentes. Delhi fue la capital de una dinastía musulmana desde 1206 hasta que fue devastada por TAMERLÁN en 1398. Fue conquistada por el mogol BABER en 1526. Aunque la capital mogol se ubicaba principalmente en AGRA, Delhi fue hermoseada por SHA JAHÁN, al comienzo de 1638. Saqueada por NĀDIR SHA en 1739, se rindió ante la confederación mahratta en 1771. Capturada por los británicos en 1803, durante la rebelión de los CIPAYOS en 1857 fue ocupada por los rebeldes. Delhi reemplazó a Calcuta (actual

Tumba real de Humayun, s. XV, en Nueva Delhi, India.
HARALD SUND/THE IMAGE BANK/GETTY IMAGES

KOLKATA) como capital de la India británica en 1912, fecha en que comenzó la construcción de Nueva Delhi que se convirtió oficialmente en capital en 1931 y mantuvo esta condición luego de la independencia de India en 1947. Las actividades económicas y el grueso de la población se concentran en la Antigua Delhi, mientras que en Nueva Delhi se centralizan las entidades gubernamentales. El territorio es también un eje de comunicaciones de la zona centro-norte de India.

Delhi, sultanato de Principal sultanato musulmán en el norte de India entre los s. XIII y XVI. Su fundación se debió en gran parte a las campañas de Muḥammad de Ghūr y su lugarteniente Quṭb al-Dīn Aybak entre 1175 y 1206. Durante el reinado del sultán Iltutmish (1211–36) se estableció una capital permanente en Delhi y se rompieron los vínculos políticos con Ghūr. En 1290-1320, bajo la dinastía Khaljī, el sultanato fue una potencia imperial. Su poder se vio quebrantado por la invasión de TAMERLÁN (1398–99), pero se recuperó en parte bajo la dinastía afgana Lodī (1451–1526). Sucumbió nuevamente ante BĀBER (1526); fue restablecido por corto tiempo, y finalmente absorbido por el Imperio mogol de AKBAR en 1556.

Delibes, (Clément Philibert) Léo (21 feb. 1836, Saint-Germain-du-Val, Francia–16 ene. 1891, París). Compositor francés. Estudió en el conservatorio de París y trabajó como organista de iglesia y en la Ópera de París como acompañante y maestro de coro. Aunque compuso cerca de 30 óperas, operetas y ballets, así como muchas piezas corales, hoy se lo recuerda por tres obras: los ballets *Coppélia* (1870) y *Sylvia* (1876) y la ópera *Lakme* (1883).

DeLillo, Don (n. 20 nov. 1936, Nueva York, N.Y., EE.UU.). Novelista estadounidense. Hijo de inmigrantes italianos, trabajó como redactor publicitario antes de dedicarse a la literatura. Sus obras posmodernas retratan el desasosiego y la alienación de un país mimado por la abundancia material y embotado por el vacío de la política y la cultura de masas. *Ratner's Star* [La estrella de Ratner] (1976) llamó la atención por su comicidad barroca y su destreza verbal. Luego, la visión de DeLillo se tornó más oscura y sus personajes más testarudos en su ignorancia y destructividad, como en *Players* [Los jugadores] (1977) y *Ruido de fondo* (1985). El tema de *Libra* (1988) es LEE HARVEY OSWALD; *Submundo* (1997) retrata a la nación estadounidense de la década de 1950 y *Body art* (2001) trata sobre una mujer que encara el suicidio de su marido.

delimitación legislativa ver PRORRATEO LEGISLATIVO

delincuencia Conducta antisocial manifestada actualmente con mayor frecuencia en la juventud. En todos los países donde hay delincuencia, los jóvenes de sexo masculino constituyen el grueso de la población delictiva (cerca de 80% en EE.UU.). Las teorías acerca de sus causas se centran en las características sociales y económicas de la familia del delin-

cuente, los valores inculcados por los padres y la naturaleza de las subculturas juveniles y antisociales, entre ellas las pandillas. En general, en el fenómeno intervienen tanto factores de "presión" como de "atracción". Al parecer, la mayoría de los delincuentes no continúan en esta senda al alcanzar la adultez, sino que más bien se adaptan a las normas sociales. El castigo aplicado con mayor frecuencia a los delincuentes juveniles es la libertad condicional, en virtud de la cual reciben una condena suspendida y, a cambio de ello, deben cumplir una serie específica de reglas bajo la vigilancia de un funcionario encargado de supervisar el cumplimiento de la libertad condicional. Ver también CRIMINOLOGÍA; PENOLOGÍA.

delirio Desorientación, pensamiento confuso y rápida alternancia de estados mentales. El paciente se manifiesta inquieto, no puede concentrarse y sufre cambios emocionales (p. ej., ansiedad, apatía, euforia), a veces con alucinaciones. El delirio suele ser causado por afecciones cerebrales como infecciones del sistema nervioso central, traumas craneanos o enfermedades mentales. En casos graves de etilismo, la privación de alcohol provoca DELIRIUM TREMENS, que no es sólo consecuencia de su ingesta exagerada, sino también del agotamiento, la malnutrición (especialmente falta de TIAMINA) y la DESHIDRATACIÓN.

delirium tremens (DT) DELIRIO que ocurre en casos graves de privación de alcohol (ver ALCOHOLISMO), complicado por agotamiento, falta de alimentos y deshidratación, y precedido usualmente de deterioro físico por vómitos e inquietud. Todo el cuerpo tiembla, a veces hay convulsiones, desorientación y alucinaciones. El delirium tremens dura 3–10 días, y su mortalidad llega hasta 20%. Las alucinaciones pueden ocurrir independientemente del delirium tremens y durar días o semanas.

delito Acto deliberado que por lo general se considera socialmente perjudicial o peligroso y que se encuentra específicamente definido, prohibido y sancionado por el DERECHO PENAL. En la tradición del COMMON LAW, los delitos se tipificaban principalmente mediante sentencia judicial. En la actualidad, la mayoría de los delitos de common law están codificados. De acuerdo con el principio generalmente aceptado, *nullum crimen sine lege*, no puede haber delito sin una ley dictada con anterioridad al hecho. Los delitos por lo general comprenden una conducta (el *actus reus*) y el ánimo de realizarla (el *mens rea*). Constituyen delitos, entre otros, el delito de INCENDIO, la AMENAZA Y AGRESIÓN, el SOBORNO, el ROBO CON VIOLENCIA, el ABUSO DE MENORES, la ADULTERACIÓN, la DEFRAUDACIÓN, la EXTORSIÓN, la FALSIFICACIÓN, la ESTAFA, el SECUESTRO DE AERONAVES, BUQUES U OTROS MEDIOS DE TRANSPORTE TERRESTRE, el HOMICIDIO, el RAPTO, el PERJURIO, la PIRATERÍA, la VIOLACIÓN, la SEDICIÓN, el CONTRABANDO, la TRAICIÓN, el HURTO y la USURA. Ver también ACUSACIÓN; ARRESTO; AUTOINCRIMINACIÓN; CRÍMENES DE GUERRA; CRIMINOLOGÍA; CONSPIRACIÓN; DELITO Y FALTA; derechos del INCULPADO; PENA; PRESCRIPCIÓN EXTINTIVA.

delito y falta En el derecho angloamericano, dos categorías de conducta criminal que se distinguen una de otra por su gravedad. En el derecho estadounidense, el delito suele definirse como crimen que se castiga con penas de prisión no inferiores a un año. Las faltas a menudo se definen como delitos menores, que se castigan sólo con multas o breves períodos de privación de libertad en cárceles locales. En Gran Bretaña, los delitos se clasifican en delitos susceptibles de procesamiento (que pueden ser juzgados por un jurado) y delitos de procesamiento sumario (que pueden ser juzgados por un juez, sin intervención de un jurado). Los códigos europeos también distinguen entre crímenes y simples delitos.

Delius, Frederick (Theodore Albert) (29 ene. 1862, Bradford, Yorkshire, Inglaterra–10 jun. 1934, Grez-sur-Loing, Francia). Compositor británico de origen alemán. De origen inglés y de padres alemanes, estudió música en Leipzig y otros lugares. En 1887, EDVARD GRIEG convenció a sus padres para que lo dejaran seguir la carrera musical. Se trasladó a Francia y finalmente se instaló en una villa cerca de París. Después de la primera guerra mundial, como consecuencia de la sífilis, sucumbió gradualmente a la parálisis y a la ceguera. Entre sus obras, influidas por CLAUDE DEBUSSY, destacan las óperas *A Village Romeo and Juliet* (1901) y *Fennimore and Gerda* (1910) y los poemas sinfónicos *Brigg Fair* (1907) y *On Hearing the First Cuckoo in Spring* (1912); y las obras corales *Appalachia* (1903) y *A Mass of Life* (1908).

Frederick Delius, dibujo de Edmond X. Kapp, 1932.
EDMOND X. KAPP

Della Robbia, familia Familia de artistas italianos de Florencia. Las primeras obras de Luca (di Simone di Marco) Della Robbia (n. 1399/1400–1482) constituyeron relieves esculpidos en mármol, más señaladamente los de la Cantoria (galería de canto) de la catedral de Florencia (1432–37). Los Della Robbia son reconocidos principalmente por desarrollar la terracota esmaltada como medio para la escultura. Sus obras en terracota más importantes incluyen los nichos circulares de los apóstoles (c. 1444) para la capilla Pazzi en Santa Croce del arquitecto FILIPPO BRUNELLESCHI. Con el tiempo, el taller de los Della Robbia fue un estudio industrial de alfarería, famoso por sus representaciones de la madona y el Niño en esmalte blanco sobre fondo azul. Andrea (di Marco) Della Robbia (1435–1525), sobrino de Luca, asumió el control del taller c. 1470. Formado como escultor en mármol, sus obras más conocidas son diez nichos circulares que representan infantes en la fachada del Hospital de los Inocentes de Florencia (c. 1487). Giovanni Della Robbia (1469–1529), el hijo más distinguido de Andrea, tomó el control del taller familiar después de la muerte de su padre. Sus primeras obras, en especial un lavabo en Santa María Novella (1497) y medallones en la Loggia de San Paolo (1493–95), fueron hechos en colaboración con su padre.

Delmarva, península Península en el este de EE.UU. Se extiende entre las bahías de CHESAPEAKE y de DELAWARE y tiene 290 km (180 mi) aprox. de largo y hasta 110 km (70 mi) de ancho. Comprende partes de los estados de Delaware, Maryland y Virginia –de ahí su nombre–, comprende también el litoral oriental de Maryland. La pesca y el turismo son importantes para la economía de la región.

Delors, Jacques (Lucien Jean) (n. 20 jul. 1925, París, Francia). Estadista francés. En 1962 dejó su puesto en la banca para ocupar una serie de cargos en el gobierno, incluido el de ministro de economía y finanzas. Como presidente de la Comisión Europea (1985–95), impulsó reformas y convenció a los estados miembros de que acordaran la creación de un mercado único en 1993, lo que constituyó el primer paso hacia la plena integración política y económica de la UNIÓN EUROPEA (UE). Al término de su mandato, fue considerado un serio candidato a la presidencia de Francia, pero decidió no postular.

Delos, isla *griego* **Dhílos** Isla de Grecia, la menor de las CÍCLADAS; antiguo centro religioso, político y comercial en el Egeo. Según la leyenda, fue la cuna de APOLO y ARTEMISA. En 478 AC, después de las guerras MÉDICAS, fue la sede de la Liga de DELOS. En 166 AC, Roma hizo de Delos un puerto libre, y la isla se convirtió en una próspera plaza comercial y mercado de esclavos. Saqueada en 88 AC durante las guerras mitridáticas, cayó gradualmente en decadencia y fue abandonada. Se han realizado extensos trabajos de excavación en sus impresionantes ruinas.

Delos, Liga de En la antigüedad, confederación de estados griegos dirigida por Atenas que tenía su sede en la isla de DELOS. Fundada en 478 AC para combatir contra Persia, estaba integrada, entre otros, por numerosos estados e islas del mar Egeo. Atenas facilitaba a sus comandantes y recaudaba tributos en dinero o en barcos. Obtuvo una importante victoria en 467–466 cuando su flota expulsó a las guarniciones persas de la costa sur de Anatolia. Después de 454, por razones de seguridad, sus líderes trasladaron a Atenas el tesoro de la liga, lo utilizaron para reconstruir los templos de la ciudad y manejaron los estados de la liga como si constituyesen un imperio ateniense. La mayoría de sus miembros se pusieron de parte de Atenas en la guerra del PELOPONESO, lo cual desvió a la liga de su lucha contra Persia. Después de derrotar a Atenas en batalla en 405, Esparta disolvió la liga (404). El temor a Esparta contribuyó a revitalizar la confederación a principios del s. IV, pero se debilitó conforme Esparta declinaba y finalmente fue aplastada por FILIPO II en la batalla de QUERONEA (338).

delphinium ver PAJARITO

delta Llanura baja sedimentaria, formada por los aluviones transportados por un río en su desembocadura. Desde tiempos prehistóricos, los deltas han sido de importancia para la raza humana. Los materiales depositados por aguas de inundación, como arena, limo, arcilla, fueron muy productivos para la agricultura; grandes civilizaciones florecieron en los deltas de los ríos Nilo, Tigris y Éufrates. En años recientes, geólogos descubrieron que gran parte de las reservas de petróleo del mundo se encuentran en rocas de antiguos deltas. Los deltas varían mucho en tamaño, estructura, composición y origen, aunque muchos son triangulares (la forma de la letra griega delta).

dema, deidad Cualquiera de los varios seres ancestrales míticos del pueblo Marind-Anim del sur de Nueva Guinea. En su mitología, dar muerte a un ancestro divino (una deidad dema) provoca su transición del mundo ancestral al humano. En la mitología de Ceram, por ejemplo, la diosa Hainuwele crece de una flor de coco y es desmembrada por hombres dema; cuando las partes de su cuerpo son enterradas, se convierten en nuevas especies vegetales, en especial tubérculos, el principal alimento de los cerameses. Estos mitos ofrecen una explicación del origen de la agricultura, así como de la sexualidad humana y la muerte.

demencia Deterioro crónico y habitualmente progresivo de las funciones intelectuales. Más común en la vejez, suele iniciarse con pérdida de la memoria a los hechos recientes, que antes se consideraba consecuencia normal del envejecimiento, pero que ahora se sabe es debida al mal de ALZHEIMER. Otras causas comunes son el mal de Pick y las enfermedades vasculares. La demencia también ocurre en corea de HUNTINGTON, PARÁLISIS y algunos tipos de ENCEFALITIS. Las causas tratables de demencia son el hipotiroidismo (ver TIROIDES), otras enfermedades metabólicas y algunos tumores malignos. El tratamiento puede frenar su progreso, pero no revertirla.

Sitio arqueológico de Delos, isla menor de las Cícladas, Grecia.
GAVIN HELLIER/ROBERT HARDING WORLD IMAGERY/GETTY IMAGES

demencia En derecho penal, enfermedad, defecto, o estado mental que incapacita a la persona para comprender la naturaleza de un acto criminal o el hecho de que se trata de un ilícito. Las pruebas de demencia no pretenden servir de diagnóstico médico, sino establecer si una persona es o no plenamente responsable de sus actos. En el derecho angloamericano, la definición más aceptada de demencia ha sido la propuesta por ALEXANDER COCKBURN (1843). Numerosos estados de EE.UU. y varios tribunales han aplicado el criterio de que el imputado debe carecer de "capacidad sustancial para apreciar la ilicitud de su conducta o para ajustarla a los requisitos de la ley". Algunos estados han abolido la alegación de demencia y otros permiten fallar que el imputado es "culpable pero mentalmente enfermo". Ver también RESPONSABILIDAD ATENUADA.

Demerara, río Río del este de Guyana. Nace en las selvas del centro del país y fluye hacia el norte 346 km (215 mi) para desembocar en el océano Atlántico por GEORGETOWN. Los barcos de mayor calado pueden ascender 105 km (65 mi) hasta Linden para cargar bauxita; las embarcaciones menores navegan hasta Malali, 40 km (25 mi) río arriba; después de esta localidad se encuentran numerosos rápidos.

Deméter En la mitología griega, esposa de ZEUS y diosa de la agricultura, en especial de los cereales. Aunque no era una deidad olímpica y rara vez fue mencionada por HOMERO, probablemente representaba una diosa antigua. Es más recordada por su papel en la historia de PERSÉFONE, donde su desatención a la cosecha provoca una hambruna. Además de ser diosa de la agricultura, Deméter fue adorada ocasionalmente como una divinidad del infierno y como diosa de la salud, el nacimiento y el matrimonio.

Deméter de Cnido, escultura, mediados del s. IV AC.
GENTILEZA DEL DIRECTORIO DEL MUSEO BRITÁNICO

Demetrio, falso o **Pseudo-Demetrio** Cualquiera de los tres pretendientes al trono moscovita, quienes durante la época de CRISIS reclamaron ser Demetrio Ivánovich, el hijo de IVÁN IV, que había muerto en forma misteriosa cuando niño, posiblemente asesinado por orden de BORÍS GODÚNOV. El primero de los impostores puso en tela de juicio el derecho al trono de Godúnov, fue proclamado zar en 1605 y asesinado en 1606 por Vasili Shuiski (n. 1552–m. 1612), quien lo sucedió. Se extendió el rumor de que Demetrio había sobrevivido, y surgió un segundo pretendiente que logró conquistar gran número de partidarios antes de ser asesinado en 1610. El tercer falso Demetrio apareció en 1611 y, aunque logró conseguir la lealtad de los COSACOS y de los habitantes de Pskov, fue ejecutado en 1612.

Demetrio I Poliorcetes (336 AC, Macedonia–283 AC, Cilicia). Rey de Macedonia (294–288). Cuando era un joven general, se empeñó en reconstruir el imperio de su padre, ANTÍGONO I MONOFTALMOS. Bajo el mando de este, fracasó inicialmente en sus ataques contra Egipto y Nabatea, pero luego liberó a Atenas de Macedonia (307) y derrotó a TOLOMEO I SÓTER (306), con lo cual restauró en parte los dominios de su padre. Combatió a su lado en la batalla de IPSO (301), en la cual murió Antígono, y tiempo después recapturó Atenas (294). Se convirtió en rey de Macedonia, con el nombre de Demetrio I Poliorcetes ("el Sitiador"), después de dar muerte a Alejandro V (r. 297–294). Expulsado de Macedonia en 288, se rindió ante SELEUCO I NICÁTOR en 285

DeMille, Cecil B(lount) (12 ago. 1881, Ashfield, Mass., EE.UU.–21 ene. 1959, Hollywood, Cal.). Director y productor de cine estadounidense. En 1913 se asoció con Jesse Lasky (n. 1880–m. 1958) y SAMUEL GOLDWYN y formó la compañía pre-

cursora de PARAMOUNT COMMUNICATIONS. Su trabajo, *El mestizo* (1914), fue el primer largometraje producido en Hollywood, y estableció a DeMille como director de cine. Hizo numerosas comedias antes de filmar superproducciones de temas bíblicos, como *Los diez mandamientos* (1923, segunda versión en 1956) y *Rey de reyes* (1927). Era conocido por su exuberancia, su gusto por los elencos multitudinarios y los decorados extravagantes. Entre sus otras 70 películas se destacan *Sansón y Dalila* (1949) y *El mayor espectáculo del mundo* (1952, premio de la Academia a la mejor película). Además fue presentador del programa radial *Lux Radio Theatre* (1936–45).

Cecil B. DeMille.
EB INC.

Deming, W(illiam) Edwards (14 oct. 1900, Sioux City, Iowa, EE.UU.–20 dic. 1993, Washington, D.C.). Estadístico y educador estadounidense; defensor de los métodos de control de calidad en la producción industrial. Obtuvo un Ph.D. en física matemática en la Universidad de Yale y, posteriormente, fue profesor de la Universidad de Nueva York durante 46 años. Deming empleó desde la década de 1930 el análisis estadístico para lograr un mejor control de calidad industrial. En 1950 fue invitado a Japón para impartir clases a ejecutivos e ingenieros. Sus ideas –cuya esencia era registrar los defectos de los productos, analizar y abordar las causas de esos defectos y dejar constancia de los cambios en la calidad ulterior– fueron adoptadas con entusiasmo en ese país y finalmente contribuyeron a que los productos japoneses dominaran el mercado en gran parte del mundo. En 1951, Japón instituyó el Premio Deming para galardonar a las empresas que ganaran una rigurosa competencia de control de calidad. Las compañías estadounidenses adoptaron las ideas de Deming en la década de 1980, en especial con el nombre de GESTIÓN DE CALIDAD TOTAL.

Demiurgo Dios secundario que configura y ordena el mundo físico. En su diálogo *Timeo*, PLATÓN lo definió como la fuerza que modeló el mundo a partir de la materia preexistente en el caos. En el GNOSTICISMO de principios de la era cristiana, era considerado una deidad inferior que había creado el mundo material imperfecto y que pertenecía a las fuerzas del mal contrarias al supremo Dios de bondad.

demo *griego* **demos** En la antigua Grecia, distrito, división administrativa diferente de la POLIS. En las reformas democráticas (508–507 AC) impulsadas por CLÍSTENES, los demos de Ática (la zona circundante de Atenas) obtuvieron derecho a voz en los gobiernos local y estatal. Tenían sus propios funcionarios, policías y cultos religiosos. Al cumplir 18 años, los hombres pasaban a ser miembros inscritos del demo, quienes resolvían sobre los asuntos internos del demo y mantenían registros de propiedad para efectos de tributación. Cada demo enviaba representantes a la BULÉ ateniense en proporción a su tamaño. El término siguió siendo aplicado a los distritos locales en la época helenística y la romana.

democracia Forma de gobierno en la cual el poder supremo se confiere al pueblo y es ejercido por él directa o indirectamente, a través de un sistema de representación que comporta elecciones libres y periódicas. En una democracia directa, el pueblo participa en el gobierno (como en algunas CIUDADES-ESTADOS de la antigua Grecia, algunos CONCEJOS MUNICIPALES DE VECINOS de Nueva Inglaterra y algunos CANTONES en la Suiza moderna). Actualmente la mayoría de las democracias son representativas, concepto que surgió en gran medida de ideas e instituciones que se desarrollaron en la Edad Media europea, en la Ilustración y en las revoluciones americana y francesa. La democracia ha llegado a significar sufragio universal, competencia por el poder, libertad de expresión y prensa, y el imperio de la ley. Ver también REPÚBLICA.

Democracia Cristiana Movimiento político que tiene una estrecha vinculación con el CATOLICISMO romano y su filosofía de justicia social y económica. Hizo suyos valores progresistas como el bienestar social, y tradicionales, como la familia y la Iglesia. Después de la segunda guerra mundial surgieron varios partidos democratacristianos en Europa, entre ellos, el Partido Demócrata Cristiano italiano, el Movimiento REPUBLICANO POPULAR (MRP) francés y, el más exitoso, la UNIÓN DEMÓCRATA CRISTIANA (CDU) alemana. En la misma época también nacieron partidos de esta ideología en América Latina. Aunque la mayoría eran pequeños grupos disidentes, lograron finalmente llegar al poder en Venezuela, El Salvador y Chile.

democracia parlamentaria Forma democrática de gobierno en la cual el partido o la coalición de partidos que tenga la mayor representación en el parlamento (legislatura) forma el gobierno y su líder se convierte en PRIMER MINISTRO O CANCILLER. Las funciones ejecutivas son ejercidas por miembros del parlamento designados por el primer ministro para conformar el GABINETE. Los partidos que están en minoría ejercen la oposición y deben fiscalizar regularmente a la mayoría. El primer ministro puede ser removido del poder en cualquier momento si pierde la confianza de la mayoría del partido gobernante o del parlamento. La democracia parlamentaria se originó en Gran Bretaña (ver PARLAMENTO BRITÁNICO) y fue adoptada en muchas de sus antiguas colonias.

Demócratas de Izquierda (DS) *ant. (1921–91)* **Partido Comunista Italiano** *(1991–98)* **Partido Democrático de la Izquierda** Importante partido político italiano. Fundado con el nombre de Partido Comunista Italiano en 1921 por disidentes del ala izquierdista del PARTIDO SOCIALISTA ITALIANO, fue proscrito por el gobierno fascista de BENITO MUSSOLINI en 1926, al igual que otros partidos, y pasó a la clandestinidad. Actuó en la resistencia italiana durante la segunda guerra mundial. Después del conflicto bélico participó en gobiernos de coalición y triunfó siempre en las urnas. En 1956, tras conocerse los crímenes de STALIN, PALMIRO TOGLIATTI intentó disociar al PCI de la Unión Soviética. ENRICO BERLINGUER, líder del conglomerado desde 1972 hasta 1984, se convirtió en el principal defensor del EUROCOMUNISMO. Con el fin de consolidar a las fuerzas de izquierda y ampliar su base, el PCI cambió su nombre por el de Partido Democrático de la Izquierda en 1991; llegó a ser uno de los principales partidos de Italia y el partido comunista más numeroso de Europa occidental. En 1998 se autodenominó Demócratas de Izquierda.

Demócrito (c. 460– c. 370 AC). Filósofo griego. Aunque sobreviven sólo unos pocos fragmentos de su obra, fue aparentemente el primero en describir los "átomos" invisibles como la base de toda materia. Sus átomos –indestructibles, indivisibles, incompresibles, uniformes, y diferentes entre sí sólo en tamaño, forma y movimiento– anticiparon con sorprendente exactitud los descubiertos por los científicos del s. XX. Debido a la suave ironía con que trataba las debilidades humanas, se lo ha llamado "el filósofo risueño". Ver también ATOMISMO.

demografía Estudio estadístico de la población humana, especialmente en lo referido al tamaño, la densidad, la distribución y las estadísticas vitales. La demografía contemporánea abarca aspectos como las tasas globales de natalidad, la interrelación entre población y desarrollo económico, los efectos del CONTROL DE LA NATALIDAD, la congestión urbana, la inmigración ilegal y las estadísticas de la población activa. La mayoría de los estudios demográficos se basan en los CENSOS y en el registro de las estadísticas vitales.

demonio En las religiones del mundo, cualquiera de los varios espíritus malignos que median entre los reinos de lo sobrenatural y lo humano. El término proviene de la palabra griega *daimon*, poder divino o semidivino que determina el destino de una persona. El ZOROASTRISMO tenía una jerarquía de demonios,

que estaban en constante batalla contra AHURA MAZDA. En el judaísmo se creía que los demonios habitaban los yermos desérticos, las ruinas y las tumbas, y provocaban trastornos físicos y espirituales a la humanidad. El cristianismo colocó a Satanás o Belcebú a la cabeza de los demonios y el Islam designó a IBLIS o Satanás como jefe de una hueste de maléficos jinn. El hinduismo tiene muchos demonios, llamados *asuras*, que se oponen a los *devas* (dioses). En el budismo, se considera que los demonios son tentadores que impiden alcanzar el nirvana.

demonio de Tasmania Especie de MARSUPIAL (*Sarcophilus harrisii* o *S. ursinus*, familia Dasyuridae), ahora extinta en el

Demonio de Tasmania (*Sarcophilus harrisii*).
JOHN YATES–SHOSTAL

continente australiano y que sobrevive en zonas rocosas remotas de Tasmania. Tiene un largo de 75–100 cm (30–40 pulg.), un cuerpo rechoncho, cabeza y mandíbulas grandes y una cola larga y tupida. La piel es normalmente negra y marrón con el pecho manchado de blanco. Llamado así por su expresión diabólica y gruñido cavernoso, se alimenta principalmente de carroña de ualabí y ovejas, pero también come larvas de coleóptero y, ocasionalmente, aves de corral. Sus tres o cuatro crías permanecen en la bolsa materna unos cinco meses.

Demóstenes (384 AC, Atenas–12 oct. 322 AC, Calauria, Argolis). Estadista ateniense, considerado el más grande orador de la antigua Grecia. Según PLUTARCO, en su juventud era tartamudo y mejoró su oratoria poniéndose guijarros en la boca y practicando ante un espejo. Sus talentos fueron reconocidos muy temprano y poderosos clientes contrataron sus servicios como escritor de discursos. Abrazó durante toda su vida principios democráticos. Levantó a Atenas contra FILIPO II con sus célebres *Filípicas* y luego en contra del hijo de Filipo, ALEJANDRO MAGNO. Con ello, se ganó la enemistad de ESQUINES, el que sostenía que las intenciones de Filipo eran pacíficas. Demóstenes logró que Esquines fuese desterrado (330), pero él mismo sufrió igual suerte en 324. Llamado de regreso después de la muerte de Alejandro (323), debió huir del sucesor y se suicidó.

Demóstenes, estatua en mármol, detalle de una copia romana de un original griego de c. 280 AC.
GENTILEZA DE NY CARLSBERG GLYPTOTEK, COPENHAGUE

demostración En lógica y matemática, un argumento que establece la validez de una proposición. Formalmente, es una secuencia finita de fórmulas generadas de acuerdo con reglas aceptadas. Cada fórmula es o un AXIOMA o bien una derivada de un TEOREMA establecido en forma previa, y la última fórmula es la afirmación que debe ser demostrada. Esta es la esencia del razonamiento deductivo (ver DEDUCCIÓN), base de la GEOMETRÍA EUCLIDIANA y de todos los métodos científicos inspirados por ella. Una forma de demostración alternativa, llamada INDUCCIÓN matemática, se aplica a proposiciones definidas por procesos basados en los números naturales. Consiste en que si una proposición es válida para $n = 1$ y puede demostrarse que es válida para $n = k + 1$ siempre que sea también verdadera para $n = k$ (una constante), entonces es verdadera para todos los valores de n. Un ejemplo es la afirmación que la suma de los primeros n números naturales es $n(n + 1)/2$.

Dempsey, Jack *orig.* **William Harrison Dempsey** (24 jun. 1895, Manassa, Col., EE.UU.–31 may. 1983, Nueva York, N.Y.). Boxeador estadounidense. Se inició en el boxeo

Jack Dempsey.
UPI

en 1914 con el seudónimo de Kid Blackie. Después de conseguir un impresionante número de *knock outs* en el primer asalto, combatió en 1919 al campeón mundial de los pesos pesados, Jess Willard, a quien derrotó en tres asaltos. Retuvo el cetro de la categoría durante diez años, hasta que GENE TUNNEY lo venció por puntos en diez asaltos en 1926. Al año siguiente se disputó la revancha, el famoso combate de la "cuenta larga": Dempsey no quiso ir a la esquina neutral después de haber botado a Tunney, lo cual atrasó el comienzo de la cuenta y le dio a Tunney tiempo adicional para recuperarse y ganar la pelea. Apodado el "Maltratador de Manassa", Dempsey fue un peleador feroz que iba siempre al ataque. Realizó peleas de exhibición en la década de 1930 antes de retirarse en 1940; después se convirtió en próspero dueño de restaurantes. En 84 peleas anotó un récord de 62 victorias, 51 por *knock out*.

Demuth, Charles (8 nov. 1883, Lancaster, Pa., EE.UU.–23 oct. 1935, Lancaster). Pintor estadounidense. Estudió en Filadelfia y más tarde en Europa. A su regreso fue un importante canal para la transmisión de los movimientos europeos modernos al arte estadounidense. Ampliamente conocido como exponente del PRECISIONISMO, se destacó con sus acuarelas y realizó una sobresaliente serie de flores, circos y escenas de cafés. Más tarde, incorporó publicidad e inscripciones de carteleras a paisajes urbanos abstractos de contornos duros. Entre sus obras conocidas están los "retratos de carteles", como *He visto al número 5 en oro* (1928), un retrato simbólico del poeta WILLIAM CARLOS WILLIAMS.

"He visto al número 5 en oro", óleo sobre tabla de composición de Charles Demuth, 1928; Museo Metropolitano de Arte de Nueva York.
GENTILEZA DEL MUSEO METROPOLITANO DE ARTE DE NUEVA YORK, THE ALFRED STIEGLITZ COLLECTION, 1949

Denali ver MONTE MCKINLEY

Denali, parque nacional Reserva en el centro-sur del estado de Alaska, EE.UU. Constituido en 1980, comprende el antiguo parque nacional Mount McKinley (1917) y el Denali National Monument (1978). Entre las atracciones principales del parque destacan el monte MCKINLEY, los grandes glaciares de la cordillera de ALASKA y abundante fauna y flora natural. La superficie total del parque es de 2.025.000 ha (5.000.000 de acres).

Dench, Dame Judi(th Olivia) (n. 9 dic. 1934, York, Yorkshire, Inglaterra). Actriz británica. Debutó en el teatro en 1957 interpretando a Ofelia en *Hamlet* y con el tiempo participó en muchas obras de Shakespeare. Además actuó en musicales y en 1968 fue protagonista en el estreno londinense de *Cabaret*. Entre sus otros trabajos destacables están la serie televisiva *A Fine Romance* (1981–84) y las películas *La carta final* (1986), *Su majestad Mrs. Brown* (1997) -en la que interpretó a la reina Victoria- y *Shakespeare enamorado* (1998, premio de la Academia).

dendrocronología Método de DATACIÓN científica basado en el análisis de los anillos de crecimiento de los árboles. Como el ancho de los anillos varía con las condiciones climáticas, el análisis de muestras del núcleo del tronco en laboratorio permite a los científicos reconstruir las condiciones existentes cuando se formaron los anillos. Por medio de miles de muestras de diferentes sitios y estratos dentro de una región específica, los investigadores pueden elaborar una secuencia histórica completa que pasa a formar parte de los archivos científicos. Estas cronologías maestras son utilizadas después por arqueólogos, climatólogos y otros investigadores.

Deneuve, Catherine *orig.* **Catherine Dorléac** (n. 22 oct. 1942, París, Francia). Actriz de cine francesa. Debutó en el cine a la edad de 13 años y se hizo famosa con su rol en *Los paraguas de Cherburgo* (1964). Su gélida belleza rubia y sus inspiradas interpretaciones en *Repulsión* (1965) de ROMAN POLANSKI y en *Bella de día* (1967) y *Tristana* (1970) de LUIS BUÑUEL, la convirtieron en una estrella internacional. Entre sus numerosas películas se cuentan *El último metro* (1980) e *Indochina* (1992).

Catherine Deneuve, 1961.
FOTOBANCO

Deng Xiaoping *o* **Teng Hsiao-p'ing** (22 ago. 1904, provincia de Sichuan, China–19 feb. 1997, Beijing). Líder comunista chino y la figura más poderosa de China desde fines de la década de 1970 hasta su muerte. En la década de 1950 se convirtió en viceprimer ministro de la República Popular de China y secretario general del PARTIDO COMUNISTA CHINO (PCCh). Cayó en desgracia durante la REVOLUCIÓN CULTURAL, pero fue rehabilitado en 1973 bajo la protección de ZHOU ENLAI. Aunque fue considerado como un probable sucesor del primer ministro Zhou, cuando este murió en 1976, fue nuevamente expulsado, esta vez por la BANDA DE LOS CUATRO. Sin embargo, al morir MAO ZEDONG, poco más tarde ese mismo año y en la consiguiente lucha por el poder, la Banda de los cuatro fue arrestada y Deng restituido por segunda vez. Sus protegidos Hu Yaobang y Zhao Ziyang se convirtieron en primer ministro y secretario general del partido, respectivamente. Ambos apoyaron el programa de reformas profundas impulsado por Deng, que abandonaba muchas doctrinas comunistas ortodoxas e introducía elementos de la libre empresa en la economía. Hu murió en abril de 1989 y Zhao fue destituido por el gobierno en junio, después del incidente en la plaza de TIANANMEN. Deng renunció en forma gradual a sus cargos oficiales, pero continuó dirigiendo China tras bambalinas hasta su muerte.

dengue Fiebre infecciosa e incapacitante transmitida por un mosquito. Otros síntomas comprenden intenso dolor y rigidez articular, fuerte dolor retroocular, reaparición de la fiebre después de una breve pausa, y una erupción característica. El dengue es causado por un virus transportado por mosquitos del género *Aedes*, generalmente el *A. aegypti*, que también es portador de la FIEBRE AMARILLA. Existen cuatro cepas del virus; la infección con un tipo no confiere inmunidad para los otros tres. El tratamiento se centra en el alivio de los síntomas. Los pacientes deben ser aislados durante los tres primeros días, cuando los mosquitos pueden picarlos e infectarse. La prevención se basa en el control de los mosquitos.

Dengyō Daishi ver SAICHŌ

Denikin, Antón (Ivánovich) (16 dic. 1872, cerca de Varsovia, Polonia, Imperio ruso–8 ago. 1947, Ann Arbor, Mich., EE.UU.). General ruso. Militar de carrera en el ejército imperial, fue teniente general en la primera guerra mundial. Después de la Revolución rusa de 1917, fue arrestado junto con

LAVR KORNÍLOV, acusados de conspirar para derrocar al gobierno provisional. Huyeron a la región del río Don en el sur y asumieron el mando de los ejércitos antibolcheviques ("blancos") en la guerra civil RUSA. En 1919, Denikin lanzó una gran ofensiva hacia Moscú, pero sus fuerzas fueron derrotadas por el Ejército Rojo en Orel. Forzado a batirse en retirada, entregó el mando de sus tropas a PIOTR WRANGEL (1920); luego abandonó Rusia y más tarde se estableció en Francia.

Dennis, Ruth St. ver Ruth ST. DENIS

densidad MASA del volumen unitario de una sustancia material. Se calcula dividiendo la masa de un objeto por su volumen. En el SISTEMA INTERNACIONAL DE UNIDADES y dependiendo de las unidades de medida usadas, la densidad puede expresarse en gramos por centímetro cúbico (g/cm^3) o kilogramos por metro cúbico (kg/m^3). La expresión "densidad de partículas" se refiere al número de partículas por unidad de volumen, no a la densidad de una sola partícula. Ver también PESO ESPECÍFICO.

densidad relativa VER PESO ESPECÍFICO

D'Entrecasteaux, islas Archipiélago de Papúa y Nueva Guinea. Situado en el océano Pacífico sur, el grupo abarca las islas Normanby, Fergusson y Goodenough, así como muchos islotes, atolones y arrecifes. La mayoría de sus islas son volcánicas, escarpadas y cubiertas de bosques. En conjunto tienen una superficie de 3.142 km² (1.213 mi²). Fueron bautizadas en 1793 en honor al navegante francés Bruni d'Entrecasteaux. Su principal poblado es Dobu, situado en un islote entre Normanby y Fergusson.

Panorámica de Denver, con las edificaciones del centro cívico en primer plano y, al fondo, las montañas Rocosas.
JEAN BROOKS/ROBERT HARDING WORLD IMAGERY/GETTY IMAGES

Denver Ciudad (pob., 2000: 554.636 hab.), capital del estado de Colorado, EE.UU. Se ubica junto al río SOUTH PLATTE al este de las montañas ROCOSAS y su altitud de 1.609 m (5.280 pies) es la razón de su apodo "Mile High City" (la ciudad de una milla de altura). En un principio fue lugar de detención de indios y tramperos, que se pobló gracias a la fiebre del oro de 1859. Un año despues, las ciudades rivales emergentes de Auraria y St. Charles se fusionaron para formar Denver, que se convirtió en la capital en 1867. Las décadas de 1870–80 fueron testigos del auge de la plata que terminó en 1893, pero nuevos descubrimientos de oro contribuyeron a impedir una decadencia de gran magnitud. La ciudad moderna de Denver, que es un centro de actividad industrial, comercial y de transporte, tiene uno de los mercados ganaderos más grandes del país. Es también un centro importante de deportes de invierno con muchas instalaciones de esquí en las cercanías. La Casa de Moneda en Denver. (inaugurada en 1906) produce el 75% aprox. de la acuñación total de EE.UU. y es el segundo depósito de oro en importancia del país.

Depardieu, Gérard (n. 27 dic. 1948, Chateauroux, Francia). Actor de cine francés. Debutó en el cine en 1965 e interpretó papeles menores hasta que su desempeño en *Los rompepelotas* (1974) le valió un rol protagónico en *1900* (1976) de BERNARDO

BERTOLUCCI. En la década de 1980 actuó en EE.UU. y Europa; se convirtió en la principal estrella masculina del cine galo. Célebre por su imagen fílmica que combinaba sensibilidad y fuerza masculina, brindó convincentes actuaciones en las películas *El último metro* (1980), *El regreso de Martin Guerre* (1981), *El manantial de las colinas* (1986), *La venganza de Manon* (1986), *Cyrano de Bergerac* (1990) y *Todas las mañanas del mundo* (1992).

Gérard Depardieu, 2003.
FOTOBANCO

Departamento de Asuntos Humanitarios ver OCAH

dependencia En el ámbito de las relaciones internacionales, término con el que se alude a un Estado débil dominado por un Estado más poderoso o bajo su jurisdicción, pero no anexado oficialmente a él, como SAMOA ESTADOUNIDENSE y GROENLANDIA (Dinamarca). El Estado dominante puede controlar algunos de los asuntos del Estado dominado, como defensa, relaciones exteriores o seguridad interior y permitirle autonomía en asuntos internos como educación, salud y desarrollo de infraestructura. En las décadas de 1960–70, el término se refería a una forma de entender el desarrollo del tercer mundo que enfatizaba las restricciones impuestas por el orden político y económico mundial.

dependencia de drogas ver DROGADICCIÓN

deportes extremos Deportes que se caracterizan por altas velocidades o grandes riesgos. Entre ellos figuran el patinaje en línea agresivo, el surf náutico (*wakeboarding*), el *street luge*, monopatinaje (*skateboarding*) y el ciclismo estilo libre (en que se ejecutan pruebas en bicicleta como saltos mortales hacia atrás). Varias de estas especialidades (como descenso en tabla por la nieve [*snowboard*], monopatinaje y ciclismo estilo libre) se realizan en rampas, pendientes o medias tuberías, algunas con paredes de unos 15 m (50 pies) de alto, lo que permite a los deportistas alcanzar la altura necesaria para, por ejemplo, girar en el aire con la bicicleta. Muchos de estos deportes se hicieron populares gracias a los X Games (campeonato auspiciado por la cadena de televisión por cable estadounidense ESPN). En los Juegos Olímpicos de 1998 y 2002 se incorporaron pruebas de *snowboard* extremo en la media tubería, en que los tablistas ejecutan saltos, rotaciones y otras maniobras aéreas.

Snowboard, deporte extremo.
RICHARD PRICE/PHOTOGRAPHER'S/GETTY IMAGES

deportes y juegos Actividades competitivas o recreativas que entrañan destreza física, agudeza intelectual y generalmente suerte (sobre todo en los juegos de azar). La conducta LÚDICA es parte esencial de la naturaleza humana. A lo largo de la historia, los humanos han inventado deportes y juegos para socializar, demostrar destreza, valor y entretener o provocar emoción. Los primeros juegos pueden haber estado basados en las actividades de caza y recolección. En los tiempos modernos, con la profesionalización de los deportes, los juegos continúan sirviendo como formas de descarga física y emocional, de diversión y de enriquecimiento de la vida diaria, al tiempo que tienen también un papel económico importante.

deposición ver HECES

depósito aluvial
Material depositado por los ríos. Consiste en LIMO, ARENA, ARCILLA y GRAVA, además de mucha materia orgánica. Generalmente, los depósitos aluviales son más extensos en el curso inferior del río, donde forman DELTAS y terrenos aluviales, pero estos se pueden formar en cualquier punto donde el río desborda sus riberas o donde se controla su caudal. Producen suelos muy fértiles, como los de los deltas de los ríos Mississippi, Nilo, Ganges y Brahmaputra, y Huang He (Amarillo). Contienen la mayor parte de la reserva mundial de mineral de estaño, oro, platino y piedras preciosas, en algunas regiones.

depósito, certificado de
Comprobante bancario de depósito de una suma de dinero. El tipo más común, el certificado de depósito a plazo, corresponde a un depósito a plazo fijo por un monto elevado que devenga intereses. Por consiguiente, paga un interés mayor que una cuenta de ahorro, aunque el inversionista que retira dinero antes de su vencimiento está sujeto a multa. Los certificados de depósito, introducidos a principios de la década de 1960, se han convertido en un método de ahorro popular.

depreciación
Cargo en la CONTABILIDAD que refleja la disminución del valor de un activo durante su vida económica. La depreciación contempla el deterioro por uso, antigüedad, exposición a los elementos, disminución de valor por obsolescencia, pérdida de utilidad del bien y disponibilidad de medios nuevos y más eficientes para el mismo propósito. No incluye pérdidas repentinas por incendios, accidentes ni desastres. La depreciación se utiliza a menudo en la tasación de un bien (p. ej., edificios, maquinarias) u otros activos de vida limitada (p. ej., derechos de arrendamiento o derechos de AUTOR) para propósitos tributarios. Ver también ASIGNACIÓN POR AGOTAMIENTO; CRÉDITO TRIBUTARIO A LA INVERSIÓN.

depredación
Forma de obtención del alimento por la cual un animal, el predador, devora a un animal de otra especie, la

Depredación: leona cazando a su presa, un kudú en Namibia, África.
FOTOBANCO

presa, en cuanto lo mata o, en algunos casos, cuando aún vive. La mayoría de los animales son predadores generales, es decir, devoran diversas especies de presa. Los predadores especializados, como los OSOS HORMIGUEROS, comen sólo una especie o pocas de ellas. El canibalismo es un tipo de depredación en la que un animal devora a otro de su misma especie. El consumo de semillas también se considera una forma de depredación, porque se destruye el embrión vivo completo de la planta.

depresión
En economía, contracción significativa del CICLO ECONÓMICO caracterizada por una drástica disminución de la producción industrial, DESEMPLEO generalizado, disminución acentuada o cese del crecimiento en la construcción y gran reducción del comercio internacional y de los movimientos de capital. A diferencia de las RECESIONES, que pueden restringirse a un solo país, las depresiones graves abarcan muchas naciones, como fue el caso de la GRAN DEPRESIÓN. Ver también DEFLACIÓN; INFLACIÓN.

depresión
Trastorno neurótico o psicótico caracterizado por tristeza, inactividad, problemas para pensar, dificultades de concentración, un significativo aumento o disminución del apetito y de las horas de sueño, sentimientos de desaliento y desesperanza, y a veces tendencias suicidas. Probablemente es la enfermedad psiquiátrica más frecuente. La depresión ha sido descrita por los médicos desde la época de HIPÓCRATES, que la llamó melancolía. Su curso varía extremadamente de un individuo a otro; puede ser transitoria o permanente, leve o severa. La depresión es más común en las mujeres que en los hombres. En ellos, la frecuencia aumenta con la edad, en cambio en las mujeres la frecuencia máxima ocurre entre los 35–45 años. Sus causas pueden ser tanto psicosociales (p. ej., pérdida de un ser querido) como bioquímicas (principalmente, niveles menores de las monoaminas NOREPINEFRINA y SEROTONINA). Por lo general, el tratamiento consiste en una combinación de PSICOTERAPIA y terapia farmacológica (ver ANTIDEPRESIVO). Cuando una persona presenta estados alternados de depresión y euforia extrema, se dice que sufre de TRASTORNO BIPOLAR.

depresión de 1929 ver GRAN DEPRESIÓN

Depretis, Agostino
(13 ene. 1813, Mezzana Corti, reino de Italia–29 jul. 1887, Stradella, Italia). Político italiano. En 1848 fue elegido para integrar el primer Parlamento piamontés, y a partir de entonces fue reelegido hasta su muerte. Después de la unificación de Italia, desempeñó varios cargos ministeriales (1862–67). En 1876 asumió como primer ministro, y fue la figura dominante de la política italiana hasta 1887. Entre sus realizaciones más importantes está la firma de la TRIPLE ALIANZA y su política gubernamental denominada *trasformismo*, que reunió a miembros de diferentes partidos en un mismo gabinete.

Derain, André
(10 jun. 1880, Chatou, Francia–8 sep. 1954, Garches). Pintor, artista gráfico y diseñador francés. Tras estudiar en París, en la Academia Carrière y la Academia Julian, desarrolló su estilo temprano junto a sus amigos MAURICE DE VLAMINCK y HENRI MATISSE; los tres fueron los principales exponentes del FAUVISMO. Sus paisajes y estudios de figuras presentaban colores brillantes, pinceladas discontinuas y líneas audaces. Sin embargo, ya en la década de 1920, Derain había retornado al estilo neoclásico (ver CLASICISMO Y NEOCLASICISMO). Realizó numerosas ilustraciones de libros y diseños para escenografías, entre las que destacan aquellas creadas para los BALLETS RUSOS de SERGEI DIÁGHILEV.

Derby
Una de las carreras clásicas de la hípica británica (instituida en 1780) que se disputa en junio, sobre una distancia de 2.400 m (1,5 mi) en la pista de Epsom Downs, en Surrey. Muchas otras carreras de caballo han sido bautizadas a partir del Derby (p. ej., el Derby de KENTUCKY) y, el término mismo se ha convertido en sinónimo de gran carrera o competencia de cualquier tipo.

Derby, Edward (George Geoffrey Smith) Stanley, 14° conde de
(29 mar. 1799, Knowsley Park, Lancashire, Inglaterra–23 oct. 1869, Londres). Estadista inglés. Elegido al parlamento en calidad de whig en 1820, luego se sumó a los conservadores y se convirtió en líder del Partido Conservador (1846–68) y primer ministro (1852, 1858 y 1866–68). De las leyes aprobadas mientras ejerció su cargo, destacan la no discriminación a la participación de judíos en el parlamento, el traspaso a la Corona de la administración de India, que estaba en manos de la COMPAÑÍA INGLESA DE LAS INDIAS ORIENTALES, y

la ley de REFORMA DE 1867. Es recordado como uno de los más grandes oradores del Parlamento inglés.

Derbyshire *o* **Derby** Condado administrativo (pob., 2001: 734.581 hab.), geográfico e histórico del centro de Inglaterra. El paisaje varía de los páramos en el norte a las tierras bajas del valle del río Trent en el sur. Su economía abarca, tanto el turismo en el distrito de High Peak, como la minería en los yacimientos carboníferos en el este y en el sur del condado. Fuera de incorporar el distrito rural de Tintwistle, que pertenecía a CHESHIRE, el condado tradicional de Derbyshire quedó intacto después de la reorganización administrativa de 1974. Su capital es MATLOCK.

derecha Parte del espectro político que se asocia con el pensamiento político conservador. El término deriva de la forma en que se distribuyeron los escaños en el Parlamento revolucionario francés (c. 1790), donde los representantes conservadores se sentaban a la derecha de quien presidía. En el s. XIX, el término se aplicó a los conservadores que apoyaban a la autoridad, la tradición y la propiedad. En el s. XX se desarrolló una forma radical y divergente asociada con el FASCISMO. Ver también IZQUIERDA.

derecho Disciplina y profesión que se ocupa de las costumbres, prácticas y normas de conducta que la comunidad reconoce como vinculantes. La aplicación de este conjunto de normas corresponde a una autoridad dominante, como un grupo de ancianos, un regente, un tribunal o una judicatura. El derecho comparado es el estudio de las diferencias, semejanzas y relaciones recíprocas que existen entre diferentes sistemas jurídicos. Entre las distintas ramas y aspectos del estudio y práctica del derecho cabe citar el DERECHO ADMINISTRATIVO, la ley ANTIMONOPOLIOS, el DERECHO COMERCIAL, el derecho constitucional, el DERECHO PENAL, el derecho ambiental, el derecho de familia, el derecho sanitario, el derecho relativo a la inmigración, el derecho de propiedad intelectual, el DERECHO INTERNACIONAL, el

Chatsworth House, gran palacio privado, junto al río Derwent en Derbyshire, Inglaterra.
ROY RAINFORD/ROBERT HARDING WORLD IMAGERY/GETTY IMAGES

DERECHO LABORAL, el DERECHO MARÍTIMO, el DERECHO PROCESAL, el derecho patrimonial, el derecho de los intereses públicos, el derecho tributario, los FIDEICOMISOS y el derecho sucesorio, y la RESPONSABILIDAD EXTRACONTRACTUAL. Ver también derecho ANGLOSAJÓN; derecho CANÓNICO; DERECHO CIVIL; COMMON LAW; derecho ESCOCÉS; DERECHO MILITAR; EQUITY; derecho GERMÁNICO; derecho INDIO; derecho islámico (SHARÍ'A); derecho ISRAELÍ; derecho JAPONÉS; JURISPRUDENCIA; derecho ROMANO; derecho SOVIÉTICO.

derecho a voto de 1965, ley de Ley aprobada por el Congreso de EE.UU., en 1965, para asegurar el derecho a voto de los afroamericanos. Aun cuando la XV enmienda constitucional (aprobada en 1870) garantizaba el derecho a voto sin considerar "raza, color ni estado anterior de servidumbre", en el Sur los afroamericanos todavía se enfrentaban a diversas iniciativas para privarlos del sufragio, entre ellas el impuesto de CAPITACIÓN y las pruebas de alfabetización, aún en la década de 1960, cuando el movimiento por los DERECHOS CIVILES alertó a todo el país respecto de las violaciones de dichos derechos. El congreso reaccionó con la ley del derecho a voto, que prohibió en los estados sureños el uso de pruebas de alfabetización destinadas a determinar la idoneidad para votar. Normas legales posteriores prohibieron las pruebas de alfabetización en todos los estados y declararon ilegales los impuestos de capitación en elecciones estaduales y municipales.

derecho administrativo Rama del derecho que regula las atribuciones, procedimientos y actos de la administración pública. Se aplica a todos los funcionarios públicos y a los organismos públicos. A diferencia de lo que ocurre con las autoridades legislativa y judicial, la autoridad administrativa está investida de la facultad de dictar normas y reglamentos basados en el derecho escrito, otorgar licencias y autorizaciones para facilitar el manejo de los asuntos públicos, iniciar investigaciones y resolver quejas o problemas y dictar órdenes para obligar a las partes a cumplir con las normas y leyes vigentes. Los jueces administrativos son funcionarios públicos dotados de atribuciones cuasijudiciales, incluso las de celebrar audiencias, resolver asuntos de hecho y sugerir la solución de controversias relacionadas con las actuaciones de la administración.

derecho al trabajo, legislación sobre En EE.UU., toda ley estadual que prohíba diversas medidas relacionadas con la seguridad sindical, particularmente la afiliación obligatoria de los trabajadores de una empresa a un sindicato dentro de un plazo determinado desde su incorporación a ella. Los partidarios de esta clase de leyes sostienen que son más justas porque permiten que el trabajador opte por afiliarse o no a un SINDICATO. Sus detractores argumentan que la expresión *derecho al trabajo* es engañosa, porque este tipo de leyes no le garantiza el trabajo a nadie. Por el contrario, afirman que tienden a reducir la estabilidad laboral porque debilitan el poder de negociación de los sindicatos.

derecho civil Conjunto de leyes derivadas del derecho ROMANO y utilizadas en Europa continental y en la mayoría de las antiguas colonias europeas, como la provincia de Quebec y el estado de Luisiana en EE.UU. Las codificaciones más importantes del derecho civil moderno fueron la francesa (código de NAPOLEÓN) y la alemana (CÓDIGO CIVIL ALEMÁN). El fundamento del derecho en los sistemas basados en el derecho civil es la ley escrita, no la COSTUMBRE; en consecuencia, el derecho civil se distingue del COMMON LAW. De acuerdo con el derecho civil, los jueces aplican los principios incorporados en las leyes, o CÓDIGOS, en vez de basarse en la jurisprudencia. El derecho civil francés es la base de los sistemas legales de los Países Bajos, Bélgica, Luxemburgo, Italia, España, la mayoría de los antiguos territorios franceses de ultramar y muchos países de América Latina. El derecho civil alemán prevalece en Austria, Suiza, los países escandinavos y algunos países no europeos, como Japón, que han occidentalizado sus sistemas legales. El término también se utiliza para distinguir entre el derecho aplicable a los asuntos privados y el aplicable a las cuestiones criminales. Ver también DERECHO PENAL; RESPONSABILIDAD EXTRACONTRACTUAL.

derecho comercial *o* **derecho mercantil** Normas y principios legales relativos a las organizaciones comerciales y a las cuestiones mercantiles. Regula diversas formas de asociación comercial, como las empresas de un solo dueño, las sociedades colectivas, las sociedades de responsabilidad limitada, los mandatos y las empresas multinacionales. Prácticamente todas las leyes que regulan la actividad de las organizaciones comerciales tienen por objeto proteger a los acreedores o inversionistas. Además hay cuerpos legales específicos que regulan las transacciones comerciales, como ser la compraventa y el transporte de mercancías (plazos y condiciones, ejecución, incumplimiento del contrato, seguros, conocimientos de embarque), los acuerdos de créditos de consumo (cartas de crédito, préstamos, GARANTÍAS, quiebra) y las relaciones entre empleados y empleadores (salarios, condiciones de trabajo, salud y seguridad, beneficios extra-salariales y sindicatos). Es un campo del derecho amplio y en continua evolución. Ver también CORPORATION; DERECHO LABORAL; DEUDOR Y ACREEDOR; MANDATO; PROPIEDAD INTELECTUAL.

derecho de aduana ver ARANCEL

derecho de preferencia En derecho, limitación o gravamen sobre el dominio (ver BIENES) para garantizar el pago de una deuda o el cumplimiento de una obligación. En el COMMON LAW se desarrollaron dos tipos de derechos de preferencia: el privilegio especial (que es un gravamen sobre el bien específico objeto de una transacción) y el de carácter general (que tiene por objeto garantizar el pago de una deuda pendiente y no recae sobre un bien determinado). Los tribunales de EQUITY pueden reconocer el interés del acreedor en un bien del deudor mediante un privilegio especial. También hay derechos de preferencia derivados de la legislación; por ejemplo, para asegurar la suma que se les adeuda, los promotores inmobiliarios y los contratistas de la construcción pueden valerse de su interés en una propiedad en la que han realizado mejoras (lo que se denomina mechanic's lien).

derecho internacional Conjunto de normas, reglas y estándares aplicables a las relaciones entre estados soberanos y otras entidades legalmente reconocidas como sujetos de derecho internacional. El término fue acuñado por el filósofo inglés JEREMY BENTHAM. Entre los elementos importantes del derecho internacional cabe mencionar la SOBERANÍA, el reconocimiento (que permite que un país respete las pretensiones de otro), el consentimiento (que permite modificar los acuerdos internacionales para ajustarlos a las costumbres de un país), la libertad de ALTA MAR, la legítima defensa (que permite adoptar medidas frente a actos ilegítimos cometidos contra un Estado soberano), la libertad de comercio y la protección de los connacionales en el extranjero. Los tribunales internacionales, como la CORTE INTERNACIONAL DE JUSTICIA (CIJ), resuelven controversias que se planteen sobre estas y otras materias, incluso los CRÍMENES DE GUERRA. Ver también ASILO; INMUNIDAD.

derecho laboral Rama del derecho aplicable a materias como el empleo, los salarios, las condiciones de trabajo, los SINDICATOS y las relaciones entre los trabajadores y la administración. Hasta fines del s. XIX en Europa y un poco más tarde en EE.UU., no se promulgaron muchas leyes que tuvieran por objeto proteger a los trabajadores, incluso a los niños, de la aplicación de prácticas laborales abusivas. Asia y África carecieron de legislación laboral hasta las décadas de 1940 y 1950. Las leyes sobre empleo comprenden materias como la contratación, la capacitación, los ascensos y los seguros de DESEMPLEO. Las leyes salariales regulan la forma y métodos de pago, la escala de remuneraciones, la SEGURIDAD SOCIAL, las PENSIONES y otras materias. La legislación sobre las condiciones laborales establece la jornada de trabajo, los períodos de descanso, el feriado legal, el TRABAJO INFANTIL, la IGUALDAD en el lugar de trabajo y la salud y la seguridad en el trabajo. La legislación sindical y las leyes relativas a las relaciones entre empleadores y trabajadores se ocupan de la condición jurídica de los sindicatos, de los derechos y obligaciones de las organizaciones patronales y de trabajadores, de los acuerdos de NEGOCIACIÓN COLECTIVA y de las normas para resolver HUELGAS y otros conflictos. Ver también ARBITRAJE; MEDIACIÓN.

derecho marítimo *o* **derecho del almirantazgo** Conjunto de normas legales aplicables a la navegación y al transporte marítimo. Una de las primeras recopilaciones de leyes marítimas es el Digesto de Justiniano, que data del s. VI. El derecho marítimo romano y el Consolat de Mar "Consulado del Mar", del s. XIII, uniformó transitoriamente el derecho marí-

timo en el Mediterráneo, pero el nacionalismo llevó a muchos países a desarrollar sus propios códigos sobre la materia. El derecho marítimo trata principalmente de los casos de pérdida de un buque (p. ej., debido a una colisión) o de la carga, de los seguros y de la responsabilidad relacionada con esta eventualidad, así como de la indemnización en caso de colisión y de los derechos de salvamento. Se observa una tendencia creciente a uniformar la legislación marítima; la principal organización que se ocupa de fiscalizar la aplicación del derecho marítimo es la Organización Marítima Internacional, integrada por las asociaciones de derecho marítimo de varios países.

derecho militar Estatuto jurídico que rige a las fuerzas armadas y a su personal civil. En ningún caso exime al personal militar de su obligación de acatar la legislación civil de su país o las normas del DERECHO INTERNACIONAL. El MOTÍN, la insubordinación, la deserción, el incumplimiento de deberes militares y otras infracciones a la disciplina militar constituyen violaciones del derecho militar y sus autores pueden ser llevados ante una CORTE MARCIAL. Las infracciones menores pueden ser sancionadas sumariamente por el oficial al mando (p. ej., mediante la eliminación de privilegios o la cancelación de la licencia).

derecho patrimonial *inglés* **estate law** Normas que rigen la naturaleza y alcance de los derechos del dueño en relación con los derechos REALES Y PERSONALES. En el caso de la POSESIÓN EFECTIVA DE LA HERENCIA, se refiere a las leyes que rigen la disposición de los bienes, cualquiera que sea su naturaleza, que posea una persona al momento de su muerte. Ver también BIENES, IMPUESTO SUCESORIO, impuesto a la PROPIEDAD.

derecho penal Rama del derecho que define los delitos, regula la detención, acusación y juzgamiento de los sospechosos y establece las penas para quienes resulten condenados. El derecho penal sustantivo tipifica los distintos DELITOS y el DERECHO PROCESAL establece las normas de procedimiento para su juzgamiento. En EE.UU., el derecho penal sustantivo deriva principalmente del COMMON LAW, que posteriormente fue incorporado en el derecho escrito federal y estadual. El derecho penal moderno ha recibido considerable influencia de las CIENCIAS SOCIALES, especialmente en lo que se refiere a la dictación de la sentencia, a la investigación jurídica, la legislación y la rehabilitación del delincuente. Ver también CRIMINOLOGÍA.

derecho, Petición de ver PETICIÓN DE DERECHO

derecho procesal Rama del derecho que establece los procedimientos y métodos para hacer efectivos los derechos y obligaciones y para obtener reparación en un pleito o acción judicial. Se distingue del derecho sustantivo, esto es, de aquel que crea, define o regula los derechos y obligaciones. El derecho procesal es un conjunto de fórmulas establecidas para llevar adelante un juicio y reglamentar las acciones anteriores y posteriores. Establece normas sobre competencia, alegatos y tramitación, selección del jurado, prueba, apelación, ejecución de las sentencias, actuación de los abogados, costas, registro (p. ej., de una oferta de acciones), desarrollo del juicio penal y cesión de derechos (transferencia de títulos, arrendamientos, etc.), entre otras materias.

derecho real En la terminología legal propia del DERECHO CIVIL, derecho real es el que tenemos sobre una cosa sin respecto a determinada persona. En el derecho real hay una relación directa entre la cosa y el titular, quien no necesita para realizar su interés de un comportamiento ajeno, sino que el interés del titular está destinado a realizarse inmediatamente, sin intermediarios y por su propia actividad. El derecho real no tiene por fundamento un comportamiento ajeno; la limitación de la conducta de los terceros es sólo una consecuencia del derecho del titular. Los principales derechos reales son el de dominio, el de herencia, los de usufructo, uso y habitación, las servidumbres activas, el de PRENDA y el de HIPOTECA.

derechos civiles fundamentales de 1964, ley sobre

Ley estadounidense de carácter general, cuyo propósito fue poner fin a la discriminación basada en la raza, color, religión u origen nacional. Se considera que es la ley de derechos civiles más importante de EE.UU. desde la RECONSTRUCCIÓN (1865–77). Garantiza la igualdad en el derecho a sufragio (Título I); prohíbe la segregación o la discriminación en lugares públicos (Título II); prohíbe la discriminación, incluso la discriminación basada en el género, en sindicatos, escuelas o por empleadores que realizan actividades comerciales entre estados o que hacen negocios con el gobierno federal (Título VII); ordena poner fin a la segregación en las escuelas públicas (Título IV); y asegura la no discriminación en la distribución de los recursos de los programas que cuentan con asistencia federal (Título VI). Una reforma de 1972, la ley de igualdad de oportunidades en el empleo, amplió la aplicación del Título VII a los funcionarios de los gobiernos estaduales y locales y aumentó las atribuciones de la Comisión de igualdad de oportunidades en el empleo, creada en 1964, para hacer cumplir las disposiciones del Título VII. La ley fue propuesta por el pdte. JOHN F. KENNEDY en 1963 y fue fortalecida y promulgada durante el gobierno del pdte. LYNDON B. JOHNSON. Ver también movimiento por los DERECHOS CIVILES.

derechos civiles, movimiento por los

Movimiento a favor de la igualdad racial en EE.UU. que, mediante la protesta pacífica, logró romper en el Sur el esquema de segregación racial y obtuvo leyes que garantizaban la igualdad de derechos de los negros. Apoyados en la sentencia de la Corte Suprema estadounidense en BROWN V. BOARD OF EDUCATION de Topeka (1954), los afroamericanos y sus partidarios blancos procuraron poner fin a las arraigadas prácticas segregacionistas. Cuando ROSA PARKS fue detenida, en 1955, en Montgomery, Ala., MARTIN LUTHER KING, Jr. y RALPH ABERNATHY encabezaron un boicot al sistema de autobuses por los afroamericanos. A comienzos de la década de 1960, el Comité coordinador estudiantil no violento condujo boicots y ocupaciones pacíficas para acabar con la segregación en muchas instalaciones públicas. Recurriendo a los métodos no violentos de MOHANDAS K. GANDHI, el movimiento se extendió y logró su objetivo en multitiendas, supermercados, bibliotecas y salas de cine. El llamado "Sur profundo" (*Deep South*) permaneció inalterable en su oposición a la mayoría de las medidas de integración, a menudo con violencia; los manifestantes fueron reprimidos y algunos murieron. Las manifestaciones culminaron con una marcha sobre Washington, D.C., realizada en 1963, en apoyo a las leyes sobre derechos civiles. Luego del asesinato de JOHN F. KENNEDY, el pdte. LYNDON B. JOHNSON consiguió que el congreso aprobara la ley sobre DERECHOS CIVILES FUNDAMENTALES DE 1964, triunfo seguido por la ley de DERECHO A VOTO DE 1965. Después de 1965, grupos militantes, como el PARTIDO DE LAS PANTERAS NEGRAS, se separaron del movimiento y, debido a los tumultos en los barrios negros y al asesinato de King, muchos de sus partidarios se retiraron. En las décadas siguientes, los dirigentes procuraron conseguir el poder accediendo a cargos públicos electivos y a los importantes beneficios económicos y educativos originados por la DISCRIMINACIÓN POSITIVA.

derechos civiles, pérdida de los

En el derecho inglés, extinción de los derechos civiles y políticos a raíz de la sentencia de muerte o de proscripción, generalmente luego de la condena por TRAICIÓN. La privación de derechos por esta causa se imponía mediante un acto legislativo, llamado estatuto de proscripción. Sus consecuencias más importantes eran la confiscación de bienes y la "corrupción de sangre", lo que significaba que el proscrito no podía heredar ni transmitir bienes, con lo que se desheredaba a sus descendientes. En el s. XIX se abolieron todas las formas de privación de los derechos civiles y políticos, salvo la confiscación de bienes tras una acusación de traición. Como consecuencia de la experiencia inglesa, la Constitución de EE.UU. dispuso que "la proscripción no dará lugar a la confiscación de bienes o a la corrupción de sangre, salvo en vida del proscrito". La Corte Suprema de EE.UU. también ha rechazado, por considerar actos de proscripción, los juramentos de fidelidad aprobados tras la guerra de Secesión para impedir el ejercicio de algunas profesiones a simpatizantes de la confederación.

derechos de los estados

Derechos o poderes que conservan los gobiernos regionales de una unión federal en el marco de una constitución federal. En EE.UU., Suiza y Australia, los poderes de los gobiernos regionales son aquellos que quedan después que se han enumerado en la constitución los poderes del gobierno central. En Canadá y Alemania, los poderes del gobierno, tanto a nivel estadual o regional como nacional, se encuentran claramente definidos por disposiciones específicas de la constitución. El concepto de derechos de los estados o regionales está estrechamente relacionado con el concepto del s. XVIII europeo de derechos del Estado, que fue invocado para legitimar los poderes que se radicaron en los gobiernos nacionales soberanos. En EE.UU. antes de mediados del s. XIX, algunos estados sureños postularon el derecho a anular leyes federales dentro de sus fronteras, (ver ANULACIÓN), así como el derecho a separarse de la Unión. La interrogante constitucional se resolvió en contra del Sur por la victoria del Norte en la guerra de SECESIÓN. En la era de los derechos civiles, los opositores a las medidas federales dirigidas a imponer la integración racial en las escuelas públicas invocaron los derechos de los estados. El gobierno federal puede influir en las políticas de los estados incluso en áreas que desde el punto vista constitucional son de competencia de estos últimos (p. ej., la educación o la construcción de caminos locales) mediante el expediente de rehusarse a entregar fondos a los estados que no cumplan sus deseos. En la última parte del s. XX, el término se vino a aplicar más ampliamente a una serie de intentos por reducir los poderes de los gobiernos nacionales.

"Declaración de los derechos del hombre y del ciudadano", obra de Jean-Jacques François Le Barbier, 1789.
FOTOBANCO

derechos del hombre y del ciudadano, Declaración de los

Manifiesto aprobado por la Asamblea Nacional de Francia en 1789, contenía los principios que inspiraron la REVOLUCIÓN FRANCESA. Uno de los documentos fundamentales acerca de las libertades humanas, el preámbulo de la CONSTITUCIÓN DE 1791. Su principio básico establecía que "todos los hombres nacen libres e iguales en derechos", como los derechos a la libertad, la propiedad privada, la inviolabilidad de la persona y la resistencia a la opresión. También instituyó el principio de igualdad ante la ley y las libertades de culto y de expresión. La Declaración significó un repudio al régimen monárquico prerrevolucionario.

derechos humanos

Derechos inalienables de una persona por el hecho de pertenecer a la especie humana. El término comenzó a utilizarse ampliamente después de la segunda guerra mundial, en reemplazo de la antigua expresión de "derechos naturales", que había estado asociada desde fines de la Edad Media al concepto grecorromano de ley NATURAL. Tal como se los entiende en la actualidad, los derechos humanos aluden a una serie de valores y capacidades que reflejan la diversidad de las circunstancias del hombre y de la historia. Están concebidos como universales, aplicables a todos los seres humanos en cualquier lugar y como fundamentales, referidos a las necesidades humanas esenciales o básicas. Los derechos humanos se han clasificado históricamente en términos de la noción de tres "generaciones" de derechos humanos. La primera generación de derechos civiles y políticos, asociada con la ILUSTRACIÓN y las revoluciones inglesa, norteamericana y francesa, comprenden los derechos a la vida y a la libertad y los derechos a la libertad de expresión y de culto. La segunda generación de derechos económicos, sociales y culturales, asociada con las revueltas contra los excesos del capitalismo no regulado desde mediados del s. XIX, comprenden el derecho al trabajo y el derecho a la educación. Finalmente, la tercera generación de derechos de solidaridad, asociada con las aspiraciones políticas y económicas de países en desarrollo y descolonizados después de la segunda guerra mundial, comprenden los derechos colectivos a la autodeterminación política y al desarrollo económico. A partir de la adopción de la DECLARACIÓN UNIVERSAL DE DERECHOS HUMANOS en 1948, se han firmado muchos tratados y acuerdos para la protección de los derechos humanos bajo los auspicios de las NACIONES UNIDAS, y se han establecido varios sistemas legales regionales de derechos humanos. A fines del s. XX se convocaron tribunales penales internacionales ad hoc para juzgar graves violaciones a los derechos humanos y otros crímenes en la ex Yugoslavia y en Ruanda. La CORTE PENAL INTERNACIONAL (CPI), que se instauró en 2002, está facultada para juzgar los crímenes contra la humanidad, el GENOCIDIO y los CRÍMENES DE GUERRA.

derechos personales En la terminología propia del DERECHO CIVIL, derechos personales son los que sólo pueden reclamarse de ciertas personas que, por un hecho suyo o la sola disposición de la LEY, han contraído las obligaciones correlativas. El derecho personal tiene por objeto la prestación que debe efectuar un miembro del grupo social en interés de otro miembro de la sociedad, existiendo una total correlación entre el derecho del acreedor y la obligación del deudor (ver DEUDOR Y ACREEDOR). Las fuentes de esta clase de derechos son el CONTRATO, el CUASICONTRATO, el DELITO, el cuasidelito y la ley. Los derechos personales reciben también el nombre de créditos.

deriva continental Movimientos a gran escala de los CONTINENTES con el transcurso del tiempo geológico. La primera teoría completa sobre la deriva continental fue propuesta en 1912 por ALFRED WEGENER, quien postuló que un único supercontinente, llamado PANGEA, se fragmentó hacia fines del TRIÁSICO (hace 248–206 millones de años) y las partes comenzaron a alejarse entre ellas. Para avalar su hipótesis, señaló

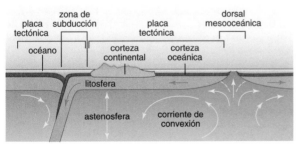

placa tectónica
zona de subducción
placa tectónica
dorsal mesooceánica

océano
corteza continental
corteza oceánica
litosfera
astenosfera
corriente de convección

Los continentes están incrustados en placas tectónicas. Mientras se crea litosfera nueva en un margen de la placa y esta se subduce en otra, la placa, y con ella el continente, se desplazan sobre el manto subyacente. La deriva continental es de sólo unos cuantos centímetros al año, pero, al cabo de cientos de millones de años, esta altera sus posiciones relativas en miles de kilómetros.

como prueba la similitud de los estratos rocosos en África y América. Las ideas de Wegener fueron ampliamente rechazadas hasta que se combinaron con la hipótesis de la EXPANSIÓN DEL FONDO MARINO de Harry H. Hess, en la década de 1960. La teoría moderna establece que América estaba unida con Europa y África c. 190 millones de años, cuando se separaron a lo largo de lo que hoy se conoce como dorsal MESOATLÁNTICA. Los movimientos posteriores de las placas tectónicas colocaron a los continentes en sus posiciones actuales.

deriva genética Cambio en el caudal de GENES de una población pequeña, que es estrictamente aleatorio. La deriva genética puede resultar en rasgos genéticos que se pierden o se diseminan en una población, sin relación con la supervivencia o el valor reproductor de los pares de genes (alelos) involucrados. Un efecto estadístico aleatorio, la deriva genética sólo puede ocurrir en poblaciones pequeñas, aisladas, donde el caudal genético es lo bastante reducido como para que los eventos casuales puedan cambiar sustancialmente su composición. En poblaciones más grandes, cualquier alelo específico es portado por tantos individuos, que es casi seguro de que será transmitido por algunos de ellos, a menos que sea biológicamente desfavorable.

deriva polar Migración de los polos magnéticos de la Tierra con el tiempo geológico. La evidencia científica señala que los polos magnéticos han derivado lenta y erráticamente sobre la superficie de la Tierra. La ubicación de los polos, calculada a partir de medidas en rocas más jóvenes que alrededor de 20 millones de años, no se aleja mucho de su ubicación actual; pero para rocas más antiguas que 30 millones de años se obtienen distancias al "polo virtual" sucesivamente mayores, lo que indica que ocurrieron desviaciones sustanciales. Los cálculos de la deriva polar formaron una de las primeras evidencias importantes de la DERIVA CONTINENTAL.

derivación o **diferenciación** Proceso matemático para encontrar la DERIVADA de una FUNCIÓN. Definida en abstracto como un proceso que involucra LÍMITES, en la práctica puede obtenerse usando manipulaciones algebraicas que dependen de tres fórmulas básicas y cuatro reglas de operación. Las fórmulas son: (1) la derivada de x^n es nx^{n-1}, (2) la derivada de sen x es cos x, y (3) la derivada de la función exponencial e^x es ella misma. Las reglas son: (1) $(af + bg)' = af' + bg'$, (2) $(fg)' = fg' + gf'$, (3) $(f/g)' = (gf' - fg')/g^2$, y (4) $(f(g))' = f'(g)g'$, donde a y b son constantes, f y g son funciones, y una prima (') indica la derivada. La última fórmula se llama regla de la cadena. La deducción y exploración de estas fórmulas y reglas es el tema del CÁLCULO DIFERENCIAL. Ver también INTEGRACIÓN.

derivada En matemática, un concepto fundamental del CÁLCULO DIFERENCIAL que representa la tasa o velocidad de cambio instantánea de una FUNCIÓN. La primera derivada (primer orden) de una función es otra función cuyos valores pueden interpretarse como la PENDIENTE de la TANGENTE al gráfico de la función original en un punto determinado. La derivada de una derivada (conocida como segunda derivada, o de segundo orden) describe la tasa de cambio de la tasa de cambio, y puede concebirse físicamente como aceleración. El proceso de encontrar una derivada se llama DERIVACIÓN.

derivada parcial En el CÁLCULO DIFERENCIAL, la DERIVADA de una función de varias VARIABLES con respecto a un cambio en sólo una de ellas. Las derivadas parciales son útiles para analizar puntos de MÁXIMO y MÍNIMO en superficies y dan origen a ECUACIONES DIFERENCIALES PARCIALES. Al igual que con las derivadas ordinarias, una primera derivada parcial (primer orden) representa una tasa o velocidad de cambio o la PENDIENTE de una TANGENTE. Para una superficie tridimensional, dos primeras derivadas parciales representan la pendiente en dos direcciones perpendiculares, respectivamente. Derivadas parciales de segundo, tercero o mayor orden dan más información acerca de cómo cambia una función en cualquier punto.

derivados En finanzas, contratos cuyo valor se deriva de otro activo, que pueden ser acciones, bonos, monedas, tasas de interés, productos básicos e índices relacionados. Los compradores de derivados apuestan fundamentalmente al rendimiento futuro de ese activo. Los derivados comprenden productos ampliamente aceptados, como FUTUROS y opciones. En 1994, las publicitadas pérdidas corporativas de PROCTER & GAMBLE CO., Metallgesellschaft AG en Alemania y del condado de Orange en California, aumentaron la preocupación por la naturaleza riesgosa de los derivados. En 1995, la ansiedad se intensificó tras la quiebra del banco de inversiones Barings PLC, con sede en Londres (hoy parte del ING Group NV holandés). Las entidades reguladoras de valores de 16 países convinieron entonces en tomar medidas para mejorar el control de los derivados.

dermatitis *o* **eczema** INFLAMACIÓN de la PIEL, habitualmente pruriginosa, con enrojecimiento, hinchazón y formación de ampollas. Las causas y patrones varían. La dermatitis de contacto aparece en el sitio de contacto con un agente irritante o alergeno. La dermatitis atópica, con placas de piel seca, aparece en infantes, niños y adultos jóvenes con hipersensibilidades genéticas (atopia). La dermatitis por estasia afecta a los tobillos y pantorrillas por mal flujo sanguíneo venoso crónico. La dermatitis seborreica se

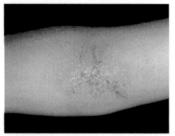

Dermatitis de contacto con hiedra venenosa (*Toxicodendron radicans*).
BILL BEATTY/VISUALS UNLIMITED/GETTY IMAGES

presenta como piel que se descama, más a menudo en el cuero cabelludo (CASPA) y en zonas ricas en GLÁNDULAS SEBÁCEAS. La neurodermatitis es causada aparentemente por rascado reiterado de una zona pruriginosa de la piel.

dermatología Especialidad médica que se ocupa de las enfermedades de la PIEL. Sus fundamentos científicos fueron establecidos a mediados el s. XIX por Ferdinand von Hebra (1816–1880), basados en el examen microscópico de las lesiones de la piel. A partir de la década de 1930, el énfasis en la fisiología y la bioquímica condujo a tratamientos más complejos y efectivos. La dermatología se ocupa de enfermedades por hongos, cánceres de la piel, PSORIASIS y algunas enfermedades cutáneas que amenazan la vida, como el pénfigo, la ESCLERODERMIA y el LUPUS ERITEMATOSO.

derméstido Cualquiera de unas 700 especies (familia Dermestidae) de COLEÓPTEROS de distribución amplia que son plagas domésticas. Aunque suelen ser de color marrón o negro, algunos tienen colores vivos o con motivos y su forma es alargada a ovalada. Su largo varía entre 1 y 12 mm (0,05 y 0,5 pulg.) y tienen un revestimiento de pelos o escamas que se desprenden con facilidad. Las larvas vermiformes se alimentan de pieles, cueros, plumas, cuernos y pelos; algunas comen queso y tasajo o alfombras, tapetes, muebles y ropa. Dos son plagas de museos que han destruido colecciones de animales disecados; los museos y coleccionistas deben disponer de vitrinas impenetrables o aplicar permanentemente pesticidas. Las larvas de las especies carroñeras se usan a veces para limpiar esqueletos animales de los tejidos blandos adheridos a ellos.

Dermot Macmurrough *o* **Diarmaid Macmurchada** (m. 1 may. 1171). Rey irlandés de Leinster (1126–71). Enfrentó a varios rivales que reclamaban el trono de su padre, Enna, e impuso su autoridad dando muerte o cegando a 17 jefes rebeldes (1141). En 1153 raptó a la esposa de otro rey irlandés, lo que dio origen a una lucha encarnizada en la que acabó expulsado de Irlanda (1166). Regresó con el respaldo de diversos señores anglonormandos (entre ellos el conde de Pembroke), y en 1170 capturaron la ciudad de Dublín. Pembroke se casó

con la hija de Dermot y sucedió a este como gobernante de Leinster después de su muerte. De esa manera, su solicitud de ayuda a los normandos para resolver una disputa interna contribuyó a la conquista normanda de Irlanda.

Déroulède, Paul (2 sep. 1846, París, Francia–30 ene. 1914, Niza). Político y poeta francés. Fervoroso nacionalista y partidario de la revancha contra Alemania, contribuyó a fundar la Ligue des Patriotes (Liga de los patriotas), apoyó a GEORGES BOULANGER e hizo campaña en contra de ALFRED DREYFUS. Después de intentar derrocar al gobierno en 1899, fue exiliado en 1900, pero se le permitió regresar en 1905. Sus poemas patrióticos incluyen la colección *Chants du soldat* [Cantos del soldado] (1872).

Derrida, Jacques (15 jul. 1930, El Biar, Argelia–9 oct. 2004, París, Francia). Filósofo francés de origen argelino. Enseñó principalmente en la École Normale Supérieure de París (1965–84). Su crítica de la filosofía occidental se extiende a la literatura, la lingüística y el psicoanálisis. Su pensamiento se basó en su rechazo a la búsqueda de una certidumbre metafísica o fuente última de significado que ha caracterizado a la mayor parte de la filosofía occidental. En cambio propuso la DECONSTRUCCIÓN, que es en parte un método de lectura de textos filosóficos tendiente a explicitar las hipótesis y los supuestos metafísicos subyacentes mediante un análisis riguroso del lenguaje que intenta transmitirlos. Sus trabajos sobre la teoría y el método de la deconstrucción son, entre otros, *La voz y el fenómeno* (1967), *La escritura y la diferencia* (1967) y *De la gramatología* (1967). Otras obras suyas son *Psyche: la invención del otro* (1987) y *Resistencias del psicoanálisis* (1996).

Dershowitz, Alan (Morton) (n. sep. 1938, Brooklyn, N.Y., EE.UU.). Abogado estadounidense. Se graduó de la escuela de derecho de Yale y asistió al magistrado ARTHUR GOLDBERG antes de ser designado profesor en la escuela de derecho de la Universidad de Harvard a la edad de 25 años. Conocido como abogado de derechos civiles, asumió la defensa de los inculpados en casos que recibieron considerable atención de la prensa, como los de Claus von Bulow y O.J. SIMPSON. Sus artículos para revistas y sus columnas de periódicos, ampliamente difundidas en la prensa estadounidense, fueron publicados en colecciones como *The Abuse Excuse* [La excusa del abuso] (1994). Otros de sus libros son *Reasonable Doubts* [Dudas razonables] (1966) y *The Best Defense* [La mejor defensa] (1982).

derviche En el Islam, miembro de una fraternidad sufí. Estos místicos enfatizaban los aspectos emocionales de la devoción mediante trances extáticos, danza y giros. Pueden residir en la comunidad o ser miembros laicos. Los derviches errantes o mendicantes son llamados faquires y a menudo son vistos como hombres santos que poseen poderes milagrosos. Aunque la mayoría de los musulmanes los consideran radicales y heterodoxos, el movimiento ha continuado hasta el presente. Ver también SUFISMO.

Derwent Water, lago Lago de Cumbria, Inglaterra. Situado en el LAKE DISTRICT mide unos 5 km (3 mi) de largo y 0,8–2 km (0,5–1,25 mi) de ancho, con una profundidad máxima de 22 m (72 pies). El río Derwent desagua en el extremo sur del lago y sigue su curso por el extremo norte, cerca de la ciudad comercial de Keswick. Varios lugares turísticos de su costa pertenecen al National Trust (organización encargada del patrimonio nacional). Lords Island, una de las islas del lago, fue residencia de los condes de Derwentwater.

Derwent, río Río de Tasmania, Australia. Nace en el lago SAINT CLAIR, fluye hacia el sudeste por 182 km (113 mi) para desembocar en Storm Bay a través de un estuario de 5,5 km (3,5 mi) de ancho. Los principales afluentes de su curso superior han sido ampliamente explotados para la generación de energía hidroeléctrica. La ciudad de HOBART está situada en su estuario, a 19 km (12 mi) de la desembocadura. Este tramo del río forma un puerto de gran calado y lo cruza el puente Tasman.

Des Moines Ciudad (pob., 2000: 198.682 hab.), capital del estado de Iowa, EE.UU. Se ubica en la confluencia de los ríos Raccoon y Des Moines. En 1843 se estableció Fort Des Moines para protegerse de los indios sauk y fox. En 1845, la región se abrió a los colonizadores de raza blanca. De la unión East Des Moines y Fort Des Moines en 1856, surgió la ciudad en su actual emplazamiento y, después, se convirtió en la capital de Iowa. Des Moines es la mayor urbe del estado e importante centro de comunicaciones y de actividad comercial, manufacturera, gubernamental y de publicaciones. Es sede de la Universidad de Drake (1881) y del teatro KRNT.

Des Moines, río Curso fluvial en el sudoeste del estado de Minnesota que se interna en el estado de Iowa, EE.UU. Nace cerca del Pipestone y corre 845 km (525 mi) en dirección sudeste para unirse al río Mississippi cerca de Keokuk, Iowa. Al norte de Humboldt, Iowa, se conoce con el nombre de West Fork. Desde fines de la década de 1830 hasta el término de la guerra de Secesión fue la principal vía comercial del centro de Iowa. En un principio se explotó como fuente de energía para alimentar 80 molinos para granos (1840–90), aunque en la actualidad ya no existe ninguno.

Des Plaines, río Río en el nordeste del estado de Illinois, EE.UU. Nace en el sudeste del estado de Wisconsin y corre hacia el sur para internarse en el estado de Illinois, más allá de Chicago, para unirse al río Kankakee después de un curso de 241 km (150 mi). En 1900, en Chicago se terminó un canal de drenaje desde el brazo sur del río Chicago hasta Des Plaines. Es parte del canal Illinois (1933), que permite el tráfico de barcazas modernas entre los Grandes Lagos y el río Mississippi.

desacato Desobediencia deliberada o abierta rebeldía frente a un tribunal, juez u órgano legislativo. El incumplimiento de una orden judicial puede ser de carácter penal o civil; en este último caso, el acatamiento de la orden pone fin a las sanciones. Los actos o expresiones que consisten exclusivamente en proferir insultos contra un tribunal u obstaculizar sus actuaciones constituye desacato criminal; esta clase de desacato acarrea sanciones destinadas a castigar la conducta y a obtener el cumplimiento forzado de la orden. En EE.UU., los comités del congreso pueden obligar a la comparecencia de los testigos. Los testigos que no comparezcan o que, de cualquier otro modo, obstruyan la labor del comité en el ejercicio de sus atribuciones, pueden incurrir en desacato. En todo caso, la V enmienda de la constitución protege a los testigos de la autoincriminación. Ver también Perjurio.

Desai, Anita *orig.* **Anita Mazumdar** (n. 24 jun. 1937, Mussoorie, India). Novelista india, también autora de libros infantiles. Sobresaliente en la evocación de temperamentos y estados de ánimo mediante imágenes visuales, se la considera la principal escritora imaginista de su país. Entre sus obras se cuentan *Fuego en la montaña* (1977), *Clara luz del día* (1980), *El Bombay de Baumgartner* (1988), *Viaje a Ítaca* (1995) y la colección de cuentos *Polvo de diamantes* (2000).

Desai, Morarji (Ranchhodji) (29 feb. 1896, Bhadeli, Gujarat, India–10 abr. 1995, Bombay). Primer ministro de India (1977–79). Hijo de un profesor de aldea, en 1918 ingresó a la administración pública provincial de Bombay (actual Mumbai). En 1930 se plegó a la lucha de Mohandas K. Gandhi y estuvo casi diez años en cárceles británicas en las décadas de 1930–40. En 1969 se convirtió en líder de la oposición a Indira Gandhi; estuvo detenido en confinamiento solitario (1975–77) por sus actividades políticas. Después de las eleccio-

Morarji Desai.
FOTOBANCO

nes celebradas en 1977, asumió como primer ministro; sin embargo, debió renunciar en 1979 al desarticularse su coalición.

desalinización Eliminación de las sales disueltas del Agua de mar o de las aguas salobres de mares interiores, de Aguas freáticas muy mineralizadas y de aguas residuales urbanas. La desalinización hace que estas aguas, que de otro modo serían inutilizables, sean aptas para el consumo humano, el riego, para aplicaciones industriales y otras finalidades. La Destilación es el proceso de desalinización más empleado; también lo son la congelación y deshielo, la electrodiálisis y osmosis inversa. Todos estos procesos requieren uso intensivo de energía y, por tanto, costosos. Actualmente, miles de plantas de desalinización en todo el mundo producen más de ocho millones de m³ (dos mil millones de galones) de agua dulce por día, siendo las mayores las que se encuentran en la península Arábiga.

desarme Reducción del armamento en uno o más países. El desarme puede ser impuesto por los vencedores de una guerra a los vencidos (como ocurrió después de la derrota de Alemania en la primera guerra mundial). Los acuerdos bilaterales de desarme pueden aplicarse a una zona específica (un acuerdo de este tipo ha mantenido los Grandes Lagos en América del Norte libre de armas desde 1817). El término se usa más comúnmente en acuerdos multilaterales de reducción y limitación de armamentos, en particular, el de armas nucleares. Ver también Control de armamentos.

desarrollo biológico Cambios graduales de tamaño, forma y funciones durante la vida de un organismo, que traducen su potencial genético (Genotipo) en sistemas funcionales maduros (Fenotipo). Comprende el crecimiento, pero no los cambios químicos reiterados (Metabolismo) o los cambios que suceden en más de un ciclo vital (Evolución). El ADN dirige el desarrollo del huevo u óvulo fertilizado de manera tal que las células se convierten en estructuras especializadas que realizan funciones específicas. En los seres humanos, el desarrollo pasa por las etapas de Embrión y Feto antes de nacer, y continúa durante la niñez. Otros mamíferos siguen un curso semejante. Los anfibios y los insectos pasan por etapas distintivas muy diferentes. En las plantas, el patrón básico está determinado por la distribución de las yemas laterales alrededor de un eje central en crecimiento. Las diferentes velocidades de crecimiento de los elementos que componen la planta determinan entonces su forma y la de sus diversas partes. En animales y plantas, el crecimiento recibe la gran influencia de las Hormonas; probablemente también participan factores de las células individuales.

desarrollo económico Proceso de transformación de una economía nacional simple y de bajos ingresos en una economía industrial moderna. Las teorías del desarrollo económico –la evolución de los países pobres dependientes de la agricultura o de la extracción de recursos a países prósperos con economías diversificadas– son de vital importancia para las naciones del tercer mundo. Los proyectos de desarrollo económico normalmente han significado grandes inversiones de capital en infraestructura (caminos, redes de regadío, etc.), industria, educación e instituciones financieras. Ahora último, el hecho de comprender que la creación de sectores industriales con uso intensivo de capital ofrece sólo empleo limitado y puede trastocar el resto de la economía, ha llevado a programas de desarrollo económico de menor escala, destinados a utilizar los recursos específicos y las ventajas naturales de los países en desarrollo, y a evitar el trastorno de sus estructuras sociales y económicas. Ver también Crecimiento económico.

desarrollo infantil Crecimiento de las capacidades perceptivas, emocionales, intelectuales y conductuales y del funcionamiento orgánico durante la niñez (previo a la pubertad). Comprende el desarrollo del lenguaje, pensamiento simbólico, lógica, memoria, conciencia emocional, empatía, sentido moral y sentido de la identidad, incluido el de la identidad del rol sexual.

desarrollo psicológico Desarrollo de las capacidades cognitivas, emocionales, intelectuales y sociales, que funcionan durante toda la vida de un individuo. Es el objeto de estudio de la disciplina de la PSICOLOGÍA DEL DESARROLLO. En la INFANCIA se adquiere el lenguaje, y se desarrollan la PERCEPCIÓN, la EMOCIÓN, la MEMORIA, así como las habilidades de aprendizaje y motricidad. En la niñez surge el HABLA, las habilidades cognitivas progresan desde las operaciones concretas hacia las abstractas, las respuestas emocionales se vuelven más complejas, y se empieza a utilizar la EMPATÍA y el razonamiento moral. La ADOLESCENCIA es un período de rápido crecimiento emocional e intelectual, mientras que la ADULTEZ se caracteriza por la madurez de todos los procesos de desarrollo.

desarrollo regional, programa de Cualquier programa gubernamental diseñado para promover el desarrollo económico e industrial en regiones agobiadas por la cesantía u otras penurias económicas. La mayoría de los países industrializados adoptó algún tipo de programa de desarrollo regional después de la segunda guerra mundial. El método más común para fomentar el desarrollo es ofrecer subvenciones, préstamos y garantías de préstamos a empresas que se reinstalan o expanden en la región. Por ejemplo, Francia ofreció SUBSIDIOS relacionados con el monto de la inversión y el número de nuevos empleos creados, así como, préstamos, subsidios de intereses y terrenos gratuitos. También se utilizan incentivos tributarios para fomentar la inversión privada en áreas deprimidas. Otros programas gubernamentales consisten en entrega de viviendas de bajo costo para los trabajadores y ayuda para implementar sistemas de suministro de energía, iluminación, transporte e instalaciones sanitarias. Ver también BANCO DE DESARROLLO.

Descartes, René (31 mar. 1596, La Haye, Turena, Francia–11 feb. 1650, Estocolmo, Suecia). Matemático, científico y filósofo francés, considerado el padre de la filosofía moderna. Educado en un colegio jesuita, entró al ejército en 1618 y viajó extensamente durante los siguientes diez años. En 1628 se estableció en Holanda, donde permanecería hasta 1649. Descartes aspiraba a introducir en la filosofía el rigor y la claridad de la matemática. En sus *Meditaciones sobre la filosofía primera* (1641), adoptó la duda metódica de todos los conocimientos con respecto a los cuales es posible ser engañado, entre los que figuran el conocimiento basado en la autoridad, los sentidos y la razón, con el fin de llegar a algo de lo cual pudiera estar absolutamente cierto; usando ese punto como fundamento, intentó después encontrar nuevas y más seguras razones para justificar su creencia en la existencia e inmortalidad del alma, la existencia de Dios y la realidad del mundo externo. Ese punto del que no se puede dudar se expresa en el dictum *cogito, ergo sum* ("Pienso, luego existo"). Su DUALISMO metafísico establecía una distinción radical entre la mente, cuya esencia es el pensamiento, y la materia, donde la esencia es la extensión tridimensional. A pesar de que su metafísica es racionalista (ver RACIONALISMO), su física y fisiología son empíricas (ver EMPIRISMO) y mecanicistas (ver MECANICISMO). En matemática, fundó la GEOMETRÍA ANALÍTICA y reformó la notación algebraica.

descolonización Proceso por el cual las colonias se independizan del país colonizador. La descolonización fue gradual y pacífica en algunas posesiones británicas colonizadas en gran parte por expatriados, pero violenta en otras donde rebeliones nativas se alimentaron del NACIONALISMO. Después de la segunda guerra mundial, los países europeos carecieron por regla general de los recursos económicos y del apoyo político necesarios para reprimir rebeliones lejanas; también enfrentaron la oposición de las nuevas superpotencias, EE.UU. y la U.R.S.S., ambos contrarios al COLONIALISMO. Corea fue liberada en 1945 merced a la derrota japonesa en la guerra. EE.UU. renunció a las Filipinas en 1946. Gran Bretaña abandonó India en 1947, Palestina en 1948 y Egipto en 1956; se retiró de África en las décadas de 1950–60, de varios protectorados insulares en las décadas de 1970–80 y de Hong Kong en 1997. Los franceses abandonaron Vietnam en 1954 y renunciaron a sus colonias de África septemtrional en 1962. Portugal abandonó sus colonias africanas en la década de 1970; Macao fue devuelto a China en 1999.

descompresión, cámara de ver cámara HIPERBÁRICA

descompresión, enfermedad por *o* **enfermedad de los buzos** Efectos nocivos del cambio brusco al pasar de un medio de mayor presión a otro de menor presión. Existen pequeñas cantidades de gases en el aire que se disuelven en los tejidos del cuerpo. Cuando los pilotos de un avión no presurizado ascienden a gran altura o cuando los buzos que respiran aire comprimido vuelven a la superficie, la presión exterior sobre el cuerpo disminuye y los gases dejan de estar disueltos. El ascenso lento permite que los gases pasen al torrente sanguíneo y de ahí a los pulmones que los exhalan, pero si el ascenso es más rápido, los gases (principalmente el nitrógeno) forman burbujas en los tejidos. En el sistema nervioso, estas pueden producir parálisis, convulsiones, problemas motores y sensoriales, y alteraciones psicológicas; en las articulaciones, dolor intenso y restricción de los movimientos; en el aparato respiratorio, tos y disnea. En los casos más graves se produce también CHOQUE. La recompresión en una cámara HIPERBÁRICA, seguida de descompresión gradual, no revierte siempre el daño tisular.

desempleo Situación que afecta a una persona capaz de trabajar, pero que no puede encontrar empleo a pesar de buscarlo activamente. En la mayoría de los países, las estadísticas de desempleo son recopiladas y analizadas por los organismos gubernamentales del trabajo y se consideran un indicador importante de la salud de la economía. Desde la segunda guerra mundial, el pleno empleo ha sido el objetivo declarado de muchos gobiernos. El pleno empleo no es necesariamente sinónimo de una tasa de desempleo nula, ya que esta última puede incluir en cualquier momento a algunas personas que se encuentren entre un trabajo y otro sin estar afectadas por un desempleo prolongado. El término subempleo se utiliza para describir la situación de quienes sólo pueden encontrar trabajo por períodos más cortos que los normales –por ejemplo, trabajadores con jornada parcial y temporeros– y puede referirse también a la situación de los trabajadores sobrecalificados para su trabajo debido a su educación o capacitación.

desempleo, seguro de Forma de SEGURO SOCIAL concebida para indemnizar a los trabajadores en caso de desempleo involuntario de corto plazo. Se creó principalmente para entregar a los trabajadores despedidos asistencia económica durante un período considerado suficiente para poder encontrar otro empleo o ser recontratados. En la mayoría de los países, los trabajadores con invalidez permanente o desempleo prolongado están protegidos por otros planes. En países como Canadá y Gran Bretaña, los trabajadores en cualquier ocupación llenan los requisitos del seguro de desempleo; en EE.UU., en cambio, se niega toda cobertura a determinados trabajadores, como los funcionarios públicos y los trabajadores independientes. En la mayoría de los países, las prestaciones están relacionadas con los ingresos, se pagan por un período limitado, y pueden financiarse con los ingresos públicos generales o con impuestos específicos aplicados a trabajadores o empleadores.

desensibilización *o* **hiposensibilización** Tratamiento para eliminar reacciones alérgicas (ver ALERGIA) inyectando concentraciones crecientes de extractos purificados de la sustancia que produce la reacción. Esto induce el desarrollo de ANTICUERPOS especiales (anticuerpos bloqueadores) en el suero del paciente, que se combinan con el alergeno, bloqueando su reacción con los anticuerpos alérgicos. La desensibilización puede también ser necesaria cuando una persona sensible a la PENICILINA debe tratarse con ella. Ver también ANAFILAXIS, ANTÍGENO.

desertificación *o* **desertización** Expansión de un entorno desértico a regiones áridas o semiáridas, provocada por cambios climáticos, influencia humana o ambos. Los factores climáticos consisten en períodos de sequía temporal pero severa y cambios climáticos prolongados que tienden a la sequedad. Los factores humanos comprenden alteraciones climáticas artificiales, como la deforestación (lo cual puede llevar a una EROSIÓN artificial aguda), el cultivo excesivo y el agotamiento del suministro de agua. La desertificación merma la capacidad de los suelos áridos o semiáridos de sostener la vida. Se caracteriza por una disminución de la napa de AGUA FREÁTICA, la salinización, la disminución del agua superficial, un incremento de la erosión y la desaparición de la vegetación natural.

desesperanza aprendida En psicología, un estado mental en el que un sujeto experimental, forzado a enfrentar estímulos que producen aversión, se vuelve incapaz o no desea evitar sus posteriores castigos, aun cuando estos sean "evitables". Esto ocurre, porque presumiblemente ha aprendido que el control de la situación, por lo general, no está en sus manos. Los experimentos realizados primero en perros y después en seres humanos, condujeron a algunos investigadores, como Martín E. P. Seligman (n. 1942) en *Helplessness* [Desesperanza] (1975), a creer que el fracaso crónico, la depresión y las condiciones similares son formas de desesperanza aprendida. Los críticos han argumentado que a partir de estas investigaciones se puede llegar a conclusiones distintas, y que generalizaciones tan amplias no están bien fundadas.

deshidratación Pérdida de agua corporal, casi siempre junto con SAL, causada por restricción de la ingestión o pérdidas excesivas de agua. Los primeros síntomas de privación de agua son sed, disminución de la saliva y dificultad para tragar. (Cuando se pierden más ELECTROLITOS que agua, la osmosis empuja agua hacia el interior de las células y no se siente sed). Luego, los tejidos se retraen, incluidos la piel y los ojos. Aparece fiebre moderada a medida que el volumen del PLASMA y el gasto cardíaco disminuyen, la TRANSPIRACIÓN decrece o cesa, y se reduce fuertemente la pérdida de calor. La producción de ORINA baja y los RIÑONES son incapaces de filtrar los desechos de la sangre. En este punto puede sobrevenir un CHOQUE irreversible. La causa de la deshidratación debe tratarse primero; en seguida debe suministrarse agua y electrolitos en proporciones adecuadas.

deshidratación, proceso de Método de CONSERVACIÓN DE ALIMENTOS en el que se remueve la humedad (primordialmente agua). La deshidratación inhibe el crecimiento de microorganismos y a menudo reduce el volumen de los alimentos. Es una práctica antiquísima, usada por los pueblos prehistóricos en el secado al sol de semillas; por los indios de Norteamérica en el secado al sol de lonjas de carne, y por los japoneses en el secado de pescado y arroz. Se usó para preparar las raciones de las tropas durante la segunda guerra mundial, y en décadas recientes los excursionistas y las organizaciones de socorro han descubierto sus ventajas. Los equipos de deshidratación comercial comprenden túneles de secado, hornos y secadores al vacío. Una combinación de deshidratación con congelación se usa en el proceso de secado por congelación al vacío o liofilización (*freeze-drying*), mediante el cual el alimento sólido permanece congelado mientras su líquido escapa como vapor. La industria de lácteos es una de las mayores productoras de alimentos deshidratados, incluyendo leche entera, leche descremada y también huevos.

Desiderio da Settignano (c. 1430, Settignano, República de Florencia–ene. 1464, Florencia). Escultor italiano. Nacido en el seno de una familia de albañiles, ingresó al gremio florentino de talladores de piedra y madera

Busto en mármol de una joven, por Desiderio da Settignano, c. 1460–64.
GENTILEZA DE STAATLICHE MUSEEN PREUSSISCHER KULTURBESITZ; BERLIN-DAHLEM

en 1453. Basó su estilo en la obra de DONATELLO de la década de 1430, y su destreza como tallador de mármol lo convirtió en un maestro del bajorrelieve. Su delicada, sensible y original técnica se expresó mejor en retratos de busto de mujeres y niños. Su obra pública más importante fue la tumba de Carlo Marsuppini en la iglesia de Santa Croce. La riqueza arquitectónica de la tumba la convierte en uno de los monumentos más sobresalientes de toda Florencia.

desierto Área extensa de tierra muy árida y con escasa vegetación. Es uno de los principales tipos de ecosistemas de la Tierra. Por lo general se considera desierto un área con una precipitación anual promedio inferior a 250 mm (10 pulg.). Los desiertos comprenden las zonas circumpolares de latitudes altas así como las regiones cálidas y áridas de las latitudes medias y bajas. Los suelos desérticos pueden ser montañas escabrosas, altiplanos o llanuras; muchos ocupan amplias cuencas montañosas. Los materiales de su superficie pueden tener un lecho rocoso, llanuras de grava y roca, y vastas superficies de arena. En general, la arena barrida por el viento, considerada típica de los desiertos, constituye sólo el 2% de la superficie desértica de Norteamérica, 10% del Sahara y 30% del desierto de Arabia.

Arena barrida por el viento, suelo desértico típicamente reconocible en el Sahara.
ARCHIVO EDIT. SANTIAGO

desigualdad En matemática, afirmación de una relación de orden –mayor que, mayor o igual que, menor que o menor o igual que– entre dos números o expresiones algebraicas. Las desigualdades pueden plantearse ya sea como preguntas, de manera similar a ECUACIONES, y resolverse por técnicas semejantes, o bien como afirmaciones de hecho en la forma de TEOREMAS. Por ejemplo, la desigualdad triangular afirma que la suma de las longitudes de cualquier par de lados de un triángulo es mayor o igual a la longitud del tercero. El ANÁLISIS matemático depende de muchas desigualdades semejantes (p. ej., la desigualdad de CAUCHY-SCHWARZ) en las demostraciones de sus teoremas más importantes.

desigualdad de Cauchy-Schwarz ver desigualdad de CAUCHY-SCHWARZ

desintegración alfa Tipo de desintegración radiactiva (ver RADIACTIVIDAD) en la cual algunos núcleos atómicos inestables disipan un exceso de energía eyectando en forma espontánea una partícula alfa. Estas tienen dos cargas elementales positivas y su MASA es de cuatro unidades de masa atómica; son idénticas a un núcleo de helio. Aunque son emitidas a velocidades cercanas a un décimo de la velocidad de la luz, no son muy penetrantes y tienen alcances en el aire de alrededor de 2,5–10 cm (1–4 pulg.). La desintegración alfa ocurre comúnmente en elementos con NÚMEROS ATÓMICOS mayores que 83 (bismuto), pero puede ocurrir en algunos de los elementos del grupo llamado tierras raras, en el rango de números atómicos de 60 (neodimio) a 71 (lutecio). La VIDA MEDIA de la desintegración alfa va desde un microsegundo (10^{-6} segundos) hasta miles de millones de años (10^{17} segundos) según el elemento.

desintegración beta Cualquiera de tres procesos de desintegración radiactiva, en los cuales una partícula beta es emitida en forma espontánea por un NÚCLEO atómico inestable, de modo de disipar un exceso de energía. Las partículas beta son ELECTRONES O POSITRONES. Los tres procesos de desintegración beta son emisión de electrones, emisión de positrones y captura de electrones. El proceso de desintegración beta aumenta o disminuye la carga positiva del núcleo original en una unidad sin cambiar el número de masa. Aunque la desintegración beta es en general un proceso más lento que la DESINTEGRACIÓN GAMMA O DESINTEGRACIÓN ALFA, las partículas beta pueden penetrar cientos de veces más lejos que las alfa. La VIDA MEDIA de la desintegración beta es de unos pocos milisegundos o más. Ver también RADIACTIVIDAD.

desintegración gamma Tipo de RADIACTIVIDAD en cuya forma más común un núcleo atómico inestable disipa energía por emisión gamma, o sea, produciendo RAYOS GAMMA. La desintegración gamma también comprende otros procesos, conversión interna y PRODUCCIÓN DE PARES interna. En la conversión interna, el exceso de energía en un NÚCLEO es transferido a uno de sus propios ELECTRONES que lo orbitan, el cual es eyectado fuera del ÁTOMO. En la producción de pares interna, el exceso de energía es convertido en un electrón y un POSITRÓN, los que son emitidos juntos. La VIDA MEDIA típicas para la emisión gamma va desde un rango de alrededor de 10^{-9} hasta alrededor de 10^{-14} segundos.

deslizamiento submarino En un CAÑÓN SUBMARINO o en un TALUD CONTINENTAL, un deslizamiento relativamente rápido y esporádico de material compuesto de sedimento y desechos orgánicos que se han acumulado de manera lenta formando una masa inestable o de estabilidad marginal. Sin embargo, después de un deslizamiento individual en un cañón, el material tiende a continuar cayendo en una serie de deslizamientos hasta que la pendiente de la masa de sedimentos se hace más estable. Un episodio de deslizamiento puede gatillar otros deslizamientos más abajo en el mismo cañón.

desmido Cualquier miembro de un grupo de ALGAS verdes microscópicas unicelulares caracterizadas por grandes variaciones de su forma celular. Por lo general se dividen simétricamente en semicélulas conectadas en un punto central. Los desmidos se encuentran en todo el mundo, de preferencia en pantanos y lagos ácidos. Como la mayoría de las especies tiene un ámbito limitado, la presencia de desmidos específicos sirve para caracterizar muestras de agua.

Desmond Antigua división territorial de Irlanda. Entre el s. XI y el s. XVII, se usó con frecuencia el mismo nombre para dos zonas bien diferenciadas. El Desmond gaélico, que se extendía sobre parte de los actuales condados de Kerry y Cork, y el Desmond anglonormando, que abarcaba el norte de Kerry, gran parte del actual condado de Limerick, el sudoeste de Tipperary, el este y el sur del condado de Cork y Waterford oriental.

desmotadora Máquina para quitarle las semillas al ALGODÓN. El diseño que llegó a ser estándar fue inventado en EE.UU. por ELI WHITNEY en 1793. La mecanización del hilado en Inglaterra había creado un mercado muy amplio para el algodón estadounidense, pero la extracción manual de las semillas de la fibra en bruto obstruía la producción. La desmotadora tiraba del algodón a través de un conjunto de dientes de alambre montados sobre un cilindro giratorio y la fibra pasaba por ranuras tan angostas en un antepecho de hierro que impedían el paso de la semilla. La simplicidad del invento hizo que fue-

Réplica de una desmotadora de Eli Whitney, 1793.
THE BETTMANN ARCHIVE

ra muy copiado. Se le asigna el mérito de hacer que el algodón fuera el cultivo de exportación más importante de EE.UU. antes de la guerra de SECESIÓN, a medida que los colonos y sus esclavos se desplegaban hacia el oeste por las regiones algodoneras de Carolina del Sur, Georgia, Alabama, Mississipi y Texas.

Desmoulins, (Lucie-Simplice-) Camille (-Benoist) (2 mar. 1760, Guise, Francia–5 abr. 1794, París). Influyente periodista galo durante la Revolución francesa. Aunque su tartamudeo le había impedido ejercer como abogado, al comenzar la Revolución surgió repentinamente como un inspirado orador, incitando a tomar por asalto la Bastilla. A través de folletos y periódicos impulsó una campaña para deponer al rey e instaurar la república. Elegido para integrar la Convención Nacional, se sumó a otros MONTAÑESES en la lucha contra los GIRONDINOS. Más tarde, junto con GEORGES DANTON, se convirtieron en uno de los líderes de la facción moderada, los indulgentes. Su oposición al Comité de salvación pública y al régimen de El TERROR, le significaron ser guillotinado junto con otros partidarios de Danton.

desnaturalización Proceso bioquímico que modifica la CONFIGURACIÓN natural de una PROTEÍNA. Implica romper muchos enlaces débiles (de hidrógeno e hidrófobo) (ver ENLACE) que mantienen la estructura altamente ordenada de la proteína. Esto por lo general resulta en pérdida de actividad biológica (p. ej., pérdida de la capacidad de una ENZIMA para catalizar reacciones). La desnaturalización puede lograrse por calentamiento; por tratamiento con ÁLCALIS, ÁCIDOS, UREA O DETERGENTES; o incluso por agitación vigorosa de la proteína en solución. En algunos casos puede revertirse (p. ej., ALBÚMINA sérica, HEMOGLOBINA), si se restablecen las condiciones favorables para la proteína, pero en otros casos no. El término se utiliza también para describir el proceso que transforma el ETANOL en inadecuado para ser bebido.

desobediencia civil *o* **resistencia pasiva** Negativa a acatar las exigencias u órdenes del gobierno y no resistencia al arresto y sanción consiguientes. Se utiliza especialmente como medio no violento y habitualmente colectivo de obligar al gobierno a otorgar concesiones y ha sido una táctica importante de los movimientos nacionalistas en África e India, del movimiento por los DERECHOS CIVILES de EE.UU., y de los movimientos antibélicos y de los trabajadores en muchos países. Más que un rechazo al sistema en su conjunto, la desobediencia civil es una violación simbólica o ritualista de la LEY. El sujeto que recurre a la desobediencia civil, ya sea porque considera que no hay manera de lograr cambios, se siente obligado a violar una ley determinada debido a un principio superior y extralegal. Al someterse al castigo, la persona espera dar un ejemplo moral que inducirá a la mayoría o al gobierno a efectuar cambios importantes en el ámbito político, social o económico. Las raíces filosóficas de la desobediencia civil están profundamente arraigadas en el pensamiento occidental. CICERÓN, santo TOMÁS DE AQUINO y JOHN LOCKE, entre otros, invocaron principios de la ley NATURAL superiores a leyes creadas por las comunidades o estados (derecho positivo). Entre los defensores más modernos de la desobediencia civil se cuentan HENRY DAVID THOREAU, MOHANDAS K. GANDHI y MARTIN LUTHER KING, JR.

desorientación espacial Incapacidad para determinar la verdadera posición, movimiento y altitud (o, en el agua, la profundidad) del propio cuerpo con respecto a la Tierra o el entorno. Puede resultar de un trastorno encefálico o nervioso o de limitaciones del aparato sensorial normal. La mayor parte de la información para orientarse es retransmitida por los ojos, oídos, músculos y la piel. Para los sentidos los cambios graduales del movimiento pueden ser imperceptibles, o estos pueden sobrestimar la magnitud de cambios bruscos, compensándolos en exceso al cesar el movimiento. Los aviadores y buceadores tienen que lidiar también con cambios aparentes de la tracción gravitacional, que los pueden conducir a situaciones peligrosas que deben superar con entrenamiento. Ver también OÍDO INTERNO; PROPIOCEPCIÓN.

desplate del oro En METALURGIA, la separación de la PLATA del ORO por medios químicos o electroquímicos. El oro y la plata se extraen a menudo juntos de los mismos minerales o se recuperan como subproductos de la extracción de otros metales. Una mezcla sólida de ambos metales, conocida como metal doré, se puede separar por ebullición en ácido nítrico. La plata se disuelve como NITRATO DE PLATA y deja un residuo de oro que se filtra y se lava; la plata disuelta precipita por la adición de sulfato ferroso y se separa de la solución. Este es el método tradicional que se usa en el ENSAYE de muestras para medir su contenido de oro y plata.

desplazamiento al rojo Desplazamiento del ESPECTRO de un objeto astronómico hacia longitudes de onda mayores (la luz visible se desplaza hacia el extremo rojo del espectro). En 1929, EDWIN HUBBLE descubrió que las galaxias tenían desplazamientos al rojo proporcionales a sus distancias (ver constante de HUBBLE). Por cuanto los desplazamientos al rojo pueden ser causados por el alejamiento de un objeto respecto de un observador (efecto DOPPLER), Hubble concluyó que todas las galaxias se están alejando unas de otras. Esto se transformó en la piedra angular de las teorías que presentan un UNIVERSO EN EXPANSIÓN.

desprendimiento de retina Separación de la mayoría de las capas de la RETINA respecto de la coroides, la capa media pigmentada del globo ocular. Con la edad se pueden formar pequeños desgarros retinianos y el humor vítreo del interior del globo ocular se filtra por ellos, separando la retina de la coroides. La fibroplasia retrolental y los accidentes también pueden causar desprendimiento de retina. Por lo general se desarrolla lentamente, sin dolor. En el ojo afectado aparecen manchas negras flotantes y destellos luminosos, y la visión se hace cada vez más borrosa. Si no se trata a tiempo, se produce ceguera permanente. El drenaje del líquido acumulado detrás de la retina y la aplicación de calor, rayos láser o frío extremo provoca una cicatrización que sella el desgarro y previene futuros desprendimientos.

Dessalines, Jean-Jacques (c. 1758, África Occidental Francesa–17 oct. 1806, Jacmel, Haití). Emperador de Haití que expulsó a los franceses en 1804. Tras haber sido esclavo de un amo negro en Santo Domingo (Haití), en 1791 participó en una rebelión de esclavos. Se convirtió en teniente del líder TOUSSAINT-LOUVERTURE, pero se entregó a la expedición francesa que depuso a Toussaint en 1802. La decisión de NAPOLEÓN I de reintroducir la esclavitud fue el detonante para que Dessalines y sus seguidores iniciaran la rebelión, y con ayuda británica lograron expulsar a los franceses. En 1804 proclamó la independencia de la isla con el nombre de esta en lengua arawak, Haití, y al año siguiente se autoproclamó emperador con el nombre de Jacobo I. Declaró ilegal el derecho de propiedad de los blancos, a quienes asesinó por miles, y también discriminó a los mulatos. Murió asesinado durante una revuelta de mulatos.

destilación VAPORIZACIÓN de un LÍQUIDO y CONDENSACIÓN ulterior del GAS resultante para volverlo a la forma líquida. Se utiliza para separar líquidos de sólidos o solutos no volátiles (p. ej., BEBIDAS ALCOHÓLICAS de los materiales fermentados, agua, de otros componentes del agua de mar) o para separar dos o más líquidos con PUNTOS DE EBULLICIÓN diferentes (p. ej., para separar gasolina, queroseno y aceite lubricante del crudo). Se han ideado muchas variaciones para aplicaciones industriales; una importante es la destilación fraccionada, en la cual líquidos con puntos de ebullición similares son vaporizados en forma repetida y condensados a medida que ascienden por una columna vertical térmicamente aislada. Primero sale el líquido más volátil, casi puro, desde la parte superior de la columna, seguido en forma ordenada por las fracciones cada vez menos volátiles de la mezcla original. Este método separa los componentes de la mezcla de mejor manera que la destilación simple.

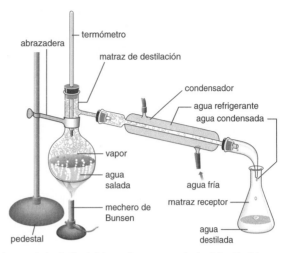

Aparato de destilación de laboratorio que muestra la desalinización del agua. En el matraz de destilación el agua salada se somete a ebullición para producir vapor de agua, en tanto, la sal queda en la solución líquida. El vapor sale a presión por la parte superior del matraz y entra al condensador, el que consiste en dos tubos de vidrio concéntricos. El agua refrigerante fluye por el tubo externo; el vapor del tubo interno se enfría y condensa, y el agua destilada (purificada) desciende al matraz receptor.

© 2006 MERRIAM-WEBSTER INC.

destino manifiesto Concepto de expansión territorial de EE.UU. hacia el oeste, hasta alcanzar el océano Pacífico. La frase surgió en 1845 de la pluma del periodista John L. O'Sullivan, quien describió la anexión de Texas por EE.UU. y, por extensión, la ocupación del resto del continente como un derecho divino del pueblo estadounidense. Se empleó el término para justificar la anexión por EE.UU. de Oregón, Nuevo México y California y, más adelante, la forma en que el país se implicó en Alaska, Hawai y las Filipinas.

Destino, piedra de ver piedra de SCONE

destructor Buque de guerra veloz usado para proteger otras naves. El término fue aplicado primero a buques construidos en la década de 1890 para resguardar a los ACORAZADOS de ataques de lanchas torpederas (ver TORPEDO). En tiempos de la primera guerra mundial, los destructores cumplieron misiones de escolta de la flota de combate para reconocimiento del enemigo, a fin de hacer retroceder a sus destructores mediante fuego de CAÑONES y luego lanzar torpedos contra sus acorazados y CRUCEROS. Cuando el SUBMARINO se transformó en la principal nave lanzadora de torpedos, los destructores armados con CARGAS DE PROFUNDIDAD protegieron a los convoyes y flotas de combate de ataques submarinos. En la segunda guerra mundial, con la incorporación del RADAR y de CAÑONES ANTIAÉREOS, su rol de escolta pasó a incluir defensa antiaérea. Los destructores modernos son manejados por una tripulación de alrededor de 300 personas y están equipados con misiles superficie-aire y superficie-superficie y por uno o dos cañones grandes. Muchos llevan helicópteros cazasubmarinos, y algunos también cuentan con MISILES CRUCERO.

detector de mentiras Instrumento para registrar los fenómenos fisiológicos (como la PRESIÓN SANGUÍNEA, el PULSO y la RESPIRACIÓN) de una persona cuando contesta preguntas que les formula un operador. Estos datos (registrados en gráficos) se usan como base para juzgar si el sujeto está mintiendo. Los fenómenos escogidos para ser registrados son aquellos que no son fáciles de controlar en forma voluntaria. Los tipos de preguntas que se hacen, su fraseología y el modo de presentarlas tienen un enorme efecto en los resultados y, por lo tanto, en su confiabilidad. Usado en la interrogación e investigación policial desde 1924, el detector de mentiras es aún materia de controversias entre los psicólogos y no siempre es aceptado como prueba en los tribunales.

detergente Cualquiera de varios surfactantes (sustancias que reducen la TENSIÓN SUPERFICIAL) utilizados para remover la suciedad de superficies manchadas y retenerla en suspensión, permitiendo que sea arrastrada por un enjuague. El término se refiere a menudo a sustancias sintéticas y excluye los JABONES. Los rasgos característicos de una molécula de cualquier detergente son un extremo hidrófilo (que atrae el agua) y un extremo hidrófobo (que atrae el aceite). En detergentes iónicos, la propiedad hidrófila es proporcionada por la parte ionizada de la molécula. En detergentes no iónicos, la hidrofilicidad se basa en la presencia de múltiples grupos de hidroxilo u otros grupos hidrófilos. Además de aquellos utilizados en agua para limpiado de platos y lavandería, los detergentes que trabajan en otros SOLVENTES se utilizan en aceites lubricantes, gasolinas y en solventes de limpieza en seco para impedir o remover depósitos no deseados. Se utilizan también como agentes emulsionantes (ver EMULSIÓN).

determinante En ÁLGEBRA LINEAL, valor numérico asociado a una MATRIZ que tiene igual número de filas y columnas. Se usa para expresar la solución de sistemas de ECUACIONES (lineales) y para el estudio de VECTORES. Para una matriz de dos por dos, el determinante es el producto de los términos superior izquierdo e inferior derecho menos el producto de los términos inferior izquierdo y superior derecho. Los determinantes de matrices de mayor tamaño involucran combinaciones aritméticas más complicadas de sus términos y se resuelven con una calculadora o una computadora.

determinismo En filosofía, doctrina según la cual todos los acontecimientos, entre ellos las decisiones humanas, están enteramente determinados por causas preexistentes. El tradicional problema del LIBRE ALBEDRÍO surge de la pregunta de si la responsabilidad moral es consistente con la verdad del determinismo. Entre quienes creen que no es consistente, algunos postulan la verdad del determinismo, concluyen que nadie es moralmente responsable de lo que hace (y, en consecuencia, que el castigo por los actos criminales es injustificado); otros, que defienden la realidad de la responsabilidad moral, concluyen que el determinismo es falso. Quienes creen que la responsabilidad moral es consistente con el determinismo son conocidos como compatibilistas (ver COMPATIBILISMO). PIERRE-SIMON LAPLACE acuñó la formulación clásica del determinismo en el s. XVIII. Según Laplace, el estado actual del universo es efecto de su estado anterior y causa del estado siguiente. Si alguien, en cualquier momento, pudiera conocer todas las leyes y todas las fuerzas que operan en la naturaleza y la posición y el impulso correspondientes a todos sus componentes, podría conocer con certeza el futuro y el pasado de toda entidad.

Detroit Ciudad (pob., 2000: 951.270 hab.), la más grande del estado de Michigan, EE.UU. Se ubica junto al río DETROIT y fue fundada por los franceses en 1701, para luego convertirse en centro de intercambio comercial para la región de los GRANDES LAGOS. Se rindió a los británicos durante la guerra FRANCESA E INDIA; en 1976 quedó bajo el control de EE.UU. Capital del estado de Michigan entre 1805 y 1847, se convirtió en uno de los centros de molienda de harina y de embarques del país. En el s. XX llegó a ser la capital mundial del automóvil con la ayuda de HENRY FORD. El crecimiento industrial de la ciudad atrajo inmigrantes, europeos primero y luego gente de raza negra del sur del país, quienes en 1990 conformaban el

El Renaissance Center (al fondo), complejo comercial, hotelero y cultural de Detroit.
COLOUR LIBRARY INTERNATIONAL

75% de la población. La declinación de la industria automotriz provocó tiempos de penuria económica a fines del s. XX. La Universidad Wayne State (1868) es la institución de educación superior más antigua de la ciudad.

Detroit, río Curso fluvial en el sudeste del estado de Michigan, EE.UU. Al formar parte del límite entre Michigan y Ontario, Canadá, conecta el lago Saint Clair con el lago ERIE. Fluye 51 km (32 mi) hacia el sur más allá de DETROIT y WINDSOR, Ontario, donde un puente y un túnel conectan las dos ciudades. Las islas más grandes del río son Belle Island (parque de la ciudad de Detroit) y Grosse Island (zona residencial con aeropuerto), en Michigan, y Fighting Island en Ontario. El río es navegable por embarcaciones de placer y de transporte por los GRANDES LAGOS.

deuda Lo que una persona o entidad debe a otra. Cualquier persona que haya solicitado un préstamo de dinero o bienes a otra persona tiene una deuda y la obligación de devolver los bienes o reembolsar el dinero, normalmente con INTERESES. En el caso de los gobiernos, debido a la necesidad de solicitar préstamos para financiar el déficit presupuestario, han surgido diversas formas de DEUDA NACIONAL. Ver también DEUDOR Y ACREEDOR; QUIEBRA; USURA.

deuda nacional *o* **deuda pública** Endeudamiento total de un gobierno, en particular, según se manifiesta en los VALORES emitidos a inversionistas. La deuda nacional aumenta cuando el gobierno tiene un déficit presupuestario, es decir, cuando el gasto público supera el ingreso público en un año. Para financiar su deuda, el gobierno puede emitir valores como BONOS o LETRAS DEL TESORO A CORTO PLAZO. El nivel de deuda nacional varía entre menos del 10% y el doble del PRODUCTO INTERNO BRUTO (PIB) según el país. Se cree que el endeudamiento público tiene un efecto inflacionario en la economía, por lo que se utiliza con frecuencia durante las RECESIONES para estimular el CONSUMO, la INVERSIÓN y el empleo. Ver también financiamiento del DÉFICIT; JOHN MAYNARD KEYNES.

deudor y acreedor Persona que debe y persona a quien se le debe, respectivamente. Por lo general, el deudor ha recibido algo del acreedor, a cambio de lo cual ha prometido realizar un pago en el futuro. Si el deudor no cumple con su obligación en el plazo estipulado, puede iniciarse un proceso oficial de cobro. Como medio de obtener el pago suele ser posible embargar bienes del deudor, su sueldo o su cuenta bancaria. Actualmente no hay prisión por deudas. Ver también DERECHO DE PREFERENCIA, RETENCIÓN.

deus ex machina Recurso escénico del teatro griego y romano por el cual un dios aparecía en el cielo gracias a un artilugio mecánico (del griego *mechane*) para resolver la trama. Algunas obras de SÓFOCLES, y sobre todo de EURÍPIDES, requerían en ocasiones de este dispositivo. Hoy la expresión alude a una aparición repentina e inesperada que proporciona una solución espuria a un obstáculo aparentemente insoluble.

deuterio *o* **hidrógeno pesado** ISÓTOPO del HIDRÓGENO, símbolo químico ^2H o D y número atómico 1 (pero de peso atómico aproximadamente 2). HAROLD C. UREY obtuvo el Premio Nobel por haberlo descubierto y aislado. Su núcleo contiene un PROTÓN y un NEUTRÓN. El deuterio es una sustancia estable que se encuentra en forma natural en compuestos de hidrógeno en hasta alrededor de 0,015%, y que puede ser purificada por DESTILACIÓN de hidrógeno o por ELECTRÓLISIS del AGUA. Participa en las mismas reacciones químicas que el hidrógeno común; forma D_2 y HD, análogos al hidrógeno molecular (H_2), y D_2O (AGUA PESADA), análogo al agua común (H_2O). La FUSIÓN NUCLEAR de átomos de deuterio o de deuterio y TRITIO a altas temperaturas libera enormes cantidades de ENERGÍA. Tales reacciones se han utilizado en ARMAS NUCLEARES y en reactores experimentales para generación de energía. El deuterio es útil como un trazador en la investigación sobre mecanismos de reacción y trayectorias bioquímicas.

Deutsche Bank AG Grupo de servicios financieros de origen alemán, uno de los líderes a nivel mundial. Fue fundado en 1870 en Berlín, pero sufrió su total destrucción después de la segunda guerra mundial. Fue reorganizada en 1957 y, a partir de ese año, la compañía desarrolló una agresiva política de expansión tanto internamente como a través de adquisiciones. Ejemplos de estas últimas son la adquisición del grupo inglés Morgan Grenfell en 1989, el Banco de Madrid y de la Banca Populare di Lecho en 1993, y el Bankers Trust en 1999. La compañía ofrece una amplia gama de servicios bancarios y financieros, tanto para personas como para corporaciones y realiza negocios en los principales mercados bancarios y financieros del mundo. Sus oficinas centrales se encuentran en Francfort.

Deutsche Lufthansa AG ver LUFTHANSA

Deutsche Welle (DW) Cadena pública de radio y televisión alemana, con sede en Bonn y oficinas de producción en Berlín. Nació en 1953 como una estación radiofónica de onda corta, amparada bajo la cadena ARD, con transmisión de programas en inglés, francés y español. Desde sus inicios se reguló por los principios democráticos y pluralistas, propugnados por la naciente Alemania Federal. A comienzos de la década de 1960 se transformó en una entidad pública independiente. Después de tres décadas de difusión en diversos países, en 1992 lanzó la DW TV, canal de televisión en alemán, inglés y otros idiomas, con señal de transmisión satelital y de amplia cobertura internacional.

deva (sánscrito: "divino"). En el VEDISMO de India, una de las muchas divinidades, divididas en términos generales en dioses del cielo, el aire y la Tierra. Durante el período védico, los dioses se dividían en dos clases, los devas y los *asuras*. En India, los primeros se hicieron gradualmente más poderosos y los segundos comenzaron a ser considerados DEMONIOS. En los sistemas monoteístas que surgieron a finales del período védico, los *devas* fueron subordinados a un ser supremo único.

devaluación Reducción de la equivalencia de la unidad monetaria de un país respecto del oro, la plata o una MONEDA extranjera. Al disminuir el precio de las exportaciones de un país en el exterior y al aumentar el precio de sus importaciones, la devaluación incentiva las exportaciones y desincentiva el gasto en importaciones, lo que mejora su BALANZA DE PAGOS.

devaraja En la antigua Camboya, culto al "dios-rey", instaurado a principios del s. IX por Jayavarman II (n. circa 770–m. 850), fundador del imperio jmer. El culto proclamaba que el rey era una manifestación del dios Shiva. Durante siglos dio sustento religioso a la autoridad de los reyes jmer.

Devi Término usado para designar a una diosa en el HINDUISMO. A veces se usa como título honorífico para la mujer y puede también aludir a divinidades femeninas locales en toda India. En los s. V–VI, los textos hindúes comenzaron a identificar a Devi como la gran diosa y la encarnación de la materia, la energía y la ilusión. Es representada en una variedad de aspectos, tanto buenos como malos, entre ellos la bella, pero peligrosa DURGA, la destructiva KALI y la sexualmente poderosa SAKTI.

Devils Tower National Monument Reserva nacional en el nordeste del estado de Wyoming, EE.UU. Es el primer monumento nacional de EE.UU. y fue establecido en 1906 cerca del río Belle Fourche. Abarca 545 ha (1.347 acres) y presenta una torre de roca natural, que corresponde a los restos de una intrusión volcánica que la erosión ha dejado al descubierto. La torre es plana en su parte superior y tiene 264 m (865 pies) de altura.

Devolución, guerra de (1667–68). Conflicto entre Francia y España por la posesión de los PAÍSES BAJOS ESPAÑOLES. LUIS XIV comenzó la guerra bajo el pretexto de que la costumbre del "derecho de devolución", según la cual las hijas de un primer matrimonio tenían primacía en la herencia de propiedades respecto a los hijos varones de matrimonios posteriores, debía aplicarse también a la herencia de territorios soberanos. Esto significaba que su esposa María Teresa (n. 1638–m. 1683) debía suceder a su padre FELIPE IV en los Países Bajos españoles. El ejército francés invadió Flandes en mayo de 1667, logrando fácilmente sus objetivos. Por medio de un acuerdo de paz alcanzado en Aquisgrán, Francia cedió el Franco Condado, pero conservó las ciudades conquistadas en Flandes.

Devon Condado administrativo (pob., 2001: 704.499 hab.), geográfico e histórico del sudoeste de Inglaterra. Se encuentra entre CORNUALLES, DORSET y SOMERSET, y sus costas dan a los canales de BRISTOL y de la MANCHA. EXETER ha sido su capital por largo tiempo. En esta región están los páramos de Dartmoor, habitados desde tiempos prehistóricos y actualmente una concurrida zona turística. Su principal actividad económica es la ganadería; todavía se produce la renombrada crema cuajada de Devonshire.

Devils Tower National Monument, Wyoming, EE.UU.
GENTILEZA DE WYOMING TRAVEL COMMISSION

devónico Tiempo geológico comprendido entre 417 y 354 millones de años atrás. Fue el cuarto período del PALEOZOICO. Durante el devónico, un continente gigante estaba situado en el hemisferio sur (ver GONDWANA) y otras masas de tierra estaban localizadas en las regiones ecuatoriales. Siberia estaba separada de Europa por un océano ancho y Norteamérica y Europa estaban unidas. Aparecieron y proliferaron muchos tipos primitivos de peces de agua dulce y salada y el período es a veces llamado la Era de los Peces. Los helechos y GIMNOSPERMAS primitivas se diversificaron y crearon los primeros bosques.

Devrient, familia Familia teatral alemana. Ludwig Devrient (n. 1784–m. 1832) fue el más grande actor del período romántico en Alemania. Desarrolló su talento para interpretar roles de carácter en el teatro de Dessau. Después de su debut en Berlín con *Los bandidos* (1814), interpretó personajes como Falstaff, Shylock, el rey Lear y Ricardo III con gran éxito. Su sobrino mayor, Karl August Devrient (n. 1797–m. 1872), actuó en Dresde, Karlsruhe y principalmente en Hannover (1839–72), donde se hizo conocido por sus actuaciones en obras de Shakespeare, Goethe y Schiller. El hermano de Karl, Eduard (n. 1801–m. 1877), comenzó su carrera como cantante de ópera. Después trabajó como actor y director en Dresde (1844–52) y en Karlsruhe (1852–70), donde dirigió obras clásicas alemanas y realizó nuevas traducciones de ciertas obras de Shakespeare. Otro hermano de Karl, Emil (n. 1803–m. 1872), debutó en las tablas en 1821 y posteriormente actuó en el teatro de Dresde (1831–68). Sus mayores éxitos fueron interpretando los roles de Hamlet y Torquato Tasso, de Goethe. El hijo de Eduard, Otto (n. 1838–m. 1894), actuó en diversas compañías y fue director teatral en Karlsruhe y en otras ciudades alemanas. En Weimar produjo una adaptación personal de *Fausto* de Goethe (1876) y escribió varias tragedias. El hijo de Karl, Max (n. 1857–m. 1929), debutó en Dresde en 1878 y en 1882 se unió al afamado Burgtheater de Viena.

Devrient, Wilhelmine Schröder- ver Wilhelmine SCHRÖDER-DEVRIENT

Dewar, Sir James (20 sep. 1842, Kincardine-on-Forth, Escocia–27 mar. 1923, Londres, Inglaterra). Químico y físico británico. En 1891 construyó una máquina para producir oxígeno líquido en cantidad. Su frasco Dewar para almacenar gases licuados (un frasco de doble pared que tiene un vacío aislante entre las paredes internas y externas) se convirtió en indispensable para el trabajo científico sobre fenómenos a baja temperatura; su principio se utiliza en los termos. Dewar fue el primero en licuar y solidificar el hidrógeno. En 1905 su descubrimiento de que el carbón vegetal sometido a frío intenso puede ayudar a crear elevados niveles de vacío, fue de utilidad en la física atómica.

Dewey, clasificación decimal de Sistema de clasificación bibliográfica basado en la división de todas las áreas del conocimiento en diez grupos, cada uno de los cuales tiene asignados 100 números. El sistema decimal permite infinitas subdivisiones ulteriores; por ejemplo, la historia de Inglaterra tiene asignado el número 942, la historia del período Estuardo el 942.06, y la historia de la Commonwealth británica el 942.063. El creador de esta clasificación fue MELVIL DEWEY (1873). Muchas bibliotecas optaron por añadir un número más a la notación –que se obtiene de las Tablas Cutter, o Cutter-Sanborn– para especificar autor y género. La clasificación de la BIBLIOTECA DEL CONGRESO de EE.UU. ha reemplazado el sistema original de Dewey.

Dewey, George (26 dic. 1837, Montpelier, Vt., EE.UU.–16 ene. 1917, Washington, D.C.). Oficial de marina estadounidense. Egresó en 1858 de la Academia Naval y prestó servicios en la fuerza naval de la Unión durante la guerra de SECESIÓN. En 1897 estuvo al mando del Escuadrón asiático de EE.UU. Durante la guerra HISPANO-ESTADOUNIDENSE zarpó de Hong Kong rumbo a las Filipinas, donde derrotó a la flota española en el combate de la bahía de MANILA (1898); abrió el fuego con la orden "Puede disparar cuando esté listo, Gridley". Su victoria, sin pérdida de buques estadounidenses, condujo a la adquisición de las Filipinas por EE.UU. En 1899, el congreso le creó el grado de almirante de la armada.

George Dewey, almirante de la armada estadounidense.
BROWN BROTHERS

Dewey, John (20 oct. 1859, Burlington, Vt., EE.UU.–1 jun. 1952, Nueva York, N.Y.). Filósofo y educador estadounidense. Fue uno de los fundadores del PRAGMATISMO, pionero de la psicología funcional y líder del movimiento progresivo de la educación del país. Obtuvo un Ph.D. (1884) en la Universidad de Johns Hopkins. Impartió la docencia durante diez años en la Universidad de Michigan, para luego trasladarse a la Universidad de Chicago. Bajo la influencia de G. STANLEY HALL y WILLIAM JAMES desarrolló una teoría instrumentalista del conocimiento, que concebía las ideas como instrumentos para la solución de los problemas del entorno. Con la convicción de que los métodos experimentales de la ciencia moderna entregaban el más promisorio punto de vista sobre los problemas éticos y sociales, aplicó este criterio al estudio de la democracia y el liberalismo. Sostenía que la democracia brindaba a los ciudadanos la oportunidad de alcanzar la máxima posibilidad de experimentación y crecimiento personal. Sus escritos sobre educación, especialmente *La escuela y la sociedad* (1899) y *El niño y el programa escolar* (1902), pusieron énfasis en los intereses de los niños

y en el uso de la sala de clases para cultivar la interacción entre el pensamiento y la experiencia. En Chicago creó escuelas-laboratorio para probar sus teorías. Su labor en psicología estuvo centrada en el organismo como un todo y en los intentos de este para adaptarse al entorno. En 1904, Dewey se integró al cuerpo docente de la Universidad de Columbia. En 1925 publicó su obra maestra titulada *La experiencia y la naturaleza*.

Dewey, Melvil(le Louis Kossuth) (10 dic. 1851, Adams Center, N.Y., EE.UU.–26 dic. 1931, Lake Placid, Fla.). Bibliotecólogo estadounidense. Se graduó en el Amherst College en 1874, después de lo cual se inició allí como bibliotecólogo. En 1876 publicó *A Classification and Subject Index for Cataloguing and Arranging the Books and Pamphlets of a Library* [Una clasificación e índice temático para catalogar y ordenar libros y panfletos en una biblioteca], en el cual presenta el sistema de clasificación decimal de DEWEY. Fue uno de los fundadores de la Asociación de bibliotecas norteamericanas y de la *Library Journal* (ambas en 1876). Puso en marcha la Escuela de biblioteconomía, la primera institución en EE.UU. en formar bibliotecarios. También reorganizó la Biblioteca del estado de N.Y. (1889–1906) y estableció el sistema de bibliotecas itinerantes y de colecciones de pinturas. Cofundador de la Asociación de las reformas ortográficas, reescribió su propio nombre.

Dewey, Thomas E(dmund) (24 mar. 1902, Owosso, Mich., EE.UU.–16 mar. 1971, Bal Harbour, Fla.). Abogado y político estadounidense. En 1931 ejerció como asistente del fiscal del gobierno en Nueva York y en 1937 fue elegido fiscal de distrito. Por el éxito de sus campañas contra las figuras de la delincuencia organizada fue elegido por tres períodos gobernador de Nueva York (1943–55), durante los cuales puso en prácticas directrices de moderación política y fiscal. Fue candidato presidencial republicano en 1944, pero lo derrotó fácilmente FRANKLIN D. ROOSEVELT; nominado otra vez en 1948, se contaba con que derrotaría al presidente en ejercicio, HARRY S. TRUMAN, pero este mantuvo el voto de los trabajadores y agricultores y ganó la elección. Se retiró de la política en 1955, aunque siguió asesorando a los gobiernos republicanos.

dextrosa ver GLUCOSA

Dézhniov, cabo Cabo en el extremo oriental de Rusia. Es el punto más al este de la península de Chukotsk, como asimismo de toda la masa terrestre eurasiática. El estrecho de Bering lo separa del cabo Príncipe de Gales en Alaska (ver mar de BERING).

Dga'ldan ver GALDAN

Dge-lugs-pa Secta de los bonetes amarillos del BUDISMO TIBETANO, la religión principal del Tíbet desde el s. XVII. Fue fundada en el s. XIV por Tsong-kha-pa (n. 1357–m. 1419). Entre sus reformas se cuentan una estricta disciplina monástica, el celibato y una mejor educación para los monjes. En 1578, el abad del monasterio principal en Lhasa recibió por primera vez el título de DALAI LAMA del kan ALTAN. Con su ayuda, los Dge-lugs-pa triunfaron sobre la secta Karma-pa o de los bonetes rojos. Gobernaron el Tíbet hasta que los comunistas chinos tomaron el poder (1950); la secta sigue existiendo, pero muchos de sus miembros, entre ellos el Dalai Lama, permanecen en el exilio.

Dhaka o **Dacca** Ciudad (pob., 1991: ciudad, 3.612.850 hab.; est. 1999 área metrop., 11.726.000 hab.), capital de Bangladesh. Su historia se remonta al primer milenio DC, pero no alcanzó notoriedad hasta el s. XVII, cuando fue declarada por la dinastía MOGOL capital de la provincia de BENGALA. Pasó a dominio británico en 1765 y fue la capital de la provincia de Bengala Oriental y de ASSAM (1905–12). En 1947 fue capital de la provincia de Bengala Oriental y, en 1956, de Pakistán

Oriental. Sufrió daños muy graves durante la guerra de independencia en 1971. Junto con su puerto, Dhaka es el principal centro industrial del país. Entre sus edificios históricos se cuentan templos, iglesias y más de 700 mezquitas, algunas de las cuales datan del s. XV.

Dhar Ciudad (pob., est. 2001: 75.472 hab.) del oeste del estado de MADHYA PRADESH en India central. Situada en los faldeos septentrionales de los montes Vindhya, controla uno de los pasos que llevan al valle del río NARMADA. Antigua ciudad, famosa como capital de los RAJPUTAS (s. IX–XIV), fue conquistada por los musulmanes en el s. XIV; más tarde pasó a dominio MOGOL, y cayó ante la Confederación mahratta en 1730. Por mucho tiempo fue un centro de actividad cultural y del saber, y entre sus hermosos lugares históricos se encuentra una famosa mezquita (1405), construida con los restos de templos jaina (o yaina).

dharma En el HINDUISMO, la ley religiosa y moral que rige la conducta individual y colectiva. Se trata en los dharmasutras, el cuerpo legal hindú más antiguo, y en las compilaciones de leyes y costumbres llamadas dharmasastra. En el BUDISMO, el dharma es la verdad universal común a todos los individuos en todos los tiempos, y es considerada una de las fuentes primarias de la doctrina y práctica budista. En el JAINISMO, significa la virtud moral y la fuerza de la vida eterna.

Dhībān ver DIBÓN

Dhofar, Frente de Liberación de ver Frente Popular para la Liberación de OMÁN

dhow Velero árabe, común en el mar Rojo y en el océano Índico, de uno o dos mástiles, generalmente aparejado con vela latina (vela triangular inclinada). En los tipos de mayor tamaño, llamados *baghlas* y *al-boom*, la vela del palo mayor es bastante más grande que la del palo de mesana. La proa es aguzada, proyectándose hacia delante y hacia arriba, y la popa de los *dhows* de mayor tamaño puede tener ventanas y decorados.

Di Prima, Diane (n. 6 ago. 1934, Nueva York, N.Y., EE.UU.). Poetisa estadounidense. Establecida en Greenwich Village, fue una de las pocas mujeres que destacaron en el movimiento BEAT. En 1961 fue cofundadora de *Floating Bear* [El oso flotante], revista literaria mensual en la que colaboraban los mejores escritores *beatniks*. Sus poemarios incluyen *Earthsong* [Canción de la Tierra] (1968), *The Book of Hours* [Libro de las horas] (1970) y *Pieces of a Song* [Fragmentos de una canción] (1990). Fundó además dos sellos editoriales dedicados a la poesía joven. En 2001 se publicaron sus memorias, *Recollections of My Life as a Woman: The New York Years* [Recuerdos de mi vida como mujer: Los años neoyorquinos]. En español se ha publicado *Memorias de una beatnik* (1999).

día Tiempo que toma un cuerpo celeste en rotar en torno a su eje; particularmente, el período de rotación de la Tierra. El día sideral (ver PERÍODO SIDERAL) es el tiempo que tarda la Tierra en hacer una rotación con respecto a una estrella (i.e., el tiempo entre dos pasos sucesivos de una estrella sobre el mismo meridiano de longitud). El día solar aparente es el tiempo entre dos tránsitos sucesivos del Sol sobre el mismo meridiano. Debido al movimiento orbital de la Tierra, cada día el Sol parece moverse ligeramente hacia el este con relación a las estrellas; el día solar es cerca de cuatro minutos más largo que el día sideral. El día solar medio es el valor promedio de los días solares, el cual cambia ligeramente en longitud durante el año a medida que cambia la velocidad de la Tierra en su órbita.

Día D Término en la nomenclatura militar para designar el comienzo de una operación importante. La designación aparentemente se originó en la primera guerra mundial; su significado es incierto, aunque es probable que la "D" no tenga otro significado que "Día". (La hora designada para el comienzo de la acción en un Día D era denominada la Hora H). El más

Días

Día	Derivación
Domingo	Del latín *dominicus dies*, que significa día del Señor.
Lunes	Del latín *lunae dies*, que significa día de la Luna.
Martes	Del latín *martis dies*, que significa día de Marte.
Miércoles	Del latín *mercuri dies*, que significa día de Mercurio.
Jueves	Del latín *jovis dies*, que significa día de Júpiter.
Viernes	Del latín *veneris dies*, que significa día de Venus.
Sábado	Del hebreo *sabbath*, que significa descanso.

Meses

Mes	Derivación
Enero (31 días)	Del mes *Ianuarius*, del calendario romano republicano; se llamó así en honor de Jano (Ianus), el dios bifronte, que miraba el pasado y el futuro.
Febrero (28 días, 29 en años bisiestos)	Del mes romano *februarius*, palabra derivada de Februa, las fiestas de la purificación.
Marzo (31)	Del mes romano *Martius*, consagrado al dios Marte.
Abril (30)	Del mes romano *Aprilis*, deriva de la palabra *aperire* (abrir) para simbolizar el comienzo de la primavera con el brote de los capullos y flores.
Mayo (31)	Del mes romano *Maius*, que habría recibido ese nombre en honor de la diosa Maia (Maya).
Junio (30)	Del mes romano *Iunius*, habría recibido ese nombre en honor De la diosa Juno.
Julio (31)	Del mes romano *Iulius* (originalmente Quintilis o quinto mes) fue llamado así en honor de Julio César en 44 AC.
Agosto (31)	Del mes romano *Augustus* (anteriormente Sextilis o sexto mes) fue llamado así en honor de Augusto en el año 8 AC.
Septiembre (30)	Séptimo mes del antiguo calendario romano republicano, proveniente del latín *septem* o "siete".
Octubre (31)	Octavo mes del antiguo calendario romano republicano, proveniente del latín *octo* u "ocho".
Noviembre (30)	Noveno mes del antiguo calendario romano republicano, proveniente del latín *novem* o "nueve".
Diciembre (31)	Décimo mes del antiguo calendario romano republicano, proveniente del latín *decem* o "diez".

célebre Día D ocurrió el 6 de junio de 1944, primer día de la invasión angloestadounidense a Europa, en la segunda guerra mundial. Ver campaña de NORMANDÍA.

Día de difuntos En la Iglesia católica, día que conmemora a todas las almas de los cristianos en el PURGATORIO. Celebrado el 2 de noviembre, fue instituido por Odilo (m. 1049), abad de Cluny, en el s. XI, y ya en el s. XIII la ceremonia era generalizada. La fecha empalma con el DÍA DE TODOS LOS SANTOS, para que tras el recuerdo de los santos en el cielo se siga con la conmemoración de las almas que esperan ser liberadas del purgatorio. La doctrina católica sostiene que las oraciones de los fieles en la Tierra ayudarán a purificar esas almas con el fin de prepararlas para el cielo.

Día de la expiación ver YOM KIPPUR

Día de los veteranos *inglés* **Veterans Day** Feriado en EE.UU. que se celebra el 11 de noviembre, en honor a los veteranos de las fuerzas armadas estadounidenses y de aquellos que murieron en combate. Originalmente llamado Día del armisticio, primero fue la conmemoración del término de la primera GUERRA MUNDIAL, el 11 de noviembre de 1918. Después de la segunda guerra mundial se convirtió en el día en que se rendía homenaje a todos los miembros de las fuerzas armadas, y en 1954 fue bautizado como Día de los veteranos. Esta fecha se celebra generalmente con desfiles y discursos, también se depositan flores en tumbas y monumentos militares. En Canadá se denomina Remembrance Day (Día del recuerdo) y en Gran Bretaña, Remembrance Sunday (Domingo del recuerdo), y se festeja el domingo más cercano al 11 de noviembre.

Día de Todos los Santos En el cristianismo, día que conmemora a todos los santos de la Iglesia, conocidos y desconocidos. Se celebra el 1 de noviembre en las iglesias occidentales y el primer domingo después de PENTECOSTÉS en las iglesias orientales. La primera observancia general del Día de Todos los Santos fue ordenada por el papa Gregorio IV en 837. En la Inglaterra medieval, la festividad se denominaba de Todos los Santificados (All Hallows) y la víspera todavía se conoce como HALLOWEEN.

Día del Juicio En el cristianismo, el juicio final que hace Dios de todas las personas al final de la historia. Ocurrirá en la segunda venida de Cristo, cuando los muertos sean resucitados. Es especialmente importante en las sectas milenaristas (ver MILENARISMO). En el Islam, el Día del Juicio está descrito en el CORÁN y el HADIZ. Las religiones que creen en la REENCARNACIÓN (p. ej., HINDUISMO) carecen de este día, pues la determinación de cómo ha de renacer un individuo es un juicio particular fundado en el mérito de la vida recién pasada (ver KARMA).

diabasa *o* **dolerita** Roca ígnea intrusiva de grano fino a medio, gris oscuro a negra. La diabasa es una de las rocas oscuras conocida comercialmente como "granito negro". Es muy dura y resistente y por lo común es explotada en canteras para hacer roca chancada, con el nombre de "trap". En términos químicos y mineralógicos la diabasa se asemeja al basalto, pero por lo general es de grano un tanto más grueso.

diabetes insípida Trastorno endocrino (ver SISTEMA ENDOCRINO) que causa sed intensa y producción de orina en exceso, y muy diluida, debido aparentemente a la falta de hormona antidiurética (vasopresina, que regula la conservación del agua y la producción de orina en el riñón) o a la falta de respuesta a ella de los túbulos renales. Las inyecciones de vasopresina sintética son efectivas si falta la hormona, pero no si hay falta de respuesta. Los trastornos del hipotálamo son una de las causas de diabetes insípida.

diabetes mellitus Trastorno por producción insuficiente de INSULINA o disminución de la sensibilidad a ella. La insulina, sintetizada en los islotes de LANGERHANS, es necesaria para metabolizar la GLUCOSA. En la diabetes, los niveles de azúcar en la sangre aumentan (hiperglicemia). El exceso de azúcar es excretado por la orina (glucosuria). Los síntomas son mayor producción de orina, sed, baja de peso y debilidad. La diabetes mellitus tipo 1, o dependiente de insulina (DMDI), es una enfermedad AUTOINMUNE en la cual no se produce insulina, y debe ser tratada con inyecciones de la hormona. El tipo 2, diabetes mellitus no dependiente de insulina (DMNDI), en la cual los tejidos no responden a la insulina, se asocia a la herencia y la obesidad y puede controlarse con dieta; representa el 90% de los casos, muchos de los cuales pasan años sin ser diagnosticados. La diabetes no tratada conduce a acumulación de CETONAS en la sangre, seguida de acidosis (alto contenido de ácido en la sangre), con náuseas, vómitos y luego coma. La atención cuidadosa al contenido y el horario de las comidas, con controles periódicos del azúcar sanguíneo, permitirían manejar la diabetes. Si no es así, es necesario usar drogas orales o inyectar insulina. Las complicaciones, como cardiopatías, retinopatía diabética (una de las principales causas de ceguera), enfermedad renal, y trastornos nerviosos, especialmente de las piernas y los pies, son responsables de la mayoría de las muertes. El grado de control del azúcar sanguíneo no siempre se correlaciona con la progresión de las complicaciones. También puede ocurrir diabetes gestacional como complicación del embarazo.

diablo Espíritu o poder del mal. Aunque a veces el término se usa para referirse a los DEMONIOS, designa con mayor frecuencia al príncipe de los espíritus malignos. En la BIBLIA, el diablo es llamado Satanás, Belcebú y LUCIFER. En el JUDAÍSMO, Satanás aparece subordinado a Dios y como adversario y acusador de Job y otros humanos. En las tradiciones posbíblicas aparece como el tentador de la humanidad y es el responsable de todos los pecados en la Biblia. La teología cristiana sostiene que su tarea principal es incitar a los humanos a que rechacen el camino de la vida y la redención y prefieran el PECADO y la muerte. En el Corán, el diablo se asocia frecuentemente con IBLIS; tienta

al infiel, pero no al verdadero creyente. En el HINDUISMO no existe un diablo supremo, aunque hay una variedad de demonios o seres diabólicos. El BUDISMO también reconoce la existencia de muchos demonios, y MARA, el adversario y tentador de BUDA, a veces se identifica como un diablo particular.

Diablo, isla del *francés* **Île du Diable** Isla rocosa cercana a la costa atlántica de la GUAYANA FRANCESA. Siendo la más pequeña de las tres Islas de la Salvación (Îles du Salut), es una angosta faja de tierra de 1.200 m (3.900 pies) de largo y 400 m (1.320 pies) de ancho. Formó parte de una colonia penal francesa desde 1852 y albergó la colonia de convictos leprosos hasta que las islas fueron transformadas en zona de máxima seguridad. Fueron tristemente famosas por su crueldad, tanto la colonia de isla del Diablo como la de Guayana Francesa en el conti-

Isla del Diablo frente a la costa de la Guayana Francesa.
BJORN KLINGWALL–OSTMAN AGENCY

nente. En la de la isla estuvieron recluidos espías y prisioneros políticos, entre ellos ALFRED DREYFUS; esta dejó paulatinamente de ser utilizada como colonia penal, proceso que duró hasta inicios de la década de 1950.

diaclasa En geología, fractura superficial de las rocas, que sufren una separación pero sin desplazamiento. Presentes en casi todas las rocas superficiales, las diaclasas se extienden en varias direcciones, por lo general más vertical que horizontal. Las diaclasas pueden tener superficies suaves y limpias o pueden estar marcadas con estrías; no se extienden mucho dentro de la corteza terrestre, ya que a 12 km (7,5 mi) aprox. de profundidad incluso las rocas rígidas tienden a fluir plásticamente en respuesta a tensiones elevadas.

diafragma Estructura muscular y membranosa en forma de cúpula entre las cavidades TORÁCICA y ABDOMINAL. Es el músculo principal usado en la RESPIRACIÓN, también es importante para toser, vomitar, defecar y otras funciones expulsivas. Sus espasmos producen HIPO. La AORTA pasa por detrás del diafragma; la VENA CAVA inferior y el ESÓFAGO lo atraviesan. La protrusión de una parte del estómago encima del diafragma se denomina HERNIA del hiato.

diagénesis Suma de todos los procesos, mayormente químicos, que producen cambios en un sedimento después de que ha sido depositado, pero antes de su LITIFICACIÓN final. Por lo general, no todos los minerales en un sedimento están en equilibrio químico, por lo que cambios en la composición del agua intersticial o en su temperatura, o en ambos, producirán alteraciones químicas de uno o más de los minerales presentes. La diagénesis es considerada un proceso de alteración de relativamente baja presión y baja temperatura que involucra procesos como la cementación, remoldeo, reemplazo, cristalización y lixiviación.

diagnóstico Identificación de un trastorno o enfermedad. El diagnóstico requiere de una historia médica (incluida la historia familiar), un examen físico, y con frecuencia pruebas o procedimientos diagnósticos (p. ej., ANÁLISIS DE SANGRE, IMAGINOLOGÍA DIAGNÓSTICA). Se elabora una lista de causas posibles –el diagnóstico diferencial–, que luego se va reduciendo con otras pruebas que las apoyan o descartan.

diagnóstico por imágenes ver IMAGINOLOGÍA DIAGNÓSTICA

diagrama de flujo Representación gráfica de un proceso, tal como una operación de fabricación o una operación computacional, indicando los diferentes pasos a seguir a medida que el producto se mueve a lo largo de la línea de producción o el problema a través de la computadora. Operaciones individuales pueden ser representadas por cuadros cerrados, las flechas entre los cuadros indican el orden en que se realizan los pasos y las trayectorias divergentes determinadas por resultados variables.

diagrama H-R ver diagrama de HERTZSPRUNG-RUSSELL

Diáguilev, Sergei (Pávlovich)
(31 mar. 1872, provincia de Novgorod, Rusia–19 ago. 1929, Venecia, Italia). Empresario artístico ruso, fundador y director de los BALLETS RUSOS. Luego de estudiar derecho en la Universidad de San Petersburgo (1890–96), fue cofundador y editor de la revista de vanguardia *Mir Iskusstva* ("Mundo del arte") (1899–1904). Después se trasladó a París, donde organizó aplaudidas presentaciones de ballet y ópera rusos. En 1909 fundó los Ballets rusos, en los que logró una excelente síntesis entre danza, arte y música al reunir a los mejores coreógrafos, bailarines, compositores, artistas y diseñadores escenográficos. Dirigió la compañía hasta su muerte.

Sergei Diáguilev, c. 1916.
DANCE COLLECTION, BIBLIOTECA PÚBLICA DE NUEVA YORK DEL LINCOLN CENTER, FUNDACIONES ASTOR, LENOX Y TILDEN

dialecto Variedad de una lengua hablada por un grupo de personas que tiene características de vocabulario, gramática y/o pronunciación que la distinguen de otras variedades de la misma lengua. Por lo general, los dialectos se desarrollan como resultado de barreras geográficas, sociales, políticas o económicas entre grupos de personas que hablan la misma lengua. Cuando los dialectos difieren hasta el punto de ser mutuamente incomprensibles, se convierten en lenguas por derecho propio. Este fue el caso del latín, en el que varios de sus dialectos evolucionaron y se convirtieron en las diferentes lenguas ROMANCES. Ver también KOINÉ.

diálisis En química, separación de partículas coloidales en suspensión (ver COLOIDE) de los IONES o de las pequeñas MOLÉCULAS disueltas, aprovechando la desigualdad de sus velocidades de DIFUSIÓN a través de los poros de MEMBRANAS semipermeables (p. ej., pergamino, colodión, celofán). Al ser un proceso lento, una diálisis puede ser acelerada por calentamiento o aplicando un CAMPO ELÉCTRICO si las partículas están cargadas.

diálisis *o* **hemodiálisis** Procedimiento en que se extrae sangre del paciente con insuficiencia RENAL, para purificarla con un hemodializador (riñón artificial), y devolverla al torrente sanguíneo. Muchas sustancias (incluidas UREA y SALES inorgánicas) de la sangre pasan a través de las membranas porosas de la máquina a una solución estéril; las partículas como los glóbulos rojos y las PROTEÍNAS no pasan por ser demasiado grandes. Este proceso controla el equilibrio ácido-básico de la sangre y su contenido de agua y materias disueltas.

diamagnetismo Una clase de MAGNETISMO característico de materiales que tienden a orientar su longitud mayor en ángulo recto respecto de un CAMPO MAGNÉTICO no uniforme, y que expelen parcialmente de su interior el campo magnético en el que están inmersos. En la mayor parte de los materiales, los campos magnéticos de los ELECTRONES se anulan entre sí. Sin embargo, estando inmersos en un campo magnético externo, la interacción de este con los electrones induce un campo interno en dirección opuesta. La sustancia puede entonces ser repelida débilmente por polos magnéticos. Ejemplos de sustancias diamagnéticas son el BISMUTO, el ANTIMONIO, el CLORURO DE SODIO, el ORO y el MERCURIO.

diamante Mineral compuesto de CARBONO puro, la sustancia natural más dura conocida y una gema valiosa. Los diamantes se forman a gran profundidad por tremendas presiones y temperaturas que actúan a lo largo de períodos prolongados de tiempo. En la estructura cristalina del diamante, cada átomo de carbono está unido a otros cuatro átomos equidistantes. Esta estructura cristalina apretada da origen a propiedades muy distintas a las del GRAFITO, la otra forma común del carbono puro. Los diamantes varían de incoloros a negros y pueden ser transparentes, translúcidos u opacos. La mayoría de los diamantes utilizados como gemas son transparentes e incoloros. Las piedras incoloras o azul pálidas son las más valoradas, pero la mayoría de las gemas de diamante están teñidas de amarillo. Debido a su dureza extrema, los diamantes poseen importantes aplicaciones industriales. La mayoría de los diamantes industriales son grises o café y son translúcidos u opacos. En el simbolismo de las piedras preciosas, el diamante representa amor inalterable y es la piedra de nacimiento del mes de abril.

diamante, corte de Rama del arte lapidario que desarrolla las cinco etapas básicas del modelado de un diamante: el marcado, el partido, la aserradura, la determinación del ancho máximo y el faceteado. El estilo más popular es el corte tipo brillante, una piedra redondeada con 58 facetas. Un diamante redondeado con sólo 18 facetas se conoce como corte único. Cualquier otro estilo se conoce como corte de fantasía. Ver también GEMA.

Dian, lago *chino* **Tien Ch'ih** Lago situado en la región central de la provincia de YUNNAN, al sur de China. Mide cerca de 40 km (25 mi) de largo y 13 km (8 mi) de ancho. La región fue colonizada en el s. II AC por pueblos agrícolas sedentarios. Era el centro del estado independiente de Dian (Tien), que después de 109 AC comenzó a pagar tributo a la dinastía HAN.

Diana Diosa romana de la naturaleza, los animales y la caza. Como diosa de la fertilidad, era invocada para que ayudara en la concepción y el parto. En la práctica, no se diferenciaba de la diosa griega ARTEMISA. En su culto en Roma era considerada la protectora de las clases bajas, en especial de los esclavos.

Diana de Francia *o* **Diana de Valois, duquesa de Montmorency y Angulema** (1538, París, Francia–11 ene. 1619, París). Hija natural (legitimada en 1547) del rey ENRIQUE II de Francia. En 1559 se casó con François de Montmorency (n. 1530–m. 1579). Fue conocida por su cultura, inteligencia y belleza, como asimismo por la influencia que ejerció durante los reinados de ENRIQUE III y ENRIQUE IV.

Diana de Francia, detalle de un retrato por un artista desconocido, 1568; Museo del Louvre, París.
H. ROGER-VIOLLET

Diana de Poitiers, duquesa de Valentinois (3 sep. 1499–22 abr. 1566, Anet, Francia). Amante del rey ENRIQUE II de Francia. Llegó como dama de honor a la corte francesa, donde Enrique, 20 años menor, se enamoró perdidamente de ella. Tras enviudar se convirtió en su amante c. 1536. Durante el reinado de Enrique (1547–59), fue en la práctica reina de Francia en todo sentido, excepto en el nombre, mientras que la verdadera soberana, CATALINA DE MÉDICIS, fue obligada a vivir en relativa penumbra. Hermosa y culta, fue mecenas de poetas y artistas.

Diana de Poitiers, detalle de un dibujo de la escuela de F. Clouet, c. 1565; Musée Condé, Chantilly, Francia.
GIRAUDON—ART RESOURCE/EB INC.

Diana, princesa de Gales *orig.* **Lady Diana Frances Spencer** (1 jul. 1961, Sandringham, Norfolk, Inglaterra–31 ago. 1997, París, Francia). Consorte (1981–96) de CARLOS, príncipe de Gales. Hija del vizconde Althorp (más tarde, conde de Spencer), era maestra de un jardín infantil al momento de comprometerse con Carlos, con quien se casó el 29 de julio de 1981, en una ceremonia televisada mundialmente. Tuvieron dos hijos, los príncipes Guillermo (1982) y Enrique (1984). Su belleza y popularidad sin precedentes como miembro de la familia real concitaron el intenso interés de la prensa, llegando a ser una de las mujeres más fotografiadas del mundo. Con el tiempo el matrimonio fracasó; se separaron en 1992 y se divorciaron en 1996. Bajo el permanente escrutinio público, ella continuó sus actividades en favor de numerosas obras de caridad. En 1997 falleció en un accidente automovilístico en París, junto a su acompañante Emad Mohamed (Dodi) al-Fayed (n. 1955–m. 1997) y el conductor del vehículo. Su muerte dio lugar a una masiva demostración pública de dolor.

Con la celebración de la "boda real del siglo" en 1997, Lady Diana se convirtió en la admirada princesa de Gales.
FOTOBANCO

diario Relación de acontecimientos, conductas y observaciones misceláneas que se registran diariamente o a intervalos frecuentes. En los diarios personales, escritos sin ánimo de ser publicados, junto al recuento de sus actividades, el autor expresa sus sentimientos y consigna reflexiones privadas, por lo que en general tienen un tono más franco que otros géneros literarios. La forma tuvo un primer florecimiento en el Renacimiento tardío, y es relevante como registro de la historia política y social. El diario más célebre en lengua inglesa es el de SAMUEL PEPYS; otros ejemplos notables son los de John Evelyn, JONATHAN SWIFT, FANNY BURNEY, JAMES BOSWELL, ANDRÉ GIDE y VIRGINIA WOOLF.

diarrea Paso anormalmente rápido de los desechos por el intestino grueso, que resulta en DEFECACIÓN frecuente, HECES líquidas y a veces calambres. Las causas varían mucho y pueden incluir el CÓLERA, la DISENTERÍA, el consumo de alimentos muy condimentados, o una gran ingesta de alcohol, venenos (incluida la INTOXICACIÓN ALIMENTARIA), efectos secundarios de drogas, y la enfermedad de GRAVES. Los casos leves se tratan con dieta; los más graves, con reposición de líquidos y ELECTROLITOS mientras pasa la enfermedad subyacente. La diarrea de los viajeros afecta a la mitad de las personas que viajan a países en desarrollo. Su prevención consiste en tomar sólo bebidas embotelladas o enlatadas, comer frutas sólo peladas, alimentos enlatados, o comida de restaurante bien cocida. Los casos graves pueden requerir de ANTIBIÓTICOS. En casos de malnutrición grave, la diarrea es potencialmente letal, y es la causa de cientos de miles de muertes cada año en países subdesarrollados.

Dias, Bartolomeu *o* **Bartolomé Díaz** (Algarve c. 1450–29 may. 1500, alta mar, cercanías del cabo de Buena Esperanza). Navegante y explorador portugués. Zarpó en 1487 al mando de una expedición para definir el límite meridional de África. Navegó más al sur que los exploradores anteriores y se convirtió en el primer europeo en doblar el cabo de Buena Esperanza (1488). Su viaje abrió la ruta marítima al continente asiático a través de los océanos Atlántico e Índico. Más tarde, capitaneó una nave en una expedición dirigida por PEDRO ÁLVARES CABRAL, en la cual se descubrió Brasil. Pereció en un naufragio cuando llegaba al cabo de Buena Esperanza.

Diáspora *hebreo* **Galut** ("exilio") (griego: "dispersión"). Nombre que designa tanto la dispersión de judíos entre los gentiles después del cautiverio de BABILONIA (586 AC), como al conjunto de judíos fuera de PALESTINA o del actual Israel. El término también tiene connotaciones religiosas, filosóficas, políticas y escatológicas, ya que los judíos creen que existe una relación especial entre ellos y la tierra de Israel, cuyas interpretaciones varían desde la esperanza mesiánica del judaísmo tradicional en el eventual "regreso de los desterrados" hasta la creencia del judaísmo reformista de que la dispersión de los judíos fue ordenada en forma providencial por Dios para difundir el monoteísmo por todo el mundo. Históricamente, los judíos de la Diáspora sobrepasaban en número a los judíos de Palestina, incluso antes de la destrucción de JERUSALÉN en 70 DC, tras lo cual los principales centros del judaísmo emigraron de país en país (p. ej., Babilonia, Persia, España, Francia, Alemania, Polonia, Rusia y EE.UU.), y las comunidades judías adoptaron gradualmente diferentes idiomas, rituales y culturas, alcanzando entre ellas distintos grados de integración con las sociedades no judías. Mientras algunas vivieron en paz, otras fueron víctimas de un violento ANTISEMITISMO. Si bien la inmensa mayoría de los judíos ortodoxos han apoyado el sionismo, algunos de ellos se oponen al moderno Estado de ISRAEL, argumentando que es un Estado secular no creyente que desafía la voluntad de Dios de enviar a su Mesías en el momento predestinado por él.

diastrofismo *o* **tectonismo** Deformación a gran escala de la CORTEZA terrestre producida por procesos naturales, que lleva a la formación de continentes y de cuencas oceánicas, sistemas de montañas y valles de dislocación y de otros rasgos, por mecanismos como movimiento de placas litosféricas (ver TECTÓNICA DE PLACAS), carga volcánica, o plegamiento. El estudio del diastrofismo o procesos tectónicos, es el principio unificador central en la geología y geofísica modernas.

diatermia Uso de corriente eléctrica de alta frecuencia para calentar la profundidad de los tejidos en fisioterapia. La diatermia con onda corta, ULTRASONIDO y MICROONDA calientan los tejidos a diferentes profundidades con propósitos distintos. El calor suave entibia los tejidos para aliviar el dolor muscular. Los grados más altos de diatermia destruyen los tejidos, lo que es útil en cirugía, especialmente de los ojos o nervios, para coagular, limitar el sangramiento y sellar tejidos traumatizados.

diatomea Cualquier miembro de la división o filo de algas Bacillariophyta (unas 16.000 especies), ALGAS planctónicas, diminutas (ver PLANCTON), unicelulares o coloniales que flotan en todas las aguas del mundo. Las marcas delicadas e intrincadas de la pared celular silicificada se utilizan en pruebas para determinar el poder de resolución de lentes de microscopio. La bella simetría y diseño de las diatomeas justifican el nombre de "joyas del mar". Entre los organismos marinos más importantes y prolíficos, las diatomeas sirven de alimento, directa o indirectamente, a muchos animales. La tierra de diatomeas, compuesta de diatomeas fósiles, se utiliza en filtros, aislantes, abrasivos, pinturas, barnices y como insecticida.

Díaz, Porfirio (15 sep. 1830, Oaxaca, México–2 jul. 1915, París, Francia). Militar y presidente de México (1877–80, 1884–1911). Después de prepararse para el sacerdocio, optó por seguir una carrera militar. Cuando se restauró la paz en México bajo el régimen de BENITO JUÁREZ, renunció a su mando castrense, pero pronto se sintió insatisfecho con el gobierno. Tras encabezar dos revueltas, fue elegido presidente en 1877. Mientras lograba impulsar la economía exportadora mediante la inversión extranjera, gobernaba con el espíritu de un CAUDILLO, reprimiendo a la oposición,

Porfirio Díaz.
GENTILEZA DE LA BIBLIOTECA DEL CONGRESO, WASHINGTON, D.C.

realizando elecciones fraudulentas y utilizando el clientelismo para ganarse la cooperación de diversos grupos. La REVOLUCIÓN MEXICANA fue iniciada en 1910 para terminar con su dictadura y cambiar radicalmente sus políticas. Ver también FRANCISCO MADERO; la REFORMA.

Dibdin, Charles (4 mar. 1745, Southampton, Hampshire, Inglaterra–25 jul. 1814, Londres). Compositor, novelista y actor británico. Corista catedralicio, a los 15 años empezó a trabajar para una editorial de música y en 1762 comenzó su carrera actoral. Su primera opereta fue *El artificio del pastor* (1764). En 1778, cuando devino compositor exclusivo del Covent Garden, ya había producido ocho óperas, entre ellas, *The Padlock* (1768), *The Waterman* (1774) y *The Quaker* (1775). Tiempo después produjo su ópera de baladas *Liberty Hall*. Fue autor, cantante y acompañante en sus célebres espectáculos unipersonales para comensales; la mayoría de sus populares canciones marineras fueron escritas para esas funciones. En suma, unas 100 obras teatrales y 1.400 canciones. Fue uno de los compositores británicos más populares del s. XVIII.

Dibón *actualmente* **Dhībān** Antigua ciudad de Palestina. Fue la capital de MOAB y estaba situada al norte del río Arnón en el actual centro-oeste de Jordania. En excavaciones se han descubierto las ruinas de murallas defensivas y numerosas edificaciones de la ciudad; las cerámicas encontradas datan de c. 3200 AC al s. VII DC. Uno de los descubrimientos más importantes fue una estela con inscripción en lengua moabita, representación importante de la escritura fenicia. Data del s. IX AC y conmemora una victoria sobre los israelitas. Ver también MOABITA.

dibujo Arte o técnica de producir imágenes sobre una superficie, generalmente papel, por medio de marcas de grafito, tinta, tiza, carboncillo o cera. Suele ser un paso preliminar del trabajo con otros medios. Según GIORGIO VASARI, el *disegno* (dibujo y diseño) era la base de las tres artes: pictóricas, escultóricas y arquitectónicas. En el temprano Renacimiento italiano se levantó un debate en torno al rol del dibujo, ya que algunos lo veían como una forma de arte independiente y otros como una etapa preliminar de la creación de una pintura o escultura. En el s. XVII, los dibujos ya tenían un valor de mercado definido; los peritos se especializaron en su colección y los falsificadores comenzaron a explotar la demanda. En el s. XX, el dibujo se tornó completamente autónomo como forma artística, técnica aplicada en forma significativa en las obras de casi todos los artistas importantes. La línea en sí misma fue explotada por sus cualidades tanto representativas como puramente expresivas.

dibujo a lápiz Dibujo realizado con un lápiz, instrumento hecho de GRAFITO recubierto de madera. Aunque el grafito ya se extraía de la tierra en el s. XVI, no se conoce su utilización por artistas antes del s. XVII. En los s. XVII–XVIII, el grafito se usó principalmente para realizar bosquejos preliminares

de obras más elaboradas en otro medio y rara vez para obras acabadas. A fines del s. XVIII ya se había inventado un prototipo incipiente del lápiz moderno al insertar una varilla de grafito natural en un cilindro hueco de madera. Las varillas de lápiz hechas de conglomerados de grafito y arcilla (verdaderos prototipos del lápiz grafito moderno) se introdujeron en 1795. Esta mejora permitió un control mayor del lápiz y estimuló su uso masivo. Los grandes maestros del dibujo a lápiz mantuvieron los elementos del delineamiento simple con sombras limitadas, pero muchos artistas de los s. XVIII–XIX crearon elaborados efectos de luz y sombra al frotar las suaves partículas de grafito con un papel fuertemente enrollado o con gamuza (difuminadores).

dibujo a pluma Trabajo artístico realizado en su totalidad o en parte con pluma y tinta, por lo general, sobre papel. Es un método en el que se usa, fundamentalmente, la línea para construir imágenes. Los artistas que desean sugerir formas tridimensionales emplean el achurado y contraachurado o aplican con pincel aguadas de color sobre el dibujo. Los tres tipos de tintas más comunes son la tinta negra carbón (siendo la tinta china el tipo más fino o la tinta india moderna); la tinta sepia (o parda), que fue popular entre los antiguos maestros, y la de óxido de fierro. Se utilizan tres tipos de pluma: de ave, de caña y de metal. Las plumas de ave son las más populares debido a su flexibilidad y porque permiten un afilado de extrema fineza. En el s. XX, el acero llegó a ser el tipo de pluma predominante.

dibujo técnico Representación gráfica precisa de una estructura, maquinaria, o de sus partes componentes, para informar al fabricante (o al posible comprador) del producto sobre sus características técnicas. Los dibujos pueden presentar los diferentes aspectos de la forma de un objeto, mostrarlo proyectado en el espacio, o explicar cómo está construido. El dibujo técnico usa la proyección ortográfica, en la cual el objeto se visualiza a lo largo de líneas paralelas que son perpendiculares al plano del dibujo. Los dibujos ortográficos comprenden vistas desde arriba (plantas), vistas de frente y de los lados (elevaciones), y vistas transversales que muestran su perfil en el plano del corte. Los dibujos en perspectiva, que presentan una ilusión realista del espacio, usan la línea del horizonte y los puntos de fuga para mostrar cómo se verían los objetos y sus relaciones espaciales, como la disminución de tamaño y la convergencia de las líneas paralelas. El dibujo técnico se hizo con instrumentos de precisión (regla T o reglas paralelas, escuadras, lápices y plumas) hasta que la computación vino a revolucionar los métodos de producción en las oficinas de arquitectura e ingeniería.

diccionario Obra de referencia en que se recogen, habitualmente en orden alfabético, voces o términos de una lengua o materia determinada, con su acepción y, a menudo, información conexa, como pronunciación, etimología y variantes ortográficas. Los primeros diccionarios, como aquellos creados por los griegos del s. I DC, hacían hincapié en las variaciones del significado de las palabras en el tiempo. Desde la temprana Edad Media, la yuxtaposición de idiomas en Europa determinó la aparición de numerosos diccionarios bilingües y multilingües. Respecto de la lengua inglesa, la creación de diccionarios se vio impulsada en parte por el deseo de alfabetizar a las masas de modo que pudieran leer la Biblia, y en parte por la frustración que producía la falta de un lenguaje normado. El primer diccionario puramente de inglés fue *A Table Alphabetical* [Una lista alfabética] (1604), de Robert Cawdrey, que contenía unas 3.000 palabras. En 1746–47, SAMUEL JOHNSON compiló el diccionario de inglés más ambicioso a esa fecha, una lista de 43.500 términos. A principios del s. XIX, el diccionario de inglés americano de NOAH WEBSTER surgió de un reconocimiento de los cambios y variaciones registrados en el seno de la lengua. En las últimas décadas del s. XIX se inició la titánica tarea que culminó en la edición del imponente *Oxford English Dictionary*. En español, la obra más importante es el *Diccionario de la Lengua Española*, del cual se encargan la Real Academia Española y sus respectivas academias americanas y filipina, cuya primera edición data del s. XVIII. Hoy se cuenta con diccionarios de los más diversos tipos y niveles, siendo los más comunes aquellos de uso general. Los lexicógrafos modernos se limitan a describir el estado y la historia de una lengua, pero rara vez prescriben un uso oficial.

Dickens, Charles (John Huffam) (7 feb. 1812, Portsmouth, Hampshire, Inglaterra–9 jun. 1870, Gad's Hill, cerca de Chatham, Kent). Novelista británico, a menudo considerado el máximo exponente del período victoriano. Su padre, un empleado, cayó en prisión por deudas y Dickens se vio obligado a abandonar la escuela y entrar a trabajar en una fábrica. De joven se desempeñó como reportero. Su carrera literaria se inició con la recopilación en un libro –*Los apuntes de Boz* (1836)– de relatos breves publicados en diversos periódicos. La novela cómica *Papeles póstumos del club Pickwick* (1837) lo transformó en el autor británico más popular de su época. Le siguieron *Oliver Twist* (1838), *Nicholas Nickleby* (1839), *La tienda de antigüedades* (1841) y *Barnaby Rudge* (1841). Viajó a EE.UU. y a su regreso escribió, en pocas semanas, *Cuento de Navidad* (1843) y luego *Martin Chuzzlewit* (1844). Con *Dombey e hijo* (1848), sus novelas comenzaron a revelar una marcada inquietud por los males de la sociedad industrial victoriana, preocupación que se intensificaría en la obra semiautobiográfica *David Copperfield* (1850), así como en *Casa desolada* (1853), *Tiempos difíciles* (1854), *La pequeña Dorrit* (1857), *Grandes esperanzas* (1861) y *Nuestro amigo común* (1865). *Historia de dos ciudades* (1859) pertenece al período en que Dickens se consagra a sus histriónicas lecturas en público, las que ensancharon aún más su popularidad. *El misterio de Edwin Drood* (1870) quedaría inconclusa. En general, la obra de Dickens se caracteriza por sus ataques contra los males sociales y las instituciones deficientes, su vena macabra, su patetismo, un conocimiento enciclopédico de la ciudad de Londres, su penetrante espíritu de benevolencia y genialidad, una fuerza inextinguible a la hora de crear personajes, un oído agudo para los diálogos y las jergas, y una prosa sumamente inventiva y personal.

El novelista Charles Dickens rodeado por sus personajes, ilustración de J.R. Brown.
FOTOBANCO

Dickey, James (Lafayette) (2 feb. 1923, Atlanta, Ga., EE.UU.–19 ene. 1997, Columbia, S.C.). Poeta, novelista y crítico estadounidense. Fue piloto en la segunda guerra mundial. Su poesía –contenida en los volúmenes *Into the Stone* [En la roca] (1960), *Drowning with Others* [Ahogándose con otros] (1962), *Helmets* [Cascos] (1964), *Buckdancer's Choice* [La elección de la contorsionista] (1965) y *The Zodiac* [El zodíaco] (1976)– gira en torno del misticismo natural, la religión y la historia. Una novela vigorosa, *Liberación* (1970; Defensa, versión cinematográfica, 1972), lo haría ampliamente conocido.

Dickinson, Emily (Elizabeth) (10 dic. 1830, Amherst, Mass., EE.UU.–15 may. 1886, Amherst). Poetisa estadounidense. Nieta del cofundador del Amherst College e hija de un respetado abogado y congresista por un período, se educó en la Amherst Academy y en el seminario femenino Mount Holyoke. El resto de su vida lo pasaría casi íntegramente en la residencia de su familia en Amherst, y con el tiempo se

tornaría cada vez más ermitaña. Comenzó a escribir en la década de 1850, y hacia 1860 ya se mostraba audaz en sus experimentos con el lenguaje y la prosodia; sin dejar de lado los cuartetos y los metros clásicos de los himnos protestantes, aspiraba a la concisión de los epigramas, y procuraba hallar las palabras precisas y las expresiones más brillantes. La hondura e intensidad de sus versos, engañosamente simples, contrastan con la aparente quietud de su vida personal; sus temas son el amor, la muerte y la majestad de la naturaleza. Su correspondencia, copiosa, suele alcanzar los niveles artísticos de sus poemas. Hacia 1870 sólo vestía de blanco y rehusaba ver a la mayoría de sus visitantes. De sus 1.775 poemas, sólo siete fueron publicados mientras vivía. La difusión póstuma de su obra (a veces, en ediciones muy descuidadas) elevó notoriamente su reputación y el número de sus lectores. Sus obras completas se publicaron en 1955, y desde entonces se la considera una de las grandes poetisas estadounidenses.

Dickinson, John (8 nov. 1732, cond. de Talbot, Md., EE.UU.–14 feb. 1808, Wilmington, Del.). Estadista estadounidense. Representó a Pensilvania en el Congreso de la ley del Timbre, en 1765, y redactó la Declaración de derechos y agravios de dicho Congreso. Adquirió renombre en 1767–68 como autor de *Letters from a Farmer in Pennsylvania, to the Inhabitants of the British Colonies* [Cartas de un granjero de Pensilvania a los habitantes de las colonias británicas], obra que influyó sobre la opinión pública contra las leyes de TOWNSHEND. Como delegado al Congreso CONTINENTAL, colaboró en la redacción de los artículos de la CONFEDERACIÓN. Con la esperanza de una reconciliación con los británicos, votó contra la Declaración de INDEPENDENCIA. Como delegado por Delaware ante la CONVENCIÓN CONSTITUCIONAL, firmó la constitución de EE.UU. e instó a su adopción en una serie de cartas que firmó como "Fabius". Se le suele llamar el "redactor de la guerra de Independencia".

diclorodifeniltricloroetano ver DDT

dicotiledóneo ver ANGIOSPERMA; COTILEDÓN

dictador En la República romana (ver República e Imperio de ROMA), magistrado temporal que gozaba de facultades extraordinarias. Propuesto en tiempos de crisis por un cónsul, recomendado por el Senado y confirmado por los comicios curiados, su mandato era de seis meses o lo que durara la crisis y tenía autoridad sobre todos los restantes magistrados. En 300 AC se pusieron límites a sus poderes, y ningún dictador fue elegido después de 202. Las dictaduras de SILA y JULIO CÉSAR constituyeron una nueva variedad, pues sus facultades eran casi ilimitadas. César se convirtió en dictador vitalicio justo antes de ser asesinado y el cargo fue abolido después de su muerte.

dictadura Forma de gobierno en la que una persona o una OLIGARQUÍA detenta el poder absoluto sin controles constitucionales efectivos. Junto a la DEMOCRACIA constitucional es una de las dos principales formas de gobierno actualmente en uso. Por lo general, los dictadores modernos se valen de la fuerza o el fraude para obtener el poder y lo mantienen a través de la intimidación, el terror, la supresión de las libertades civiles y el control de los medios de comunicación de masas. En la América Latina del s. XX, líderes nacionalistas frecuentemente llegaban al poder por intermedio de los militares e intentaban o bien, mantener a la elite privilegiada o introducir reformas sociales de amplio alcance, dependiente de sus simpatías de clase. En el caso de las dictaduras comunistas y fascistas europeas, un líder carismático de un partido de masas utilizaba una ideología oficial para mantener su régimen, y el terror y la propaganda para reprimir a la oposición. En Asia y África poscoloniales, los dictadores a menudo han retenido el poder estableciendo gobiernos de partido único luego de un golpe militar.

Diderot, Denis (5 oct. 1713, Langres, Francia–31 jul. 1784, París). Filósofo y enciclopedista francés. Educado por los jesuitas, se graduó en la Universidad de París. Entre 1745 y 1772 fue el editor jefe de la ENCICLOPEDIA, obra en 35 volúmenes que es uno de los principales legados de la ILUSTRACIÓN. Títulos como *Carta sobre los sordomudos* (1751), que estudia la función del lenguaje; *Sobre la interpretación de la naturaleza* (1754), aclamada como el método de indagación filosófica del s. XVIII, y *El sueño de D'Alembert* (1830) ejercieron una vasta influencia. Diderot fue el

Diderot, pintura al óleo de Louis-Michel van Loo, 1767; Museo del Louvre, París.
GIRAUDON—ART RESOURCE

primer gran crítico de arte de la historia; especial admiración despiertan sus *Pensamientos sueltos sobre pintura* (redactados en 1765). También cultivó las novelas –entre ellas, *La religiosa* (escrita en 1760) y *El sobrino de Rameau* (terminada en 1774)–, obras teatrales y estudios teóricos sobre el drama. Ver también JEAN LE ROND D'ALEMBERT.

Didimeo Antiguo santuario al sur de MILETO en la actual Turquía. Su templo, sede de un oráculo de Apolo, fue saqueado por los persas c. 494 AC y resantificado después de que ALEJANDRO MAGNO conquistara Mileto en 334 AC. Hacia 300 AC, los milesios comenzaron a construir un nuevo templo que nunca fue terminado; sus ruinas, muy bien conservadas, fueron excavadas a inicios del s. XX.

Didion, Joan (n. 5 dic. 1934, Sacramento, Cal., EE.UU.). Novelista y ensayista estadounidense. En sus obras explora los trastornos y el malestar personal y social. Su primera novela –*El río corre*– se publicó en 1963; después vendrían *Play It as It Lays* [Tómalo como viene] (1970), *Libro de oraciones* (1977), *Democracia* (1984) y *The Last Thing He Wanted* [Su último deseo] (1996). Sus ensayos *Camino a Belén* (1968) y *El álbum blanco* (1979) constituyen agudos análisis de la cultura estadounidense. Junto a su marido, John Gregory Dunne, ha escrito una serie de guiones cinematográficos, entre ellos *Ha nacido una estrella* (1976).

Dido En la mitología griega, fundadora de CARTAGO. Huyó al norte de África después del asesinato de su esposo y compró tierras al gobernador nativo Yarbas. Prefirió suicidarse antes que desposarlo. VIRGILIO modificó la historia en su obra la *Eneida*, en la cual Dido acoge a ENEAS en Cartago durante sus viajes, se convierte en su amante y se suicida cuando este la abandona.

Didot, familia Familia francesa de pintores, editores y diseñadores de tipos. La familia tuvo una profunda influencia sobre la historia de la tipografía. François Didot (n. 1689–m. 1759) entró al negocio como impresor y vendedor de libros en París, en 1713. Tres generaciones sucesivas hicieron prosperar la firma hasta el s. XIX. Bajo la dirección del hijo mayor de François, François-Ambroise (n. 1730–m. 1804), el sistema de puntos Didot, de 72 puntos por pulgada francesa, se convirtió en la unidad estándar de medición de tipos, tal como permanece hasta hoy. François-Ambroise cambió el

estándar del diseño de tipo al incrementar el contraste entre las letras gruesas y las delgadas. Sus hijos Pierre (n. 1761–m. 1853) y Firmin (n. 1764–m. 1836) se hicieron cargo de la impresión y del diseño de tipos, respectivamente. Pierre publicó celebradas ediciones de clásicos del francés y del latín y Firmin diseñó el tipo Didot. El hijo menor de François, Pierre-François (n. 1731–m. 1793), y los dos hijos de este, también fueron miembros activos del negocio, así como los tres hijos de Firmin.

Didrikson, Babe ver Babe Didrikson ZAHARIAS

Die Brücke ver Die BRÜCKE

Diebenkorn, Richard (22 abr. 1922, Portland, Ore., EE.UU.– 30 mar. 1993, Berkeley, Cal.). Pintor estadounidense. Luego de estudiar en la Universidad de Stanford, enseñó en el Instituto de Arte de California (1947–50) y ahí desarrolló un estilo abstracto bajo la influencia de pintores como CLYFFORD STILL y MARK ROTHKO. A mediados de la década de 1950 ya había logrado algún éxito comercial, pero se volcó a un estilo figurativo expresionista. Realizó logrados dibujos de figuras, naturalezas muertas, paisajes e interiores adscritos a la tradición modernista. A lo largo de su carrera alternó entre la figuración y la abstracción. Sus obras más conocidas son la serie *Ocean Park*, iniciada en la década de 1960 y compuesta por más de 140 pinturas abstractas de gran formato que conservan alusiones al paisaje.

dieciocho escuelas Divisiones del BUDISMO surgidas en India en los tres siglos posteriores a la muerte de BUDA (c. 483 AC). El número de escuelas o sectas fue probablemente más cercano a 30 que a 18. La primera división de la comunidad budista se produjo como resultado del segundo concilio, efectuado en Vaishali en el s. IV AC, donde las diferencias surgidas entre los discípulos acerca de la naturaleza de Buda dieron origen a la escuela conocida como los MAHASANGHIKAS. Entre otras escuelas estuvo la de los sthaviravadines y sus ramas (s. III AC), como los theravadines (ver THERAVADA).

Diefenbaker, John G(eorge) (18 sep. 1895, cond. de Grey, Ontario, Canadá–16 ago. 1979, Ottawa). Primer ministro de Canadá (1957–63). Luego de prestar servicios en la primera guerra mundial, ejerció como abogado en Saskatchewan. En 1940 fue elegido miembro de la Cámara de los Comunes canadiense. En 1956 fue dirigente del Partido Conservador Progresista y se desempeñó como primer ministro entre 1957 y 1963, año en que su partido perdió la mayoría en la Cámara baja. En 1967 renunció a la jefatura del partido y, desde 1969 hasta su muerte, fue canciller de la Universidad de Saskatchewan.

dieléctrico Material aislante o muy mal CONDUCTOR de la CORRIENTE ELÉCTRICA. Los dieléctricos no tienen ELECTRONES con vínculo débil a sus átomos, por ello no pueden fluir corrientes. Al ser colocados en un CAMPO ELÉCTRICO, las cargas positivas y negativas dentro del dieléctrico sólo experimentan pequeñísimos desplazamientos en direcciones opuestas, lo que reduce el campo eléctrico en su interior. Ejemplos de dieléctricos son el vidrio, el plástico y la cerámica.

Dien Bien Phu, batalla de (1953–54). Enfrentamiento decisivo de la primera guerra de INDOCHINA (1946–54) que marcó el fin del dominio francés en el Sudeste asiático. Los franceses combatieron contra el VIETMINH por el control de un pequeño puesto de avanzada situado en las montañas, cerca de Laos. Los franceses ocuparon el puesto, pero los vietnamitas cortaron todas las vías de acceso, dejándolos a merced del abastecimiento aéreo. El gral. VO NGUYEN GIAP atacó entonces la base con artillería pesada y una fuerza de 40.000 hombres; esta cayó en su poder pese al fuerte apoyo brindado por EE.UU. a los franceses.

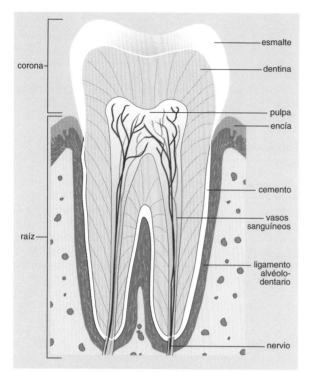

Sección transversal del molar de un adulto. La corona (parte del diente que sobresale de la encía) está protegida por el esmalte, capa exterior dura. Las raíces están incrustadas en el maxilar y cubiertas con cemento, material semejante al hueso. El ligamento alvéolo-dentario fija el cemento en el maxilar y protege al diente de la presión de la mordida. La parte más importante del diente, la dentina, rodea la pulpa blanda en que se encuentran los vasos sanguíneos y los nervios. A través de canales estrechos, células especializadas de la pulpa proyectan en la dentina extensiones filiformes y permiten formar una dentina nueva con minerales que se encuentran en la sangre.

© 2006 MERRIAM-WEBSTER INC.

diente Cualquiera de las estructuras duras de la BOCA empleadas para morder y masticar y en el habla. Cada pieza consiste en una corona que sobresale de la ENCÍA y una o más raíces por debajo de esta, incrustadas en el MAXILAR. Su pulpa interior contiene el aporte sanguíneo y nervioso a la dentina –similar al hueso– que en la corona está cubierta de esmalte, el tejido más duro del cuerpo. Los 20 dientes primarios (de leche) terminan de salir a los 2,5 años de edad y caen entre los 5 y 13 años, para ser reemplazados por 32 dientes definitivos. Los incisivos, al frente, están configurados principalmente para cortar; los caninos puntiagudos, para desgarrar, y los premolares y molares, para moler los alimentos. Los dientes están expuestos a CARIES (picadura), causadas por el ácido de la placa bacteriana, una película amarillenta que se forma sobre el diente. La desalineación entre los dientes del maxilar superior y el maxilar inferior puede dañarlos y producir tanto problemas en la masticación como estéticos, que puede tratarse con frenillos. Ver también ODONTOLOGÍA.

diente de león Cualquiera de las plantas herbáceas, perennes, tipo maleza, que conforman el género *Taraxacum*, de la familia de las COMPUESTAS, originarias de Eurasia pero diseminadas en gran parte de la zona templada de Norteamérica. La especie más conocida, *T. officinale*, posee una roseta de hojas en la base de la planta; una raíz principal profunda, un tallo hueco, suave; y una cabezuela solitaria, amarilla, compuesta sólo de flores radiadas (no tubulares). El fruto es un racimo esferoidal de muchos frutitos monospermos empenachados. Las hojas tiernas son comestibles y las raíces se pueden utilizar como sucedáneo del café.

diente de perro Cualquiera de unas 20 especies de plantas que florecen en primavera y que conforman el género *Erythronium*, de la familia de las LILIÁCEAS, todas originarias de Norteamérica, excepto la variedad de flores púrpuras o rosadas de Europa (*E. dens-canis*). Las flores nutantes, por lo general una en cada planta o en ramilletes, varían de blanco a púrpura. Las dos hojas, asentadas en la base de la planta, normalmente están cubiertas de manchas blancas o marrones. El diente de perro común de Norteamérica, *E. americanum*, tiene flores amarillas y hojas marrón moteadas. Varias especies se cultivan como plantas ornamentales de jardín de rocas.

Dieppe Ciudad portuaria (pob., 1999: 34.598 hab.) del norte de Francia, en el canal de la MANCHA. Los reyes franceses, al comprender su importancia estratégica, le concedieron numerosos privilegios. En 1668 cerca de 10.000 habitantes murieron a causa de una peste y en 1694, la ciudad fue en gran parte destruida por las flotas inglesa y holandesa. Durante la segunda guerra mundial fue el lugar de un fallido desembarco de comandos aliados (1942). Su puerto es uno de los más seguros del canal, pero su poca profundidad obstaculiza el transporte marítimo moderno.

Dies, Martin, Jr. (5 nov. 1901, Colorado, Texas, EE.UU.– 14 nov. 1972, Lufkin, Texas). Político estadounidense. Se tituló de abogado en la National University, en Washington, D.C., en 1920. Luego de ejercer como abogado en Texas, ganó un lugar en la Cámara de Representantes (1931–45, 1953–59). Aunque inicialmente apoyó el NEW DEAL, en 1937 se oponía a este plan. En 1938 fue presidente del recién creado COMITÉ DE ACTIVIDADES ANTINORTEAMERICANAS de la Cámara, conocido popularmente con el nombre de *Dies Committee* (comité Dies), que perseguía a supuestos subversivos comunistas al interior de los organismos del New Deal y de los sindicatos. Si bien los conservadores aplaudieron que se pusiera al descubierto a funcionarios públicos y sindicales supuestamente desleales, los liberales lo acusaron de enlodar reputaciones con acusaciones sin prueba.

Rudolf Christian Karl Diesel.
GENTILEZA DEL DEUTSCHES MUSEUM, MUNICH

diésel, motor ver MOTOR DIÉSEL

Diesel, Rudolf Christian Karl (18 mar. 1858, París, Francia– 29 sep. 1913, alta mar, canal de la Mancha). Ingeniero alemán. En la década de 1890 inventó el MOTOR DE COMBUSTIÓN INTERNA que lleva su nombre, y produjo con éxito creciente una serie de modelos del MOTOR DIÉSEL que culminó con la demostración que hizo, en 1897, de un motor de compresión de un solo cilindro vertical, de cuatro tiempos y 25 caballos de fuerza.

dieta Regulación de la ingesta de alimentos para mejorar la condición física, especialmente para adelgazar. Existen dietas pobres en GRASA para adelgazar, pobres en grasas saturadas y COLESTEROL para prevenir o ayudar a tratar la CARDIOPATÍA CORONARIA, o rica en CARBOHIDRATOS y PROTEÍNAS para desarrollar musculatura. Las dietas adelgazantes se basan en la disminución de la ingesta de CALORÍAS en diferentes proporciones de grasas, carbohidratos o proteínas; la mayoría produce alguna disminución del peso, pero este, a menudo, se recupera en pocos años. Las dietas deben incluir una NUTRICIÓN adecuada y son más efectivas combinadas con ejercicios. Los supresores del apetito pueden tener efectos secundarios peligrosos. El adelgazamiento excesivo puede ser un signo de ANOREXIA NERVIOSA.

Dieta Legislatura nacional japonesa. Bajo la constitución MEIJI, la Dieta tenía dos cámaras, la Cámara de los Pares y la Cámara de Representantes, ambas con las mismas atribuciones. El papel de la Dieta era en gran medida negativo: podía bloquear las leyes y vetar el presupuesto. Fue reorganizada bajo la constitución de 1947, patrocinada por EE.UU. La Cámara de Consejeros (cámara alta) tiene 247 miembros, y la

Cámara de Representantes (cámara baja) tiene 480 miembros. El primer ministro debe ser miembro de la cámara baja y encabeza el partido mayoritario de dicha cámara. La Cámara de Representantes puede prevalecer sobre la Cámara de Consejeros respecto de la mayoría de las materias de discusión.

dietética, fibra ver FIBRA DIETÉTICA

Dietrich, Marlene *orig.* **Maria Magdalene Dietrich** (27 dic. 1901, Berlín, Alemania–6 may. 1992, París, Francia). Actriz y cantante estadounidense de origen alemán. Participó en la compañía teatral de MAX REINHARDT en 1922; posteriormente actuó en películas alemanas y se convirtió en una estrella internacional al interpretar a la destructiva cantante de cabaré Lola-Lola en *El Ángel azul* (1930) de JOSEF VON STERNBERG. El director la introdujo en Hollywood, donde juntos hicieron varios filmes, como *Marruecos* (1930), *El expreso de Shanghai* (1932) y *Capricho imperial* (1934), que impusieron su aura de sofisticación glamorosa y sensualidad lánguida. Durante la segunda guerra mundial realizó más de 500 presentaciones para animar a las tropas aliadas. Además protagonizó largometrajes como *Arizona* (1939), *Berlín Occidental* (1948), *Testigo de cargo* (1957) y *Sed de mal* (1958). Realizó largas giras por clubes nocturnos en la década de 1960 interpretando canciones de su sello como "Falling in Love Again".

Marlene Dietrich.
PICTORIAL PARADE

Dietz, Howard (9 sep. 1896, Nueva York, N.Y., EE.UU.–30 jul. 1983, ciudad de Nueva York). Letrista estadounidense. Estudió en la Universidad de Columbia y posteriormente se incorporó a una agencia de publicidad, donde diseñó el león rugiente, marca registrada de Goldwyn Pictures (posteriormente MGM). En 1919 ingresó a tales estudios de cine y hasta 1957 fue director de publicidad. Desde 1923 escribió letras de canciones en sus ratos libres. En 1929 conoció al compositor Arthur Schwartz (n. 1900–m. 1984); el dúo cimentó su reputación con *The Little Show* y después escribieron canciones para shows de Broadway como *Three's a Crowd* (1930), *The Band Wagon* (1931) y *The Gay Life* (1961). Dietz escribió cerca de 500 canciones y entre sus trabajos con Schwartz destacan "Something to Remember You By", "Dancing in the Dark" y "You and the Night and the Music".

Diez Mandamientos *o* **Decálogo** Preceptos religiosos sagrados en el JUDAÍSMO y el CRISTIANISMO. Comprenden los mandatos de honrar a Dios, al SABBAT y a los progenitores, así como la prohibición de idolatría, blasfemia, asesinato, adulterio, robo, falso testimonio y codicia. En el libro del ÉXODO son revelados por Dios a MOISÉS en el monte SINAÍ y grabados en dos tablas de piedra. La mayoría de los estudiosos propone fechar los mandamientos entre los s. XVI y XIII AC, aunque algunos postulan que sólo se remontan a 750 AC. Los cristianos no les profesaron una veneración profunda sino hasta el s. XIII.

Diez, Friedrich Christian (15 mar. 1794, Giessen, Hesse-Darmstadt, Alemania–29 may. 1876, Bonn). Lingüista alemán, considerado el fundador de la filología románica. Comenzó su carrera como erudito en poesía provenzal medieval y enseñó literatura en la Universidad de Bonn desde 1823 hasta el final de su vida. Diez aplicó la metodología de la lingüística comparada, iniciada por JACOB Y WILHELM GRIMM y FRANZ BOPP, a las lenguas ROMANCES. En sus obras tituladas *Gramática de las lenguas románicas* (1836–44) y *Diccionario etimológico de las lenguas románicas* (1853) demostró la relación entre el LATÍN "vulgar" o hablado y el latín clásico, y la evolución de las lenguas romances, desde el latín hablado hasta sus formas modernas.

diezmo Contribución de una décima parte de los ingresos personales para fines religiosos. La práctica del diezmo fue establecida en las Escrituras hebreas y adoptada por la Iglesia cristiana occidental. Fue prescrito por el derecho eclesiástico a contar del s. VI e impuesto en Europa por el derecho civil desde el s. VIII. Después de la Reforma, siguió recaudándose en beneficio de las Iglesias protestante y católica. Fue finalmente derogado en Francia (1789), Irlanda (1871), Italia (1887) e Inglaterra (1936). En Alemania, la contribución a las Iglesias se recolecta junto con el impuesto a la renta personal y se distribuye según la afiliación religiosa del individuo. Aunque nunca ha figurado en la legislación estadounidense, a los miembros de ciertas Iglesias (p. ej., los MORMONES) se les exige su pago, mientras que los adherentes a otras iglesias pueden contribuir en forma voluntaria. Las Iglesias ortodoxas orientales nunca lo aceptaron.

difamación Acto que consiste en realizar afirmaciones falsas sobre una persona que afectan su buen nombre o impiden que otros se asocien con él. Desde el punto de vista legal, constituyen difamación la injuria y la calumnia. La difamación mediante escritos, imágenes u otro tipo de símbolos visuales se denomina "libel"; si es oral, se conoce como "slander". Por lo general, quien alega difamación debe demostrar que la supuesta injuria o calumnia lo afecta directamente, que fue publicada y dada a conocer a terceros y que como consecuencia de ella ha sufrido daños. La Corte Suprema de EE.UU. ha fallado que los personajes públicos (p. ej., las personas famosas o los políticos) que sostienen haber sido difamados sólo tienen derecho a indemnización si demuestran que la afirmación de que se trata fue hecha con "dolo real y efectivo", esto es, en conocimiento de su falsedad o con temerario desprecio por la verdad (New York Times v. Sullivan, 1964). Las acciones por "slander" pueden iniciarse sin necesidad de alegar y probar un daño especial cuando la afirmación haya sido claramente perjudicial, como ser si ha atribuido al demandante culpa criminal, comportamiento gravemente reprochable de carácter sexual o una característica que influye negativamente en sus negocios o su ejercicio profesional. En los casos de difamación, el querellante generalmente se defiende tratando de establecer la veracidad de la afirmación de que se trata. En el derecho europeo y latinoamericano, la difamación generalmente no constituye ofensa criminal, a menos que constituya un delito de INJURIAS O CALUMNIAS.

diferenciación ver DERIVACIÓN

diferencial En CÁLCULO, expresión basada en la DERIVADA de una FUNCIÓN, útil para aproximar ciertos valores de la misma. El diferencial de una VARIABLE independiente x, que se escribe Δx, es un cambio infinitesimal en su valor. El correspondiente diferencial de su variable dependiente y viene dado por $\Delta y = f(x + \Delta x) - f(x)$. Dado que la derivada de la función $f(x)$, $f'(x)$, es igual a la RAZÓN $\Delta y/\Delta x$ a medida que Δx tiende a cero (ver LÍMITE), para valores pequeños de Δx, $\Delta y \cong f'(x)\Delta x$. Esta fórmula permite a menudo hacer una aproximación rápida y bastante precisa para lo que de otro modo sería un cálculo tedioso.

difracción Dispersión de ONDAS en el entorno cercano a obstáculos. Ocurre con las ondas en el agua, las ondas sonoras, las ondas electromagnéticas (ver RADIACIÓN ELECTROMAGNÉTICA) y con pequeñas partículas en movimiento, como ÁTOMOS, NEUTRONES Y ELECTRONES, las cuales se comportan como ondas. Al incidir un haz de luz sobre el borde de un objeto, se desvía levemente en la zona de contacto y causa un borde borroso en la sombra del objeto. Las ondas de LONGITUD DE ONDA larga se difractan más que aquellas de longitud de onda corta.

difteria Enfermedad BACTERIANA infecciosa aguda causada por el *Corynebacterium diphtheriae*. La bacteria habitualmente entra por las amígdalas, la nariz o la garganta y ahí se multiplica, formando una gruesa membrana que se adhiere a los tejidos y a veces bloquea la tráquea, requiriendo tratamiento de urgencia. La bacteria produce una TOXINA que se disemina para producir otros síntomas, como fiebre, escalofríos, dolor de garganta y lesiones del músculo cardíaco y los nervios periféricos que pueden causar la muerte por insuficiencia cardíaca y parálisis. La difteria se trata con una ANTITOXINA que neutraliza la toxina y produce INMUNIDAD duradera. La vacunación ha disminuido notoriamente su incidencia en Europa, América del Norte y otros países.

difusión Proceso por el cual un flujo neto de materia se difunde desde una región de mayor concentración hacia una de menor concentración. En líquidos es más rápida y en sólidos, más lenta. La difusión puede observarse agregando unas gotas de colorante en un vaso de agua. El aroma de un frasco de perfume abierto se extiende rápidamente en una sala debido al movimiento caótico de las moléculas de vapor. Una cucharada de sal vertida en un recipiente con agua se difundirá en toda el agua.

difusión medial Transmisión de sonido o imágenes por radio o televisión. Después de que GUGLIELMO MARCONI creó la transmisión inalámbrica en 1901, las difusiones radiales fueron emprendidas por aficionados. La primera estación de radiodifusión comercial en EE.UU., la KDKA de Pittsburgh, comenzó a operar en 1920. El número de estaciones se incrementó rápidamente, al igual que la creación de cadenas nacionales de radio. Para evitar el monopolio radial, el Congreso de EE.UU. aprobó la ley de radiodifusión en 1927, que creó la Comisión federal de comunicaciones, cuyo fin era supervisar el funcionamiento de la radiodifusión. En las décadas de 1930–40, llamada la "edad de oro de la radio", las innovaciones técnicas de difusión y programación hicieron de la radio el más popular medio de entretención. Las transmisiones televisivas comenzaron en Alemania y en Gran Bretaña en la década de 1930. Después de la segunda guerra mundial, EE.UU. dominó la industria, y las estaciones televisivas pronto opacaron a las cadenas radiales. Las transmisiones de televisión en colores comenzaron en 1954 y se masificaron en la década de 1960. Con la llegada de la transmisión vía satélite en la década de 1980, las transmisiones televisivas en vivo expandieron aún más el campo de la difusión medial. Ver también ABC; BBC; CBS; CNN; NBC; PBS.

digestión Proceso de disolución y transformación química de los alimentos para su absorción por las células. En la boca, los alimentos son masticados y mezclados con la SALIVA, que inicia la descomposición de los almidones, y es amasada por la lengua formando un bolo para deglutirlos. La PERISTALSIS lo propulsa por el esófago y el resto del canal alimentario. En el estómago, el alimento se mezcla con ÁCIDOS y ENZIMAS, que continúan descomponiéndolo. La mezcla, llamada QUIMO, entra al duodeno, la primera porción del intestino delgado. La BILIS del hígado desintegra los glóbulos de GRASA. Las enzimas del páncreas y de las glándulas intestinales actúan sobre moléculas específicas, descomponiendo los CARBOHIDRATOS en AZÚCARES simples, las PROTEÍNAS en AMINOÁCIDOS, y las grasas en GLICEROL y ÁCIDOS GRASOS. Estos productos son absorbidos por las células intestinales hacia el torrente sanguíneo. Las sustancias indigeribles, como la FIBRA DIETÉTICA, pasa al intestino grueso, donde se reabsorben el agua y los IONES y se retienen las HECES para su EXCRECIÓN.

digital o **dedalera** Cualquiera de 20–30 especies de plantas herbáceas del género *Digitalis*, de la familia de las ESCROFULARIÁCEAS, especialmente *D. purpurea*, la digital común o púrpura. Originaria de Europa, la región Mediterránea y las islas Canarias, normalmente las digitales dan hojas ovaladas u oblongas hacia la base del tallo, coronado por un racimo unilateral de flores péndulas, acampanadas, púrpuras, amarillas o blancas, por lo general moteadas en su interior. *D. purpurea* se cultiva como fuente de la droga cardiotónica llamada DIGITALINA.

digitalina Droga derivada de las hojas de la DIGITAL común y utilizada como una droga que fortalece la contracción muscular del CORAZÓN. Fue recetada por primera vez en el s. XVIII. Sus principios activos pertenecen a una clase de ESTEROIDES

llamados GLICÓSIDOS cardíacos. Sus dosis deben ser cuidadosamente monitoreadas porque la dosis letal puede ser sólo tres veces la dosis efectiva. Entre las formas más comúnmente recetadas de digitalina están la digitoxina y la digoxina.

Digitaria Género que comprende unas 300 especies de HIERBAS, especialmente *D. sanguinalis* o la especie ligeramente más pequeña *D. ischaemum*. El garranchuelo o falsa pata de gallina (*D. sanguinalis*) tiene hojas vellosas y cinco o seis espiguillas; *D. ischaemum* es lampiña y tiene sólo dos o tres espiguillas. Ambas son originarias de Europa y se aclimataron profusamente como malezas en Norteamérica. Estas y unas cuantas especies muy emparentadas causan graves problemas en prados y campos. Una especie, la punta blanca (*D. californica*), es una hierba forrajera (ver FORRAJE) muy utilizada en el sudoeste de EE.UU.

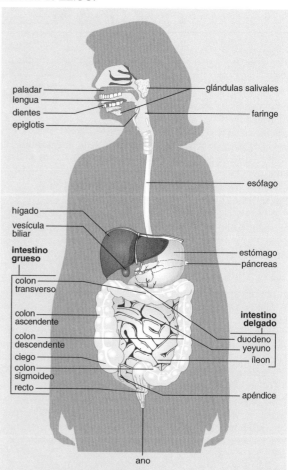

El alimento llevado a la boca es humedecido y lubricado por la saliva secretada por las glándulas salivales. Las enzimas de la saliva comienzan a desintegrar los almidones. El movimiento del paladar contra la parte posterior de la faringe evita que el alimento ingrese a la cavidad nasal. La epiglotis, que es un tejido cartilaginoso, evita que el alimento pase desde la faringe a la laringe durante la deglución. Los músculos de la pared del esófago se contraen en forma de ondas para transportar el alimento hacia el estómago. Una mezcla de sustancias secretadas por el estómago (como enzimas, ácido clorhídrico y moco) participa en la descomposición de los alimentos. El alimento parcialmente digerido pasa al intestino delgado, donde las moléculas mayores se descomponen en azúcares, aminoácidos y ácidos grasos. El páncreas secreta enzimas digestivas al duodeno. El hígado secreta sales biliares que transforman las grasas insolubles, que fluyen al intestino delgado, en hidrosolubles y vulnerables a la acción enzimática. El exceso de sales biliares se almacena en la vesícula biliar. Las moléculas menores son absorbidas hacia el torrente sanguíneo a través del yeyuno y el íleon. La función principal del intestino grueso (colon) es compactar y acumular el material indigerido, que se mueve desde el íleon hacia el ciego, y las contracciones musculares impulsan las heces hacia el recto para ser expulsadas a través del ano.

© 2006 MERRIAM-WEBSTER INC.

diglosia Coexistencia de dos variedades de la misma lengua en una comunidad, donde cada variedad está más o menos estandarizada y ocupa un espacio sociolingüístico definido. Por lo general, una de las variedades es considerada más formal o tiene mayor prestigio, mientras que la otra es más apropiada para la conversación informal o como marca de una condición social más baja o un nivel inferior de educación. Situaciones diglósicas clásicas se pueden encontrar en comunidades arabehablantes (ver ÁRABE), donde el árabe estándar moderno coexiste con decenas de dialectos árabes regionales, y entre hablantes de lenguas DRAVÍDICAS, como el TAMIL, en que palabras diferentes para conceptos básicos como "casa" o "agua" se eligen de acuerdo con la casta o religión del hablante.

Dijon Ciudad (pob., 1999: 149.867 hab.) en el centro-este de Francia. El lugar ha sido habitado desde épocas anteriores a los romanos. En 1015 pasó a ser la capital del ducado de BORGOÑA y prosperó bajo la dinastía ducal VALOIS (1364–1477). LUIS XI anexionó a la corona la ciudad a fines del s. XV. Centro turístico y comercial, se encuentra rodeada de ocho fuertes; entre sus edificios históricos destacan una iglesia del s. XIII y el ayuntamiento que data del s. XIV (el antiguo palacio de los duques de Borgoña). En 1722 se fundó su universidad. Cuenta con fundiciones y plantas automotrices, pero es más conocida por sus productos alimenticios (p. ej., mostaza, vinagre y pan de jengibre).

dik-dik Cualquiera de cuatro especies de un ANTÍLOPE africano delicado (género *Madoqua*), nombrado así por el sonido que emite cuando se alarma. Su alzada es de 30–40 cm (12–16 pulg.) y pesa 3–5 kg (7–11 lb). Tiene un morro alargado y una piel suave, gris o pardusca en el lomo y blanca en el vientre. El pelo de la coronilla forma un mechón enhiesto que puede ocultar parcialmente los cuernos cortos y anillados del macho. Viven en zonas secas de matorral denso de África meridional y oriental, y se alimentan principalmente de acacios y otros arbustos.

Dik-dik (género *Madoqua*).
JACK CANNON–OSTMAN AGENCY

dilatación temporal En la teoría especial de la RELATIVIDAD, la "marcha más lenta" (o atraso) de un reloj, según lo percibe un observador en movimiento relativo respecto de dicho reloj. La dilatación temporal se aprecia sólo a velocidades cercanas a la de la LUZ; ha sido confirmada de manera precisa por el aumento aparente del ciclo de vida de PARTÍCULAS SUBATÓMICAS inestables, que viajan a velocidades muy cercanas a la velocidad de la luz, y por el registro preciso del tiempo por relojes atómicos instalados en aviones. Ver también contracción de LORENTZ-FITZGERALD.

dilema del prisionero Situación imaginaria utilizada en la teoría de JUEGOS. He aquí una de sus versiones: Dos prisioneros son acusados de un crimen. Si uno confiesa y el otro no, el que confiesa será liberado inmediatamente y el otro pasará 20 años en prisión. Si ninguno confiesa, ambos estarán en prisión sólo unos meses. Si ambos confiesan, los dos serán encerrados durante 15 años. Los prisioneros no pueden comunicarse entre sí. Dado que ninguno de los dos sabe si el otro ha confesado, a ambos beneficia el confesar. Paradójicamente, cuando cada prisionero persigue su propio interés, ambos terminan en peores condiciones que las que habrían prevalecido si hubiesen actuado de otro modo. Ver EGOÍSMO.

Dili Ciudad (pob., est. 1999: 65.000 hab.), capital de TIMOR ORIENTAL. Se ubica en la costa septentrional de la isla de TIMOR en el estrecho de Ombai. Dili ha sido la capital, puerto principal y centro de actividad comercial de la mitad oriental de Timor, desde que fue colonizada por los portugueses alrededor de 1520. Fue ocupada por Japón durante la segunda guerra mundial. Timor Oriental permaneció bajo dominio portugués hasta 1975, fecha en que pasó a ser una provincia de Indonesia. Dili sufrió grandes daños infligidos por las "milicias" del ejército indonesio después de que Timor Oriental votó su independencia en 1999. La ciudad pasó a ser la capital del nuevo estado soberano de Timor Oriental en 2002.

diligencia COCHE para el transporte de pasajeros tirado por caballos, que viajaba en forma regular en una ruta fija entre estaciones o paradas. Las diligencias hicieron su aparición en Londres alrededor de 1640 y en París cerca de 1660. En el s. XIX eran muy usadas en EE.UU. y en Inglaterra, donde en 1828 había servicio de diligencia 12 veces al día de Leicester a Londres. En EE.UU. era el único medio de transporte de pasajeros y de correo a localidades lejanas, especialmente del Oeste. A medida que se incrementó el uso del ferrocarril, los viajes en diligencia disminuyeron, excepto a lugares recónditos.

Dilke, Sir Charles Wentworth, 2° baronet (4 sep. 1843, Londres, Inglaterra–26 ene. 1911, Londres). Político británico. Fue elegido al parlamento en 1868, primero en calidad de radical y después como moderado. En 1882 se incorporó al gabinete de WILLIAM E. GLADSTONE y era considerado como un futuro primer ministro. Cuando se encontraba en la cima de su carrera, en 1886, fue citado en un juicio de divorcio por adulterio como cómplice del demandado, que causó gran escándalo y arruinó su carrera. Negó la historia de la mujer, y con el tiempo las pruebas acumuladas demostraron que gran parte del testimonio de ella había sido inventado. Regresó a la Cámara de los Comunes (1892–1911), donde propició una legislación laboral progresista y adquirió fama de experto militar.

Dillon Stengel, Charles ver Casey STENGEL

Dilthey, Wilhelm (19 nov. 1833, Biebrich, Nassau, Alemania–1 oct. 1911, Seis am Schlern, Tirol del sur, Austria-Hungría). Filósofo de la historia alemán. Contrario a los esfuerzos contemporáneos de adaptar la metodología de las humanidades y de las ciencias sociales al modelo de las ciencias naturales, trató de establecer estas áreas como ciencias interpretativas por derecho propio. Su materia de estudio, según él, es la mente humana, no como es apreciada en la experiencia inmediata ni como la analiza la teoría psicológica, sino como se manifiesta u "objetiviza" en las lenguas y la literatura, los actos y las instituciones. Dilthey sostenía que la esencia de los seres humanos no podía ser aprehendida por medio de la introspección, sino sólo por medio de un conocimiento de la historia en su conjunto; esta comprensión, sin embargo, nunca puede ser definitiva, porque la propia historia tampoco lo es. Su obra más importante es *Introducción a las ciencias del espíritu* (1883); dos de sus ensayos de mayor influencia son *Ideas sobre una psicología analítica y descriptiva* (1894) y *La estructura del mundo histórico en las ciencias del espíritu* (1910).

DiMaggio, Joe orig. **Joseph Paul DiMaggio** (25 nov. 1914, Martinez, Cal., EE.UU.–8 mar. 1999, Hollywood, Fla.). Astro del béisbol estadounidense. Fichó para los New York Yankees en 1936 y se mantuvo con ellos hasta su retiro en 1951. Considerado uno de los mejores jardineros (defensas) centrales de la historia, jugaba con tan lánguida gracia que algunos hinchas poco avispados pensaban que era perezoso. Registró un promedio de bateo de 0,325 en su carrera. En 1941 logró uno de los récords más sobresalientes de las grandes ligas, con la hazaña de batear y llegar a base en 56 partidos consecutivos. DiMaggio contribuyó a que los Yankees ganaran diez campeonatos de la Liga America-

Joe DiMaggio, astro del béisbol estadounidense.
EB INC.

na y nueve títulos de la Serie Mundial. Sus hermanos Vincent y Dominic también jugaron en las grandes ligas. La segunda esposa de DiMaggio fue MARILYN MONROE (el matrimonio, en 1954, duró nueve meses). Tras su retiro del béisbol, trabajó como ejecutivo para dos equipos de las grandes ligas y apareció en comerciales de televisión.

dimensión En matemática, número que indica el mínimo de coordenadas necesarias para identificar un punto en un espacio geométrico; en otro contexto, un número que indica las medidas de longitud que requieren algunas definiciones geométricas, como área o volumen (ver LONGITUD, ÁREA Y VOLUMEN). El espacio unidimensional se puede representar por una línea numerada, en la cual un solo número identifica un punto. En el espacio bidimensional puede superponerse un sistema de COORDENADAS que requiere sólo dos números para identificar un punto. Tres números bastan en el espacio tridimensional, y así sucesivamente.

dimetil sulfóxido (DMSO) Compuesto orgánico líquido, incoloro, casi inodoro. Se mezcla en todas las proporciones con agua, etanol y la mayoría de los SOLVENTES orgánicos, y disuelve una amplia variedad de compuestos (pero no los HIDROCARBUROS alifáticos). Penetra fácilmente en la piel y otros tejidos, y se utiliza para transportar drogas y ANTITOXINAS a través de la piel. Tiene muchos usos no médicos, como solvente, agente de limpieza, pesticida, removedor de pintura, fluido hidráulico, preservante de células a bajas temperaturas y como agente complejante para metales.

dimetilcetona ver ACETONA

Dimitrov, Georgi (Mijáilovich) (18 jun. 1882, Kovachevtsi, Bulgaria–2 jul. 1949, cerca de Moscú, Rusia, U.R.S.S.). Líder comunista búlgaro. Contribuyó a fundar el Partido Comunista de su país en 1919. Tras encabezar en 1923 un levantamiento comunista que provocó una feroz represalia del gobierno, fue obligado a residir en el extranjero. Se integró a la dirección del KOMINTERN y fue jefe de la sección de Europa central con sede en Berlín (1929–33). En 1933 fue detenido en Alemania y acusado por los nazis del incendio del REICHSTAG, pero fue absuelto gracias a su brillante defensa que tuvo resonancia internacional. Encabezó el Komintern en Moscú (1935–43). Posteriormente, regresó a Bulgaria donde se desempeñó como primer ministro (1945–49). Consiguió consolidar a los comunistas en el poder, al instaurar la República Popular de Bulgaria en 1946.

DINAMARCA

▸ **Superficie:** 43.098 km² (16.640 mi²)

▸ **Población:** 5.416.000 hab. (est. 2005)

▸ **Capital:** COPENHAGUE

▸ **Moneda:** corona danesa

Dinamarca *ofic.* **Reino de Dinamarca** Monarquía constitucional en el centro-norte de Europa. Su territorio incluye GROENLANDIA y las islas FEROE, en calidad de dependencias autónomas. La mayor parte de la población es nórdica. Idioma: danés (oficial). Religión: luteranismo evangélico (oficial). Se extiende entre los mares Báltico y del Norte y ocupa la península de JUTLANDIA y un archipiélago hacia el este. Las dos islas más extensas, SJÆLLAND y FIONIA, constituyen en conjunto más de una cuarta parte de la superficie del país. Con un litoral que se extiende por 7.300 km (4.500 mi), el clima es generalmente templado y a menudo húmedo. Tiene una economía mixta

basada en la industria manufacturera y los servicios. Ostenta uno de los más grandes y antiguos sistemas de bienestar social del mundo y su estándar de vida es uno de los más altos. El monarca de Dinamarca es jefe de Estado, mientras el primer ministro es jefe de Gobierno. Poblada desde 100.000 AC, se establecieron en ella los daneses, rama escandinava de los teutones, c. siglo VI DC. Durante el período VIKINGO los daneses extendieron su territorio, y en el s. XI el unificado reino danés comprendía partes de los actuales territorios de Alemania, Suecia, Inglaterra y Noruega. Los tres reinos escandinavos (Suecia, Noruega y

La Sirenita, erigida en homenaje al escritor Hans Christian Andersen, Copenhague, Dinamarca.
JOCHEM D. WIJNANDS/TAXI/GETTY IMAGES

Dinamarca) estuvieron unidos bajo el soberano danés, desde 1397 hasta 1523, fecha en que Suecia se independizó; una serie de guerras con los suecos en el s. XVII la debilitaron y concluyeron en el tratado de Copenhague (1660), que estableció las fronteras escandinavas modernas. Dinamarca obtuvo territorios y perdió otros, entre ellos Noruega, en los s. XIX y XX; estuvo regida por dos constituciones entre 1849 y 1915 y fue ocupada por la Alemania nazi en 1940–45. Miembro fundador de la OTAN (1949), adoptó su actual constitución en 1953. Pasó a ser miembro de la UNIÓN EUROPEA en 1973 y modificó su pertenencia en la década de 1990. La isla de Sjælland, donde se ubica Copenhague, fue conectada en 1997 con la isla central de Fionia por medio de un puente y un túnel ferroviario. Esta obra de transporte reemplazó el servicio de ferry que funcionó por más de un siglo y acortó el tiempo de cruce a menos de diez minutos. A comienzos del s. XXI surgió un gran debate en relación con las políticas aplicadas a los inmigrantes, si bien constituían estadísticamente una pequeña minoría.

dinámica Rama de la MECÁNICA que trata del MOVIMIENTO de objetos en relación con la FUERZA, MASA, MOMENTO y ENERGÍA. La dinámica puede dividirse en dos ramas, la CINEMÁTICA y la cinética. Los fundamentos de la dinámica fueron establecidos por GALILEO, quien dedujo, a partir de la experiencia, la ley del movimiento de los cuerpos en caída libre y fue el primero en darse cuenta de que todos los cambios de velocidad de un cuerpo son el resultado de la aplicación de fuerzas. ISAAC NEWTON formuló esta observación en su segunda ley del movimiento (ver leyes del movimiento de NEWTON).

dinamita EXPLOSIVO detonante patentado en 1867 por ALFRED NOBEL. La dinamita se basa en la NITROGLICERINA, pero es mucho más segura de manipular que la nitroglicerina sola. Mezclando nitroglicerina con kieselgur, una tierra porosa que contiene sílice, en proporciones adecuadas para lograr un material granular y seco, Nobel produjo un sólido que era resistente a los golpes pero que podía explotar fácilmente por calor o por un impacto repentino. Más tarde, se reemplazó el kieselgur por pulpa de madera como absorbente y se agregó nitrato de sodio como agente oxidante para aumentar la potencia del explosivo.

Dinarco *o* **Deinarco** (c. 360 AC–después de 292 AC). Escritor de discursos en Atenas. Se hizo famoso con sus piezas oratorias contra DEMÓSTENES y a otros acusados de malversar el tesoro público. Su obra, sin embargo, refleja la declinación de la oratoria ática; los discursos que han sobrevivido muestran poca creatividad, uso de la injuria en lugar de la razón, y plagio.

D'Indy, Vincent ver (Paul-Marie-Theodore-) Vincent d'INDY

dinero Bien aceptado por consenso como medio de intercambio económico. Es el medio para expresar PRECIOS y valores; circula de persona a persona y de país a país, lo que facilita el comercio. A través de la historia se han utilizado distintos bienes como dinero, p. ej., conchas marinas, cuentas y ganado, pero desde el s. XVII, sus formas más comunes han sido las monedas metálicas, el papel moneda y los registros contables. En teoría económica clásica se asignan al dinero cuatro funciones: medio aceptado universalmente para el intercambio de bienes y servicios; medida de valor que permite el funcionamiento del sistema de precios y el cálculo de COSTO, UTILIDAD y pérdida; estándar de pagos diferidos, es decir, la unidad en que se otorgan préstamos y se establecen transacciones futuras; finalmente, medio de almacenamiento de riqueza cuando no se requiere de su utilización inmediata. Los metales, especialmente el oro y la plata, se han utilizado como dinero al menos durante 4.000 años y las monedas estandarizadas se acuñan desde hace unos 2.600 años. A fines del s. XVIII y a principios del s. XIX, los bancos empezaron a emitir billetes rescatables en oro o plata que se transformaron en el principal dinero de las economías industriales. En forma temporal durante la primera guerra mundial y definitivamente a contar de la década de 1930, la mayoría de las naciones dejó de usar el PATRÓN ORO. Actualmente, para casi todas las personas el dinero consiste en monedas, billetes y depósitos bancarios. Sin embargo, en economía, el total de la OFERTA MONETARIA supera varias veces la suma de todas las posesiones individuales de dinero, ya que gran parte de los depósitos bancarios se presta a terceros, con lo que se multiplica varias veces la oferta monetaria. Ver también DINERO BLANDO.

dinero blando En EE.UU., término con el que se alude al papel moneda en contraposición con las monedas propiamente tales o dinero duro; también se utiliza el término para referirse a las donaciones monetarias no reglamentadas a partidos políticos o candidatos. En el s. XIX y comienzos del s. XX, los defensores del dinero blando favorecían el déficit en el gasto fiscal para estimular el consumo y el empleo. Los conservadores en materia fiscal, que depositaban su confianza en el dinero duro, sostenían que el gobierno no debía gastar más allá de sus recursos. En la última parte del s. XX se aplicaron estrictas reglas al origen, monto y uso de las donaciones a candidatos determinados (dinero duro), pero pocas de esas leyes regularon las contribuciones para la promoción general del mensaje de un partido político (dinero blando). En 2002, el Congreso estadounidense aprobó una ley que prohibió las contribuciones de dinero blando a los partidos políticos nacionales y limitó estrictamente dichas contribuciones a los partidos estaduales y locales.

dinero, teoría cuantitativa del Teoría económica que relaciona los cambios en el nivel de precios con los cambios en la cantidad de dinero. A menudo se ha utilizado para analizar los factores que subyacen a la INFLACIÓN y DEFLACIÓN. La teoría cuantitativa del dinero fue desarrollada por filósofos como JOHN LOCKE y DAVID HUME en los s. XVII y XVIII como arma contra el MERCANTILISMO. Los defensores de la teoría cuantitativa hacían una distinción entre DINERO y riqueza, y sostenían que si la acumulación de dinero de una nación sólo elevaba los precios, el énfasis mercantilista en una BALANZA COMERCIAL favorable sólo incrementaría la oferta de dinero sin aumentar la riqueza. La teoría contribuyó al predominio del LIBRE COMERCIO sobre el PROTECCIONISMO. En los s. XIX y XX influyó en el análisis de los CICLOS ECONÓMICOS y en la teoría de las tasas de cambio de DIVISAS.

Dinesen, Isak orig. **Karen Christence Dinesen** post. **baronesa Blixen-Finecke** (17 abr. 1885, Rungsted, Dinamarca–7 sep. 1962, Rungsted). Escritora danesa. Se casó con su primo, un barón, y ambos se establecieron en Kenia. *Memorias de África* (1937; película, 1985) versa sobre sus años en un cafetal (1914–31) y revela un amor profundo por el continente negro y su gente. La narrativa de Dinesen, muy refinada, en ocasiones onírica, entronca con la tradición romántica de una ficción situada en tiempos pasados y envuelta en un aura sobrenatural. Entre sus libros de relatos se cuentan *Siete cuentos góticos* (1934) y *Cuentos de invierno* (1942).

Ding Ling o **Ting Ling** orig. **Jiang Weizhi** (12 oct. 1904, Changde, provincia de Hunan, China–4 mar. 1986, Beijing). Escritora china. Había escrito tres colecciones de relatos que solían tener como protagonistas a jóvenes chinas informales antes de que su novela *Shui* (Agua, 1931) fuese aclamada como un modelo del REALISMO SOCIALISTA por su orientación proletaria. Más tarde, Ding Ling expresó su descontento con el Partido Comunista, y fue censurada, deportada y, durante el período de la REVOLUCIÓN CULTURAL, encarcelada por cinco años; en 1978 fue rehabilitada. Sus últimas obras comprenden estudios críticos y ficción, y una parte se publicó en inglés con el título *I Myself Am a Woman* [Soy una mujer] (1989).

dingo Perro (*Canis dingo*) salvaje de Australia, introducido aparentemente desde Asia hace 5.000–8.000 años. Tiene un pelaje suave y corto, una cola tupida y orejas puntiagudas y erectas. Mide 1,2 m (4 pies) aprox. de largo, incluida la cola de 30 cm (12 pulg.) y 60 cm (24 pulg.) aprox. de alto. Su color varía de un marrón amarillento a uno rojizo, a menudo con el vientre, los pies y la punta de la cola blancos. Cazan solitarios o en grupos pequeños. Solían depredar a los canguros, pero hoy se alimentan principalmente de conejos y a veces de ganado. Al competir por los recursos, contribuyeron a exterminar el LOBO DE TASMANIA y el DEMONIO DE TASMANIA en Australia continental.

dinka Pueblo de pastores de la cuenca del Nilo, en el sur de Sudán. Hablan una lengua sudanesa oriental de la familia de las lenguas NILOSAHARIANAS y están estrechamente emparentados con los NUER. Los dinka suman cerca de cuatro millones y están divididos en grupos independientes de 1.000 a 30.000 personas. El liderazgo es ejercido por jefes-sacerdotes. En los últimos años han estado envueltos en una guerra civil. Ver también NILÓTICOS.

Madre y su hijo de la etnia dinka, en Thiet, Sudán.
FOTOBANCO

dinoflagelado Cualquiera de los numerosos organismos unicelulares, acuáticos, que tienen dos flagelos disímiles y características tanto de plantas (ALGAS) como de animales (PROTOZOOS). La mayoría son microscópicos y marinos. El grupo es un componente importante del FITOPLANCTON en todos los mares salvo en los más fríos, y es un eslabón importante en la cadena alimentaria. Los dinoflagelados también producen parte de la luminiscencia que a veces se ve en el mar. En condiciones favorables, sus poblaciones pueden alcanzar hasta 60 millones de organismos por litro de agua. Tales crecimientos rápidos, llamados florecimientos, causan la MAREA ROJA que tiñe el mar y envenena los peces y otros animales marinos. Ver CERATIUM.

Dinosaur National Monument Reserva nacional en el noroeste del estado de Colorado y el nordeste de Utah, EE.UU. Fue establecido en 1915 con el fin de preservar sus lechos ricos en fósiles que albergan restos de dinosaurios. La reserva fue ampliada en dos etapas, la primera en 1938 y la segunda, en 1978, siendo su superficie actual de 855 km² (330 mi²). Protege los cañones de los ríos GREEN y Yampa, que contienen formaciones geológicas muy coloridas.

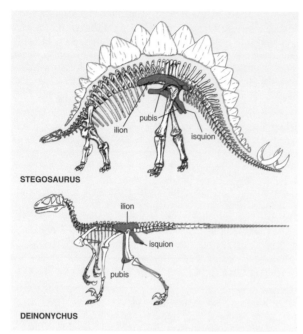

STEGOSAURUS

DEINONYCHUS

Esqueletos de un dinosaurio ornitisquio (Stegosaurus) y de un dinosaurio saurisquio (Deinonychus). El del Stegosaurus muestra una estructura pélvica semejante a la de las aves, con un ilion largo y un pubis con una paletilla corta que se extiende hacia atrás en una apófisis larga y delgada situada por debajo del isquion y paralela a este. La cintura pélvica del Deinonychus muestra el perfil triangular formado por el isquion, el pubis y el ilion, característico de los saurisquios.

© 2006 MERRIAM-WEBSTER INC.

dinosaurio Cualquiera de los REPTILES desaparecidos que fueron los animales terrestres dominantes durante la mayor parte del MESOZOICO (248–65 millones de años atrás). Las distintas especies surgieron en épocas diferentes y no todas se traslaparon. La forma de la dentición indica si un dinosaurio en particular era carnívoro o herbívoro. Los dinosaurios se clasifican sobre la base de la estructura de la cintura pélvica en ORNITISQUIOS O SAURISQUIOS. La mayoría tenía una cola larga, que mantenían estirada, aparentemente para mantener el equilibrio. Muchos, si no todos, eran ovíparos. Algunos probablemente eran homeotermos. Se han encontrado fósiles de dinosaurios en todos los continentes, inclusive la Antártida. La mayoría de los tipos medraron hasta el CRETÁCICO tardío (65 millones de años atrás), para desaparecer en el millón de años siguiente. Dos teorías explican la causa de esta extinción en masa, después de una existencia de 140 millones de años; estas sostienen que los ciclos orogénicos alteraron el hábitat y cambiaron el clima, o bien, que un asteroide impactó a la Tierra, lo que generó nubes de polvo inmensas que bloquearon la luz solar por varios años. Se cree que las aves son los descendientes vivos de los dinosaurios. Ver también CARNOSAURIO; SAURÓPODO.

Dinwiddie, Robert (1693, Germiston, cerca de Glasgow, Escocia–27 jul. 1770, Clifton, Bristol, Inglaterra). Administrador colonial británico. Ingresó al servicio del gobierno en 1727 y fue nombrado agrimensor general de la región meridional de América del Norte (1739–51). En 1753, como lugarteniente del gobernador de Virginia, envió a GEORGE WASHINGTON a impedir que los franceses controlaran la frontera occidental, medida que contribuyó a precipitar la guerra FRANCESA E INDIA. Procuró obtener la colaboración de otras colonias en el esfuerzo bélico, asunto que se debatió en el Congreso de ALBANY. En 1758 regresó a Inglaterra.

Diocleciano *latín* **Gaius Aurelius Valerius Diocletianus** *orig.* **Diocles** (245, ¿Salona?, Dalmacia–316, Salona). Emperador romano (284–305). Estaba al servicio del emperador Carino (r. 283–285) cuando murió el hermano de este, el coemperador Numeriano. El ejército de Diocleciano lo proclamó emperador, aunque su dominio se limitaba a Asia Menor y posiblemente Siria. Carino lo atacó en 285, pero fue asesinado antes de alcanzar la victoria, lo que convirtió a Diocleciano en único emperador. Procuró desplazar a los militares de la política y estableció una tetrarquía (sistema de cuatro gobernantes), para ampliar su poder y combatir las rebeliones en todo el imperio. Proclamó que él y sus cogobernantes eran dioses, con lo cual dio a su reinado el boato propio de las teocracias. Llevó a cabo una reorganización fiscal, administrativa y militar que sentó las bases del futuro Imperio BIZANTINO de Oriente y fortaleció por un corto período al decaído Imperio de Occidente. En 303–304 emitió cuatro edictos en que se decretaba lo que fue la última gran persecución de los cristianos. Abdicó en 305.

diodo Dispositivo electrónico que tiene dos ELECTRODOS (ÁNODO y CÁTODO) y que permite el flujo de la corriente en una sola dirección, evitando el flujo en sentido contrario. La aplicación de un voltaje puede provocar el flujo de electrones en una sola dirección, del cátodo al ánodo, y su regreso al cátodo a través de un circuito externo. Los diodos son usados especialmente como rectificadores –los cuales cambian la CORRIENTE ALTERNA en CORRIENTE CONTINUA– y para variar la amplitud de una señal en proporción al voltaje en un circuito, como en un receptor de radio o televisión. Los diodos más populares son los TUBOS DE VACÍO y los diodos SEMICONDUCTORES. Estos últimos dispositivos son los más simples; consisten en dos electrodos y un sandwich de dos sustancias semiconductoras diferentes (una JUNTURA P-N). Tales diodos forman la base para dispositivos semiconductores más complejos (incluyendo el TRANSISTOR) usados en las computadoras y en otros equipos electrónicos. Los diodos semiconductores incluyen diodos LED y diodos láser; estos últimos emiten luz LÁSER, útil para las telecomunicaciones vía FIBRA ÓPTICA y para la lectura de CD.

Diógenes de Sinope (Sinope, Paflagonia–c. 320 AC, probablemente Corinto). Filósofo griego, representante principal de los CÍNICOS. Aunque algunos lo consideran el fundador del modo de vida cínico, él mismo reconoció su deuda con Antístenes (c. 445–365 AC). Transmitió la filosofía cínica mediante el ejemplo personal más que por un sistema de pensamiento. Se esforzó en destruir las convenciones sociales (entre ellas la vida familiar) como modo de regresar a una vida "natural". Vivió hasta el final como un vagabundo indigente, durmiendo en edificios públicos y mendigando la comida. Propugnó también la desfachatez (la ejecución de actos no convencionales inocuos), la franqueza y el ejercicio permanente de la austeridad.

Diomedes, islas Dos islas del estrecho de Bering. Distantes unos 4 km (2,5 mi) entre sí, están separadas por la frontera rusoestadounidense, que coincide con la LÍNEA INTERNACIONAL DE CAMBIO DE FECHA. La isla mayor, Gran Diomedes (isla rusa de Ratmonov), pertenece a Rusia y mantiene en ella una importante estación meteorológica. Al este se encuentra la Pequeña Diomedes, que es territorio de Alaska.

Diomedes Héroe griego en la guerra de TROYA. Fue comandante de 80 naves de ARGOS que llevaban tropas para derrotar a Troya. Entre sus hazañas, hirió a la diosa AFRODITA, dio muerte a Reso y sus seguidores tracios y robó el Paladión (la imagen sagrada de ATENEA que protegía a Troya). Afrodita lo castigó haciendo que su esposa le fuese infiel en su ausencia. Terminada la guerra, regresó a su patria y descubrió que su derecho a ocupar el trono de Argos era impugnado. Luego navegó a Italia y fundó la colonia de Argiripa (más tarde Arpi) en Apulia.

dionisíacas VER BACANALES

Dionisio de Halicarnaso (c. 20 AC). Historiador y maestro de retórica griego. Nació en Halicarnaso, Caria, Asia Menor, se trasladó a Roma el año 30 AC. Su historia de Roma, que abarca desde los orígenes hasta las primeras guerras PÚNICAS, está escrita desde un punto de vista prorromano, pero es fruto de una investigación rigurosa. Junto a la de TITO LIVIO, es la fuente más valiosa para estudiar la historia temprana de Roma. Los 20 libros que la componen comenzaron a aparecer el año 7 AC; los diez últimos se han perdido.

Dionisio el Areopagita (c. siglo I). Personaje bíblico convertido por san PABLO. Su conversión en Atenas es mencionada en Hechos 17:34 y adquirió una reputación póstuma en gran parte debido a una confusión con cristianos posteriores de nombre similar. Alrededor del año 500 DC se escribieron con su nombre una serie de influyentes tratados griegos que fusionaban el NEOPLATONISMO y la teología cristiana; su autor, probablemente un monje sirio, es ahora conocido como SEUDO-DIONISIO EL AREOPAGITA.

Dionisio I o **Dionisio el Viejo** (c. 430–367 AC). Tirano de SIRACUSA (405–367). Llegó al poder con ayuda de Esparta y se mantuvo en él hasta su muerte, gracias al apoyo de un ejército mercenario. Puso en jaque la expansión cartaginesa en Sicilia y ansiaba establecer un imperio en la Italia griega. La economía de Siracusa dependía de la guerra, y durante su gobierno se hicieron grandes avances tecnológicos en materia de artillería de gran escala y fabricación de municiones. El desastre en que terminó su tercera campaña contra los cartagineses lo obligó a ceder territorio y dinero; murió en el transcurso del siguiente conflicto con Cartago.

Dionisio, san (m. ¿258?, París; festividad: 9 de octubre en Occidente; 3 de octubre en Oriente). Santo patrono de Francia, considerado tradicionalmente el primer obispo de París. Nacido al parecer en Roma, fue según el historiador y obispo del s. VI SAN GREGORIO DE TOURS, uno de los siete obispos enviados a convertir al pueblo de Galia durante el reinado de DECIO. Se desconoce gran parte de su vida, y se cree que fue martirizado durante las persecuciones del emperador Valeriano. Una leyenda del s. IX afirma que fue decapitado en Montmartre y que después su cuerpo llevó la cabeza al nordeste de París, lugar donde se fundó la abadía benedictina de St. Denis.

Dioniso Dios griego de la vegetación y la fertilidad, conocido en especial como el dios del vino y el éxtasis. Su equivalente romano era Baco. Su culto fue introducido en Grecia desde Asia Menor y se convirtió en uno de los dioses griegos más importantes, aunque su culto continuó vinculado al de muchas deidades asiáticas. Hijo de ZEUS y (según la tradición clásica) SÉMELE, fue criado por las MÉNADES Y BACANTES. Creador del vino, viajó extensamente enseñando el arte de elaborarlo, junto con un séquito de sátiros, silenos (ver SÁTIRO Y SILENO) y NINFAS. Tenía el don de la profecía y era recibido en DELFOS junto con APOLO, aunque su oráculo principal

Herma helenística de Dioniso. Museo Bardo, Túnez.
FOTOBANCO

estaba en Tracia. En su honor se realizaban festividades llamadas dionisias o BACANALES (entre los romanos); en sus primeros años tuvieron un carácter frenético y extático, y han sido a menudo objeto de representaciones artísticas. Al principio Dioniso aparecía como un hombre barbudo, pero luego con mayor frecuencia como un joven esbelto. Su atributo principal era el tirso, una varita enramada con hojas de parra. El DITIRAMBO, un himno coral en su honor, suele considerarse la base del drama occidental.

Diop, Birago Ismael (11 dic. 1906, Dakar, África Occidental Francesa, actual Senegal–25 nov. 1989, Dakar). Poeta y folclorista senegalés. Veterinario y diplomático, durante la década de 1930 tuvo una activa participación en el movimiento de la NEGRITUD. Su producción poética es escasa, pero resalta por la belleza de su composición. Diop recopiló y transcribió cuentos populares de la etnia uolof, de tradición oral, y sus libros *Les contes d'Amadou Koumba* [Los cuentos de Amador Kumba] (1947) y *Les contes et lavanes* [Cuentos y comentarios] (1963) contienen los relatos del GRIOT de la familia del escritor.

diópsido Silicato común en la familia de los PIROXENOS. El diópsido es un silicato de calcio y magnesio ($CaMgSi_2O_6$) que aparece en piedras calizas metamórficas y dolomitas, en skarns y en rocas ígneas. También se encuentra en pequeñas cantidades en muchos meteoritos condríticos. A veces, los especímenes claros y de buen color verde son cortados como gemas.

Dior, Christian (21 ene. 1905, Granville, Francia–24 oct. 1957, Montecatini, Italia). Diseñador de modas francés. Estudió para el servicio diplomático francés, pero durante la crisis financiera de la década de 1930 comenzó a hacer ilustraciones de modas para un periódico semanal. En 1942 se unió a la casa de modas del diseñador parisiense Lucien Lelong. En 1947 introdujo su revolucionario "nuevo look", que presentaba hombros pequeños, un talle natural y una voluminosa falda, cambio drástico a la moda de la segunda guerra mundial con sus hombreras y faldas cortas. En la década de 1950, el "saco" o línea "H", se transformó en la silueta característica de sus diseños. Dior fue fundamental para la comercialización de la moda parisiense a escala mundial.

diorita Roca ígnea de grano medio a grueso, comúnmente compuesta por alrededor de dos tercios de feldespato de plagioclasa y un tercio de minerales oscuros, como la hornablenda o biotita. La diorita posee aproximadamente las mismas propiedades estructurales que el granito, pero, quizás por su color oscuro y escasez, es poco usada como material ornamental en la construcción. Es una de las piedras gris oscuro que se vende comercialmente como "granito negro".

Dios Deidad o ser supremo. Todas las grandes religiones monoteístas del mundo adoran a un ser supremo, quien es el único dios del universo, el creador de todas las cosas, omnisciente y omnipotente, además de bondadoso. En el antiguo Israel, Dios era llamado Yahvé. El Dios de la Biblia hebrea se convirtió también en el Dios del cristianismo, pero a menudo se usaban palabras genéricas, como *theos* en griego o *Deus* en latín, para referirse a él. En el Islam, el término es ALÁ. Ver también MONOTEÍSMO.

dios y diosa Términos genéricos para las muchas deidades de las religiones politeístas antiguas y modernas. Existen deidades de fenómenos terrestres y celestiales, así como deidades relacionadas con valores, pasatiempos e instituciones humanas, como el amor, el matrimonio, la caza, la guerra y las artes. Algunos son mortales, pero a menudo son inmortales y siempre más poderosos que los humanos, aunque con frecuencia son descritos en términos humanos, con todos los defectos, pensamientos y emociones de estos. Ver también POLITEÍSMO.

Dioscurias ver SUJUMI

Dioscuros ver CÁSTOR Y PÓLUX

dióxido de azufre Compuesto inorgánico, pesado, incoloro, es un GAS venenoso (SO_2). Tiene un olor cáustico, irritante (el olor de un fósforo recién encendido). Existe en gases volcánicos y disuelto en las aguas de algunas fuentes termales. Industrialmente se fabrican cantidades enormes de dióxido de azufre para uso como blanqueador, agente reductor y sulfitos, que son preservantes de alimento. Es un precursor del trióxido (SO_3), utilizado para preparar ácido SULFÚRICO. El dióxido de azufre se forma cuando son quemados los combustibles que contienen azufre; en la atmósfera se puede combinar con vapor de agua para formar ácido sulfúrico, un componente principal de la LLUVIA ÁCIDA.

dióxido de carbono Compuesto inorgánico, un gas incoloro de fórmula química CO_2, con un olor débil, bien definido y un sabor ácido cuando está disuelto en agua. Constituye el 0,03% aprox. del volumen del aire, es producido cuando se queman completamente materiales que contienen carbono, y es un producto de la FERMENTACIÓN y de la RESPIRACIÓN animal. Las plantas usan CO_2 en la FOTOSÍNTESIS para formar CARBOHIDRATOS. El CO_2 en la atmósfera terrestre impide que parte de la energía del Sol se devuelva al espacio como radiación (ver efecto INVERNADERO). En el agua, el CO_2 forma una solución de un ÁCIDO débil, ácido carbónico (H_2CO_3). La reacción de CO_2 y AMONÍACO es el primer paso para sintetizar UREA. Al ser un material industrial importante, el CO_2 es recuperado de fuentes que incluyen gases del humo de chimenea, hornos de cal, y del proceso que prepara HIDRÓGENO para la síntesis de amoníaco. Se utiliza como refrigerante, intermedio químico y atmósfera inerte; en extintores de fuego, espuma de caucho y plásticos, bebidas carbonatadas (ver CARBONATACIÓN) y rociadores de aerosol; en el tratamiento del agua, soldadura y siembra de lluvia en nubes, y para promover el crecimiento de las plantas en los invernaderos. Bajo presión se convierte en un líquido, la forma que se utiliza con mayor frecuencia en la industria. Si al líquido se le permite expandirse, se enfría y se congela parcialmente a la forma sólida, HIELO SECO.

dioxina COMPUESTO AROMÁTICO, cualquiera de un grupo de contaminantes producidos en la fabricación de herbicidas (p. ej., el AGENTE NARANJA), desinfectantes y otros agentes. Su estructura química básica consiste en dos anillos de benceno conectados por un par de átomos de oxígeno; cuando los sustituyentes en los anillos son átomos de cloro, las moléculas son especialmente tóxicas. El más conocido, que es usual llamar simplemente dioxina, es 2,3,7,8-tetraclorodibenzo-*p*-dioxina (2,3,7,8-TCDD). Químicamente es muy estable; no se disuelve en agua, pero sí en aceites (y así se acumula en la grasa del cuerpo). La magnitud de su toxicidad en el ser humano es discutida y aún es tema de investigación.

Diplodocus Dinosaurio SAURÓPODO cuyos fósiles se encuentran en rocas del jurásico tardío en Norteamérica y que están emparentados con el *Apatosaurus*. El *Diplodocus* y sus parientes (diplodócidos) fueron algunos de los animales terrestres más largos que hayan existido; algunos llegaron a los 30 m (100 pies). Tenían un cuello largo y un cerebro y cráneo diminutos. La mayoría de los diplodócidos pesaban unas 30 t y algunos podían llegar hasta las 80 t. Se solía pensar que el *Diplodocus* pudo haber pasado buena parte del tiempo en el agua, pero la evidencia de fósiles indica que se desplazaba libremente en tierra, donde parece haberse alimentado de vegetales blandos. Es tal vez el dinosaurio que se exhibe más a menudo.

diplomacia Arte de conducir las relaciones para obtener una ventaja o beneficio sin conflicto. Es el principal instrumento de la POLÍTICA EXTERIOR. Sus métodos comprenden las negociaciones secretas conducidas por enviados acreditados (aunque los líderes políticos también negocian) y las leyes y acuerdos internacionales. Su empleo antecede a los registros históricos. El objetivo de la diplomacia es promover los intereses del Estado en concordancia con la geografía, la historia y la ciencia económica. Salvaguardar la independencia, la seguridad y la integridad del Estado es de primordial importancia; preservar la más amplia libertad de acción para el Estado es casi tan importante como lo anterior. Más allá de eso, la diplomacia busca el máximo de ventaja para el país sin recurrir a la fuerza y preferentemente sin causar resentimiento.

diplomacia del dólar *inglés* **Dollar Diplomacy** Política exterior estadounidense creada por el pdte. WILLIAM H. TAFT con el fin de asegurar la estabilidad financiera en una región

a cambio de un trato favorable a los intereses comerciales de EE.UU. Esta política se derivó de la intervención pacífica del pdte. THEODORE ROOSEVELT en la República Dominicana, donde los préstamos estadounidenses se habían intercambiado por el derecho a elegir al jefe de aduanas (principal fuente de ingresos de ese país). PHILANDER KNOX, el secretario de Estado de Taft, puso en marcha la diplomacia del dólar en América Central (1909) y en China (1910). El pdte. WOODROW WILSON rechazó esta política en 1913. El término se ha convertido en una referencia desdeñosa a la manipulación de asuntos exteriores con fines económicos.

diplopía ver VISIÓN DOBLE

dipolo eléctrico Par de CARGAS ELÉCTRICAS iguales pero de signo opuesto, cuyos centros no coinciden. Un ÁTOMO en el cual el centro de la nube negativa de ELECTRONES se ha desplazado levemente respecto al NÚCLEO por un CAMPO ELÉCTRICO externo es un dipolo eléctrico inducido. Al ser removido el campo externo, el átomo pierde su bipolaridad. Una molécula de agua, en la cual dos átomos de hidrógeno se sitúan hacia un lado de un átomo de oxígeno, es un dipolo eléctrico permanente. El costado del oxígeno es siempre ligeramente negativo y el del hidrógeno ligeramente positivo.

dipolo magnético Pequeño imán (magneto) de dimensiones subatómicas, equivalente al flujo de CARGA ELÉCTRICA por una espira. Algunos ejemplos son ELECTRONES circulando en torno a un núcleo atómico, núcleos atómicos en rotación y una PARTÍCULA SUBATÓMICA con ESPÍN. A gran escala, estos efectos pueden superponerse, como en los átomos del hierro, constituyendo agujas de brújula magnéticas o imanes de barra, los cuales son dipolos magnéticos macroscópicos. La magnitud de un dipolo magnético, su momento magnético, es una medida de su habilidad para alinearse con un CAMPO MAGNÉTICO externo. Si están libres para rotar, los dipolos se alinean de manera que sus momentos apuntan predominantemente en la dirección del campo magnético. La unidad SI de momento dipolar es de un amperio multiplicado por metro cuadrado.

Diponegoro, Pangeran (príncipe) (c. 1785, Yogyakarta, Java–8 ene. 1855, Makasar [Ujung Pandang], Célebes). Líder javanés en el conflicto del s. XIX conocido en Occidente como la guerra de Java (1825–30). Era hijo del gobernante de Yogyakarta, sultanato creado en 1755 por un tratado holandés que desmembró el otrora poderoso reino javanés de Mataram. Las reformas agrarias holandesas socavaron la posición económica de los aristócratas javaneses y Diponegoro lideró a estos en su lucha contra los holandeses. Los javaneses lo veían como un "príncipe justo" que venía a salvar al pueblo y el conflicto mismo fue considerado una guerra santa musulmana contra los infieles. Durante tres años, sus fuerzas guerrilleras estuvieron en ventaja, pero finalmente triunfaron los holandeses. En las negociaciones de paz, Diponegoro fue arrestado y murió en el exilio.

díptero Cualquier miembro de más de 85.000 especies de insectos del orden Diptera (las moscas de dos alas o moscas "verdaderas"), caracterizado por el uso de sólo un par de alas para el vuelo y la reducción del segundo par de alas a protuberancias que usan para el equilibrio. Los dípteros viven en todos los hábitats del mundo, incluso en el subártico y las altas montañas. Su tamaño varía aprox. de 1 mm (0,05 pulg.) (MOSQUILLAS) a 8 cm (3 pulg.) de largo (ASILO). Las larvas de los dípteros descomponen y redistribuyen las materias orgánicas y, tanto los adultos como las larvas, son un eslabón significativo de numerosas cadenas alimentarias. Muchas especies son hematófagos molestos y varias son vectores de enfermedades (p. ej., MOSCA COMÚN, MOSCA FLEBÓTOMO, MOSCA TSE-TSÉ, MOSQUITO). Otras especies causan gran daño a los cultivos agrícolas. Ver también MINADOR DE LA HOJA; MOSCA DE LA FRUTA; MOSCO; MOSQUITA; TÁBANO; TIPÚLIDO.

Dique construido sobre el lago Ijssel para el control del nivel de las aguas y recuperar las tierras bajas, Países Bajos.
FOTOBANCO

dique Terraplén, generalmente de tierra, construido para controlar o encerrar agua. Los diques fueron, en un principio, puramente defensivos, pero después se convirtieron en un medio para formar un pólder (extensión de tierra ganada a una masa de agua mediante la construcción de diques retirados de la costa y aproximadamente paralelos a ella). Una vez construido el dique, el pólder se drena bombeando el agua desde su interior. Cuando la superficie de la tierra queda sobre el nivel de la marea baja, se vacía el agua en la bajamar mediante compuertas, las que se cierran automáticamente para prevenir el reingreso del agua con la marea alta. Para ganar tierras que están bajo el nivel de la bajamar, el agua debe ser bombeada por sobre los diques. El ejemplo más notable de construcción de pólderes es el sistema junto al embalse del lago IJSSEL (Zuider Zee) en Holanda. Si los países bajos perdieran la protección de sus diques, su área más densamente poblada sería inundada por el mar y los ríos.

Dirac, P(aul) A(drien) M(aurice) (8 ago. 1902, Bristol, Gloucestershire, Inglaterra–20 oct. 1984, Tallahassee, Fla., EE.UU.). Matemático y físico teórico inglés. Su primera contribución importante, en 1925–26, fue una forma general y de lógica simple de mecánica cuántica. Por la misma época, desarrolló algunas ideas de ENRICO FERMI que condujeron a la estadística de FERMI-DIRAC. Posteriormente aplicó la teoría de la relatividad especial de ALBERT EINSTEIN a la mecánica cuántica del electrón y demostró que este debía tener espín ¹/₂. Su teoría también reveló nuevos estados que más tarde fueron identificados con el positrón. Compartió el Premio Nobel de Física de 1933 con ERWIN SCHRÖDINGER. En 1932, Dirac fue designado Lucasian professorship de matemática en la Universidad de Cambridge, una cátedra que alguna vez ocupara ISAAC NEWTON. Se retiró de Cambridge en 1968 y fue designado profesor emérito en la Universidad del estado de Florida en 1971.

dirección Arte de conducir un grupo de intérpretes musicales. La coordinación simple de un grupo no requiere siempre de un director (p. ej., los miembros de un coro renacentista mantenían la cohesión dándose palmaditas en el hombro y los músicos en un estudio de grabación escuchan clics orientadores en los audífonos). Alrededor de 1800, el primer violín solía dar las pocas señales necesarias con su arco; también el tecladista podía

Daniel Barenboim dirigiendo la West Eastern Divan Orchestra.
FOTOBANCO

conducir la orquesta con las manos y la cabeza. En el s. XIX, el mayor tamaño de los conjuntos y la complejidad creciente de la música, como sus tempos variables y su mayor expresividad, exigieron que una persona coordinara e interpretara la música para el grupo. Los primeros directores de orquesta, entre ellos, FELIX MENDELSSOHN, HÉCTOR BERLIOZ y RICHARD WAGNER eran compositores. A fines del s. XIX, la dirección orquestal había devenido una especialidad y los grandes directores se habían convertido en celebridades por derecho propio.

dirección Arte de coordinar y controlar todos los elementos de la representación de una obra de teatro o de la realización de un filme. Hasta finales del s. XIX, el director teatral era generalmente el actor protagónico o el actor-empresario de la compañía. Hoy en día, el director teatral combina los elementos de la actuación, como la escenografía, el vestuario y la iluminación con el fin de dar forma a una interpretación imaginativa y propia de la obra escrita. El director debe saber guiar a los actores y comprender el arte de la actuación. El director además compone la "imagen escénica", los movimientos de los actores y el uso de otros elementos escénicos. Por su parte, el director de cine combina las responsabilidades del director teatral con las funciones técnicas de la DIRECCIÓN DE FOTOGRAFÍA, la edición y la grabación de sonidos. Ver también método del ACTOR-EMPRESARIO; teoría del AUTOR.

dirección de fotografía Arte y tecnología de la fotografía en movimiento. Involucra la composición de escena, la iluminación del set y de los actores, la selección de cámaras y sus ángulos, además del uso de efectos especiales para lograr las imágenes fotográficas deseadas por el director. La dirección de fotografía se centra en la correspondencia entre las tomas individuales y los conjuntos de tomas que componen una escena con la finalidad de mostrar un determinado resultado en la película. Entre los directores de fotografía más conocidos se encuentran NÉSTOR ALMENDROS, GREGG TOLAND y SVEN NYKVIST.

Directorio *francés* **Directoire** (1795–99). Régimen instaurado durante la REVOLUCIÓN FRANCESA por la CONSTITUCIÓN DE 1795. El poder legislativo quedó radicado en el Consejo de los Quinientos y el Consejo de Ancianos, mientras que el poder ejecutivo quedó en manos de un Directorio de cinco miembros. Aunque los directores heredaron nominalmente muchas de las facultades del COMITÉ DE SALVACIÓN PÚBLICA, no contaron con fondos para financiar sus proyectos ni con tribunales para hacer cumplir sus resoluciones. El régimen estuvo marcado por el caos administrativo, la corrupción y los levantamientos de La VENDEÉ. El gobierno fue derrocado por NAPOLEÓN I en el golpe de Estado del 18–19 de BRUMARIO.

directorio, estilo Estilo de vestuario, mobiliario y decoración, popular en Francia durante el DIRECTORIO (1795–99). Las vestimentas de hombre mezclaban lo antiguo con lo contemporáneo; botas altas, chalecos, abrigos abiertos y sombreros de copa. La moda femenina presentaba vestidos de manga larga y escotes en V, usados con capotas con vuelos. El mobiliario y la ornamentación de estilo directorio se basaban en antiguos objetos romanos recientemente excavados en POMPEYA.

dirigible Aeronave más liviana que el aire que contaba con sistemas de manejo y de propulsión. Los dirigibles podían clasificarse como no rígidos (*blimps*), semirrígidos o rígidos. Todos incluían una bolsa o globo con la forma de un puro gigante, lleno con un gas liviano, como HIDRÓGENO O HELIO, una cabina o góndola suspendida bajo el globo, que llevaba a la tripulación y a los pasajeros, los motores que accionaban las hélices y los timones para el manejo. Los intentos por controlar el vuelo de los globos comenzaron al poco tiempo de ser inventados, en la década de 1780. El primer dirigible impulsado a hélice, construido en Francia por Henri Giffard, voló en 1852; mejoras de diseño condujeron a la construcción del ZEPELÍN, un dirigible rígido (1900). El *blimp* relleno con helio fue desarrollado en su mayor parte por el brasileño Alberto Santos-Dumont (n. 1873–m. 1932). En 1928 Alemania comenzó un servicio regular de dirigibles transatlánticos para pasajeros. Varias explosiones, en particular el desastre del HINDENBURG en 1937, y los avances en el desarrollo del AVIÓN, dejaron al dirigible comercialmente obsoleto. Hoy han sido revividos, bajo la forma de pequeños *blimps*, para el despliegue de propaganda aérea. Ver también GLOBO.

Discípulos de Cristo Grupo de iglesias protestantes de EE.UU. surgidas en los movimientos revivalistas de principios del s. XIX. Los movimientos fundados por Thomas y Alexander Campbell (n. 1763–m. 1854, n. 1788–m. 1866) y Barton W. Stone (n. 1772–m. 1844) se fusionaron en 1832 y pasaron a llamarse Discípulos de Cristo. La nueva confesión creció con rapidez. Su objetivo era unir a todos los protestantes sobre la base de las prácticas del NUEVO TESTAMENTO. El intento fracasó y el movimiento se dividió en dos grandes ramas: las iglesias de Cristo, más conservadoras (que rechazan cualquier innovación sin precedente en el Nuevo Testamento, como el uso de instrumentos musicales en el culto) y la Iglesia cristiana (Discípulos de Cristo). Otras congregaciones conservadoras se separaron de esta última en la década de 1920 y en 1927 establecieron una asamblea anual separada, la Convención cristiana norteamericana. En 1985, los Discípulos de Cristo establecieron una asociación ecuménica con la Iglesia Unida de Cristo (ver Iglesia de CRISTO). El legado común de los Discípulos se manifiesta aún en las asambleas de la Convención mundial de iglesias de Cristo, institución creada en 1930.

Escena del filme *Fiebre de sábado por la noche*, protagonizado por John Travolta y cuya banda sonora es un clásico de la música disco.
FOTOBANCO

disc jockey *o* **DJ** Persona que reproduce música grabada en radio, televisión, clubes nocturnos o en otros espectáculos en vivo. Los programas con *disc jockeys* se convirtieron en la base económica de muchas radioemisoras estadounidenses después de la segunda guerra mundial. Este formato generalmente se basa en una persona, el *disc jockey*, que presenta y reproduce discos fonográficos y dialoga de manera informal, y muchas veces improvisada, durante los intervalos musicales. Debido a que los DJ pueden influir en las preferencias del público, las compañías discográficas han tratado algunas veces de sobornarlos con dinero y obsequios, término conocido en EE.UU. como la "payola".

disco compacto (CD) *sigla de* **compact disc** Disco de plástico estampado que contiene datos digitales que son leídos por un rayo láser para la reproducción del sonido grabado u otra información. Desde su introducción comercial en 1982, el CD de audio ha llegado a ser el formato dominante en la música grabada de alta fidelidad. Los datos de audio digitales se pueden convertir a la forma análoga para reproducir la señal de audio original (ver CONVERSIÓN DIGITAL/ANALÓGICA). Inventado en conjunto por Philips Electronics y Sony Corp. en 1980, el uso del disco compacto se ha extendido más allá de las grabaciones de audio y derivado a otros usos como almacenamiento y distribución, especialmente para computadoras (CD-ROM) y sistemas de entretención (VIDEODISCO y DVD). Un CD de audio puede almacenar poco más de una hora de música. Un CD-ROM puede guardar hasta 680 megabytes de datos computacionales. Un DVD, del mismo tamaño que el CD tradicional, es capaz de almacenar hasta 17 gigabytes de datos, como archivos de vídeo digital de alta definición.

disco duro Medio de almacenamiento magnético para una MICROCOMPUTADORA. Los discos duros son platos planos y circulares hechos de aluminio o vidrio y cubiertos con un material magnético. Los discos duros para COMPUTADORAS PERSONALES pueden almacenar varios gigabytes (billones de bytes) de información. Los datos son almacenados sobre su superficie en pistas concéntricas. Un electroimán pequeño, llamado cabeza magnética, escribe un dígito binario (1 ó 0) magnetizando áreas diminutas al girar el disco en diferentes direcciones y lee dígitos detectando la dirección de magnetización de las áreas. El disco duro de una computadora es un dispositivo que consiste en varios discos, cabezas para leer/escribir, un motor controlador para girar los discos y una pequeña cantidad de circuitería, todo sellado dentro de una caja de metal para proteger los discos del polvo. Además, el término disco duro es utilizado para referirse a la unidad completa.

disco, lanzamiento del Deporte que consiste en lanzar un objeto en forma de disco a la mayor distancia posible. El disco tiene un diámetro de 219 mm (8,6 pulg.) y es más grueso en el centro que en el perímetro. El de las pruebas de varones debe pesar al menos 2 kg (4,4 lb), y 1 kg (2,2 lb) en las de damas. El disco se lanza con un movimiento de rotación hecho por el atleta en un círculo de 2,5 m (8,2 pies) de diámetro. La prueba data de los Juegos Olímpicos de la Grecia antigua.

disco, música Estilo de música bailable que surgió a mediados de la década de 1970, caracterizada por un ritmo hipnótico, textos repetitivos y sonidos producidos electrónicamente. La música disco (abreviación de *discoteca*) se desarrolló principalmente en clubes nocturnos marginales de la ciudad de Nueva York, donde los DISC JOCKEYS (DJ) tocaban discos bailables por horas sin interrupción, velando por sincronizar los compases para que los cambios de discos fueran imperceptibles. Artistas como Donna Summer, Chic y The Bee Gees tuvieron muchos éxitos en el género, el que culminó con el estreno del filme *Fiebre de sábado por la noche* (1977). La música disco declinó rápidamente después de 1980, pero su poderosa influencia, en especial la de sus compases electrónicos secuenciados, sigue repercutiendo en gran parte de la música pop.

discontinuidad de Mohorovičić ver MOHO

discriminación de precios Práctica de vender bienes o servicios a diferentes precios a distintos compradores, aunque los costos de venta sean los mismos para todas las transacciones. Los compradores pueden ser discriminados por ingreso, etnia, edad o ubicación geográfica. Para que la discriminación de precios prospere, es preciso que otros empresarios no puedan comprar bienes al precio más bajo para revenderlos a un precio más alto.

discriminación positiva En EE.UU., intento de mejorar las posibilidades de empleo y de educación de las mujeres y de las minorías, otorgándoles trato preferencial en el acceso a los puestos de trabajo, la admisión a las universidades, la adjudicación de los contratos del gobierno y la entrega de otras prestaciones sociales. Iniciada a nivel federal tras la promulgación de la importante ley sobre DERECHOS CIVILES FUNDAMENTALES DE 1964, la discriminación positiva tuvo por objeto contrarrestar los persistentes efectos de generaciones de discriminación.

Los principales criterios para la inclusión en programas de discriminación positiva son la raza, el sexo, el origen étnico, la religión, la discapacidad y la edad. La Corte Suprema de los ESTADOS UNIDOS DE AMÉRICA estableció limitaciones importantes en los programas de discriminación positiva en su sentencia en el caso Regents of the University of California v. Bakke, de 1978; varias sentencias posteriores (p. ej., Adarand Constructors v. Pena, en 1995 y Texas v. Hopwood en 1996) impusieron restricciones adicionales. En 1996, los electores de California aprobaron la Propuesta 209, que prohibía a los organismos e instituciones gubernamentales discriminar o dar preferencia a personas o grupos sobre la base de su raza, sexo, etnia u origen nacional. Posteriormente, otros estados, como Washington y Florida, aprobaron medidas similares.

disentería Enfermedad infecciosa intestinal. Se caracteriza por INFLAMACIÓN, dolor y pujos abdominales, y DIARREA, que a menudo contiene sangre y mucus. La disentería se disemina por alimentos y agua contaminados con deposiciones, frecuentemente de personas infectadas que no se lavan las manos. La disentería bacilar (shigelosis), causada por la bacteria *Shigella* puede ser leve, pero también violenta, grave y fatal. Las pérdidas de líquido producen DESHIDRATACIÓN. Las etapas avanzadas presentan ulceraciones crónicas del intestino grueso. Se trata con antibióticos, reposición de líquidos y a veces transfusiones de sangre. La disentería amebiana, causada por la AMEBA *Entamoeba histolytica*, tiene dos formas, una muy semejante a la disentería bacilar y otra crónica e intermitente, a veces con grandes úlceras intestinales. Se trata con medicamentos que eliminan las amebas.

diseño de interiores Diseño de espacios interiores, estrechamente ligado a la arquitectura y que en ocasiones incluye la decoración de interiores. La meta del diseñador es producir un todo coordinado y armónico en el que la arquitectura, el lugar la función y los aspectos visuales del interior estén unificados, y sean placenteros para el cuerpo y la mente y apropiados para las actividades que ahí se realizarán. El criterio de diseño incluye la armonía del color, la textura, la luminosidad, la escala y la proporción. El mobiliario debe estar en proporción al espacio que ocupa y a las necesidades y estilos de vida de los residentes. El diseño de espacios no residenciales como oficinas, hospitales, tiendas y colegios sitúa la clara organización de funciones por sobre las preocupaciones puramente estéticas.

diseño gráfico Arte y profesión de seleccionar y ordenar elementos visuales, como tipografía, imágenes, símbolos y colores, para transmitir un mensaje a una audiencia. A veces al diseño gráfico se le denomina "comunicación visual". Es una disciplina que trabaja en colaboración con otras: los escritores producen palabras y los fotógrafos e ilustradores crean imágenes que el diseñador incorpora en un mensaje visual completo. Aunque el diseño gráfico se ha practicado de varias formas a lo largo de la historia, emergió como profesión específica durante el proceso de especialización del trabajo que ocurrió a fines del s. XIX. Su evolución ha estado muy ligada a los desarrollos de la producción de imágenes, a la tipografía y a los procesos de reproducción. Algunos diseñadores gráficos importantes fueron Jules Chéret, Piet Zwart, Paul Rand, Alexey Brodovitch, Milton Glaser y David Carson.

diseño industrial Diseño de productos fabricados por industrias de gran escala para distribución masiva. Entre las consideraciones para tales productos están la estructura, la operación, la apariencia y la conformidad con los procedimientos de producción, distribución y venta. La apariencia es la principal consideración del diseño industrial. El Consejo internacional de sociedades de diseño industrial fue fundado en Londres en 1957 y en el curso de 25 años ya tenía miembros en más de 40 países. Han persistido dos tendencias significativas: el aerodinamismo, un principio de diseño iniciado por RAYMOND LOEWY

Lee Iacocca (al centro) junto a otros ejecutivos de la Chrysler Corp. supervisando el diseño de un automóvil.
FOTOBANCO

y otros diseñadores en la década de 1930; y la obsolescencia planificada, diseño que tienta a los consumidores a reemplazar sus bienes con nuevas compras, más frecuentemente de lo necesario.

diseño lógico Organización básica de la circuitería de una COMPUTADORA DIGITAL. Todas las computadoras digitales están basadas en un sistema lógico de dos valores 1/0, encendido/apagado, si/no (ver CÓDIGO BINARIO). Las computadoras realizan cálculos usando componentes llamados compuertas lógicas, que están hechas de CIRCUITOS INTEGRADOS que reciben una señal de entrada, la procesan y la cambian en una señal de salida. Los componentes de las compuertas aceptan o bloquean un pulso del reloj que pasa a través de ellas, y los bits de salida de las compuertas controlan otras o bien generan el resultado de salida. Existen tres clases básicas de compuertas lógicas, llamadas "y", "o" y "no". Al conectar compuertas lógicas entre sí, se puede construir un dispositivo para que ejecute las funciones aritméticas básicas.

disfasia ver AFASIA

disfemia ver TARTAMUDEZ

disfunción sexual Incapacidad para experimentar excitación o para lograr satisfacción sexual en circunstancias normales, como consecuencia de problemas psicológicos o fisiológicos. Las disfunciones sexuales más comunes han sido tradicionalmente asociadas con la disfunción eréctil (en el hombre) y la anorgasmia (en la mujer); sin embargo, estos términos han sido reemplazados en forma gradual por otros más específicos. La mayoría de las disfunciones sexuales pueden ser superadas por medio de ORIENTACIÓN, PSICOTERAPIA o terapia farmacológica.

disidente Todo protestante inglés que no acepta las doctrinas o prácticas de la Iglesia de INGLATERRA oficial. El término fue usado por primera vez después de la Restauración de la monarquía en 1660 para describir a las congregaciones que se habían separado de la Iglesia nacional. Dichas congregaciones, también llamadas separatistas o inconformistas, con frecuencia rechazaban las doctrinas y los ritos anglicanos por ser demasiado cercanos al catolicismo. A fines del s. XIX, los disidentes de diversas confesiones se unieron para formar el Concilio federal de iglesias libres. En Inglaterra y Gales, el término se aplica generalmente a todas las confesiones protestantes fuera del anglicanismo, como baptistas, congregacionalistas, unitarios, presbiterianos, metodistas, cuáqueros e iglesias de Cristo.

dislexia Trastorno neurológico crónico que produce incapacidad o gran dificultad para aprender a leer o deletrear, a pesar de una inteligencia normal. Inhibe el reconocimiento y procesamiento de los símbolos gráficos, especialmente los pertinentes al lenguaje. Los síntomas, como habilidades de lectura muy deficientes, secuencias de palabras y letras invertidas, y escritura ilegible, suelen hacerse evidentes en los primeros años de escuela. Con un reconocimiento precoz del trastorno y la aplicación de enfoques especializados de enseñanza de la lectura, la mayoría de los disléxicos aprende a leer. Recientemente se han encontrado, en los encéfalos de los disléxicos, anomalías en las vías nerviosas relacionadas con la lectura.

dislocación *o* **luxación** Desplazamiento de los huesos de una ARTICULACIÓN. Desgarra los LIGAMENTOS, los MÚSCULOS y la cápsula (membrana envolvente) que sostienen la articulación en su lugar. La articulación afectada se deforma e hincha y produce dolor y cambio de coloración de la piel que la cubre. El paciente no puede usarla y a menudo tiene sensación de crujido o raspado al intentar moverla. Es preciso devolver los huesos a su posición normal (reducción) y mantener inmóvil la articulación hasta que sane. Las dislocaciones recidivantes y las congénitas suelen requerir reconstrucción quirúrgica.

Dismal, marisma *inglés* **Dismal Swamp** Región pantanosa en el sudeste de Virginia y el nordeste de Carolina del Norte, EE.UU. A pesar de una explotación forestal intensa y destrucción generalizada a causa de los incendios, la región es todavía muy boscosa. Tiene 48 km (30 mi) aprox. de largo por 16 km (10 mi) de ancho y alberga muchas aves raras y un gran número de serpientes venenosas. Muy conocida por su caza y pesca, es atravesada por el Dismal Swamp Canal, que forma parte del CANAL INTRACOSTAL DEL ATLÁNTICO.

dismenorrea Dolor o calambres antes o durante la MENSTRUACIÓN. En la dismenorrea primaria, causada por desequilibrios endocrinos, la intensidad es muy variable. También puede haber irritabilidad, fatiga, dolor de espalda o náuseas. Considerada por mucho tiempo de origen psicosomático, ahora se sabe que se debe a exceso de PROSTAGLANDINAS, que contraen el ÚTERO provocando calambres. Los analgésicos que bloquean la formación de prostaglandinas pueden disminuir su intensidad, la que también se alivia después de haber parido. La dismenorrea secundaria se debe a otros trastornos, como obstrucciones en los genitales, inflamación pélvica, infecciones, pólipos o tumores. El tratamiento se dirige a remediar el trastorno de origen.

Disney Co. Corporación estadounidense dedicada a la industria del entretenimiento. Fue fundada por WALT DISNEY y su hermano Roy como Walt Disney Productions en 1929, con el fin de formar un estudio de ANIMACIÓN de dibujos. La compañía hizo cortos y largometrajes de dibujos animados en las déca-

Walt Disney, creador de personajes clásicos de la industria de la animación.
FOTOBANCO

das de 1930–40, y después en la década de 1950 se amplió a la filmación de películas con actores y documentales sobre la vida silvestre, como también programas de televisión. La inauguración de los parques temáticos de diversiones Disneylandia (1955) y Walt Disney World (1971; ver DISNEY WORLD Y DISNEYLANDIA) consolidaron el prestigio de la compañía dentro de la industria del entretenimiento familiar en EE.UU. Con la muerte de Disney en 1966, la compañía comenzó a decaer, pero en la década de 1980 tuvo un renovado impulso. Bajo el nombre de Walt Disney Co., aumentó sus divisiones con la adquisición de Touchstone Pictures y Miramax, compañías productoras de películas para un público más adulto. Además, renovó su división de animación y produjo filmes como *La sirenita* (1989) y *Toy Story* (1995), el primer largometraje animado por computadora. La compañía tomó un rol activo en la recuperación y promoción del sector de Times Square en Nueva York, al recrear algunas de sus películas animadas, entre ellas *El rey león* (1994), como también musicales de Broadway. En 1994 inauguró Celebration, una urbanización planificada en el centro del estado de Florida. Adquirió la cadena de televisión ABC en 1996 y se convirtió en la corporación medial y de entretenimiento más grande del mundo. Además opera el canal Disney de televisión por cable. Ver también MICHAEL EISNER.

Disney World y Disneylandia Dos parques temáticos de atracciones construidos por Walt Disney Co. (ver DISNEY CO.), compañía estadounidense que se convirtió en el más famoso proveedor de entretenimiento del s. XX. Disneylandia, con un ambiente de fantasía interactiva y orientada a la familia, se abrió en Anaheim, Cal., en 1955, y fue la propuesta de WALT DISNEY en contraposición a los típicos parques de diversiones destinados sólo a los niños, pero no a sus padres. El parque, que tiene una arquitectura con una mezcla de futurismo y de reproducciones nostálgicas del s. XIX, cuenta con diversas secciones dedicadas a temas específicos. Disney World se abrió cerca de Orlando, Fla., en 1971. Aparte de contar con Epcot Center (una ciudad idealizada), los estudios Disney-MGM, y los parques temáticos Magic Kingdom (Reino mágico) y Animal Kingdom (Reino animal), Disney World fue el primer parque de diversiones que incorporó hoteles (dos fueron diseñados por MICHAEL GRAVES) e instalaciones deportivas y otros entretenimientos en su plan maestro. A fines del s. XX se abrieron nuevos parques temáticos Disney en París y Tokio.

Disney, Walt(er Elias) (5 dic. 1901, Chicago, Ill., EE.UU.–15 dic. 1966, Los Ángeles, Cal.). Caricaturista y ejecutivo de la industria del entretenimiento estadounidense. En la década de 1920 fundó un estudio de ANIMACIÓN junto con su hermano Roy y su amigo Ub Iwerks (n. 1901–m. 1971). Juntos crearon el Ratón Mickey, el alegre roedor que protagonizó *Willie el vapor* (1928), la primera película animada con sonido. El personaje fue vocalizado por el propio Disney y generalmente dibujado por Iwerks. En 1929, los hermanos formaron Walt Disney Productions, que posteriormente se llamó DISNEY CO. La explosiva popularidad del Ratón Mickey los llevó a crear otros personajes como el Pato Donald, Pluto y Tribilín, y a realizar varios cortometrajes animados como *Los tres cerditos* (1933). Al primer largometraje animado, *Blancanieves y los siete enanitos* (1937), le siguieron clásicas películas como *Pinocho* (1940), *Fantasía* (1940) y *La cenicienta* (1950). Walt Disney fue un perfeccionista, innovador y talentoso hombre de negocios, y mantuvo un férreo control sobre la compañía tanto en lo creativo como en lo financiero. Supervisó la expansión de la empresa a la producción de películas con actores, programas de televisión, parques temáticos de diversiones y el *merchandising* masivo. A su muerte, en 1966, Disney había transformado la industria del entretenimiento familiar e influenciado a más de una generación de niños estadounidenses.

disociación Ruptura de un COMPUESTO químico en componentes más simples como resultado de agregar ENERGÍA; por ejemplo, las moléculas gaseosas disociadas por calentamiento; también, el efecto de un SOLVENTE en un compuesto polar disuelto (ELECTRÓLITO); es el caso de una SAL inorgánica, como CLORURO DE SODIO, disuelta en agua. En solventes polares (en los cuales las moléculas son DIPOLOS ELÉCTRICOS), todos los electrólitos se disocian en IONES, en mayor o menor grado. El grado de disociación puede utilizarse para determinar la constante de EQUILIBRIO. La disociación sirve para explicar la conductividad eléctrica y muchas otras propiedades de las SOLUCIONES electrolíticas.

disonancia ver CONSONANCIA Y DISONANCIA

disonancia cognitiva CONFLICTO mental que se origina cuando las creencias o los supuestos entran en contradicción con información nueva. El concepto fue introducido por el psicólogo Leon Festinger (n. 1919–m. 1989), a fines de la década de 1950. Este y posteriores investigadores demostraron que cuando las personas se ven forzadas a confrontar nuevos datos informativos, la mayoría busca conservar su comprensión del mundo, ya sea rechazando, justificando o evitando la nueva información, convenciéndose a sí mismos de que en realidad no existe ningún conflicto.

dispersión Cualquier fenómeno asociado con la propagación de ondas individuales a velocidades que dependen de sus respectivas LONGITUDES DE ONDA. La longitud de onda determina la velocidad a la cual las ondas se propagan en el medio. Este rango de velocidades causa que la RADIACIÓN se separe en componentes con diferentes FRECUENCIAS y longitudes de onda. Por ejemplo, al hacer pasar un rayo de luz blanca a través de un prisma de vidrio, la REFRACCIÓN causa que el rayo se disperse en un abanico de rayos de luz de los distintos colores que la componen, produciendo un efecto de tipo arco iris.

dispersión *inglés* **scattering** En física, el cambio de dirección en el MOVIMIENTO de una partícula debido a la colisión con otra. Puede ocurrir entre dos partículas cargadas; no necesita involucrar contacto físico directo. En casos como este, con fuerza inversa al cuadrado de la distancia, los experimentos muestran que la trayectoria de la partícula dispersada es una hipérbola y que, a medida que la partícula incidente se apunta más cerca del centro dispersor, el ángulo de deflexión crece. El término dispersión (inglés *scattering*) se usa también para la difusión de ondas electromagnéticas por la atmósfera, la que hace posible, por ejemplo, la recepción radial a gran distancia en tierra. Ver también dispersión de RAYLEIGH.

displasia Conformación anómala de una estructura o tejido corporal, frecuentemente los huesos, que puede ocurrir en cualquier parte del cuerpo. Muchas formas constituyen enfermedades humanas bien definidas. En la más común, la displasia epifisiaria, los extremos de los huesos (epífisis) de los niños crecen y se endurecen muy lentamente; una consecuencia frecuente es el ENANISMO (a veces sólo afecta las piernas), y en la edad madura suele desarrollarse una enfermedad articular degenerativa. Ciertos perros de gran tamaño encastados en busca de ancas estrechas, pueden sufrir de displasia de caderas, con anomalías que afectan la cabeza del fémur y el acetábulo.

dispositivo de estado sólido Dispositivo electrónico que opera sobre la base de las propiedades eléctricas, magnéticas u ópticas de un material sólido, especialmente uno que usa un CRISTAL sólido en el cual un acomodo tridimensional ordenado de átomos, iones o moléculas se repiten a través de todo el cristal. En TRANSISTORES, rectificadores y CIRCUITOS INTEGRADOS se utilizan cristales sintéticos de elementos como el SILICIO, arsenuro de galio y GERMANIO. El primer dispositivo de estado sólido fue el "bigote de gato" (1906), en el cual un alambre delgado se movía a través de un cristal sólido para detectar una señal de radio. Ver también SEMICONDUCTOR.

dispositivo neumático Cualquiera de varios instrumentos y HERRAMIENTAS que generan y usan AIRE COMPRIMIDO. Algunos ejemplos son las perforadoras de roca, las machacadoras de pavimento, las remachadoras neumáticas, las prensas de forjado, las pistolas de pintar, los limpiadores por chorro y los atomizadores. La fuerza motriz del aire comprimido es flexible, económica y segura. Por lo general, los sistemas neumáticos tienen relativamente pocas piezas móviles, lo que contribuye a su gran confiabilidad y bajos costos de mantenimiento.

Dispur Ciudad, capital del estado de ASSAM, en el nordeste de India. A partir de la reorganización administrativa de la región en 1972, Dispur, un suburbio de GAUHATI, pasó a ser la capital estatal.

disquete Medio de almacenamiento magnético usado con las COMPUTADORAS. Los disquetes están hechos de plástico flexible revestidos con un material magnético, y encerrados en una caja plástica dura. Por lo general tienen 9 cm (3,5 pulg.) de diámetro. Los datos son almacenados en su superficie en pistas concéntricas. Un disco se inserta en el controlador de disquete de una computadora, un montaje de cabezas magnéticas y un dispositivo mecánico para hacer girar el disco para propósitos de lectura o escritura. Un electroimán pequeño, llamado cabeza magnética, escribe un dígito binario (1 ó 0) en el disco magnetizando un área pequeña de este en diferentes direcciones, y lee dígitos detectando la dirección de magnetización de las áreas. Con el aumento en el uso de los archivos adjuntos a los correos electrónicos y otros medios para transferir archivos de una computadora a otra, el uso de los disquetes ha disminuido, aunque aún son ampliamente usados para mantener segunda copia (respaldo) de archivos valiosos.

El político Benjamin Disraeli en entrevista con la reina Victoria, en Osborne House; pintura de Theodore Blake Wirgman.
FOTOBANCO

Disraeli, Benjamin, conde de Beaconsfield (21 dic. 1804, Londres, Inglaterra–19 abr. 1881, Londres). Político y escritor británico que en dos ocasiones ocupó el cargo de primer ministro (1868, 1874–80). Descendiente de italojudíos, cuando niño fue bautizado como cristiano, lo que despejó su futura carrera política, debido a que hasta 1858 quienes practicaban el judaísmo estaban excluidos del parlamento. Primero se destacó como escritor con *Vivian Grey* (1826–27) y más tarde con sus novelas, como *Coningsby* (1844) y *Sybil* (1845). Fue elegido al parlamento por el Partido Conservador en 1837. En 1845 pronunció una serie de brillantes discursos en contra de la decisión de Sir ROBERT PEEL de derogar las leyes del GRANO, que contribuyeron a convertirlo en el líder de los conservadores. Fue canciller del Exchequer (ministro de hacienda) en tres ocasiones (1852, 1858–59, 1865–68) y desempeñó un papel destacado en la aprobación de la ley de REFORMA DE 1867. Por breve tiempo fue primer ministro en 1868 y nuevamente en 1874–80, período en que impulsó reformas sociales. Partidario de una política exteriorfuerte, consiguió incrementar el prestigio del imperio al adquiriracciones del canal de Suez, y logró obtener concesiones para Inglaterra en el Congreso de BERLÍN. Amigo de confianza de la reina VICTORIA, presentó un proyecto de ley que le confirió a esta el título de emperatriz de India. Después de que los conservadores fueron derrotados en

1880, se mantuvo en la dirección del partido y terminó de escribir su novela política titulada *Endymion* (1880).

distemper Enfermedad viral en dos formas, canina y felina. El distemper canino es agudo y sumamente contagioso, y afecta a perros, zorros, lobos, visones, mapaches y hurones. La mayoría de los casos no tratados son mortales. El mejor tratamiento para los animales infectados son inyecciones inmediatas de seroglobulinas; las infecciones secundarias se detienen mediante antibióticos. Se puede conferir inmunidad por vacunación. El distemper felino causa una leucopenia grave en el gato infectado. Rara vez dura más de una semana, pero la tasa de mortalidad es alta. Las vacunas ofrecen una inmunidad efectiva.

disteno ver CIANITA

distensión Período de aflojamiento de las tensiones de la GUERRA FRÍA entre EE.UU. y la Unión Soviética entre 1967 y 1979. Fue una época de intenso comercio y cooperación con la Unión Soviética y de la firma del tratado conocido como negociaciones sobre la limitación de ARMAS ESTRATÉGICAS (SALT). Las relaciones se enfriaron nuevamente como consecuencia de la invasión soviética a Afganistán.

dístico *o* **pareado** Estrofa formada por dos versos unidos entre sí. Un dístico o pareado habitualmente está marcado por una correspondencia rítmica, una rima o una locución implícita. Los dísticos o pareados pueden constituir poemas independientes, pero en general funcionan como parte de otras formas de la métrica como los SONETOS shakesperianos, que concluyen con un dístico. Un dístico que no se sostiene solo es abierto; un dístico cuyo sentido es relativamente independiente es cerrado.

distinción analítico-sintética En LÓGICA y EPISTEMOLOGÍA, distinción (derivada de IMMANUEL KANT) entre enunciados cuyo predicado está incluido en el sujeto (enunciados analíticos) y enunciados cuyo predicado no está incluido en el sujeto (enunciados sintéticos). Algunos filósofos prefieren definir como analíticos todos los enunciados cuya negación sería contradictoria en sí misma, y definir el término sintético como equivalente a "no analítico". La distinción, introducida por Kant en *La crítica de la razón pura*, suscitó un amplio debate a mediados del s. XX, particularmente en vista de las objeciones formuladas por W.V.O. QUINE.

distinción de hecho-valor En filosofía, distinción ontológica entre lo que es (hechos) y lo que debe ser (valores). DAVID HUME dio a la distinción su formulación clásica al afirmar que es imposible derivar un "debe ser" de un "es". Ver también FALACIA NATURALISTA.

distribución ver DISTRIBUCIÓN DE FRECUENCIA

distribución ver DISTRIBUCIÓN NORMAL

distribución de frecuencia En estadística, un gráfico o conjunto de datos organizados para mostrar la frecuencia con que ocurre cada resultado posible en un evento repetible observado muchas veces. Ejemplos simples son los resultados de una elección y los puntajes de una prueba listados por percentiles. Una distribución de frecuencia puede graficarse como un HISTOGRAMA o gráfico de torta (en inglés, pie chart). Para grandes conjuntos de datos, el gráfico escalonado de un histograma a menudo se aproxima por la curva suave de una función de distribución (llamada una FUNCIÓN DENSIDAD cuando está normalizada de manera tal que el área bajo la curva es 1). La famosa curva de campana o DISTRIBUCIÓN NORMAL es el gráfico de una de tales funciones. Las distribuciones de frecuencia son en particular útiles para resumir grandes conjuntos de datos y asignar probabilidades.

distribución normal En estadística, una DISTRIBUCIÓN DE FRECUENCIA con la forma de la clásica curva de campana. Representa con exactitud la mayor parte de las variaciones en atributos como altura y peso. Cualquier VARIABLE ALEATORIA con

una distribución normal posee una media (ver MEDIA, MEDIANA Y MODA) y una desviación estándar que indica cuánto se dispersa el conjunto de datos en torno a la media. La desviación estándar es menor para datos concentrados en torno al valor medio, y mayor para conjuntos de datos más dispersos.

distributividad, ley de Una de las leyes sobre operaciones numéricas. En símbolos, dice: $a(b + c) = ab + ac$. El factor monomial a es distribuido, o aplicado en forma separada, a cada término del factor polinomial $b + c$, dando como resultado el producto $ab + ac$. También puede ser formulado en palabras: el producto de un número o factor por la suma de varios otros es lo mismo que la suma de los productos de cada uno de estos por el factor. Ver también ley de ASOCIATIVIDAD; ley de CONMUTATIVIDAD.

distrofia muscular Enfermedad hereditaria que produce debilidad progresiva del músculo esquelético (y en ocasiones, del miocardio). El tejido muscular se degenera y regenera aleatoriamente, siendo reemplazado por tejido cicatricial y grasa. No hay tratamiento específico. La terapia física, el uso de abrazaderas y la cirugía correctora pueden ser paliativos. La distrofia muscular de Duchenne es la más común y afecta sólo a varones. Sus síntomas, como caídas frecuentes y dificultad para estar de pie, comienzan entre los tres y siete años; la degeneración muscular avanza de las piernas a los brazos y luego al diafragma. Las infecciones pulmonares o la insuficiencia respiratoria suelen causar la muerte antes de los 20 años de edad. Sus genes pueden detectarse ahora en mujeres portadoras y fetos varones afectados. La distrofia de Becker, también ligada al sexo, es más benigna y comienza más tarde. Los pacientes mantienen su capacidad para caminar y comúnmente sobreviven hasta la tercera o cuarta década de vida. La distrofia muscular miotónica afecta a adultos de ambos sexos, con MIOTONÍA y degeneración, dos o tres años después, y se acompaña de cataratas, calvicie y atrofia gonadal. La distrofia muscular de las cinturas de las extremidades afecta a la cintura pelviana o escapular de ambos sexos. La distrofia facioescapulohumeral (cara, omóplato y brazo) se inicia en la niñez o la adolescencia y afecta a ambos sexos; después de los primeros síntomas de dificultad para levantar los brazos, pueden afectarse los músculos de las piernas y la pelvis; el principal defecto facial es la dificultad para cerrar los ojos. La esperanza de vida es normal.

disuasión Estrategia militar en la cual una potencia emplea la amenaza de represalia para descartar un ataque del adversario. El término se refiere en gran medida a la estrategia básica de las potencias nucleares y a los principales sistemas de alianzas. La premisa consiste en que cada potencia nuclear mantiene un alto nivel de capacidad destructiva instantánea y aplastante contra todo agresor. Descansa en dos condiciones básicas: la capacidad de contraatacar luego de un ataque sorpresivo tiene que percibirse como creíble, y el contraataque debe percibirse al menos como posibilidad o, idealmente, como algo cierto.

ditirambo Canto, himno o poema coral de la antigua Grecia. Lo entonaban los asistentes al banquete en honor de Dioniso. Este tipo de composición se originó hacia el s. VII AC a partir de improvisaciones de los comensales, y fue reconocido como género literario a fines del s. VI AC. ARIÓN y PÍNDARO, entre otros, fueron compositores de ditirambos. En c. 450 AC el ditirambo fue perdiendo vigencia; estas composiciones eran en su mayoría pomposas.

Ditters von Dittersdorf, Carl *orig.* **Carl Ditters** (2 nov. 1739, Viena, Austria–24 oct. 1799, castillo de Rothlhotta, Neuhof, Bohemia). Compositor austríaco. Niño prodigio del violín, sirvió como maestro de capilla en la corte del príncipe-obispo de Breslau (1770–95). En 1773 fue ennoblecido por la emperatriz, pero aparentemente declinó asumir el puesto de maestro de capilla en la corte imperial en Viena. Compositor muy prolífico, escribió cerca de 120 sinfonías, unos 40 conciertos (varios para violín), obras corales sacras y varias piezas de cámara. Más importantes son unas 40 óperas, en especial sus *singspiels*, entre ellos *Doktor und Apotheker* (1786) y *Die Liebe im Narrenhause* (1787).

diurético Cualquier droga que aumenta el flujo de ORINA. Los diuréticos promueven la eliminación del exceso de agua, sales, venenos y desechos metabólicos para ayudar a aliviar EDEMAS, insuficiencia RENAL O GLAUCOMA. La mayoría de los tipos de diuréticos actúan disminuyendo la cantidad de fluido que es reabsorbido por los NEFRONES del riñón y regresado a la sangre. Los diuréticos que permiten al cuerpo retener POTASIO son utilizados para pacientes con HIPERTENSIÓN O con INSUFICIENCIA CARDÍACA CONGESTIVA.

Decorado de murales durante la celebración del festival hinduista Divali, India.
FOTOBANCO

Divali En el HINDUISMO, festival religioso de cinco días celebrado en otoño. Honra a LAKSMI, diosa de la riqueza, o, en Bengala, a la diosa KALI. Durante su celebración, se encienden lámparas de alfarería que se colocan en los parapetos de casas y templos o se dejan a la deriva en ríos y arroyos. El cuarto día del festival marca el comienzo de un nuevo año, el momento de regalar, visitar a los amigos, decorar las casas y vestir ropa nueva. También es celebrado por jainistas y sijs.

divergencia En matemática, un OPERADOR DIFERENCIAL aplicado a una FUNCIÓN vectorial, en tres dimensiones. El resultado es una función escalar que describe una tasa o velocidad de cambio particular. La divergencia de un vector **v** viene dada por

$$\text{div } \mathbf{v} = \frac{\partial \mathbf{v}_1}{\partial x} + \frac{\partial \mathbf{v}_2}{\partial y} + \frac{\partial \mathbf{v}_3}{\partial z}$$

en la cual $\mathbf{v}_1$, $\mathbf{v}_2$, y $\mathbf{v}_3$ son las componentes vectoriales de **v**, comúnmente un campo de velocidades del flujo de un fluido.

divertículo Pequeña bolsa o saco que se forma en la pared de un órgano mayor, comúnmente el ESÓFAGO, el INTESTINO DELGADO o el INTESTINO GRUESO (el lugar más frecuente). En el intestino grueso las heces, al ser empujadas hacia el interior del saco, lo pueden hacer sobresalir de la pared del colon, lo que se conoce como diverticulosis, que es asintomática. En la diverticulitis, que es más grave, los sacos se inflaman, causan dolor y sensibilidad, escalofríos y a veces fiebre. Los casos leves sólo necesitan reposo en cama y antibióticos. En los graves, la perforación o ruptura de la pared del colon en el divertículo puede causar PERITONITIS. La rotura puede requerir una COLOSTOMÍA. El divertículo de Meckel, una malformación congénita del intestino delgado, causa sangramiento e inflamación y puede requerir extirpación.

divertimento Género de MÚSICA DE CÁMARA del s. XVIII que consiste en varios movimientos, a menudo de carácter ligero y de entretención, para instrumentos de cuerda, de vientos o de ambas familias. Aunque el nombre se aplicó (c. 1750–1800) a una variada gama de obras, casi siempre se refería a piezas con un solo instrumento por parte; esto podía incluir cuartetos de cuerda e incluso sonatas para teclado.

dividendo Cuota individual de las ganancias distribuidas entre los accionistas de una empresa o sociedad en proporción a su participación. Los dividendos se pagan generalmente en dinero, aunque también pueden pagarse en ACCIONES adicionales. Los titulares de acciones preferentes reciben un dividendo preferencial, normalmente a una tasa fija; los titulares de acciones ordinarias reciben una parte del remanente tras el pago de los dividendos por las acciones preferentes.

divieso ver FURÚNCULO

divisas, cambio de Compraventa de una MONEDA nacional a cambio de la moneda de otra nación, en general, conforme a las normas del mercado. El cambio de divisas permite el movimiento de capitales entre los países y las transacciones internacionales como las importaciones y exportaciones. El valor de una moneda extranjera en relación con otra se define de acuerdo con el TIPO DE CAMBIO.

división del trabajo Especialización en el proceso de producción. En general, un gran número de personas, en que cada una realiza un número reducido de labores especializadas, puede ejecutar íntegramente trabajos complejos en forma menos onerosa que una sola persona. La idea de que la especialización reduce los costos y, por consiguiente, el precio que paga el consumidor, está contenida en el principio de la VENTAJA COMPARATIVA. La división del trabajo es el principio básico de la LÍNEA DE MONTAJE en los sistemas de producción en serie. Ver ÉMILE DURKHEIM.

divisionismo ver NEOIMPRESIONISMO; PUNTILLISMO

divorcio Disolución de un MATRIMONIO válido, que generalmente permite que las partes vuelvan a casarse. En las sociedades en que hay una fuerte autoridad religiosa y en que la religión establece la indisolubilidad del matrimonio (p. ej., el CATOLICISMO ROMANO, el HINDUISMO), el divorcio posiblemente sea difícil e infrecuente. A comienzos del s. XXI en EE.UU. había alrededor de un divorcio por cada dos matrimonios. En este país la tasa de divorcios es superior a la de la mayoría de los países occidentales, pese a que en estos aumentó en las últimas décadas del s. XX. Las causales más frecuentes de divorcio son el abandono del hogar, la adicción a las drogas o al alcohol, el adulterio, la crueldad, la condena por algún delito, el abandono, la demencia y la negativa a mantener el hogar. Ver también NULIDAD MATRIMONIAL.

Dix, Otto (2 dic. 1891, Untermhaus, Turingia, Alemania– 25 jul. 1969, Singen, Baden-Württemberg, Alemania Occidental). Pintor y grabador alemán. Estudió en las academias de Düsseldorf y Dresde. Experimentó con el IMPRESIONISMO y el DADAÍSMO antes de llegar al EXPRESIONISMO, con una espeluznante visión personal de la realidad social contemporánea. Su obra representaba los horrores de la guerra y las corrupciones de una sociedad decadente con gran efecto emocional. Fue nombrado profesor en la Academia de Dresde en 1926 y miembro de la Academia prusiana en 1931. Sus obras antimilitares despertaron la ira del régimen nazi, por lo que fue despedido de sus cargos académicos en 1933. Su creación posterior estuvo marcada por el misticismo religioso. Ver también NEUE SACHLICHKEIT.

"Los padres del artista", óleo sobre tela de Otto Dix, 1921.
GENTILEZA DEL ÖFFENTLICHE KUNSTSAMMLUNG Y DEL EMANUEL HOFFMAN-STIFTUNG, BASILEA, SUIZA; FOTOGRAFÍA, HANS HINZ

Dixiecrat En EE.UU., grupo separado de demócratas de derecha, en la elección de 1948. Organizados por sureños que se oponían al programa de derechos civiles de los demócratas, sus miembros se reunieron en Birmingham, Ala., y nombraron al gob. Strom Thurmond, de Carolina del Sur, su candidato presidencial. En la elección recibió más de un millón de votos y ganó cuatro estados.

Dixieland Estilo de Jazz tocado por un conjunto pequeño que realiza improvisaciones colectivas y de solistas. A menudo, el término se adscribe especialmente a los pioneros del jazz de Nueva Orleans, aunque muchos críticos de música popular creen que el término describe mejor la música de un movimiento posterior de músicos blancos de Chicago, entre ellos, Jimmy McPartland, Bud Freeman y Frank Teschemacher. Los primeros conjuntos de jazz surgieron de las bandas de Ragtime y de bronces de Nueva Orleans, que incorporan elementos del Blues. En los primeros conjuntos de jazz, como aquellos liderados por King Oliver y Jelly Roll Morton, la trompeta o la corneta toca la melodía, mientras el clarinete y el trombón brindan el acompañamiento. La tensión creada por los solistas contrasta con el alivio que aportan los estribillos del conjunto. Se interpreta con un distintivo ritmo de dos tiempos, que resulta en una alegre cacofonía en los tempos rápidos o en pausadas lamentaciones. Normalmente los grupos Dixieland incluyen banjo, tuba y batería.

Dixon, Joseph (18 ene. 1799, Marblehead, Mass., EE.UU.–15 jun. 1869, Jersey City, N.J.). Inventor y fabricante estadounidense. Prácticamente un autodidacta, inició el uso industrial del Grafito en 1827 con la fabricación de lápices, productos para pulir estufas y lubricantes. Descubrió que los crisoles de grafito resistían altas temperaturas para elaborar acero y productos cerámicos, razón por la cual registró patentes del invento. En 1850 estableció una acería de crisol en Jersey City. También realizó experimentos con fotografía y fotolitografía e ideó una técnica para imprimir billetes de banco en colores a fin de impedir su falsificación.

Dixon, Willie orig. **William James Dixon** (1 jul. 1915, Vicksburg, Miss., EE.UU.–29 ene. 1992, Burbank, Cal.). Músico estadounidense que influyó en la gestación del Blues eléctrico y de la música Rock. En 1936, Dixon se mudó de su Mississippi natal a Chicago, ganó un campeonato de boxeo de los guantes de oro en Illinois y comenzó a vender sus canciones. Tocó el contrabajo en varias bandas antes de incorporarse a Chess Records. Entre sus vivaces composiciones, las que él vendía por la irrisoria cantidad de 30 dólares, destacan "Little Red Rooster", "You Shook Me" y "Back Door Man", varias de ellas grabadas posteriormente por Muddy Waters, Elvis Presley y The Rolling Stones. Dixon realizó varias giras y presentaciones por EE.UU y Europa.

DJ ver Disc Jockey

Djakarta ver Yakarta

Djibouti ver Yibuti

Djilas, Milovan (12 jun. 1911, Podbišce, Montenegro–20 abr. 1995, Belgrado, Serbia). Político y escritor yugoslavo. Su oposición a la dictadura monárquica de Yugoslavia lo llevó a prisión (1933–36). Se incorporó al comité central del Partido Comunista yugoslavo en 1938 y a su Politburó en 1940. En la segunda guerra mundial desempeñó un importante papel en la resistencia partisana a los alemanes. En 1953 se convirtió en presidente de la Asamblea Popular Federal, pero al poco tiempo Tito lo despojó de todos sus cargos políticos debido a sus críticas al partido y a sus llamados a la liberalización del sistema. Más tarde fue arrestado en varias ocasiones después de que se publicaron en Occidente sus libros que criticaban el comunismo, como *La nueva clase* (1957).

Dniéper, río ruso **Dnepr** antig. **Borysthenes** Río en el centro-este de Europa. Uno de los más largos del continente, nace al oeste de Moscú y atraviesa Belarús y Ucrania, para desembocar en el mar Negro luego de recorrer 2.285 km (1.420 mi). Más de 300 plantas hidroeléctricas operan en la cuenca del Dniéper y cuenta con varias represas de gran tamaño. Navegable en un tramo de casi 1.677 km (1.042 mi) durante los diez meses del año en que no está congelado, constituye una importante vía fluvial de Europa oriental.

Vista del río Dniéper a su paso por la ciudad de Kíev desde el monasterio Pecherska Lavra.
JERRY KOBALENKO/THE IMAGE BANK/GETTY IMAGES

Dniéster, río ruso **Dnestr** antig. **Tyras** Río en el centro-sur de Europa. Nace en la parte septentrional de los Cárpatos y recorre hacia el sur y el este una distancia de 1.352 km (840 mi) hasta el mar Negro, en las cercanías de Odessa. Es el segundo río más extenso de Ucrania y la principal arteria fluvial de Moldavia. Es navegable a lo largo de 1.200 km (750 mi) de su recorrido.

Deniepropetrovsk ant. (1783–1926) **Yekaterinoslav** Ciudad (pob., 2001: 3.567.600 hab.) del centro-sur de Ucrania. Ubicada a orillas del río Dniéper, fue fundada en 1783 y debe su antiguo nombre a Catalina II la Grande; en la década de 1880 prosperó luego de la llegada del ferrocarril. En 1926 los soviéticos le dieron su actual nombre. Nudo ferroviario y centro de comercio del trigo, se ha convertido en una de las ciudades industriales más grandes de Ucrania, por ser una región rica en yacimientos minerales de hierro y carbón. Cuenta además con instituciones de educación superior y numerosos teatros.

doberman pinscher Raza de perro de trabajo desarrollada en Apolda, Alemania, por Louis Dobermann, un guardián de la perrera municipal, a fines del s. XIX. Este perro elegante, ágil y vigoroso tiene una alzada de 61–71 cm (24–28 pulg.) y pesa 27–40 kg (60–88 lb). Es de pelaje corto y suave, de color negro, azul, castaño claro o rojo, con marcas herrumbrosas en la cabeza, garganta, pecho, base de la cola y pies. Los doberman tienen una reputación de intrepidez, viveza, lealtad e inteligencia. Han sido utilizados en labores policiales y militares, como perros guardianes y lazarillos para invidentes.

Doberman pinscher.
© KENT & DONNA DANNEN

Doble Alianza ver alianza Austroalemana

Doble Alianza ver alianza Franco-Rusa

doble aspecto, teoría del o **teoría del aspecto dual** Tipo de Monismo de mente-cuerpo. Según la teoría del doble aspecto, lo mental y lo material son aspectos o atributos diferentes de una realidad unitaria, la cual no es en sí, ni mental ni material. Esta concepción deriva de la metafísica de Baruch

SPINOZA, quien sostuvo que la mente y la materia son meramente dos de un número infinito de "modos" de una sola sustancia existente, la cual identificó con Dios. Ver también el problema MENTE-CUERPO.

doble refracción ver BIRREFRINGENCIA

Döblin, Alfred (10 ago. 1878, Stettin, actual Szczecin, Polonia–26 jun. 1957, Emmendingen, cerca de Friburgo de Brisgovia, Alemania Occidental). Novelista y ensayista alemán. Estudió medicina en las universidades de Berlín y Friburgo y se especializó en psiquiatría. Su primera obra, *Los tres saltos de Wang-Lun* (1915), describe el sofocamiento de una rebelión en China. Su obra más conocida, *Berlin Alexanderplatz* (1929; película, 1931; versión televisiva, 1980), escrita al modo expresionista, dramatiza los sufrimientos de la clase trabajadora en un orden social que se desintegra. Sus ancestros judíos y su militancia socialista lo forzaron a abandonar Alemania cuando los nazis asumieron el poder; entonces huyó a Francia (1933) y luego a EE.UU. (1940), reinstalándose en París a principios de la década de 1950.

Dobrovský, Josef (17 ago. 1753, Gyarmat, Hungría–6 ene. 1829, Brno, Moravia, Imperio austríaco). Lingüista checo. Fue ordenado sacerdote en 1786, pero después de 1791, el patrocinio de la nobleza le permitió dedicarse a estudiar en Praga. Su crítica textual de la Biblia lo llevó a estudiar ESLAVO ECLESIÁSTICO ANTIGUO y luego las lenguas ESLAVAS como grupo de idiomas. Fue un estudioso importante del CHECO y su literatura; publicó obras como *Historia de la lengua y de la literatura checas* (1792). Su gramática del checo, titulada *Sistema completo de la lengua checa* (1809), contribuyó a estandarizar el checo literario, y su gramática del eslavo eclesiástico antiguo (1822) sentó las bases de la LINGÜÍSTICA eslava comparada.

Josef Dobrovský, detalle de una pintura al óleo de J. Tkadlik, 1821.
GENTILEZA DEL P.N.P. MUSEO DE LITERATURA CHECA, PRAGA

Dobzhansky, Theodosius orig. **Feodosy Grigorevich Dobrzhansky** (25 ene. 1900, Nemirov, Ucrania, Imperio ruso–18 dic. 1975, Davis, Cal., EE.UU.). Genetista y evolucionista estadounidense de origen ucraniano. En 1927 emigró a EE.UU., donde enseñó en el Instituto Tecnológico de California, la Universidad de Columbia y la Universidad Rockefeller. Sentó las bases de una teoría que combina la evolución darwiniana y la genética mendeliana, modificando el criterio, entonces imperante, de que la selección natural producía algo cercano al mejor de todos los resultados posibles y que los cambios serían raros y lentos, y no se manifestarían en el transcurso de una vida. Observó amplia variabilidad genética en las poblaciones silvestres de *Drosophila*, y encontró que, en una población dada, la abundancia de algunos genes cambiaría regularmente con las estaciones del año.

Doce Tablas, ley de las Primera codificación del antiguo derecho ROMANO, que data de 451–450 AC. Al parecer, fueron escritas a solicitud de los plebeyos, que consideraban que sus derechos eran atropellados debido a que los fallos judiciales se dictaban de acuerdo con la costumbre no escrita, que sólo se conservaba por un número reducido de patricios instruidos. Las Doce Tablas no fueron una reforma ni una liberalización de la antigua costumbre, sino que reconocieron las prerrogativas de los patricios y de la familia patriarcal, la validez de la esclavitud por deudas, y la intervención de la costumbre religiosa en las causas civiles. Debido a que sólo se conservan citas aisladas, el conocimiento del contenido de las Doce Tablas deriva en gran medida de referencias a ellas contenidas en documentos jurídicos posteriores. Veneradas por los romanos como fuente

legal primaria, las Doce Tablas fueron reemplazadas por modificaciones posteriores del derecho romano, pero nunca fueron oficialmente derogadas.

doctor Arnold ver Thomas ARNOLD

Doctorow, E(dgar) L(aurence) (n. 6 ene. 1931, Nueva York, EE.UU.). Novelista estadounidense. Doctorow comenzó trabajando como editor, y desde entonces ha enseñado en diversas universidades. Sus novelas, *best seller*, se han centrado a menudo en la clase trabajadora y en los marginales de décadas anteriores en EE.UU. *El libro de Daniel* (1971) trataba acerca del caso de espionaje Rosenberg. *Ragtime* (1975; adaptado al cine en 1981) incorpora a figuras reales de EE.UU. de principios del s. XX. *El lago* (1980), *La feria del mundo* (1985) y *Billy Bathgate* (1989; adaptado al cine en 1991) retratan la gran depresión y sus consecuencias. *La ciudad de Dios* (2000) aborda los esfuerzos de un ministro episcopal neoyorquino por renovar su fe.

Doctrina del medio ver ZHONG YONG

Documenta de Kassel Exposición internacional de arte contemporáneo que se realiza cada cuatro o cinco años en Kassel, Alemania, desde 1955. Fue fundada por el pintor, arquitecto y pedagogo de arte Arnold Bode (n. 1900–m. 1977), quien fue también su director hasta 1968. Enfocada primero a impulsar los movimientos artísticos modernos, hoy abarca las principales tendencias vanguardistas como el POP ART, el arte de acción, el videoarte y el arte interactivo. Las primeras exposiciones se celebraron en el Museo Fridericianum y en las ruinas de la Orangerie, sin embargo, con el tiempo se ha ampliado el espacio y superficie de exhibición, donde exponen los principales artistas internacionales.

documental Película cinematográfica que se basa en hechos reales, que representa sucesos y retrata a personas. Los documentales pueden tratar temas científicos o didácticos, constituir una forma de periodismo o la observación de un hecho social, o pueden servir como medio de propaganda u opinión personal. El término fue acuñado por el cineasta escocés John Grierson para definir aquellas películas que mostraban hechos reales como *Nanook el esquimal* (1922) de ROBERT FLAHERTY. El filme de Grierson, *Drifters* (1929), y el de Pare Lorente, *The Plow That Broke the Plains* (1936), influyeron en el género durante la década de 1930. Durante la segunda guerra mundial, el documental fue una valiosa herramienta de propaganda. LENI RIEFENSTAHL contribuyó a la propaganda nazi en la década de 1930; EE.UU. realizó películas como la serie *Why We Fight* (1942–45) de FRANK CAPRA y Gran Bretaña divulgó *London Can Take It* (1940). Los documentales del movimiento CINE VERDAD obtuvieron notoriedad en la década de 1960, y se centraron en una relación más informal e íntima entre la cámara y el sujeto. La televisión se convirtió en un importante medio para filmes documentales con fines periodísticos (como el documental de la CBS *Harvest of Shame* [1960]) y didácticos (como la serie de Ken Burns *Civil War* [1990]).

documentos federalistas ofic. **The Federalist** Ochenta y cinco ensayos sobre el proyecto de la Constitución de los ESTADOS UNIDOS DE AMÉRICA y la naturaleza del gobierno republicano. Fueron publicados en 1787–88 por ALEXANDER HAMILTON, JAMES MADISON y JOHN JAY, en un intento por obtener que los electores del estado de Nueva York aprobaran el proyecto. La mayoría de los ensayos aparecieron por primera vez en periódicos de Nueva York; fueron reimpresos en otros estados y luego publicados en forma de libro en 1788. Posteriormente, algunos de ellos se publicaron por separado. Todos llevaban la firma "Publius" y constituyen una exposición magistral del sistema federal y de los medios de alcanzar los ideales de justicia, bienestar general y los derechos individuales.

Dodge, Mary Mapes orig. **Mary Elizabeth Mapes** (26 ene. 1831, Nueva York, EE.UU.–21 ago. 1905, Onteora Park, N.Y.). Autora estadounidense. Comenzó escribiendo historias infantiles cuando enviudó súbitamente y quedó con dos hijos pequeños a su cargo. Tras su primer libro, *Irvington Stories* [Historias de Irvington] (1864), publicó *Hans Brinker; o, los patines de plata* (1865), que se convirtió en un clásico infantil. En 1873 fue nombrada editora de la nueva revista infantil *St. Nicholas*, cuyo éxito emanaba de los altos estándares de calidad que ella exigía, los cuales atrajeron a escritores como MARK TWAIN, LOUISA MAY ALCOTT, ROBERT LOUIS STEVENSON y RUDYARD KIPLING.

dodo Ave no voladora (*Raphus cucullatus*) extinta de Mauricio, avistada por primera vez por marineros portugueses alrededor de 1507. Los seres humanos y los animales que introdujo el hombre exterminaron el dodo en 1681. Pesaba unos 23 kg (50 lb) y tenía un plumaje gris azulino, cabeza grande, pico negruzco de 23 cm (9 pulg.) con una punta ganchuda rojiza, pequeñas alas inútiles, patas amarillas robustas y un penacho de plumas rizadas en la rabadilla. El solitario de Réunion (*R. solitarius*), también llevado a la extinción, habría sido una variedad blanca del dodo. Sólo quedan fragmentos de ejemplares y esqueletos del dodo en los museos.

Dodoma Ciudad (pob., est. 1995: 189.000 hab.) en el centro de Tanzania. Capital designada del país desde 1974, año en que comenzó el traslado de algunos organismos oficiales desde DAR ES SALAAM, la capital del poder ejecutivo. Ubicada en una región agrícola con baja densidad de población a una altura de 1.135 m (3.720 pies) sobre el nivel del mar, es un centro de actividad comercial para sus alrededores. Sus industrias producen madera y muebles, bebidas, alimentos procesados, jabón y aceite.

Dodona Santuario del dios griego ZEUS, situado en EPIRO. Mencionado por HOMERO, había ahí un ORÁCULO, donde los mensajes llegaban por el murmullo de las hojas u otros sonidos naturales. Había también un gran gong de bronce que vibraba con la brisa.

Doe, Samuel K(anyon) (6 may. 1950/51, Tuzon, Liberia–9/10 sep. 1990, Monrovia). Militar y jefe de Estado liberiano (1980–90). Miembro del grupo étnico krahn, encabezó en 1980 un golpe de Estado que derrocó al pdte. William R. Tolbert (n. 1913–m. 1980). Suspendió la constitución de Liberia hasta 1984, y en 1985 ganó una elección presidencial ampliamente denunciada como fraudulenta. Su régimen fue considerado corrupto y brutal, y Doe estuvo continuamente amenazado por intentos de asesinato. En la guerra civil que estalló en 1989 fue capturado y muerto.

Doenitz, Kart ver Karl DÖNITZ

Doesburg, Theo van *orig.* **Christian Emil Maries Küpper** (30 ago. 1883, Utrecht, Países Bajos–7 mar. 1931, Davos, Suiza). Pintor, decorador y teórico del arte holandés. Originalmente se interesó por el teatro. En 1900 comenzó a pintar bajo la influencia del POSTIMPRESIONISMO y del FAUVISMO. Después de conocer al pintor PIET MONDRIAN en 1915, se volcó a la abstracción geométrica. Ayudó a fundar el grupo DE STIJL y el periódico vanguardista *De Stijl*. Su compromiso con el estilo geométrico fue bien recibido en la BAUHAUS, donde enseñó por corto tiempo e influenció a LE CORBUSIER, WALTER GROPIUS y Ludwig MIES VAN DER ROHE. En 1926, Doesburg escribió su manifiesto, *De Stijl*, y en 1930 se mudó a París para abrir un taller que se convirtió en el foco del movimiento.

Dōgen (19 ene. 1200, Kioto, Japón–22 sep. 1253, Kioto). Budista japonés que introdujo desde China el sōtō ZEN en Japón. Huérfano a los siete años, se convirtió en monje a los trece. Estudió en China con el maestro zen Rujing (1223–27) y también con EISAI. Regresó a Japón y enseñó meditación zen, viviendo sus últimos años en el templo Eihei, que fundó.

dogo ver DUX

dogo faldero Raza de PERRO MINIATURA probablemente originaria de China. Los comerciantes holandeses lo llevaron a Inglaterra a fines del s. XVII. Tiene contextura fornida y muscular, morro corto, cola muy enroscada, cabeza grande, ojos prominentes y orejas pequeñas y colgantes. Mide 26–28 cm (10–11 pulg.) de estatura y pesa unos 6–8 kg (13–18 lb). Su pelaje es corto y lustroso y puede ser negro, plateado o amarillo marrón adamascado; tiene una máscara negra en el rostro. Es leal y alerta y se los aprecia como compañía.

dogon Pueblo de la meseta central de Malí, alrededor de Bandiagara. Su lengua presenta una incierta afinidad dentro de las lenguas NIGEROCONGOLEÑAS. Suman unas 450.000 personas y se dedican principalmente a la agricultura. Sus peculiares aldeas se componen de complejas edificaciones de barro, a menudo construidas sobre riscos. Son conocidos no solo por su arquitectura característica, sino también por la belleza de sus máscaras y esculturas en madera, metalurgia y trabajo en cuero.

Doha *árabe* **Al-Dawḥah** Ciudad, capital de Qatar (pob., 1997: 264.009 hab.). Se ubica en la costa este de la península de Qatar y en ella vive cerca del 60% de la población del país. Por mucho tiempo fue un reducto de la actividad de los piratas en el golfo PÉRSICO. Doha era un pequeño poblado cuando pasó a ser la capital del nuevo Estado independiente de Qatar en 1971. La ciudad se ha modernizado completamente.

Muelle en Doha, capital de Qatar.
J. ALLAN CASH

Su palacio de Gobierno (1969) se construyó sobre terreno ganado al mar; sus recursos de agua potable se obtienen destilando agua del golfo. El puerto de aguas profundas construido durante la década de 1970 da cabida a embarcaciones de gran calado.

Doherty, Peter Charles (n. 15 oct. 1940, Australia). Inmunólogo y patólogo australiano. Obtuvo su Ph.D. en la Universidad de Edimburgo. Con ROLF M. ZINKERNAGEL descubrió que las CÉLULAS T de las ratas infectadas con un virus de meningitis destruían sólo las células infectadas con virus de la misma cepa de ratas, y demostró que las células T deben reconocer dos señales en una célula infectada para destruirla: una del virus y otra de los propios antígenos de la célula. Por la novedosa interpretación de los mecanismos generales de la inmunidad celular que aportaron sus investigaciones, ambos compartieron el Premio Nobel en 1996.

dólar de arena *o* **locha de playa** Cualquier EQUINODERMO (orden Clypeastroida, clase Echinoidea) que tiene un cuerpo numular, de borde delgado. Cinco "pétalos" se extienden desde el centro de la parte superior del cuerpo. Se entierra en la arena y se alimenta de partículas orgánicas llevadas por el agua a la boca, ubicada en el centro de la cara ventral del cuerpo. Usa pequeñas espinas, que cubren el cuerpo, para cavar y reptar. Las testas (esqueletos externos) del dólar de arena (*Echinarachnius parma*), que a menudo quedan varadas en las playas de América del Norte y Japón, tienen un diámetro de 5–10 cm (2–4 pulg.).

Dole, Sanford Ballard (23 abr. 1844, Honolulu, islas Hawai–9 jun. 1926, Honolulu). Político hawaiano. Hijo de misioneros estadounidenses, se desempeñó en el poder legislativo (1884–87) y en el Tribunal supremo (1887–93) de Hawai. Encabezó el comité que se formó para proteger los intereses azucareros locales y que derrocó a la reina LILIUOKALANI (1893); procuró la anexión por EE.UU. y posteriormente fue el primer presidente de la República de Hawai (1894–1900). Aunque el mandatario estadounidense GROVER CLEVELAND exigió la restauración de la monarquia, Dole insistió con éxito en la anexión (1900) y luego ocupó el cargo de gobernador del territorio de Hawai (1900–03). Más adelante pasó a ser juez federal de distrito (1903–15).

dolerita ver DIABASA

Dolin, Sir Anton *orig.* **Sydney F.P.C. Healey-Kay** (27 jul. 1904, Slinfold, Sussex, Inglaterra–25 nov. 1983, París, Francia). Bailarín y coreógrafo británico. En 1921 se unió a los BALLETS RUSOS, donde interpretó papeles principales como solista. En las décadas de 1930–40 contribuyó a la formación de varias compañías de ballet. En 1949, junto con su compañera de baile ALICIA MARKOVA, fundaron la compañía precursora de la Festival Ballet de Londres, de la cual fue director artístico y primer bailarín hasta 1961. Interpretó el papel principal en *Le Train bleu*, *Job* y *Barba azul*; realizó la coreografía de obras como *Capriccioso* (1940), *The Romantic Age* (1942) y *Variations for Tour* (1957). Escribió varios libros sobre danza.

dolina Depresión formada a medida que un lecho de roca caliza subyacente es disuelto por aguas subterráneas. Las dolinas varían mucho en cuanto a superficie y profundidad, y pueden ser muy grandes. Las dos variedades principales son aquellas causadas por el colapso del techo de una caverna y las originadas por la disolución gradual de roca bajo un regalito. Las dolinas colapsadas generalmente tienen costados rocosos empinados, y pueden recibir arroyos superficiales que luego fluyen bajo tierra. Las dolinas de disolución son por lo general de menor profundidad; pueden llegar a colmatarse con arcilla y formar un pequeño lago.

Dollfuss, Engelbert (4 oct. 1892, Texing, Imperio austro-húngaro–25 jul. 1934, Viena, Austria). Político austríaco. Ascendió rápidamente en la política de su país hasta convertirse en canciller en 1932. Contrario a los nazis, aceptó a BENITO MUSSOLINI como aliado, transformando a Austria en un virtual Estado satélite de Italia. En 1933 abolió el parlamento y estableció un régimen autoritario basado en los principios del catolicismo conservador y del fascismo italiano. En 1934, después de que grupos paramilitares partidarios de su régimen aplastaron a los socialdemócratas austríacos, promulgó una nueva constitución que estableció una dictadura. Poco después, Alemania incitó a los nazis austríacos a la guerra civil, y Dollfuss fue asesinado en un ataque a la cancillería.

Engelbert Dollfuss, 1934.
UPI

Dollond, John y George (10 jun. 1706, Londres, Inglaterra–30 nov. 1761, Londres) (25 ene. 1774, Londres–13 may. 1852, Londres). Científicos ópticos británicos. John desarrolló un TELESCOPIO refractor acromático (que no distorsiona el color) y un heliómetro práctico (un telescopio que mide el diámetro del Sol y los ángulos entre cuerpos celestes). Su nieto George trabajó la mayor parte de su vida en la empresa familiar de fabricación de instrumentos, inventando diversos aparatos de precisión usados en astronomía, geodesia y navegación. Su MICRÓMETRO, hecho de cristal de roca, fue usado por astrónomos; su registrador atmosférico medía y registraba simultáneamente en una cinta de papel la temperatura, presión atmosférica, velocidad y dirección del viento, la evaporación y algunos fenómenos eléctricos.

dolmen Monumento megalítico prehistórico, por lo general, compuesto de grandes losas de piedra hincadas de canto en el suelo, que sostienen un techo pétreo plano totalmente cubierto por un montículo de tierra, que en la mayoría de los casos ha desaparecido por efecto de la intemperie. La estructura, ideada como cámara fúnebre, es típica del período NEOLÍTICO europeo. Aunque se han encontrado dólmenes en lugares tan remotos, como en Japón, son más frecuentes en Europa occidental y en África septentrional. Ver también MEGALITO; MENHIR.

Dolmen en Pentre Evan, Dyfed, Gales.
FOTOBANCO

Dolmetsch, (Eugène) Arnold (24 feb. 1858, Le Mans, Francia–28 feb. 1940, Haslemere, Surrey, Inglaterra). Musicólogo e intérprete británico de origen francés. Se mudó a Inglaterra tras haber estudiado violín con Henri Vieuxtemps (1820–81). Ahí empezó a coleccionar y reparar instrumentos antiguos y aprendió a tocarlos. Labró copias de laúdes, clavicordios, clavecines y flautas dulces antiguos, involucrando también a su esposa e hijos en la interpretación y difusión de la música antigua. Su *Interpretación de la música de los siglos XVII y XVIII* (1915) fue muy influyente, y es considerado el padre del resurgimiento de la música antigua en el s. XX.

dolomita Tipo de piedra caliza, cuya parte de carbonato está dominada por el mineral dolomita, carbonato de calcio y magnesio $CaMg(CO_3)_2$. El CARBONATO dolomita aparece en mármoles, esquistos de talco y otras rocas metamórficas ricas en magnesio. Se encuentra en vetas hidrotermales, en cavidades de rocas carbonatadas, y con menor frecuencia, como un cemento en diversas rocas sedimentarias. Es más común como un mineral formador de rocas en rocas carbonatadas.

Dolomitas ver ALPES DOLOMITAS

dolor Sufrimiento físico asociado con un trastorno corporal (como una enfermedad o lesión) y que se acompaña de aflicción mental o emocional. El dolor, en su forma más simple, es un mecanismo de alerta que ayuda a proteger al organismo, con el fin de evitar los estímulos que lo dañan (como un pinchazo). En su forma más compleja, como en el caso de una condición crónica acompañada por depresión o ansiedad, puede ser difícil de aislar y tratar. Los receptores del dolor, que se encuentran bajo la piel y otros tejidos, son fibras nerviosas que reaccionan a estímulos mecánicos, térmicos o químicos. Los impulsos del dolor ingresan a la médula espinal y son transmitidos hacia el tronco cerebral y el tálamo. La percepción del dolor es altamente variable entre los individuos y está influenciada por las experiencias previas, las actitudes culturales (como los estereotipos de género) y componentes genéticos. El tratamiento estándar consiste en administrar medicamentos, descanso y apoyo emocional. El OPIO y la MORFINA son las drogas más fuertes para aliviar el dolor, seguidas de sustancias menos adictivas y ANALGÉSICOS no-narcóticos como la ASPIRINA y el IBUPROFENO.

doma Deporte ecuestre que entraña la ejecución precisa de movimientos por un caballo adiestrado en respuesta a señales casi imperceptibles del jinete. Particularmente importantes son aquí el paso y el porte del animal al caminar, trotar, galopar y efectuar maniobras más especializadas. El entrenamiento se divide entre la *campagne* elemental y la *haute école* (alta escuela) avanzada. Las competencias de doma forman parte de los Juegos Olímpicos desde 1912. Los jinetes compiten en forma individual y en equipos.

Domagk, Gerhard (30 oct. 1895, Lagow, Brandeburgo, Alemania–24 abr. 1964, Burgberg, cerca de Königsfeld, Alemania Occidental). Bacteriólogo y patólogo alemán. Mientras era director del Laboratorio de patología y bacteriología experimentales de Bayer, Domagk se percató de la acción antibacteriana de un colorante, el rojo de Prontosil, contra las infecciones estreptocócicas en ratones. Al comprobarse que era un tratamiento efectivo en seres humanos, el Prontosil se convirtió en la primera sulfonamida. Fue galardonado con el Premio Nobel en 1939, pero Domagk no pudo aceptarlo entonces debido a la política nazi imperante. También investigó activamente sobre la tuberculosis y el cáncer.

Dombrowska, Maria ver Maria DĄBROWSKA

Domenichino orig. **Domenico Zampieri** (oct. 1581, Bolonia, Estados Pontificios–6 abr. 1641, Nápoles). Pintor italiano. Se formó en la academia de Lodovico Carracci en Bolonia. En 1602 se unió a los artistas boloñeses de Roma que trabajaban bajo las órdenes de Aníbal Carracci en la decoración del palacio Farnesio. Su obra, realizada en el estilo barroco clásico, está marcada por composiciones lúcidas y equilibradas, luz pareja y serena, colores suaves, así como sobrias expresiones y gestos discretos de sus figuras. Se convirtió en el pintor más importante de Roma y recibió grandes encargos decorativos. Fue un sobresaliente dibujante y retratista. A lo largo de los s. XVII–XVIII se consideraba que sus pinturas eran solamente superadas por las de RAFAEL y ejerció gran influencia sobre NICOLÁS POUSSIN y CLAUDIO DE LORENA.

Domenico Veneziano (1410, Venecia, República de Venecia–15 may. 1461, Florencia, República de Florencia). Pintor italiano. Trabajó principalmente en Florencia, donde se estableció en 1439. Se conservan dos obras suyas firmadas: fragmentos del fresco de la *Virgen y el Niño* de un tabernáculo de la calle (1430) y el retablo para la iglesia Santa Lucia dei Magnoli, llamada *Retablo de Santa Lucía* (1445). Esta última fue una de las pinturas florentinas más sobresalientes de principios del Renacimiento del s. XV y el experimento más exitoso de Domenico en la representación de la luz natural. Usó el color y la textura como base para la perspectiva y la composición. Su influencia puede apreciarse en la obra de ALESSIO BALDOVINETTI.

"La Virgen y el Niño con San Francisco, Juan Bautista, Zenobio y Lucía", de Domenico Veneziano, c. 1445; Galería de los Uffizi, Florencia.
SCALA–ART RESOURCE

Domesday Book (1086). Registro original de un estudio estadístico sobre Inglaterra ordenado por GUILLERMO I el Conquistador. La más notable proeza administrativa de la Edad Media, la encuesta fue realizada, en contra del resentimiento popular, por grupos de comisionados que compilaron informes acerca de las propiedades del rey y sus arrendatarios. Resumida en el *Domesday Book* [Libro del juicio final], actualmente se la utiliza como punto de partida para trazar la historia de la mayoría de las ciudades y aldeas inglesas. Originalmente llamada "la descripción de Inglaterra", más tarde se le dio popularmente el nombre de *Domesday Book* (en referencia al día en que las personas deberán rendir una cuenta final de su vida).

domesticación Proceso de reorganización hereditaria de animales y plantas silvestres en formas adaptadas a los intereses de las personas. En rigor alude al estadio inicial del dominio humano de animales y plantas silvestres. La distinción fundamental entre animales domesticados y plantas cultivadas y sus antepasados silvestres radica en que son creados por el trabajo humano para satisfacer exigencias o antojos

específicos y están adaptados a las condiciones del cuidado continuo que las personas les dedican. Diversos animales fueron domesticados para servir de alimento (p. ej., CERDOS, GALLINAS Y POLLOS, GANADO BOVINO), vestuario (p. ej., GUSANOS DE SEDA, OVEJAS), transporte y trabajo (p. ej., BURROS, CABALLOS, CAMELLOS) y placer (p. ej., GATOS, PERROS). Ver también CRIANZA; SELECCIÓN.

Domiciano latín **Caesar Domitianus Augustus** orig. **Titus Flavius Domitianus** (24 oct. 51 DC–18 sep. 96, Roma). Emperador romano (81–96). Hijo de VESPASIANO, sucedió a su hermano TITO, en cuya muerte probablemente participó. Su gobierno fue ostensiblemente igualitario y basado en el derecho precedente, pero sus leyes fueron severas. Las derrotas en Britania y Germania contrarrestaron sus logros anteriores, pero logró mantener la lealtad del ejército mediante el incremento de la soldada. A partir de 89 se hizo más cruel: impuso un régimen de terror sobre varios senadores prominentes y confiscó las propiedades de sus víctimas para cubrir los gastos imperiales. Fue asesinado por un grupo de conspiradores, entre ellos su esposa y posiblemente su sucesor, NERVA.

Domiciano, detalle de un busto en mármol, Palazzo dei Conservatori, Roma.
ALINARI–ART RESOURCE

domicilio Lugar donde una persona tiene su residencia fija y permanente para efectos legales. El término se refiere al lugar en que se ha constituido o donde tiene la sede de sus negocios una organización (p. ej., una sociedad anónima). El domicilio de una persona u organización determina la competencia territorial para todos los efectos legales, incluso el pago de impuestos. En el caso de los incapaces (p. ej., los menores de edad), el domicilio generalmente corresponde al de su tutor o curador.

dominancia En genética, la mayor influencia de uno de un par de GENES (alelos) que afecta al mismo rasgo hereditario. Si una planta de guisantes, que tiene un alelo para tallo largo y otro para tallo corto, resulta ser de la misma altura que otra con dos alelos para tallo largo, se dice que el alelo del tallo largo es completamente dominante. Si dicha planta es más corta que una con dos alelos para tallo largo, pero más alta que una con dos alelos para tallo corto, se dice que el alelo de tallo largo tiene dominancia parcial o incompleta, y el alelo de tallo corto se denomina recesivo (ver RECESIVIDAD).

dominancia jerárquica Patrón básico de organización social en un grupo de aves de corral, en el cual cada ave picotea a otra ave de menor rango sin temor a represalia, y se somete a su vez a ser picoteada por una de rango más alto. Para grupos de mamíferos (p. ej., BABUINO, LOBO) u otras aves también se suele emplear el mismo término, y la jerarquización implica a menudo la alimentación o el apareamiento.

Domingo de Ramos En el cristianismo, el primer día de Semana Santa y el domingo anterior a la PASCUA DE RESURRECCIÓN que conmemora la entrada triunfal de JESÚS a Jerusalén. Generalmente, se celebra una procesión de fieles portando palmas, que representan las ramas de palma que la multitud esparció ante Jesús cuando entró cabalgando a la ciudad. La liturgia también comprende lecturas que relatan el sufrimiento y la muerte de Jesús. El Domingo de Ramos fue celebrado en Jerusalén ya desde el s. IV y en Occidente desde el s. VIII.

Domingo, Plácido (n. 21 ene. 1941, Madrid, España). Tenor y director de orquesta español. En 1949 se mudó a México junto con sus padres, quienes eran cantantes de ZARZUELA. Estudió canto, piano y dirección de orquesta, y debutó como barítono. Después de afianzarse como tenor, debutó en EE.UU., permaneció tres años en Tel Aviv (cantando en hebreo), en 1965 llegó a la Ópera de Nueva York y en 1966 debutó con el Metropolitan Opera en el estadio Lewissohn. Su voz resonante y poderosa, estatura imponente, buena apariencia y talento dramático lo convirtieron en uno de los tenores más populares de la segunda mitad del s. XX.

Domingo sangriento (1905). Matanza de manifestantes pacíficos en San Petersburgo, que marcó el inicio de la REVOLUCIÓN RUSA DE 1905. El pope (sacerdote) Gueorgui Gapón (n. 1870–m. 1906), con la esperanza de presentar directamente a NICOLÁS II las peticiones de reformas de los trabajadores, organizó una marcha pacífica hacia el Palacio de Invierno. La policía disparó contra la multitud, fallecieron más de cien manifestantes y varios centenares resultaron heridos. La masacre fue seguida por huelgas en otras ciudades, levantamientos campesinos y motines en las fuerzas armadas. El término "Domingo sangriento" también fue empleado para describir el asesinato en Dublín, Irlanda (21 nov. 1920), por el EJÉRCITO REPUBLICANO IRLANDÉS (IRA) de once ingleses sospechosos de ser agentes de inteligencia; los BLACK AND TANS se vengaron y atacaron a los espectadores de un partido de fútbol, matando a doce personas e hiriendo a 60. El término fue usado nuevamente en Londonderry (Derry) cuando el 30 de enero de 1972, tres participantes en una marcha por los derechos civiles cayeron abatidos por soldados británicos, quienes declararon haber recibido disparos de los manifestantes.

Domingo, santo *orig.* **Domingo de Guzmán** (1170, Caleruega, Castilla–6 ago. 1221, Bolonia, Romaña; canonizado el 3 de julio, 1234; festividad: 8 de agosto). Fundador de la Orden de frailes predicadores o DOMINICOS. Se incorporó a la comunidad religiosa de la catedral de Osma c. 1196. En una visita al sur de Francia en 1203 conoció la herejía albigense (ver CÁTARO) y decidió combatirla. Reunió un grupo de predicadores dispuestos a recorrer descalzos y pobres los caminos. En 1206 fundó un convento de ex monjas heréticas conversas. Mientras proyectaba una orden dedicada a la predicación, se habría reunido primero con san FRANCISCO DE ASÍS, quien llegó a ser un buen amigo suyo. En 1216 recibió del papa HONORIO III la autorización para fundar su orden. Estableció escuelas de teología en sus dos sedes principales situadas en las cercanías de las universidades de París y Bolonia.

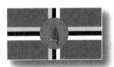

DOMINICA

▸ **Superficie:** 750 km² (290 mi²)
▸ **Población:** 69.000 hab. (est. 2005)
▸ **Capital:** ROSEAU
▸ **Moneda:** dólar del Caribe oriental

Dominica *ofic.* **Commonwealth de Dominica** República insular de las ANTILLAS Menores en el mar Caribe, entre las islas francesas de GUADALUPE y MARTINICA. La mayor parte de la población es descendiente de africanos o de la mezcla entre africanos y europeos. Idiomas: inglés (oficial) y dialecto francés. Religión: principalmente catolicismo. De relieve montañoso, en el centro se extiende una planicie drenada por el río Layou. Tiene un clima tropical cálido con intensas lluvias. Considerada una de las naciones más pobres del Caribe, su

principal cultivo es la banana. En 1975 se creó el parque nacional Morne Trois Pitons, bosque tropical virgen que ayudó al desarrollo de la actividad turística, aunque en 1979–80 el país fue devastado por huracanes. Con ayuda financiera británica, ha intentado proteger su litoral. Es una república bicameral; el jefe de Estado es el presidente y jefe de Gobierno es el primer ministro. A la llegada de CRISTÓBAL COLÓN en 1493, habitaban la isla los CARIBES. Con acantilados costeros escarpados y montañas inaccesibles, fue una de las últimas islas exploradas por los europeos. Los caribes mantuvieron el dominio hasta el s. XVIII; fue entonces colonizada por los franceses y finalmente por los británicos en 1783. Posteriores hostilidades entre colonos e indígenas produjeron la casi extinción de los caribes. Integrada a las islas de SOTAVENTO en 1833 y a las de BARLOVENTO en 1940, se transformó en miembro de la Federación de las Indias Occidentales en 1958. Dominica se independizó en 1978. Ver también INDIAS OCCIDENTALES.

DOMINICANA, REPÚBLICA

▸ **Superficie:** 48.671 km² (18.792 mi²)
▸ **Población:** 8.895.000 hab. (est. 2005)
▸ **Capital:** SANTO DOMINGO
▸ **Moneda:** peso dominicano

Dominicana, República República de las ANTILLAS Mayores, que ocupa dos tercios de la isla La ESPAÑOLA, compartida con Haití. La mayoría de la población es mulata de ascendencia europea y africana. Idioma: español (oficial). Religión: principalmente católica. El país es en general montañoso, con elevaciones y colinas que se extienden de noroeste a sudeste. La meseta central alcanza una altura de 3.175 m (10.417 pies) en el pico Duarte, el punto más alto de las Antillas. En el norte, el valle de El Cibao destaca por su fertilidad; la parte occidental del país es en general árida y desértica. Es uno de los países más pobres del Caribe; tiene una economía mixta que depende en gran medida de la producción y exportación de azúcar. Es una república bicameral; el jefe de Estado y de Gobierno es el presidente. En sus orígenes, República Dominicana fue parte de la colonia hispánica de La Española. En 1697, España cedió a Francia el tercio occidental de la isla, que con posterioridad se convirtió en Haití; la totalidad del territorio pasó a manos de los franceses en 1795. En 1809, en los dos tercios orientales de la isla se restableció la soberanía española y la colonia declaró su independencia en 1821. En cuestión de semanas, las tropas haitianas la invadieron y la ocuparon hasta 1844. Desde entonces el país ha sido gobernado por una seguidilla de dictadores, salvo breves intervalos de gobiernos democráticos, y EE.UU. ha intervenido con frecuencia en sus asuntos internos. El término de la dictadura de RAFAEL TRUJILLO en 1961 llevó a una guerra civil en 1965 y a la intervención militar estadounidense. En 1979 y 1998, el país sufrió el embate de fuertes huracanes.

dominico *o* **dominicano** Miembro de la orden de frailes predicadores, una orden católica dedicada a la prédica y la docencia fundada por santo DOMINGO. Data oficialmente de 1216, cuando el papa HONORIO III le dio su aprobación, aunque los dominicos habían empezado a organizarla al menos una década antes. A diferencia de órdenes anteriores, no estaban organizados en monasterios autónomos, sino que pertenecían a la orden en su conjunto y podían ser enviados por ella a cualquier sede o provincia. Los primeros centros docentes estuvieron en Bolonia, París, Colonia y Oxford. Predicaron en contra de los CÁTAROS, MOROS y judíos y estuvieron entre los primeros misioneros que acompañaron a los exploradores españoles y portugueses. Se les encomendó la INQUISICIÓN cuando esta se fundó. Probablemente su miembro más famoso fue santo Tomás de AQUINO.

dominio, nombre de Dirección de una computadora, organización u otra entidad en una red TCP/IP tal como INTERNET. Los nombres de dominio están por lo general en formato de tres niveles: "servidor.organización.tipo". El nivel más alto denota el tipo de organización, como "com" (para sitios comerciales) o "edu" (para sitios educacionales); el segundo nivel es el nivel más alto junto con el nombre de la organización (p. ej., "britannica.com" para Encyclopædia Britannica); y el tercer nivel identifica un servidor anfitrión específico en la dirección, como el servidor "www" (WWW) para "www. britannica.com". Un nombre de dominio es al final mapeado para una dirección IP, pero dos o más nombres de dominio pueden ser mapeados a la misma dirección IP. Un nombre de dominio debe ser único en internet, y debe ser asignado por un registrador acreditado por la Corporación de internet para la asignación de nombres y números (ICANN, por su sigla en inglés). Ver también URL.

dominó Juego con muchas variantes que se juega con un conjunto de 28 fichas rectangulares planas (dominós), cuya cara está dividida en dos partes iguales, unas en blanco y otras marcadas con entre uno y seis puntos, distribuidos como en los DADOS. Es posible que los orígenes del dominó se remonten a China durante el s. XII DC; los esquimales han practicado también desde hace mucho un juego parecido. No hay registros del dominó en Europa antes de mediados del s. XVIII. En casi todas las formas actuales, el juego consiste en parear un extremo de la ficha con otra de numeración idéntica. El juego puede fijarse a 50 ó 100 puntos.

dominó, teoría del *o* **efecto dominó** Doctrina de la política exterior estadounidense durante la GUERRA FRÍA, según la cual la conversión al COMUNISMO de un Estado no comunista precipitaría la conversión de otros estados vecinos no comunistas. La teoría fue enunciada por primera vez por el pdte. HARRY TRUMAN, quien la utilizó para justificar el envío de ayuda militar a Grecia y Turquía a fines de la década de 1940. DWIGHT EISENHOWER, JOHN F. KENNEDY y LYNDON B. JOHNSON la invocaron para justificar la intervención militar de EE.UU. en Asia sudoriental, especialmente la prosecución de la guerra de VIETNAM.

domo salino Estructura geológica en gran medida subterránea que consiste en un cilindro vertical salino incrustado en estratos horizontales o inclinados. En el sentido más amplio, el término abarca tanto el núcleo de SAL como los estratos que lo rodean y que son "abovedados" por el núcleo. Grandes acumulaciones de petróleo y GAS NATURAL están asociadas con domos salinos en EE.UU., México, el mar del Norte, Alemania y Rumania; los domos a lo largo de la costa del golfo de México contienen grandes cantidades de AZUFRE. Los domos salinos son también importantes fuentes de sal y potasa en la costa del golfo de México y en Alemania, y han sido usados para el almacenaje subterráneo de gas propano licuado. Las "botellas" de almacenaje, hechas perforando la sal y luego disolviéndola para formar una cavidad, han sido consideradas sitios aptos para la eliminación de desechos radiactivos.

Don Juan Personaje ficticio, famoso como un mujeriego empedernido, pero también célebre por su encanto y valentía. Según la leyenda española, era un pícaro licencioso que sedujo a una joven de noble familia y a cuyo padre asesinó. Al toparse en un cementerio con una efigie de piedra del padre, lo

invitó a cenar a su residencia y el espíritu del padre llegó a la cita como el heraldo de su muerte. La primera versión escrita de la leyenda de Don Juan fue la de TIRSO DE MOLINA, quien le dio un giro original en su tragedia *El burlador de Sevilla* (1630). La historia fue abordada después por muchos otros artistas, como WOLFGANG AMADEUS MOZART en la ópera *Don Giovanni* (1787); MOLIÈRE y GEORGE BERNARD SHAW en obras de teatro y GEORGE BYRON en su largo poema satírico *Don Juan* (1819–24).

Don Pacifico, caso (1850). Conflicto entre Gran Bretaña y Grecia que se originó cuando la residencia de David Pacifico (conocido como Don Pacifico), súbdito británico que vivía en Atenas, fue incendiada en una asonada antisemita. En apoyo a su demanda de indemnización, el vizconde PALMERSTON envió una escuadra naval para bloquear la costa griega. Esta actitud provocó las protestas de Francia y Rusia, y de la Cámara de los Lores; sin embargo, Palmerston logró el apoyo de la Cámara de los Comunes tras argumentar que Gran Bretaña debía proteger a sus súbditos de la injusticia donde fuera que viviesen.

Don, río *tártaro* **Duna** *antig.* **Tanais** Río del sudoeste de Rusia. Nace al sur de MOSCÚ en las tierras altas de Rusia central y fluye generalmente hacia el sur por 1.870 km (1.162 mi) hasta desembocar en el golfo de Taganrog, en el mar de AZOV. En su curso medio alimenta la represa de Tsimliansk, que controla el curso inferior del Don. La mayor parte de su cuenca la componen ricas tierras de cultivo y bosques madereros. Es una importante arteria de transporte marítimo y navegable (en primavera) en 1.584 km (990 mi) desde su desembocadura.

Donaldson, Walter (15 feb. 1893, Brooklyn, N.Y., EE.UU.– 15 jul. 1947, Santa Mónica, Cal.). Letrista estadounidense. Empezó su carrera como pianista de un editor de música y más tarde estableció su propia empresa editorial. Después de su primer éxito en Broadway con "My Mammy", presentado por AL JOLSON en *Sinbad* (1918), continuó escribiendo para revistas de Broadway por más de 25 años, produciendo canciones como "My Buddy", "My Blue Heaven", "Carolina in the Morning", "Yes Sir! That's My Baby" y "Makin' Whoopee". Además escribió canciones para muchas películas.

donatario Beneficiario de una capitanía, que consistía tanto en una división territorial como en una concesión real de tierra en las colonias portuguesas. El sistema fue introducido en Brasil en 1533 por el rey Juan III, como forma de consolidar el poder portugués en la colonia. Cada donatario recibía una porción de tierra y se le encomendaba reclutar y proteger a los colonos, además de dar impulso a la agricultura y el comercio. En algún momento, la viabilidad de Brasil como colonia dependió del éxito de los donatarios, pero hacia 1754 todas las capitanías habían sido abolidas.

Donatello *orig.* **Donato di Niccolò** (c. 1386, Florencia– 13 dic. 1466, Florencia). Escultor italiano que trabajó en Florencia. Aprendió a tallar la piedra con los escultores de la catedral de la ciudad (c. 1400). En 1404 se unió al taller de LORENZO GHIBERTI. Se inspiró en fuentes clásicas y medievales. Con sus estatuas de san Marcos (1411–13) y san Jorge (c. 1415) para la iglesia de Orsanmichele en Florencia revolucionó el concepto de escultura. Desde la antigüedad, el cuerpo humano no había sido representado con tal

Estatua ecuestre de Gattamelata, escultura en bronce de Donatello, 1447–53; Piazza del Santo, Padua, Italia.
ANDERSON—ALINARI FROM ART RESOURCE/EB INC.

naturalismo e impacto emocional. Inventó su propio estilo de bajorrelieve con su panel de mármol *San Jorge matando al dragón* (c. 1417). Su escultura en bronce del *David*, concebida independientemente de cualquier espacio arquitectónico, fue la primera estatua aislada de un desnudo a gran escala del RENACIMIENTO. En Florencia trabajó para la familia MÉDICIS (1433–43), realizando decoraciones escultóricas para la sacristía de San Lorenzo, la iglesia familiar de los Médicis y en Padua (1450) para la iglesia de San Antonio. Fue el escultor europeo más importante del s. XV e influenció a pintores y escultores. Es considerado uno de los fundadores del estilo renacentista.

donatismo Movimiento cristiano cismático en África del norte en el s. IV. Surgió a raíz del debate sobre la condición de los líderes eclesiásticos que habían cooperado con las autoridades romanas durante las persecuciones de los cristianos. El adalid del movimiento, Donato (muerto c. 355 DC), negó la validez de las funciones sacerdotales realizadas por dichos líderes e insistió en que los cristianos lapsos no estaban en estado de gracia y en consecuencia carecían de autoridad para administrar los sacramentos. El conflicto causado por la herejía donatista llegó a un punto crítico en 311, cuando Ceciliano fue consagrado obispo de Cartago por un obispo lapso. Los donatistas declararon nula la elección, pero CONSTANTINO I se pronunció en favor de Ceciliano, impulsándolos así a romper con la Iglesia romana en 312. A pesar de la persecución, el movimiento subsistió en África del norte hasta el advenimiento del Islam (s. VII).

Donders, Frans Cornelis (27 may. 1818, Tilburg, Países Bajos–24 mar. 1889, Utrecht). Oftalmólogo holandés. Sus estudios sobre las "moscas volantes" (manchas delante de los ojos) condujeron a la ley de Donders, que sostiene que la rotación de los ojos alrededor de la línea de la mirada es involuntaria. Su investigación mejoró el diagnóstico, el tratamiento operatorio y el uso de anteojos en los problemas visuales. Descubrió que el globo ocular se acorta en la hipermetropía, por lo que los rayos luminosos se enfocan detrás de la retina (1858). Su descubrimiento de que el astigmatismo es causado por superficies irregulares de la córnea y el cristalino (1862) inició el campo de la refracción clínica científica. Su obra *On the Anomalies of Accommodation and Refraction* [Sobre las anomalías de la acomodación y la refracción] (1864) fue el primer trabajo magistral en este ámbito.

dondiego de la noche Planta ornamental perenne (*Mirabilis jalapa*; de la familia Nyctaginaceae), también llamada maravilla del Perú o belleza de la noche, originaria del trópico del Nuevo Mundo. Es una especie que crece con rapidez hasta 1 m (3 pies) de altura, con hojas ovaladas en pedúnculos cortos. Los tallos son rectos y nudosos. La planta recibe este nombre porque sus flores, que varían de blanco y amarillo a matices de rosado y rojo, a veces listadas y moteadas, se abren al atardecer (y se cierran por la mañana).

Dondiego de la noche (*Mirabilis jalapa*).
A A Z BOTANICAL COLLECTION—EB INC.

Donen, Stanley (n. 13 abr. 1924, Columbia, S.C., EE.UU.). Director de cine y coreógrafo estadounidense. Comenzó su carrera como corista de la obra teatral *Pal Joey* (1940), en la que conoció a GENE KELLY. Ellos crearon la coreografía de *Best Foot Forward* (1941; película, 1943) y de otros musicales. Más tarde codirigieron *Un día en Nueva York* (1949) y la aclamada *Cantando bajo la lluvia* (1952). Ambas películas exhibieron el talento de Donen para intensificar la sensación de fantasía y sirvieron para revitalizar el género cinematográfico del musical. Después dirigió y produjo películas como *The Pajama Game*

(1957), *Una cara con ángel* (1957) y *Damn Yankees* (1958). Además derivó a películas no musicales como *Charade* (1963) y *Dos para el camino* (1967).

Donets, cuenca del Vasta región minera e industrial, en el sudeste de Ucrania y en el sudoeste de Rusia. Destacada por sus reservas de carbón y hierro, la zona explotada de los yacimientos carboníferos abarca cerca de 23.300 km² (9.000 mi²) al sur del río DONETS. Su explotación data de principios del s. XIX; en 1913 ya se producía el 87% del carbón de Rusia en la cuenca del Donets. Los yacimientos de carbón colindan con el de mineral de hierro de Krivói Rog, donde en 1872 se instaló una fundición en DONETSK; en 1913 fabricaba el 74% del arrabio de Rusia. Actualmente la zona es la mayor productora de hierro y acero de Ucrania y uno de los principales complejos de industria pesada del mundo.

Donets, río Curso fluvial del sudoeste de Rusia y este de Ucrania. Nace en las tierras altas de Rusia central, se desvía hacia el sur y hacia el este a través de Rusia y Ucrania en un recorrido de alrededor de 1.050 km (650 mi) hasta unirse con el río DON al sur de Konstantinovsk. Fluye a lo largo de la región industrial al norte de la cuenca del DONETS, que lo utiliza para embarcaciones de gran calado, además de ocasionar graves problemas de contaminación. En la década de 1970 el déficit hídrico del Donets y de la zona industrial llevó a la construcción de un canal que conecta los ríos DNIÉPER y Donets. Seis esclusas hacen posible la navegación río arriba hacia la ciudad de DONETSK.

Donetsk *ant. (1924–61)* **Stalino** Ciudad (pob., 2001: 1.016.000 hab.) del sudeste de Ucrania. En 1872, el galés John Hughes fundó en el lugar una fundición de hierro para fabricar raíles para la creciente red ferroviaria rusa. Abastecida por los abundantes yacimientos de la cuenca del río DONETS, tanto la minería del carbón como la siderurgia se han desarrollado rápidamente. Los graves daños ocasionados durante la segunda guerra mundial impulsaron la modernización de posguerra y el posterior crecimiento ha sido rápido.

Industria metalúrgica en Donetsk.
FOTOBANCO

En la actualidad Donetsk es uno de los centros metalúrgicos más grandes de Ucrania.

Dong Nai, río Río del sur de Vietnam. Nace en las tierras altas centrales y fluye hacia el sudoeste por unos 480 km (300 mi), para unirse con el río Saigón al nordeste de Ciudad HO CHI MINH. Junto con otros afluentes forma un estuario al norte del delta del MEKONG.

Dong Qichang *o* **Tung Ch'i-ch'ang** (1555, Huating, provincia de Kiangsu, China–1636). Pintor, calígrafo y teórico chino del período Ming tardío. Se destacó especialmente por sus escritos sobre pintura china, la que dividió en la escuela del Norte, orientada a la búsqueda de la verdad, y la escuela del Sur, que acentuaba la comprensión repentina e intuitiva. El ideal erudito de la escuela del Sur se centró en el arte de la CALIGRAFÍA, que expresaba la verdadera naturaleza del artista sin la interposición de la descripción pictórica. Las propias pinturas de Dong Qichang acentúan las formas sobrias, las representaciones espaciales aparentemente anómalas y la manipulación simple de la tinta y el pincel. Sus ideas siguen influenciando la teoría estética china.

Dong Son, cultura Importante cultura prehistórica que se desarrolló en el primer milenio AC, en territorio continental del Sudeste asiático, destacada por sus trabajos en bronce. Las excavaciones realizadas en el sitio arqueológico de Dong Son, en el norte de Vietnam, han dejado al descubierto objetos de bronce, hierro, alfarería y artefactos chinos. Fue un pueblo de navegantes dedicado al comercio en esta región asiática. Se les atribuye haber convertido el delta del río Rojo en una gran región arrocera. Su cultura recibió influencia de China e India, y se convirtió en una civilización ampliamente representada en la región. El territorio Dong Son fue conquistado por la dinastía HAN de China en 43 DC.

Dong Zhongshu (c. 179 AC, Guangchuan, China–c. 104 AC, China). Sabio confuciano. Siendo primer ministro de WUDI de la dinastía Han, despidió a todos los eruditos no confucianos del gobierno. Hizo del CONFUCIANISMO la ideología unificadora del imperio (136 AC) y fundó un colegio imperial, que fue decisivo para el establecimiento posterior de la administración pública en China. Como filósofo, su tema central fue la teoría de la interacción entre el cielo y la humanidad. Fusionó el concepto del YIN-YANG con el confucianismo y creía que uno de los deberes del emperador era mantener el equilibrio entre el yin y el yang. Fue autor de *Chunqiu fanlu*, una de las obras filosóficas más importantes del período Han.

Dongan, Thomas, 2° conde de Limerick (1634, Castletown, cond. de Kildare, Irlanda–14 dic. 1715, Londres, Inglaterra). Gobernador colonial británico de Nueva York. Perteneciente a una familia realista irlandesa, estuvo exiliado en Francia después de las guerras civiles inglesas. Llamado de regreso al país en 1677, ocupó el cargo de vicegobernador de Tánger entre 1678 y 1680. Como gobernador de Nueva York (1682–88), organizó la primera asamblea representativa de la colonia, promulgó una "carta de libertades" en 1683 y planteó una política de cooperación con la Confederación iroquesa, contra los franceses. Regresó a Inglaterra en 1691.

Dongbei Pingyuan ver MANCHURIA

Donglin, academia *o* **academia Tung-lin** Academia china fundada durante la dinastía SONG y restablecida en 1604 por estudiosos y funcionarios para protestar contra la relajación moral y la debilidad intelectual que socavaron la vida pública en los últimos años de la dinastía MING. Sus miembros adherían los puntos de vista antiabsolutistas de MENCIO y criticaban a la corte por no defender los valores confucianos. El eunuco de la corte, WEI ZHONGXIAN, persiguió a los miembros y partidarios de esta academia, la que prácticamente hizo desaparecer en 1627. Fue rehabilitada después de la muerte de Wei.

Dongting, lago *chino* **Tong-T'ing** Gran lago de aguas someras en el nordeste de la provincia de HUNAN en China. Su tamaño varía mucho de una estación a otra. Su superficie normal de 2.820 km² (1.089 mi²) puede aumentar hasta los 20.000 km² (7.700 mi²) en épocas de inundaciones. Cerca del 40% de las aguas del río YANGTZÉ (Chang Jiang) alimentan el lago a través de cuatro canales. También vierten sus aguas los ríos Zi, XIAN JIROG, YUAN JIANG y Li.

Dönitz, Karl *o* **Karl Doenitz** (16 sep. 1891, Grünau-bei-Berlin, Alemania–22 dic. 1980, Aumühle, Alemania Occidental). Almirante alemán. Tras desempeñarse como oficial de la flota submarina en la primera guerra mundial, supervisó la creación de submarinos U-BOOT en la década de 1930, violando así el tratado de VERSALLES. En su calidad de comandante de la flota, dirigió la batalla del ATLÁNTICO en la segunda guerra mundial, y luego fue comandante en jefe de la armada (1943–45). Sucedió a ADOLF HITLER como líder de Alemania en los últimos días de la guerra y enfrentó la rendición de Alemania ante los aliados. Condenado por crímenes de guerra en los tribunales de Nuremberg, permaneció diez años en prisión.

Gaetano Donizetti, retrato de Giovanni Carnevali.

GENTILEZA DEL MUSEO DONIZETTIANO, BÉRGAMO, ITALIA

Donizetti, (Domenico) Gaetano (Maria) (29 nov. 1797, Bérgamo, República Cisalpina–8 abr. 1848, Bérgamo, Lombardía, Imperio austríaco). Compositor de ópera italiano. Fue guiado e instruido por el operista Simone Mayr (n. 1763–m. 1845). Su ópera *Zoraida de Granada* tuvo un estreno triunfal en Roma en 1822, pero fue *Ana Bolena* en 1830 la que le dio renombre internacional. Éxitos posteriores fueron *L'Elisir d'amore* (1832), *Lucrecia Borgia* (1833), *Lucia de Lammermoor* (1835), *Roberto Devereux* (1837), *La hija del regimiento* (1840) y *Don Pasquale* (1843). Muy prolífico, era capaz de producir una ópera completa en semanas. Compuso casi 70 óperas así como más de 150 obras sacras y cientos de canciones. Víctima de la sífilis, sufrió un grave deterioro en el curso de cuatro años, que lo llevó a la muerte. Fue uno de los compositores de ópera más destacados de principios del s. XIX y un maestro importante del estilo bel canto.

Donkin, Bryan (22 mar. 1768, Sandree, Northumberland, Inglaterra–27 feb. 1855, Londres). Inventor británico. Inicialmente aprendiz de un fabricante de papel, perfeccionó una versión de la máquina de FOURDRINIER. Estableció una fábrica para producir y enlatar sopas de verduras y carnes preservadas para la Royal Navy. Con un impresor desarrolló un precursor de la prensa ROTATIVA y un cilindro de composición de impresión. Se graduó de ingeniero civil en Londres, recibió dos medallas de oro de la Society of Arts y fue uno de los fundadores de la British Institution of Civil Engineers (Institución británica de ingenieros civiles) en 1818.

Donne, John (c. 24 ene. 19 jun. 1572, Londres, Inglaterra–31 mar. 1631, Londres). Poeta inglés. Donne nació en el seno de una familia católica. Ingresó a la Universidad de Oxford a los 12 años, luego se trasladó a la de Cambridge y posteriormente estudió derecho. Tuvo una juventud aventurera. Esperaba acceder a un alto cargo público, pero su matrimonio clandestino con la hija de su empleador arruinó sus planes. Se convirtió a la religión anglicana; tras ordenarse en 1615, llegó a ser un predicador elocuente e impactante, y se lo nombró deán de la catedral de SAN PABLO en 1621. Se lo considera el más grande de los poetas metafísicos ingleses (ver poesía METAFÍSICA). Es especialmente conocido por sus poemas líricos de temática amorosa, sus poemas y tratados religiosos, así como por sus sermones. Su poesía profana, escrita casi toda en los

John Donne, detalle de una pintura al óleo de un artista desconocido, al estilo de I. Oliver, c. 1616; National Portrait Gallery, Londres.

GENTILEZA DE LA NATIONAL PORTRAIT GALLERY, LONDRES

inicios de su carrera literaria, es directa, intensa, de ingeniosa brillantez y atrevidamente imaginativa. Después, el tono de sus poemas se ensombreció, en obras como los *Anniversaries* (1611–12), dos extensos poemas en que reflexiona sobre la decadencia del mundo. Sus 19 famosos *Sonetos sacros* (escritos en 1607–13) se publicaron póstumamente. Entre sus obras en prosa, muchas de las cuales son tan dramáticas e íntimas como su poesía, la más perdurable ha sido *Devociones para ocasiones emergentes* (1624).

Donoso, José (5 oct. 1924, Santiago, Chile–7 dic. 1996, Santiago). Escritor chileno. Aunque hijo de familia acomodada, vivió inicialmente experiencias como ovejero, obrero portuario y oficinista. Estudió literatura en la Universidad de CHILE. Más tarde ejerció como profesor en la Universidad de Princeton (EE.UU.) y colaboró en publicaciones periódicas. Desde la década de 1950 se dedicó a la creación literaria, principalmente novelas de temática y estilo desafiantes, entre las que se destacan *Coronación* (1958), retrato

José Donoso, escritor chileno.
FOTOBANCO

de una dama senil que simboliza la decadencia de la aristocracia nacional; *El lugar sin límites* (1966) y *El obsceno pájaro de la noche* (1970), historias existenciales de seres ambiguos e incomunicados que pugnan por afirmar su identidad, y *Casa de campo* (1978), alegoría de la situación del país bajo el régimen militar de 1973–90. También escribió cuentos, un poemario y numerosas crónicas. Obtuvo resonancia internacional; sus principales obras fueron traducidas a más de una veintena de idiomas y algunas llevadas al cine. Recibió el Premio Nacional de Literatura en 1990.

Donostia-San Sebastián Ciudad portuaria (pob., 2001: 178.377 hab.) del norte de España. La ciudad se sitúa en la desembocadura del río Urumea, en el golfo de VIZCAYA, cerca de la frontera francesa. Fue nombrada por primera vez en 1014 y recibió sus fueros como ciudad por Sancho el Sabio, monarca de Navarra, c. 1175. La ciudad fue incendiada en 1813, luego de que las tropas angloportuguesas la arrebataron a los franceses durante la guerra PENINSULAR. Lo que antes fue la residencia de verano de la corte real española es ahora un elegante centro vacacional costero. Cerca está el monte Urgull, coronado por la fortaleza de La Mota, del s. XVI. Donostia-San Sebastián es el nombre oficial del lugar, e incorpora primero el nombre vasco y luego el español.

Doolittle, Hilda *llamada* **H.D.** (10 sep. 1886, Bethlehem, Pa., EE.UU.–27 sep. 1961, Zurich, Suiza). Poetisa estadounidense. Doolittle viajó a Europa en 1911 y permaneció allí por el resto de su vida. Fue una de las primeras autoras imaginistas (ver IMAGINISMO). En su obra se nota una gran influencia de EZRA POUND. Escribió poemas claros, impersonales y sensuales en los que se combinaban temas clásicos con técnicas modernistas. Su obra posterior fue más suelta y apasionada, aunque mantuvo su carácter erudito y simbólico. Entre sus libros se destacan *Jardín junto al mar* (1916), *Hymen* [Himen] (1921) y *Red Roses for Bronze* [Rosas rojas para el bronce] (1929). También fue aclamada por sus traducciones, sus dramas en verso y sus obras en prosa.

Doolittle, Jimmy *orig.* **James Harold Doolittle** (14 dic. 1896, Alameda, Cal., EE.UU.–27 sep. 1993, Pebble Beach, Cal.). General estadounidense. Se alistó en el ejército durante la primera guerra mundial y fue aviador. Terminado el conflicto, obtuvo un doctorado en ingeniería y permaneció en el cuerpo aéreo del ejército, como piloto de pruebas, hasta 1930, cuando pasó a ser jefe de aviación de la Shell Oil Co. En 1932 estableció un récord mundial de velocidad aérea. Volvió al servicio activo durante la segunda guerra mundial y en 1942 condujo un osado ataque a Tokio, por el cual recibió la Medalla de honor del congreso. Estuvo al mando de operaciones aéreas en numerosos frentes, como los ataques a Alemania en 1944–45. Después de la guerra siguió en actividad en la industria aeroespacial. En 1989 recibió la Medalla presidencial de la libertad.

Door, península Península en el nordeste del estado de Wisconsin, EE.UU. Se ubica entre GREEN BAY y el lago MICHIGAN y debe su nombre a un estrecho localizado en su

punta conocido como La Porte des Mortes (La puerta de los muertos). Mide 130 km (80 mi) aprox. de largo por 40 km (25 mi) de ancho en su base. En el s. XVII recibió la visita de comerciantes y misioneros franceses. En la actualidad es un centro vacacional durante todo el año y el turismo es una actividad muy importante. Toda la península es conocida popularmente como el Door County, a pesar de que Door es sólo uno de los cuatro condados que conforman la península.

dopamina Una de las CATECOLAMINAS extensamente distribuida en el sistema NERVIOSO central. A través de una serie de reacciones enzimáticas (ver ENZIMA) se forma a partir de la LEVODOPA, y es convertida a NOREPINEFRINA y luego en EPINEFRINA. Es un NEUROTRANSMISOR del sistema nervioso central, esencial para el control del movimiento; también actúa como una HORMONA. La degeneración de ciertas células cerebrales productoras de dopamina resulta en PARKINSONISMO.

dopante Cualquier impureza que se agrega a un SEMICONDUCTOR para modificar su conductividad eléctrica. Los semiconductores más comunes, SILICIO y GERMANIO, forman mallas cristalinas en las cuales cada átomo comparte electrones con cuatro átomos vecinos (ver ENLACE). Al reemplazar algunos átomos por átomos donantes (p. ej., FÓSFORO, ARSÉNICO) que tienen cinco electrones de enlace, se generan electrones adicionales disponibles. El semiconductor así dopado se llama tipo *n*- (por negativo, debido a las cargas negativas adicionales). Al dopar con átomos aceptantes (p. ej., galio) que tienen sólo tres electrones disponibles, se crean "huecos", que están cargados positivamente. La conducción puede ocurrir por la migración de estos huecos a través de la estructura cristalina de tal semiconductor, conocido como tipo *p*- (por positivo).

Doppler, efecto Diferencia entre la FRECUENCIA a la cual ONDAS "como luz, sonido y radio" dejan su fuente y aquella con la cual llegan a un observador. El efecto, descrito por primera vez por el físico austríaco Christian Doppler (n. 1803–m. 1853), es causado por el movimiento relativo entre el observador y la fuente de las ondas. Puede observarse escuchando el silbato o la sirena de un vehículo cuyo tono aumenta a medida que se acerca al observador y disminuye a medida que se aleja. Es usado en el RADAR y para calcular la velocidad de las estrellas, observando el cambio en la frecuencia de su luz.

Dorado, El Legendaria ciudad que buscaban los conquistadores españoles en América del Sur. Era la comarca fabulosamente rica de un rey de quien se decía había sido cubierto con polvo de oro tantas veces que estaba permanentemente dorado. Se enviaron muchas expediciones españolas y algunas inglesas para encontrarla. Sir WALTER RALEIGH la buscó en vano, al mando de una expedición río arriba por el Orinoco en 1595.

Sir Walter Raleigh, uno de los aventureros que emprendió la búsqueda del mítico El Dorado.
FOTOBANCO

Dorchester Antiguamente una ciudad, en la actualidad, distrito de BOSTON, Mass., EE.UU. Se extendía casi hasta el límite con el estado de Rhode Island e incluía Dorchester Heights, cuya fortificación por los artilleros de GEORGE WASHINGTON llevó a los británicos a evacuar

Boston el 17 de marzo de 1776, al inicio de la guerra de independencia de los ESTADOS UNIDOS DE AMÉRICA.

Dorchester *antig.* **Durnovaria** Ciudad (pob., 1995 est.: 16.000 hab.) y capital del condado de DORSET en Inglaterra. A orillas del río Frome, la antigua ciudad constituyó un asentamiento romano, y se han encontrado numerosos vestigios. En 1086 era un municipio real; en el s. XII ya se había construido un castillo y se piensa que el priorato franciscano, fundado antes de 1331, se construyó sobre las ruinas de ese castillo. En la actualidad la ciudad es un centro de actividad comercial que abastece a una extensa zona rural. THOMAS HARDY nació cerca de Dorchester, el "Casterbridge" de sus novelas de Wessex.

Dorchester (de Dorchester), Guy Carleton, 1er barón (3 sep. 1724, Strabane, cond. de Tyrone, Irlanda–10 nov. 1808, Stubbings, Berkshire, Inglaterra). Militar y estadista irlandés. En 1759 fue enviado a Canadá, donde tomó parte en la batalla de Quebec. Fue vicegobernador (1766–68) y gobernador (1768–78) de la provincia de Quebec. Sus políticas conciliadoras hacia los francocanadienses condujeron a la aprobación de la ley de QUEBEC, de 1774. En 1775 ayudó a resistir un ataque de fuerzas revolucionarias estadounidenses. Fue nombrado comandante de las fuerzas británicas en Norteamérica, en 1782, y luego gobernador en jefe de la América del Norte británica (1786–96).

Dordoña, río *antig.* **Duranius** Río en el sudoeste de Francia. Nace en el macizo CENTRAL FRANCÉS y fluye hacia el oeste 472 km (293 mi), se une con el GARONA al norte de BURDEOS e ingresa al estuario de la Gironda. Luego sigue su curso a través de los centros turísticos de Monts Dore en Puy-de-Dôme. El río es una fuente de energía hidroeléctrica.

Doré, Gustave (-Paul) (6 ene. 1832, Estrasburgo, Francia–23 ene. 1883, París). Grabador francés. En 1847 se fue a París y comenzó a producir caricaturas litográficas para un semanario y varios álbumes de litografías (1847–54). Adquirió fama y gran popularidad con sus ilustraciones de libros realizadas en xilografía. Entre las más acabadas se encuentran las del *Infierno* de DANTE (1861) y la Biblia (1866). Su vívida obra se caracteriza por imágenes de lo grotesco y lo fantástico. Realizó más de 90 libros ilustrados, usando alrededor de 40 tacos.

Dorgon *chino* **Chengzong** o **Ch'eng-tsung** (7 nov. 1612, Yenden, Manchuria–31 dic. 1650, Kharahotu). Príncipe del pueblo MANCHÚ que contribuyó a fundar la dinastía QING (Manchú) en China. Se alió con su antiguo enemigo WU SANGUI para expulsar al rebelde chino LI ZICHENG de Beijing, quien ya había destronado al último emperador de la dinastía MING. Si bien algunos aspiraban que subiera al trono, Dorgon hizo que su sobrino Fu-lin fuese proclamado emperador y él permaneciese como regente. Su lealtad y desprendimiento le ganaron el respeto de futuros historiadores.

Doria, Andrea (30 nov. 1466, Oneglia, ducado de Milán–25 nov. 1560, Génova). Estadista, mercenario y almirante genovés, el comandante naval más distinguido de su época. Miembro de una familia aristocrática, quedó huérfano a temprana edad y se convirtió en un soldado de fortuna. En 1522 entró al servicio de FRANCISCO I, quien combatía en Italia contra el emperador CARLOS V. Más tarde, pasó al servicio del emperador y en 1528 expulsó a los franceses de Génova. Convertido en el nuevo estadista, reorganizó el gobierno genovés transformándolo en un régimen oli-

Andrea Doria, detalle de un retrato por Sebastiano del Piombo; palacio Doria, Roma.
ALINARI – ART RESOURCE/EB INC.

gárquico efectivo y estable. Dirigió varias expediciones navales contra los turcos y ayudó a Carlos V a extender su dominio sobre la península Itálica. Si bien era codicioso y autoritario, fue también un intrépido comandante con capacidades tácticas y estratégicas sobresalientes.

Dorilea, batalla de (1 jul. 1097). Batalla en que una fuerza conjunta de cruzados y bizantinos derrotó en Anatolia a un ejército de turcos selyúcidas (ver dinastía SELYÚCIDA). Un año después, los cruzados capturaron Antioquía. Ver también CRUZADAS.

dorio Integrante de uno de los principales pueblos de la antigua Grecia. Provenientes del norte y noroeste, los dorios conquistaron el PELOPONESO c. 1100–1000 AC, destruyeron las civilizaciones MICÉNICA y MINOICA, y abrieron paso a una época oscura que duró casi tres siglos, hasta el surgimiento de las ciudades-estado griegas. Tenían su propio dialecto y estaban organizados en tres TRIBUS. Su distribución geográfica determinó el tipo de alianzas que establecieron en los conflictos griegos posteriores. Aportaron a la cultura griega el ORDEN dórico en arquitectura, la lírica coral trágica y un gobierno aristocrático militarizado. En algunos casos se asimilaron a las sociedades griegas, pero en Esparta y Creta ejercieron el poder y obstaculizaron el avance cultural.

Dornberger, Walter Robert (6 sep. 1895, Giessen, Alemania–27 jun. 1980, Baden-Württemberg). Ingeniero estadounidense de origen alemán. A partir de 1932, con WERNHER VON BRAUN comenzó a perfeccionar el motor de COHETE. En la segunda guerra mundial dirigió la construcción del misil V-2, precursor de todas las naves espaciales de posguerra. Finalizada la guerra trabajó en EE.UU. como asesor en MISILES TELEDIRIGIDOS para la fuerza aérea estadounidense. En la década de 1950 participó en el proyecto Dyna-Soar, impulsado por la fuerza aérea y la NASA, que más tarde llegó a ser el programa del TRANSBORDADOR ESPACIAL.

Dorr, Thomas Wilson (5 nov. 1805, Providence, R.I., EE.UU.–27 dic. 1854, Providence). Político estadounidense. A partir de 1834 se desempeñó en el poder legislativo de Rhode Island, donde procuró introducir una reforma constitucional para ampliar el sufragio universal a todos los hombres blancos. En 1841 organizó el Partido del Pueblo, el que celebró elecciones y lo nombró gobernador en 1842. El gobierno en ejercicio se negó a reconocer su autoridad y denominó la maniobra la "Rebelión de Dorr". El estado tuvo dos gobiernos hasta 1844, cuando fue llevado a juicio acusado de traición; aunque su condena fue de por vida, quedó en libertad en 1845.

dorsal del Pacífico oriental ver dorsal del PACÍFICO ORIENTAL

dorsal mesoatlántica ver dorsal MESOATLÁNTICA

dorsal mesooceánica ver DORSAL OCEÁNICA

dorsal oceánica Cadena montañosa submarina continua que se extiende 80.000 km (50.000 mi) aprox. en los océanos, separándolos en diferentes cuencas. La cordillera principal se extiende por el medio del océano Atlántico, continúa entre África y la Antártida, se desvía al norte hacia el océano Índico y luego continúa entre Australia, Nueva Zelanda y la Antártida a través de la cuenca del Pacífico hacia la boca del golfo de California. Existen cordilleras laterales que se extienden desde islas ubicadas en el eje de la dorsal oceánica hasta las costas de los continentes adyacentes. El sistema de dorsales oceánicas es el mayor rasgo de la superficie terrestre después de los continentes y las propias cuencas oceánicas; la teoría de la TECTÓNICA DE PLACAS explica este sistema como la frontera entre placas divergentes, donde la roca fundida surge desde grandes profundidades bajo la corteza terrestre. Ver también zona de SUBDUCCIÓN.

Dorset Condado administrativo (pob., 2001: 390.986 hab.), geográfico e histórico del sudoeste de Inglaterra. Está situado en el canal de la MANCHA; su capital es DORCHESTER. Pueblos

Ruinas del castillo Sherborne, en el condado de Dorset, Inglaterra.
ROY RAINFORD/ROBERT HARDING WORLD IMAGERY/GETTY IMAGES

prehistóricos habitaron esta región y dejaron abundantes vestigios del período neolítico y de las edades de bronce y hierro, como los de Maiden Castle, inmenso asentamiento fortificado en las afueras de Dorchester. Luego, esta zona pasó a formar parte del reino sajón occidental. Aparece como Wessex en los escritos de THOMAS HARDY.

Dorsey, Thomas A(ndrew) (1 jul. 1899, Villa Rica, Ga., EE.UU.–23 ene. 1993, Chicago, Ill.). Cantautor y pianista estadounidense, "padre de la música GOSPEL". Hijo de un predicador del movimiento renovador de la fe, Dorsey fue influido por los pianistas de BLUES en la zona de Atlanta. Tras mudarse a Chicago en 1916, apareció bajo el nombre de "Georgia Tom", se convirtió en pianista con MA RAINEY, y compuso canciones profanas "hokum" (condimentadas con expresiones de doble sentido subidas de tono). En 1919 escribió su primera canción gospel y en 1932 abandonó completamente el blues, y fundó la Pilgrim Baptist Church en Chicago. Entre sus canciones gospel, más de 1.000, destacan "Precious Lord, Take My Hand", "Peace in the Valley" y "If We Ever Needed the Lord Before". Grabó profusamente a principios de la década de 1930. Muchas de sus canciones fueron estrenadas por MAHALIA JACKSON. Fundó y dirigió la convención nacional de coros y conjuntos corales de gospel.

Dorsey, Tommy *orig.* **Thomas Dorsey** (19 nov. 1905, Shenandoah, Pa., EE.UU.–26 nov. 1956, Greenwich, Conn.). Trombón y director de banda estadounidense. Desde 1934 Dorsey dirigió la Dorsey Brothers Orchestra con su hermano, el saxofonista y clarinetista Jimmy Dorsey (n. 1904–m. 1957). Posteriormente se separaron para dirigir sus propios grupos. La banda de Tommy Dorsey combinaba interpretaciones de baladas suaves con arreglos de jazz en tempo presto, presentando a algunos de los mejores músicos de la época, entre ellos, BUDDY RICH, FRANK SINATRA y el arreglista Sy Oliver. La forma de tocar el trombón de Dorsey era técnicamente impecable y tanto su fraseo ininterrumpido como su tono dulce tuvieron una influencia considerable tanto en cantantes como en instrumentistas de bronces. La banda de Tommy Dorsey fue una de las grandes orquestas de jazz más populares de la era del SWING.

Dortmund *antig.* **Throtmannia** Ciudad (pob., 2002 est.: 589.200 hab.), en Renania del Norte-Westfalia, oeste de Alemania. Se mencionó por primera vez en 885 DC y se convirtió en una ciudad libre del Sacro Imperio en 1220; posteriormente se incorporó a la Liga HANSEÁTICA. Después de haber sido un próspero centro mercantil en el s. XIV, cayó en decadencia luego de la guerra de los TREINTA AÑOS y perdió sus derechos

imperiales en 1803. El desarrollo de la explotación del carbón y del mineral de hierro, así como el término de la construcción del canal Dortmund-Ems en 1899 estimularon su recuperación. La ciudad fue prácticamente destruida en la segunda guerra mundial, pero se reconstruyó en casi toda su extensión. Constituye un importante eje industrial y de transporte de la zona del RUHR.

Dos Passos, John (Roderigo) (14 ene. 1896, Chicago, Ill., EE.UU.–28 sep. 1970, Baltimore, Md.). Escritor estadounidense. Hijo de un rico abogado, Dos Passos se educó en la Universidad de Harvard. Su participación en la primera guerra mundial como conductor de una ambulancia y su trabajo posterior como periodista lo hicieron percibir a EE.UU. como "dos países", uno para los ricos y otro para los pobres. Su reputación como historiador social, crítico radical de la vida estadounidense y gran novelista de la "generación perdida" de la posguerra, proviene principalmente de su impactante trilogía norteamericana, que incluye *Paralelo 42* (1930), *1919* (1932) y *El gran dinero* (1936).

Dos Rosas, guerra de las (1455–85). Conjunto de guerras civiles dinásticas entre las casas rivales de LANCASTER y YORK por el trono inglés. Las guerras recibieron su nombre por los emblemas de ambas casas, la rosa blanca de York y la rosa roja de Lancaster. Unos y otros reclamaban el trono por el hecho de descender de EDUARDO III. Los lancasterianos ocuparon el trono a partir de 1399, pero el país cayó en un estado casi anárquico durante el reinado de ENRIQUE VI, y en 1453, durante uno de los ataques de locura de Enrique, el duque de York fue declarado protector del reino. La guerra estalló en 1455, cuando Enrique restableció su autoridad. Los yorquistas lograron colocar a EDUARDO IV en el trono en 1461, pero las guerras continuaron, y en 1471 asesinaron a Enrique VI en la Torre de Londres. En 1483 RICARDO III desconoció arbitrariamente los derechos de su sobrino Eduardo V a ocupar el trono, con lo cual perdió el apoyo de muchos yorquistas. Enrique Tudor (ENRIQUE VII), de la casa de Lancaster, derrotó y mató a Ricardo en la batalla de BOSWORTH FIELD, con lo cual puso fin a las guerras. Unió a ambas casas por medio de su matrimonio con Isabel de York y en 1487 derrotó una rebelión yorquista. Ver también conde de WARWICK.

Dos Sicilias, reino de las Antiguo reino de Italia. Comprendía la parte meridional de la península Itálica y la isla de SICILIA. La región fue conquistada por los normandos en el s. XI y en 1282 se dividió en dos: a la dinastía angevina (francesa) correspondió la parte continental y a la dinastía aragonesa (española) la isla, aunque ambas reclamaban para sí el derecho a encabezar el reino de Sicilia. ALFONSO V de Aragón reunificó las dos zonas y adoptó el título de rey de las Dos Sicilias; el reino mantuvo este nombre de 1442 a 1458 y nuevamente, de 1816 a 1861, bajo la dinastía borbónica. Conquistadas por GIUSEPPE GARIBALDI en 1860, las Dos Sicilias pasaron a formar parte del reino de Italia.

Dostoievski, Fiódor (Mijáilovich) (11 nov. 1821, Moscú, Rusia–9 feb. 1881, San Petersburgo). Novelista ruso. Dostoievski abandonó tempranamente la carrera de ingeniero para escribir. En 1849 fue arrestado por pertenecer a un grupo de discusión radical; se lo condenó a ser fusilado, pero esta sentencia fue conmutada a último minuto por la pena de cuatro años de trabajos forzados en Siberia. Fue allí donde Dostoievski comenzó a sufrir de epilepsia y donde su fe religiosa se hizo más profunda. Más adelante, escribió para varios periódicos mientras producía sus mejores novelas. Sus obras tratan especialmente acerca de la fe, el sufrimiento y el sentido de la vida; son famosas por su profundidad psicológica y clarividencia y por su tratamiento casi profético de temas filosóficos y políticos. La primera de ellas, *Pobres gentes* (1846), fue seguida el mismo año por *El doble. La casa de los muertos* (1862) se basa en el tiempo que pasó en prisión, y *El jugador* (1866), en su propia adicción al juego. Entre sus obras más conocidas están la novela breve *Memorias del subsuelo* (1864) y las grandes novelas *Crimen y castigo* (1866), *El idiota* (1869), *Los endemoniados* (1872) y *Los hermanos Karamazov* (1880), que se centra en el problema del mal, la índole de la libertad y el anhelo de los personajes de tener algún tipo de fe. Hacia el final de su vida, se lo consideraba ya uno de los más grandes escritores de su país. Sus obras han tenido una profunda influencia en la literatura del s. XX.

dote Conjunto de bienes y valores cedidos por la esposa o su familia al marido en el MATRIMONIO. La dote tiene una extensa historia en Europa, India, África y otras regiones del mundo. Algunas de sus funciones básicas son proteger a la esposa del maltrato del marido, pues la dote puede ser un regalo condicionado; ayudar al marido a cumplir con las responsabilidades del matrimonio, ya que le permite al joven establecer un hogar; suministrar sustento a la esposa en caso de muerte del esposo, y compensar a los parientes del novio por el PRECIO DE LA NOVIA. En Europa, la dote ha servido para aumentar el poder y la riqueza de las grandes familias, e incluso, ha desempeñado un rol en la política de grandes alianzas por medio del matrimonio. En el s. XIX comenzó a desaparecer con el avance de la industrialización.

Dou, Gerrit *o* **Gerard Dou** (7 abr. 1613, Leiden, Países Bajos–9 feb. 1675, Leiden). Pintor holandés. De 1628 a 1631 estudió con REMBRANDT, de quien adoptó los temas, la cuidadosa facultad para dibujar y el teatral tratamiento de la luz y la sombra. Cuando Rembrandt abandonó Leiden, Dou desarrolló su propio estilo, pintando suaves y pequeños interiores domésticos, además de retratos con meticulosos detalles. Usó el diseño "marco dentro del marco", al rodear sus figuras con una ventana o una cortina, destacando escenas iluminadas por luz de vela. Junto a JAN STEEN estuvo entre los fundadores del gremio de St. Luke, en Leiden (1648).

Autorretrato de Gerrit Dou, detalle, óleo sobre panel; Rijksmuseum, Amsterdam.
GENTILEZA DEL RIJKSMUSEUM, AMSTERDAM

Douala *o* **Duala** Ciudad (pob., est. 1992: 1.200.000 hab.) y principal puerto de Camerún, en la bahía de BIAFRA. Fue la capital del protectorado alemán y después de 1914 pasó a manos de Francia. Es la ciudad más grande del país y uno de los centros industriales más importantes de África central. Por su puerto de aguas profundas se desplaza la mayor parte del comercio exterior del país. Cuenta con entidades educacionales y de investigación, un museo y un centro artesanal que estimulan la producción y conservación del arte camerunés.

Doubleday, Abner (26 jun. 1819, Ballston Spa, N.Y., EE.UU.–26 ene. 1893, Mendham, N.J.). Oficial de ejército estadounidense, considerado según la tradición popular, el inventor del BÉISBOL. Doubleday prestó servicio tanto en la guerra contra México como contra los seminolas. Como general de división durante la guerra de Secesión, dio la primera orden de abrir fuego contra Fort Sumter, y luego combatió en otras batallas importantes. En 1907, una comisión nombrada por A.G. Spalding concluyó que Doubleday

Abner Doubleday.
CULVER PICTURES

había formulado en 1839, en Cooperstown, N.Y., las reglas fundamentales del béisbol, lo que llevó a elegir esta ciudad como sede del Salón de la Fama del béisbol. Sin embargo, después se probaría que Doubleday no había estado en Copperstown en 1839. Ver también ALEXANDER CARTWRIGHT.

Doubs, río *antig.* **Dubis** Río en el este de Francia y oeste de Suiza. Nace en las montañas del JURA y fluye en dirección nordeste para formar parte de la frontera francosuiza. Continúa hacia el este para adentrarse en Suiza, se desvía en sentido contrario y regresa a Francia, para finalmente desembocar en el río SAONA. Su recorrido sinuoso total alcanza 453 km (270 mi), sólo a 90 km (56 mi) de distancia de su lugar de origen.

Dougga ver THUGGA

Douglas, Aaron (26 may. 1899, Topeka, Kan., EE.UU.–2 feb. 1979, Nashville, Tenn.). Pintor y artista gráfico estadounidense. En 1925 se mudó a la ciudad de Nueva York, donde se unió a la naciente escena artística en Harlem, la que llegaría a conocerse como el renacimiento de HARLEM. En sus ilustraciones para revistas y murales sintetizó las formas cubistas (ver CUBISMO) con formas estilizadas y geométricas, tomadas del arte africano. Quizás su obra más significativa fue una serie de cuatro murales colectivamente titulados *Aspects of Negro Life*, para las dependencias de la Biblioteca pública de Nueva York en la calle 135. Sus ilustraciones son ampliamente conocidas por sus degradaciones tonales y siluetas al estilo ART DÉCO. Enseñó en la Universidad de Fisk desde 1939 hasta 1966.

Douglas, Kirk *orig.* **Issur Danielovitch** *post.* **Isadore Demskey** (n. 9 dic. 1916, Amsterdam, N.Y., EE.UU.). Actor y productor de cine estadounidense. Tuvo papeles menores en Broadway antes de debutar en el cine con *El extraño amor de Martha Ivers* (1946). Surgió como una gran estrella en *El ídolo de barro* (1949). A pesar de brindar sutiles interpretaciones en *El zoo de cristal* (1950) y *Senderos de gloria* (1957), se lo encasilló en papeles más intensos y fuertes como los que interpretó en películas como *Cautivos del mal* (1952), *Sed de vivir* (1956), *Duelo de titanes* (1957) y *Siete días de mayo* (1964). Produjo y protagonizó *Espartaco* (1960). Continuó actuando en películas a la llegada del s. XXI.

Douglas, Michael (n. 25 sep. 1944, New Brunswick, N.J., EE.UU.). Actor y productor estadounidense. Hijo de KIRK DOUGLAS, debutó como actor de cine en 1969, y comenzó su carrera de productor con *Atrapado sin salida* (1975). Produjo y actuó en películas como *El síndrome de China* (1979), *Dos bribones tras la esmeralda perdida* (1984), *Atracción fatal* (1987) y *Wall Street* (1987, premio de la Academia). También protagonizó *Bajos instintos* (1992), *Traffic* (2000) y *Fin de semana de locos* (2000).

Douglas, Sir James (15 ago. 1803, Demerara, Guayana Británica–2 ago. 1877, Victoria, Columbia Británica, Canadá). Estadista canadiense, conocido como "padre de la Columbia Británica". Ingresó a la HUDSON'S BAY CO. en 1821 y llegó a ser socio principal encargado de las operaciones al oeste de las montañas Rocosas. En 1849 trasladó la oficina matriz de la empresa de Oregón a Vancouver. Fue gobernador de esta isla en 1851–64. Al descubrirse oro en el río Fraser, en 1858, amplió su autoridad al territorio continental para preservar la presencia británica en el Pacífico. Cuando Gran Bretaña creó la colonia de Columbia Británica, fue nombrado gobernador (1858–64).

Douglas, Stephen A(rnold) (23 abr. 1813, Brandon, Vt., EE.UU.–3 jun. 1861, Chicago, Ill.). Político estadounidense. Fue elegido miembro de la Cámara de Representantes (1843–47) y del senado (1847–61), donde apoyó con energía la Unión y la expansión nacional. Con el fin de dirimir la enconada disputa por la ampliación de la esclavitud a los territorios, formuló la política de la soberanía popular. Influyó en la aprobación del COMPROMISO DE 1850 y de la ley Kansas-Nebraska. Bajo de estatura y macizo, se le apodó "el Pequeño gigante" por sus dotes oratorias. En 1858 participó en varios debates muy publicitados con ABRAHAM LINCOLN, en el marco de una estrecha contienda por la senaturía de Illinois (ver debates LINCOLN-DOUGLAS). Los demócratas lo nominaron para la candidatura presidencial en 1860, pero un grupo escindido de sureños eligió candidato a JOHN C. BRECKINRIDGE, lo cual dividió los votos demócratas y con ello se entregó la presidencia a Lincoln. En 1861, le encargó una misión dirigida a ganar apoyo para la Unión entre los estados fronterizos del Sur y en el noroeste. Murió prematuramente de tifoidea, en parte como consecuencia de estas gestiones.

Douglas, William O(rville) (16 oct. 1898, Maine, Minn. EE.UU.–19 jun. 1980, Washington, D.C.). Jurista y funcionario público estadounidense. Asistió a la escuela de derecho de la Universidad de Columbia, donde editó la revista interna y se graduó siendo el segundo alumno de su promoción. Luego de aprender las complejidades del derecho financiero y empresarial en un estudio jurídico de Wall Street, se incorporó a la facultad de derecho de Yale, donde enseñó hasta 1936. Se convirtió en miembro de la SECURITIES AND EXCHANGE COMMISSION (SEC) en 1936. Como presidente de dicha comisión (1937–39), reorganizó las BOLSAS DE COMERCIO del país, instituyó medidas para la protección de los pequeños inversionistas, e inició la reglamentación gubernamental de la venta de VALORES. En 1939, el pdte. FRANKLIN D. ROOSEVELT lo designó para la Corte Suprema de los ESTADOS UNIDOS DE AMÉRICA, en la que se desempeñó hasta 1975. A pesar de ser responsable de la redacción de los fallos en complicadas causas sobre cuestiones financieras, su fama se debe a los pronunciamientos en materia de LIBERTADES CIVILES. Rechazó las limitaciones impuestas por el gobierno a la LIBERTAD DE EXPRESIÓN y fue un abierto defensor de la prensa libre. También se esforzó por hacer respetar los derechos del INCULPADO. Escribió numerosos libros sobre historia, política, relaciones exteriores y preservación de los recursos naturales, entre ellos *Of Men and Mountains* [De hombres y montañas] (1950) y *A Wilderness Bill of Rights* [Declaración de derechos laberíntica] (1965).

Douglas-Home, Sir Alec *orig.* **Alexander Frederick** *post.* **barón Home (del Hirsel de Coldstream)** (2 jul. 1903, Londres, Inglaterra–9 oct. 1995, The Hirsel, Coldstream, Berwickshire, Escocia). Estadista británico. Miembro de la Cámara de los Comunes (1931–45 y 1950–51), ingresó a la Cámara de los Lores tras heredar el condado de Home (1951). Se desempeñó como ministro para asuntos escoceses (1951–55), líder de la Cámara de los Lores (1957–60) y ministro de asuntos exteriores (1960–63) antes de suceder a HAROLD MACMILLAN como primer ministro en 1963, y renunciar a sus títulos nobiliarios. Fue incapaz de mejorar la situación de la balanza de pagos británica y se enemistó con los conservadores al apoyar una legislación contraria a la fijación de precios, pero ganó la aprobación de EE.UU. por su política anticomunista. Después de la caída de su gobierno en 1964, se convirtió en el vocero de la oposición conservadora en asuntos exteriores, y volvió a ocupar el puesto de secretario de esa cartera (1970–74). En 1974 fue nombrado par vitalicio.

Douglass, Frederick *orig.* **Frederick Augustus Washington Bailey** (¿feb. 1818?, Tuckahoe, Md., EE.UU.–20 feb. 1895, Washington, D.C.). Abolicionista estadounidense. Hijo de madre esclava y padre blanco, fue enviado a trabajar de sirviente doméstico en Baltimore, donde aprendió a leer. A los 16 años de edad fue llevado de vuelta a su plantación; luego trabajó de calafateador. En 1838 huyó a la ciudad de Nueva York y de ahí a New Bedford, Mass.; cambió su nombre para eludir a los cazadores de esclavos. En 1841, su elocuencia en una convención abolicionista lo lanzó a un oficio nuevo como agente de la Sociedad contra la esclavitud de Massachusetts, en cuya

calidad sufrió frecuentes insultos y violentos ataques a su persona. En 1845 escribió su autobiografía, hoy considerada una obra clásica. Para evitar ser capturado nuevamente por su amo, cuyo nombre había dado en su narración, se embarcó en una gira de conferencias en Inglaterra e Irlanda (1845–47), de donde regresó con dinero suficiente para comprar su libertad y fundar un periódico antiesclavista, *North Star*, el que publicó hasta 1860 en Rochester, N.Y. En 1851 se separó del abolicionista radical William Lloyd Garrison y se alió con seguidores moderados de JAMES BIRNEY. En la guerra de SECESIÓN fue asesor del pdte. ABRAHAM LINCOLN. Durante la RECONSTRUCCIÓN luchó por los derechos civiles plenos para los libertos y apoyó los derechos de la mujer. Ocupó diversos puestos públicos en Washington, D.C. (1877–86), y fue cónsul general de EE.UU. en Haití (1889–91).

Douhet, Giulio (30 may. 1869, Caserta, Italia–15 feb. 1930, Roma). General italiano. Sirvió como comandante de la primera unidad de aviación de Italia, el batallón aeronáutico (1912–15). Durante la primera guerra mundial, debido a sus críticas sobre la conducción del conflicto, fue sometido a una corte marcial, puesto en prisión y llamado a retiro. Una investigación en 1917 justificó su análisis; su condena fue revocada, y nombrado jefe del servicio aéreo. En obras como *El dominio del aire* (1921) presentó sus ideas sobre el poder aéreo y la importancia del bombardeo estratégico. Abogaba en favor de la creación de una fuerza aérea independiente, la reducción de las fuerzas terrestres y navales, y la unificación de las fuerzas armadas. A pesar de que sus ideas generaron gran controversia, muchas fueron adoptadas por las grandes potencias.

Douris (floreció a principios del s. V AC, Grecia). Pintor de jarrones griego. Fue conocido por su trabajo con CERÁMICA DE FIGURAS ROJAS, en las que se exhibe una fina ejecución gráfica y composición rítmica. Decoró jarrones con una gran variedad de temas, los que incluyen la leyenda del vellocino de oro. Su firma se ha identificado en unos 40 jarrones. Más de 200 le han sido atribuidos, incluida una copa que representa a *Eos abrazando a su hijo muerto Memnón*.

Dove, Rita (Frances) (n. 28 ago. 1952, Akron, Ohio, EE.UU.). Escritora y profesora estadounidense. Estudió creación literaria en la Universidad de Iowa, y publicó el primero de varios folletos con su poesía en 1977. Sus poemas y cuentos breves tratan acerca de la vida familiar y de la lucha personal, tocando indirectamente el tema más amplio de la experiencia afroamericana en el país. Entre sus libros de poesía están *Museum* (1983), *Thomas and Beulah* (1986, Premio Pulitzer), *Mother Love* [Madre Amor] (1995) y *On the Bus with Rosa Parks* [En el bus con Rosa Parks] (1999). Fue poetisa laureada de EE.UU. entre 1993 y 1995.

Dover Ciudad (pob., 2000: 32.135 hab.), capital del estado de Delaware, EE.UU., junto al río St. Jones. Planificada en 1717 como sitio de un tribunal de condado y cárcel por orden de WILLIAM PENN, recibió su nombre en honor a DOVER, Ingla-

Edificio de la Asamblea Legislativa en Dover, capital del estado de Delaware, EE.UU.
FOTOBANCO

terra. Se convirtió en la capital en 1777. Entre sus numerosas edificaciones de la época colonial se cuenta Old State House (reconstruido 1787–92), que funcionó como edificio del capitolio hasta 1933. Allí se exhibe la concesión real original del rey CARLOS II y la escritura del traspaso de Delaware a William Penn (1682). La ciudad moderna es un centro de intercambio comercial agrícola y punto de embarque para frutas; tiene también algunas industrias ligeras.

Dover *antig.* **Dubris Portus** Ciudad (pob., est. 1995: 34.000 hab.) y puerto marítimo en el paso de CALAIS, situado en el distrito de Dover, perteneciente al condado administrativo e histórico de KENT, al sudeste de Inglaterra. Existió en este lugar un asentamiento anterior a la llegada de los romanos, y en el s. IV DC lo custodiaba una fortificación sajona. Durante el s. XI fue el puerto principal de CINQUE PORTS. El castillo de Dover, bastión medieval inglés, fue sitiado por un grupo de barones rebeldes en 1216. La ciudad fue tomada por los parlamentaristas durante las guerras civiles INGLESAS. Fue base naval en la primera guerra mundial y bombardeada por los alemanes en la segunda guerra mundial. Algunos de los principales hitos de Dover son su castillo, un faro romano y una antigua iglesia-fortaleza. Dover es un importante puerto de pasajeros y famoso por los abruptos acantilados de caliza blanca de su litoral.

Dover, estrecho de ver paso de CALAIS

Dover, tratado de (1670). Pacto entre CARLOS II de Inglaterra y LUIS XIV por el que Carlos prometió apoyar la política de Francia en Europa a cambio de un subsidio francés que lo liberaría de su dependencia financiera del parlamento. En realidad, hubo dos tratados: uno secreto, concerniente a la conversión de Inglaterra a la fe católica (que nunca se materializó), y otro formal, relativo a una alianza militar y naval anglofrancesa con el fin de subyugar las Provincias Unidas de los Países Bajos.

Dow Chemical Co. Empresa petroquímica estadounidense, líder en la fabricación de productos químicos y farmacéuticos, bienes de consumo, pinturas, y muchos otros productos de uso industrial y doméstico. Fue fundada en 1897 por el químico HERBERT H. DOW, inicialmente como una planta de blanqueado para usar los desechos producidos por la empresa Midland Chemical Co. En 1900 se constituyó en sociedad con Midland Chemical y Dow Process Co. Forman parte de los productos de Dow una amplia gama de metales y productos químicos industriales, plásticos y materiales de envasado, bioproductos como gas mostaza, NAPALM, AGENTE NARANJA, implantes mamarios de silicona, aspirina, envoltorios plásticos y espuma de poliestireno.

Planta de la Dow Chemical Co. en Freeport, Texas, EE.UU.
FOTOBANCO

Dow, Herbert H(enry) (26 feb. 1866, Belleville, Ontario, Canadá–15 oct. 1930, Rochester, Minn., EE.UU.). Inventor y fabricante estadounidense. Después de estudiar en la escuela universitaria en Cleveland, desarrolló y patentó métodos electrolíticos (el proceso Dow) para extraer BROMO de salmueras (soluciones acuosas concentradas de sales). En 1895 fundó la empresa DOW CHEMICAL CO. para electrolizar salmueras con el fin de extraer CLORO, el que era usado en insecticidas. Fue el primer productor estadounidense de YODO (que también extrajo de salmueras). Posteriormente obtuvo unas 65 patentes; su empresa llegó a ser una de las líderes en el mundo en fabricación química.

Dow Jones, promedio Promedio del precio de las ACCIONES calculado por Dow Jones & Co. Esta empresa, fundada en 1882 por Charles H. Dow (n. 1851–m. 1902) y Edward D. Jones

(n. 1856–m. 1920), empezó a publicar el *Wall Street Journal* en 1889 y a calcular un índice promedio industrial diario en 1897. Dow Jones publica promedios basados en 20 acciones de transportes, 15 acciones de servicios básicos y 30 acciones industriales elegidas, además de un promedio compuesto de los tres sectores. Tanto los inversionistas estadounidenses como extranjeros en todo el mundo utilizan el índice promedio industrial. La empresa también publica varios promedios de BONOS. Ver también BOLSA DE COMERCIO; NASDAQ.

Dowland, John (1562/63, Westminster, Londres, Inglaterra–21 ene. 1626, Londres). Compositor y laudista inglés. Educado en Oxford, en 1594 se le negó un cargo en la corte y, creyendo que la causa era su catolicismo adoptivo, emigró a Europa continental. Ahí viajó profusamente y consiguió un puesto en la corte danesa. En 1612, cuando sus composiciones lo habían llevado a la fama, fue finalmente nombrado laudista en la corte inglesa. Publicó tres recopilaciones de canciones, que comprenden unas 90 obras para laúd solo y 80 canciones con participación de este instrumento, entre ellas, "Come again, sweet love does now endite", "Flow my tears" y "Weep you no more, sad fountains". Su *Lachrimae* es una recopilación para conjunto de viola da gamba y laúd.

Down Distrito (pob., est. 1999: 63.800 hab.) de Irlanda del Norte. Antes fue parte del condado de Down, pero se estableció como distrito en 1973, cuya capital es DOWNPATRICK. Está frente al lago Strangford y al mar de IRLANDA. El extremo sur y occidental de Down es montañoso; los montes Mourne, con su forma de cúpula, alcanzan una altura de 850 m (2.789 pies). Es un próspero distrito agrícola en que se destaca la ganadería. Ha estado habitada desde la prehistoria. En este lugar comenzó su misión en Irlanda san PATRICIO (432 DC). En tiempos de los Tudor, algunos sectores de Down fueron colonizados por aventureros ingleses y escoceses.

Down, síndrome de *o* **trisomía 21** TRASTORNO CONGÉNITO causado por un CROMOSOMA extra (trisomía) en el par de cromosoma 21. Las personas con el síndrome suelen tener cara ancha y aplanada; ojos oblicuos, frecuentemente con pliegues epicánticos (de ahí su denominación anterior, mongolismo); retardo mental (por lo general moderado); malformaciones cardíacas o renales; y un patrón anómalo de las impresiones dactilares. Muchas personas con síndrome de Down pueden vivir y trabajar en forma independiente o en un ambiente protegido. Sin embargo, envejecen prematuramente y tienen una esperanza de vida reducida (55 años). El riesgo de tener un niño con este trastorno aumenta con la edad de la madre; puede ser detectado en el feto mediante AMNIOCENTESIS.

Downpatrick Ciudad (pob., 1991: 10.113 hab.), capital del distrito de Down en Irlanda del Norte. Está situada en el extremo sudoeste del lago Strangford. Originalmente fue un baluarte de los MacDunleary y fue sitiada en 1177 por un aventurero anglonormando llamado John de Courci, quien la utilizó de cuartel general hasta 1203. Según se cree, san PATRICIO está sepultado en la catedral de Downpatrick.

Doyle, Arthur Conan ver Arthur CONAN DOYLE

Dr. Johnson ver Samuel JOHNSON

Draa, río Río del sudoeste de Marruecos. Nace de dos afluentes en los montes ATLAS y fluye hacia el sur para formar gran parte de la frontera entre Marruecos y Argelia antes de desembocar en el océano Atlántico cerca del cabo de Draa. Aunque es el río más largo de Marruecos (1.100 km [700 mi] de largo), tiene un flujo intermitente excepto en su curso superior.

Drabble, Margaret (n. 5 jun. 1939, Sheffield, Yorkshire, Inglaterra). Novelista inglesa. Se graduó en la Universidad de Cambridge. Entre sus novelas se cuentan *La piedra del molino*

(1966), *El reino de oro* (1975), *El camino radiante* (1987) y *Las puertas de marfil* (1991). También ha escrito biografías literarias (tal como su esposo, Michael Holroyd) y otros estudios literarios, además de editar el *Oxford Companion of English Literature* [Antología de literatura inglesa Oxford] (1985). Es hermana de A.S. BYATT.

dracena Cualquiera de unas 50–80 especies de plantas ornamentales de follaje que conforman el género *Dracaena*, de la familia de las AGAVÁCEAS, inicialmente originarias de los trópicos del Viejo Mundo. La mayoría tiene tallos cortos y hojas angostas ensiformes; algunas poseen tallos más altos y son arboriformes. Sus florecillas son rojas, amarillas o verdes. Por lo general, *D. sanderiana* y *D. fragrans* se cultivan como plantas de interior. El árbol dragón ornamental (*D. draco*) de las islas Canarias da frutos anaranjados. Su tronco contiene una goma roja, conocida como sangre de dragón, que antiguamente se utilizaba en medicamentos.

Dracena (género *Dracaena*).
B. ALFIERI—NATURAL HISTORY PHOTOGRAPHIC AGENCY/EB INC.

Dracón (floreció s. VII AC). Legislador ateniense. Prácticamente nada se sabe de su vida. Su estricto código legal (621 AC) castigaba la mayoría de los delitos, incluso los más triviales, con la muerte. Sus leyes fueron derogadas por SOLÓN, que conservó sólo las referentes al homicidio.

dragón Monstruo legendario generalmente representado como un enorme lagarto con alas de murciélago que exhala fuego o como una serpiente con una cola armada de púas. El dragón simbolizaba el mal en el Medio Oriente antiguo y el dios egipcio Apepi era la gran serpiente del mundo de las tinieblas. Griegos y romanos los representaban a veces como criaturas maléficas y en otras ocasiones como fuerzas benéficas familiarizadas con los secretos de la Tierra. En el cristianismo, el dragón era símbolo del pecado y el paganismo y algunos santos como san JORGE fueron representados triunfando sobre aquel. Usados como emblemas bélicos en muchas culturas, eran tallados en las proas de las naves nórdicas y pintados en las enseñas reales en la Inglaterra medieval. En el Lejano Oriente, el dragón era una criatura benéfica y, aunque sin alas, era considerada una fuerza del aire. En China simbolizaba el yang en el YIN-YANG de la cosmología y sería el emblema de la familia real.

dragón En la Europa de finales del s. XVI, soldado montado que peleaba como miembro de la caballería ligera en el ataque y como infante en la defensa. El término provenía de su arma, un MOSQUETE corto que en inglés era llamado *dragoon*. Los dragones estaban organizados por compañías, y sus oficiales ostentaban cargos de infantería. A partir del s. XVIII, la palabra dragón se refería a miembros de ciertos regimientos de caballería. En el ejército británico, el término todavía se aplica a ciertas unidades de reconocimiento blindadas.

dragón de Komodo El LAGARTO más grande viviente (*Varanus komodoensis*), un miembro de la familia Varanidae (ver VARANO). Viven en la isla de Komodo y en algunas islas vecinas de Indonesia. Llevados casi a la extinción, hoy están protegidos. Crecen hasta 3 m (10 pies) de largo, pesan hasta 135 kg (300 lb) y pueden vivir hasta 100 años. Cavan una madriguera de hasta 9 m (30 pies) de profundidad. Su dieta principal es la carroña, pero puede suceder que los adultos devoren a sus iguales más pequeños. Pueden correr velozmente y en ocasiones atacan y matan a seres humanos.

Dragón de Komodo (*Varanus komodoensis*).
JAMES A. KERN

Drake, ecuación de *o* **ecuación de Green Bank** Ecuación que, según se afirma, es capaz de entregar una estimación del número de civilizaciones en la VÍA LÁCTEA con capacidad técnica como para establecer una comunicación interestelar, como función de varios factores conducentes a la evolución de vida inteligente con capacidad tecnológica. Fue desarrollada principalmente por Frank D. Drake (n. 1930), en 1961, con ocasión de una conferencia SETI en Green Bank, W. V., EE.UU. De todas las estrellas que se forman en la Vía Láctea, sólo algunas tendrán en órbita planetas en los cuales sea posible la formación de la vida, y de aquellos planetas, sólo en algunos será posible que la vida alcance un nivel tecnológico apreciable, y que además tengan la capacidad para evitar que dicha tecnología cause su propia destrucción. Debido a que cada factor numérico en la ecuación no se conoce con certeza, el resultado final varía entre cero y varios millones.

Drake, paso Estrecho que comunica los océanos Atlántico y Pacífico entre TIERRA DEL FUEGO y las islas SHETLAND del Sur. Está situado a unos 160 km (100 mi) al norte de la península Antártida y tiene cerca de 1.000 km (600 mi) de ancho. En esta región, el clima varía de condiciones subpolares, frías y húmedas a glaciales, propias de la Antártida. Fue una ruta importante para el comercio durante los s. XIX y XX, pero sus tempestuosas y gélidas aguas hacían que el paso alrededor del cabo de HORNOS fuese una travesía difícil.

Drake, Sir Francis (c. 1540/43, Devonshire, Inglaterra–28 ene. 1596, frente a las costas de Portobelo, Panamá). Almirante inglés, el marino más renombrado de la era isabelina y azote de las posesiones españolas en América. Hijo de un aparcero, se embarcó a la edad de 13 años para escapar de la pobreza de su familia. Adquirió fama como marino destacado y se enriqueció gracias a sus incursiones en las colonias españolas. En

1577 dirigió una expedición a Sudamérica y otras regiones, por encargo de ISABEL I. Zarpó con cinco naves, pero finalmente sólo su barco insignia, el *Golden Hind*, cruzó el estrecho de Magallanes hacia el océano Pacífico, y recorrió luego las costas de América del Sur y del Norte; con posterioridad regresó al sur y ancló frente a la actual San Francisco (EE.UU.), donde reivindicó el territorio para la reina Isabel. Navegó hacia el oeste hasta Filipinas y alrededor del cabo de Buena Esperanza, y regresó a Plymouth, Inglaterra, en 1580 cargado de tesoros. Fue el primer capitán que navegó su propio barco alrededor del mundo y el primer inglés en navegar los

Sir Francis Drake, pintura al óleo por un artista desconocido; National Portrait Gallery, Londres.
GENTILEZA DE LA NATIONAL PORTRAIT GALLERY, LONDRES.

océanos Pacífico, Índico y Atlántico sur. En 1581 fue ordenado caballero y designado alcalde de Plymouth. Nombrado vicealmirante (1588), tuvo un papel crucial en la derrota de la ARMADA INVENCIBLE española y se convirtió en héroe de Inglaterra, alcanzando una popularidad que no tuvo parangón hasta la época de HORATIO NELSON, más de 200 años después. En su último viaje a las Indias Occidentales, murió de fiebre y se le dio sepultura en el mar.

Drakensberg *zulú* **Kwathlamba** Cadena montañosa en el sur de África. Alcanza alturas de 3.475 m (11.400 pies) y se extiende en dirección sudoeste a nordeste en LESOTHO y en el sudeste de Sudáfrica, separando las extensas mesetas del interior de los territorios bajos a lo largo de la costa. Es un área de muchas reservas de caza y parques nacionales.

drakkar *o* **barco vikingo** Embarcación de vela y remo muy usada en Europa del norte por más de 1.500 años. Era una GALERA de 14 a 23 m (45–75 pies) con hasta 10 remos a cada lado, una vela cuadrada, y una capacidad de 50 a 60 hombres. Con igual terminación de proa en ambos extremos, y construida con planchas traslapadas, era excepcionalmente firme en alta mar. Se han encontrado restos con data tan antigua como 300 AC. El drakkar transportó a los vikingos en sus incursiones de piratería del s. IX, y en el año 1000 condujo a LEIF ERIKSON a América. También fue usado como barco de guerra y mercante por holandeses, franceses, ingleses y alemanes.

Segmento de la cadena montañosa Drakensberg conocido como Cathedral Peak, Sudáfrica.
GERALD CUBITT

Drakkar, embarcación vikinga zarpando desde Escandinavia rumbo a Europa occidental, s. VIII.
FOTOBANCO

drama de tesis *o* **drama de discusión** Tipo de drama que se desarrolló en el s. XIX para tratar de manera realista temas sociales controvertidos, denunciar males sociales y estimular el pensamiento y el debate. Las obras magistrales de HENRIK IBSEN, en las cuales se denuncian la hipocresía, la codicia y la corrupción oculta de una sociedad, son ejemplos de este tipo de drama. Su influencia alentó a otros a usar esta forma dramática. GEORGE BERNARD SHAW la llevó a su cima intelectual en sus obras teatrales con sus largos e ingeniosos prefacios. Ejemplos más recientes de esta tendencia son los trabajos de SEAN O'CASEY, ATHOL FUGARD, ARTHUR MILLER y AUGUST WILSON.

drama doméstico *o* **drama intimista** Drama cuyos personajes son gente común. Este estilo de drama contrasta con la tragedia clásica, en la cual los personajes principales pertenecían a la realeza o a la aristocracia. Un primer drama doméstico fue *A Warning for Faire Women* (1599), que trata del asesinato de un mercader a manos de su esposa. Este estilo dramático se hizo popular a mediados del s. XVIII y alcanzó su madurez en el s. XIX con las tragedias burguesas de HENRIK IBSEN. GERHART HAUPTMANN, EUGENE O'NEILL y ARTHUR MILLER escribieron importantes dramas domésticos durante el s. XX.

drama histórico Obra teatral cuyo tema es histórico y que suele tomar el pasado como una enseñanza para el presente. Los dramas históricos se desarrollaron a partir de las MORALIDADES de la Edad Media, y florecieron en tiempos de fervor nacionalista, como en Inglaterra entre 1580 y 1630, con obras como *The Victories of Henry the Fifth* y *The True Tragedie of Richard III*. Este género dramático alcanzó su mayor desarrollo con *Eduardo II* de CHRISTOPHER MARLOWE y *Enrique VI* de WILLIAM SHAKESPEARE.

drama intimista ver DRAMA DOMÉSTICO

drama litúrgico Obra que se representaba en la iglesia o en sus alrededores en la Edad Media. Esta forma data probablemente del s. X. Durante la misa de Pascua de Resurrección la sección del "Quem quaeritis" ("A quién buscas") era representada como una escena breve. Con el tiempo, estas representaciones comenzaron a prolongarse y a relatar historias bíblicas (particularmente, las de Pascua de Resurrección y de Navidad). El drama litúrgico prosperó en los s. XII–XIII. En general, los diálogos en latín eran expresados en sencillos cánticos. En el s. XVI todavía se escribían dramas litúrgicos, pero el vínculo con la iglesia finalizó cuando las representaciones quedaron bajo patrocinio laico y comenzaron a ser interpretadas en lenguas vernáculas. Ver también MILAGRO; MORALIDADES; MISTERIOS.

Draper, Charles Stark (2 oct. 1901, Windsor, Mo., EE.UU.–25 jul. 1987, Cambridge, Mass.). Ingeniero aeronáutico estadounidense. Enseñó en el MIT a partir de 1935, donde desarrolló una mira para CAÑONES ANTIAÉREOS que fue instalada en la mayoría de los buques de guerra de EE.UU. en la segunda guerra mundial. Su sistema de guía inercial, llamado equipo de referencia inercial espacial, permitía que aviones, submarinos y misiles balísticos viajasen miles de millas hacia su destino sin apoyo de medios externos de navegación, tales como la radio o las posiciones de cuerpos celestes. Su grupo en el MIT desarrolló también sistemas de guía para el programa APOLO. Se lo conmemora en el premio anual Charles Stark Draper por logros en ingeniería.

Drava, río *o* **río Drave** *alemán* **Drau** Río del centro-sur de Europa. Nace en los Alpes cárnicos y fluye hacia el este, a través de Austria, discurre por el valle del Drava, de forma longitudinal, el más largo de los ALPES. En su recorrido hacia el sudeste, pasa por Eslovenia y es parte de la frontera entre Croacia y Hungría. El Drava mide 719 km (447 mi) de largo y es uno de los afluentes más importantes del DANUBIO. Su valle fue el principal punto de entrada de los invasores hacia los países alpinos.

dravídicas, lenguas Familia de 23 lenguas autóctonas, habladas principalmente en Asia meridional por más de 210 millones de personas. Las cuatro principales lenguas dravídicas del sur de India –TELUGU, TAMIL, KANNADA y MALAYALAM– tienen escrituras independientes y una bien documentada y larga historia. Estas cuatro lenguas son habladas por la gran mayoría de los hablantes de las lenguas dravídicas, y forman la base lingüística de los estados de Andhra Pradesh, Tamil Nadu, Karnataka y Kerala. Todas ellas tienen numerosos préstamos lingüísticos del SÁNSCRITO. La única lengua dravídica que se habla totalmente fuera de India es el brahui, por algo menos de dos millones de hablantes, de preferencia en Pakistán y Afganistán. Entre las lenguas dravídicas, el tamil tiene la mayor extensión geográfica y la literatura más rica y más antigua, lo que encuentra paralelo en India sólo en la literatura del sánscrito. Se estima que la familia dravídica, que no tiene afinidad comprobada con otras familias de lenguas, cubrió una zona mucho más extensa de Asia meridional antes de que se extendieran las lenguas INDOARIAS y constituyó la fuente de préstamos lingüísticos realizados por los primeros dialectos de esta lengua.

Dreadnought, HMS ACORAZADO británico, botado en 1906, que estableció el modelo para los buques de guerra que dominaron las marinas del mundo durante los siguientes 35 años. Estaba equipado exclusivamente con cañones grandes, porque las recientes mejoras en artillería naval habían hecho innecesario estar preparado para combate a corta distancia. Propulsado por turbinas de vapor, en vez de los motores de vapor a pistón comunes en la época, navegaba a una velocidad récord de 21 nudos. Desplazaba 16.300 Tm (18.000 t), tenía un largo de 160 m (526 pies) y llevaba una tripulación de alrededor de 800 personas. Al estallar la primera guerra mundial ya había sido superado por los "superdreadnoughts", más veloces y equipados de cañones más grandes. Fue puesto en reserva en 1919, y desguazado en 1923.

Dred Scott, sentencia *ofic.* **Dred Scott v. Sandford** Sentencia dictada por la Corte Suprema de los ESTADOS UNIDOS DE AMÉRICA en 1857 que legalizó la esclavitud en todos los territorios del país. Scott era un esclavo cuyo amo lo había trasladado desde un estado que reconocía la esclavitud (Missouri) a un estado y territorio libres y luego lo había llevado de regreso a Missouri. Scott demandó su libertad en Missouri en 1846, sosteniendo que el hecho de haber residido en un estado y territorio libres lo hacía libre. El presidente de la Corte, ROGER B. TANEY, señaló en su voto que Scott carecía de los derechos propios de un ciudadano estadounidense y que, de hecho, no tenía "ninguno de los derechos que un hombre blanco está obligado a respetar". Taney y otros seis magistrados declararon que el compromiso de MISSOURI era nulo por inconstitucional, y sostuvieron que el congreso carecía de atribuciones para prohibir la esclavitud en los territorios (ver DERECHOS DE LOS ESTADOS). Esta sentencia, que fue una clara victoria para los estados del sur de EE.UU., incrementó la oposición a la esclavitud en el norte, fortaleció al nuevo PARTIDO REPUBLICANO, y fomentó las luchas locales que llevaron a la guerra en 1861.

Dreiser, Theodore (Herman Albert) (27 ago. 1871, Terre Haute, Ind., EE.UU.–28 dic. 1945, Hollywood, Cal.). Novelista estadounidense. Hijo de un matrimonio de inmigrantes alemanes pobres, Dreiser abandonó su hogar a los 15 años y se trasladó a Chicago. Allí trabajó como periodista, y en 1894 se mudó a Nueva York, donde tuvo una carrera exitosa como director de revistas y editor. Su primera novela, *Nuestra hermana Carrie* (1900), acerca de una joven mujer mantenida cuyas transgresiones quedan impunes, fue denunciada como escandalosa.

Theodore Dreiser.
THE GRANGER COLLECTION, NUEVA YORK

Sus novelas siguientes confirmarían su reputación de ser el representante estadounidense más destacado del NATURALISMO. Tras el éxito de *Jennie Gerhardt* (1911), se dedicó a escribir a tiempo completo, y produjo una trilogía compuesta por *El Financiero* (1912), *The Titan* (1914) y *El estoico* (publicado en

1947), a la que siguió *El genio* (1915) y su continuación, *El baluarte* (publicado en 1946). *Una tragedia americana* (1925), basada en un juicio por asesinato, lo convirtió en un héroe para los reformistas sociales. El libro sirvió de base para una película con el mismo título en 1931 y para otra película titulada *A Place in the Sun* [Un lugar al sol] en 1951.

Vista de Dresde, Alemania, a orillas del río Elba; destaca el palacio Zwinger, al centro.
GERD SCHNUERER/PHOTOGRAPHER'S CHOICE/GETTY IMAGES

Dresde *alemán* **Dresden** Ciudad (pob., 2002: 478.600 hab.) del este de Alemania, situada a orillas del río Elba. En sus orígenes fue un asentamiento eslavo y luego, la residencia de los margraves de Meissen a comienzos del s. XIII. La industria de porcelana translúcida de Dresde se originó allí, pero se trasladó a Meissen en 1710 (ver porcelana de MEISSEN). NAPOLEÓN I hizo de Dresde un centro de operaciones militares y ganó ahí su última gran batalla en 1813. Más tarde fue ocupada por Prusia, en 1866. Durante la segunda guerra mundial resultó seriamente dañada por los bombardeos aliados en 1945. Varios de sus edificios históricos se han restaurado o reconstruido. Es conocida por sus galerías de arte, museos y otras instituciones culturales. Las industrias producen artículos de alta tecnología como instrumentos ópticos y de precisión.

Dresde, códice de *latín* **Codex Dresdensis** Uno de los pocos códices MAYAS precolombinos que sobrevivieron a la quema de libros efectuada por los clérigos españoles. Contiene cálculos astronómicos excepcionalmente precisos, como tablas para predecir ECLIPSES y el PERÍODO SINÓDICO de Venus. La reputación de los mayas como astrónomos está apoyada fuertemente en estos cálculos.

Drew, Charles Richard (3 jun. 1904, Washington, D.C., EE.UU.–1 abr. 1950, cerca de Burlington, N.C.). Médico y cirujano estadounidense. Obtuvo su Ph.D. en la Universidad de Columbia. Mientras investigaba sobre las propiedades y la preservación del plasma sanguíneo, desarrolló formas eficientes para procesar y almacenar plasma en bancos de sangre. Dirigió hasta 1942 los programas de sangre y plasma de EE.UU. y Gran Bretaña en la segunda guerra mundial. Siendo un afroamericano, renunció a causa de la segregación de la sangre para negros y blancos en los bancos de sangre.

Drew, Daniel (29 jul. 1797, Carmel, N.Y., EE.UU.–18 sep. 1879, Nueva York). Financista estadounidense de ferrocarriles. En 1844 fundó Drew, Robinson & Co., una empresa de corretaje de Wall Street que se transformó en una de las principales operadoras bursátiles de acciones ferroviarias en EE.UU. La "Guerra de Erie" en 1866–68 –en que Drew se unió a JAY GOULD y JAMES FISK para luchar contra CORNELIUS VANDERBILT por el control de Erie Railroad Co.– lo llevó finalmente a la ruina, por lo que solicitó la quiebra en 1876.

Drew, familia Familia teatral estadounidense. Louisa Lane (posteriormente, Louisa Lane Drew; n. 1820–m. 1897) comenzó su carrera a los ocho años de edad en Filadelfia, ciudad donde arribó junto a su madre viuda desde Inglaterra. Entre sus muchos papeles exitosos se cuentan Lady Teazle, la Sra. Malaprop y roles masculinos como Romeo y Marco Antonio de Shakespeare. En 1850 se casó con el actor cómico irlandés John Drew (n. 1827–m. 1862), quien debutó en EE.UU. en 1842 y codirigió el Arch Street Theatre en Filadelfia. Mientras él realizaba giras, ella administró con gran éxito la rebautizada compañía Mrs. John Drew's Arch Street desde 1861 hasta 1892. John Drew, Jr. (n. 1853–m. 1927), hijo de ambos, debutó en 1873 en la compañía teatral de su madre; luego trabajó en las compañías de Augustin Daly (n. 1838–m. 1899) y Charles Frohman (n. 1860–m. 1915). Se destacó por sus papeles en comedias shakesperianas, en dramas costumbristas y comedias ligeras. La hermana de John Jr., Georgiana Emma Drew (n. 1854–m. 1893), debutó como actriz en la compañía de su madre (1872). Se casó con el actor Maurice Barrymore y fue la madre de los actores Lionel, Ethel y John Barrymore (ver familia BARRYMORE).

Drexel, santa Catalina (26 nov. 1858, Filadelfia, Pa., EE.UU.–3 mar. 1955, Cornwells Heights, Pa.; canonizada el 1 oct. 2000; festividad: 3 de marzo). Misionera estadounidense. Sobrina del banquero y filántropo Anthony J. Drexel, heredó una gran fortuna, la que destinó para fundar instituciones de caridad. Construyó escuelas misioneras en Minnesota, Dakota del Sur, Wyoming y Nuevo México, y en 1887 el papa LEÓN XIII le pidió que se convirtiera en misionera. En 1891 fundó las Hermanas del Santísimo Sacramento, congregación de monjas misioneras dedicadas a la asistencia social de nativos y afroamericanos. Fundó varias escuelas para los estudiantes de minorías, así como la Universidad Xavier en Nueva Orleans (1915). Fue canonizada en 2000.

Dreyer, Carl Theodor (3 feb. 1889, Copenhague, Dinamarca–20 mar. 1968, Copenhague). Director de cine danés. Comenzó en la industria del cine como escritor de intertítulos para películas mudas, y después se convirtió en guionista y editor. Su estreno como director cinematográfico fue con *El presidente* (1919). Dirigió otros largometrajes y en 1928 realizó su más célebre película muda, *La pasión de Juana de Arco*. Creó un novedoso estilo de dirección basado en extensos primeros planos y en el uso de ambientaciones reales. Otros de sus filmes son: *Vampyr* (1932), la celebrada *Dies Irae* (1943), *La palabra* (1955) y *Gertrud* (1964).

Carl Dreyer.
GENTILEZA DEL MUSEUM OF MODERN ART FILM STILLS ARCHIVE, NUEVA YORK

Dreyfus, Alfred (19 oct. 1859, Mulhouse, Francia–12 jul. 1935, París). Oficial del ejército francés que protagonizó el caso (*l'Affaire*) Dreyfus. Hijo de un empresario textil judío, estudió en la escuela politécnica y luego ingresó al ejército, donde ascendió al rango de capitán (1889). Estaba asignado para el ministerio de guerra cuando, en 1894, fue acusado de alta traición por espionaje militar al servicio de Alemania. Fue declarado culpable y sentenciado a cadena perpetua en la isla del Diablo, Guayana Francesa. El proceso legal, basado en pruebas insuficientes, fue muy irregular, pero la opinión pública y la prensa francesa, encabezada por virulentos sectores antisemitas, recibieron con entusiasmo el veredicto. Las dudas comenzaron a surgir cuando hubo pruebas suficientes que apuntaban a C. F. Esterhazy (n. 1847–m. 1923) como el verdadero traidor. El movimiento en favor de la revisión del juicio alcanzó su culminación cuando ÉMILE ZOLA escribió una carta abierta titulada "J'Accuse", acusando al ejército de encubrir sus errores cometidos en el proceso. Una nueva corte marcial (1899) reiteró su culpabilidad, tras lo cual el presidente de la república lo indultó en un esfuerzo por resolver el caso. En 1906 un tribunal civil de apelaciones lo absolvió, anulando las condenas anteriores. Formalmente reintegrado al ejército, fue condecorado con la Legión de Honor y ascendido a comandante. Más tarde sirvió durante la primera guerra mundial. El caso Dreyfus tuvo como consecuencia la separación de la Iglesia y el Estado en 1905.

Dreyfuss, Henry (2 mar. 1904, Nueva York, N.Y., EE.UU.–5 oct. 1972, South Pasadena, Cal.). Diseñador industrial estadounidense. Comenzó diseñando escenografías para el teatro de Broadway a los 17 años de edad, y en 1929 abrió su primera oficina de diseño industrial. Los laboratorios Bell Telephone lo contrataron para diseñar una serie de teléfonos en la década de 1930. Entre otros de sus diseños notables se cuenta el interior del transatlántico *Independence*. Fue pionero del diseño ergonómico. Publicó varios libros explicando sus métodos, como *Diseño popular* (1955, 1967).

dríade En la mitología GRIEGA, NINFA de los árboles. Las dríades eran originalmente espíritus de los robles (*drys*: "roble"), pero el nombre se aplicó luego a las ninfas de todos los árboles. Eran espíritus de la naturaleza que adoptaban la forma de hermosas jóvenes y se creía que vivían tanto como los árboles que habitaban.

dril MONO (*Mandrillus leucophaeus*, familia Cercopithecidae) grande, de cola corta. Mientras que antiguamente se le encontraba desde Nigeria hasta Camerún, ahora sólo habita remotas regiones selváticas de Camerún debido a la caza y la deforestación. Tal como su afín el MANDRIL, el dril es corpulento y sus nalgas son de colores vivos. El macho mide unos 82 cm (32 pulg.) de largo y su cara es negra. Su labio inferior es rojo brillante, los pelos alrededor de la cara y un mechón detrás de las orejas son blanco amarillento y el resto del pelaje es pardo oliva. Es omnívoro, principalmente terrestre, gregario y vigoroso, y puede pelear con ferocidad si es molestado.

Drina, río Río de los Balcanes centrales, en el sudeste de Europa. Nace de la confluencia de los ríos Tara y Piva, y su curso fluye 459 km (285 mi) hacia el norte hasta unirse al SAVA. Su curso superior atraviesa estrechos cañones, mientras que su curso inferior es más ancho. El Drina constituye una gran parte de la frontera que separa Bosnia y Herzegovina de Serbia y Montenegro.

driopitecino Cualquier miembro del género *Dryopithecus*, un grupo de animales extintos parecidos al SIMIO. Las especies son representativas de un grupo de simios generalizados que incluye los antepasados de los simios modernos y de los seres humanos. Los materiales fragmentarios hallados en un área muy vasta, incluida Europa, África y Asia, han sido atribuidos a otros grupos, pero probablemente son restos de *Dryopithecus*. Los driopitecinos se encuentran como fósiles en depósitos del mioceno y plioceno (23,8–1,8 millones de años de antigüedad) y aparentemente se originaron en África. Se conocen varias formas distintas: pequeñas, medianas y grandes (del tamaño del GORILA). Los driopitecinos carecían de la mayoría de las especializaciones que distinguen a los simios modernos de los seres humanos.

droga *o* **medicamento** Cualquier agente químico que afecta las funciones de los seres vivos. Algunas drogas, como ANTIBIÓTICOS, ESTIMULANTES, TRANQUILIZANTES, ANTIDEPRESIVOS, ANALGÉSICOS, NARCÓTICOS y HORMONAS, tienen efectos generalizados. Otras, como LAXANTES, estimulantes cardíacos, ANTICOAGULANTES, DIURÉTICOS y ANTIHISTAMÍNICOS, actúan sobre sistemas específicos. Algunas veces las VACUNAS se consideran drogas. Las drogas pueden proteger contra organismos atacantes (matándolos, deteniendo su reproducción o bloqueando sus efectos sobre el huésped), sustituir una sustancia que falta o que es defectuosa en el cuerpo, o interrumpir un proceso anormal. Una droga se debe unir con los receptores dentro o sobre las células, y no puede actuar si los receptores están ausentes o su configuración no se ajusta a la de ellas. Las drogas pueden ser suministradas en forma oral, por inyección, por inhalación, por vía rectal o a través de la piel. El catálogo de drogas más antiguo que existe es una tablilla de piedra de la antigua Babilonia (c. 1700 AC); la era de la droga moderna comenzó en 1928 cuando fueron descubiertos los antibióticos. Las versiones sintéticas de las drogas naturales llevaron a diseñar drogas basadas en la estructura química. Las drogas deben ser no sólo efectivas sino seguras; los efectos colaterales pueden estar en un rango que va desde superficiales hasta peligrosos (ver INTOXICACIÓN MEDICAMENTOSA). Muchas drogas ilegales también tienen usos médicos (ver COCAÍNA; HEROÍNA; DROGADICCIÓN). Ver también FARMACIA; FARMACOLOGÍA; RESISTENCIA A LAS DROGAS.

droga de diseño Versión sintética de una sustancia narcótica controlada. Las drogas de diseño a menudo son sintetizadas por primera vez en un intento de crear un producto químico cuya estructura molecular difiera sólo un poco de la estructura de alguna sustancia controlada conocida, pero cuyos efectos sean esencialmente los mismos. Debido a la diferencia en la estructura molecular, la droga de diseño por lo general no está, como la sustancia controlada, registrada como ilícita en forma específica por las autoridades. Muchas drogas de diseño son fabricadas en laboratorios clandestinos por aficionados; por esta razón algunas veces son más peligrosas que las drogas que buscan reemplazar. Una de las más conocidas es MDMA (3,4-metilendioximetanfetamina), una variedad de metanfetamina, llamada popularmente ÉXTASIS. Compuestos químicos sintéticos no narcóticos, diseñados para interactuar con determinadas proteínas y enzimas para combatir enfermedades, también han sido llamados droga de diseño.

Palacio y jardines de Drottningholm, cerca de Estocolmo, declarado Patrimonio de la Humanidad por la UNESCO en 1991.
ADINA TOVY/ROBERT HARDING WORLD IMAGERY/GETTY IMAGES

drogadicción *o* **dependencia de drogas** Dependencia física y/o psicológica de una sustancia psicoactiva (que afecta mentalmente, p. ej., alcohol, NARCÓTICOS, NICOTINA), definida como su uso continuado a pesar de saber que la sustancia es dañina. La dependencia física se produce cuando el cuerpo desarrolla tolerancia a una droga, requiriendo dosis crecientes para alcanzar el efecto deseado y evitar los síntomas de privación. La dependencia psicológica puede tener más relación con la forma de ser de la persona; algunos pueden tener tendencia genética a la adicción. Las adicciones más comunes son al alcohol (ver ALCOHOLISMO), BARBITÚRICOS, TRANQUILIZANTES y ANFETAMINAS, también a estimulantes como nicotina y CAFEÍNA. El tratamiento inicial (desintoxicación) debe ser realizado bajo supervisión médica. La psicoterapia individual y grupal son esenciales. ALCOHÓLICOS ANÓNIMOS y otros grupos similares de apoyo pueden aumentar la tasa de éxito de otras estrategias. Los primeros pasos necesarios son admitir la adicción y tener el propósito de superarla.

drogas, envenenamiento por ver INTOXICACIÓN MEDICAMENTOSA

drosófila Cualquier miembro de unas 1.000 especies del género DÍPTERO *Drosophila*, comúnmente conocidas como MOSCAS DE LA FRUTA, pero también llamadas moscas del vinagre.

Algunas especies, en particular *D. melanogaster*, se utilizan muchísimo en laboratorios para experimentos en genética y evolución, porque son fáciles de criar y tienen un ciclo vital breve (menos de dos semanas a temperatura ambiente). Se han recopilado más datos sobre la genética de la *Drosophila* que sobre cualquier otro animal. En estado silvestre, sus larvas viven en frutas en vías de putrefacción o dañadas, o en hongos o flores carnosas.

Droste-Hülshoff, Annette, baronesa de *orig.* **Anna Elisabeth Franziska Adolphine Wilhelmine Louise Maria, Freiin von Droste zu Hülshoff** (10 ene. 1797, Schloss Hülshoff, cerca de Münster, Westfalia–25 may. 1848, Meersburg, Baden). Escritora alemana. Una de las grandes poetisas germanas. Incursionó en la lírica religiosa, particularmente *Das geistliche Jahr* [El año espiritual] (1851), pero es más conocida por sus poemas evocativos y detallados sobre su Westfalia natal. Sus relatos son considerados precursores de los cuentos realistas del s. XIX. Su única obra completa en prosa, *El haya de los judíos* (1842), es el estudio psicológico de un aldeano que asesina a un judío.

Drottningholm, palacio de Palacio real, cerca de Estocolmo, Suecia. Fue diseñado por Nicodemus Tessin (n. 1615–m. 1681) y construido entre 1662 y 1686. Su planta, jardines e interior muestran influencias del barroco francés, pero también tiene elementos clásicos italianos y está coronado por un techo *sateri* nórdico. En la década de 1760 se construyó un teatro adyacente al edificio, el que se conserva como museo teatral con sus escenografías y tramoya originales. El palacio fue en un tiempo la residencia de verano de la familia real sueca.

Druentia ver río DURANCE

druida Entre los antiguos pueblos celtas, miembro de una clase letrada de sacerdotes, maestros y jueces. Instruían a los jóvenes, dirigían sacrificios, arbitraban disputas e imponían castigos. Estaban eximidos de ir a la guerra y no pagaban tributos. Estudiosos de la poesía antigua, filosofía natural, astronomía y religión, su doctrina principal era la creencia en la inmortalidad y la transmigración de las almas. Algunas veces practicaban sacrificios humanos para sanar a personas gravemente enfermas o para proteger a los guerreros en combate. En el s. I DC fueron dominados por los romanos en la Galia y en Britania poco después. En Irlanda perdieron sus funciones sacerdotales después de la llegada del cristianismo, pero subsistieron como poetas, historiadores y jueces. Ver también religión CELTA.

Drummond (de Andrade), Carlos (31 oct. 1902, Minas Gerais, Brasil–17 ago. 1987, Río de Janeiro). Poeta, periodista, autor de crónicas y crítico literario brasileño, considerado uno de los grandes poetas del Brasil contemporáneo. Después de licenciarse en farmacia, en 1925, se dedicó a la poesía uniéndose al grupo de modernistas brasileños. Su experimentación con la forma poética y el trato, a menudo irónico, de temas realistas reflejaron su preocupación por la crisis del hombre moderno. Colaboró en el *Diário de Minas* y *Jornal do Brasil* durante 64 años. En 1928 publicó su poema "En el medio del camino", que causó gran conmoción en su época. En 1930 publicó su primer libro, *Alguna poesía*, y posteriormente *Brejo das almas* (1934), *Sentimiento del mundo* (1940), *Confesiones de Minas* (1944), *Poemas* (1951), *50 poemas escogidos por el autor* (1956), *Obra completa* (1964), *Versiprosa* (1967), *Caminos de João Brandão* (1970), *Amor, Amores* (1974) y 19 libros de poesía (1983).